VENIJN

Van Lisa Jackson verschenen eerder bij The House of Books:

Verloren zielen
De zevende doodzonde
Dochter van Lucifer
Slaap zacht

Lisa Jackson

VENIJN

the house of books

Oorspronkelijke titel
Malice
Uitgave
Kensington Books, New York
Published by arrangement with Kensington Publishing Corp. New York, New York, USA.

Vertaling
Pieter Verhulst
Omslagontwerp
Studio Jan de Boer BNO, Amsterdam
Omslagillustratie
Getty Images/Matthieu Spohn
Foto auteur
© Sigrid Estrada
Opmaak binnenwerk
ZetSpiegel Best

ISBN 978 90 443 2555 3
D/2010/8899/49
NUR 332

www.lisajackson.com
www.thehouseofbooks.com

Dankbetuiging

Er zijn veel mensen die ik wil bedanken voor hun deskundigheid en hulp bij het schrijven en publiceren van dit boek. Mijn speciale dank gaat uit naar Rosalind Noonan, collega-auteur en vriendin, voor haar onvermoeibare hulp, en naar de medewerkers van Kensington Publishing, voor hun geduld, vooral dat van mijn redacteur John Scognamiglio. En verder bedank ik, in willekeurige volgorde, Nancy Bush, Ken Bush, Matthew Crose, Niki Crose, Michael Crose, Larry Sparks, Ken Melum, Kelly Foster, Darren Foster en mijn literair agent Robin Rue.

Als ik iemand vergeten ben, dan is dat geen verrassing, maar aanvaard bij voorbaat mijn verontschuldigingen.

Noot van de schrijver

Ik weet dat ik gespeeld heb met de regels en procedures bij politieonderzoek, maar alleen om vaart in mijn verhaal te houden. Dit boek is geen afspiegeling van de echte politiediensten en procedures in Los Angeles, Californië en New Orleans, Louisiana.

Proloog

Culver City, een buitenwijk van Los Angeles
Twaalf jaar eerder

'Dus je komt vanavond niet thuis? Bedoel je dat?' Jennifer Bentz zat op de rand van het bed, de telefoonhoorn tegen haar oor gedrukt, en ze probeerde die al te vertrouwde strop van monogamie, rafelig en wurgend, te negeren.

'Waarschijnlijk niet.'

Haar ex, de grote communicator, bleef afstandelijk.

Niet dat ze hem echt verwijten maakte. Ze hadden een stroeve, maar soms ook gepassioneerde relatie. En zij was altijd 'de slechterik', of de 'overspelige', zoals ze over zichzelf dacht. Ook nu, terwijl de geur van recente seks haar neusgaten kietelde in de te warme slaapkamer, werd ze aan haar zonden herinnerd. Twee halfvolle glazen martini stonden naast een ijskoude cocktailshaker op het nachtkastje: het bewijs dat ze niet alleen was geweest.

'Wanneer dan?' vroeg ze. 'Wanneer kom je weer opdagen?'

'Morgen. Misschien.' Rick belde met zijn mobieltje vanuit een politieauto. Ze hoorde verkeersgeluiden op de achtergrond, en ze begreep dat hij ontwijkend en kortaf sprak omdat zijn collega achter het stuur de helft van het gesprek kon volgen.

Geweldig.

Ze probeerde het opnieuw. Ze begon zachter te praten. 'Zou het helpen als ik zeg dat ik je mis?'

Geen antwoord. Natuurlijk niet. Ze had hier de pest aan. De pathetisch jammerende echtgenote uithangen, smekend dat ze hem wilde zien. Dat was haar stijl niet. Helemaal niet. Het waren meestal de mannen die smeekten, en dat gaf haar een kick.

Vaag werd ze zich bewust van een zachte klik.

'RJ?'
'Ik heb je wel gehoord.'
Haar wangen gloeiden en ze keek even naar de lakens die verfrommeld bij het voeteneind van het bed een pastelkleurige hoop gekreukt katoen vormden.
O, god, hij weet het. De smaak van verraad was op haar lippen, maar ze moest het spel spelen: doen alsof ze onschuldig was. Hij zou toch niet vermoeden dat ze met een andere man was geweest, niet zo kort na de vorige keer. Ze was verbaasd over zichzelf.
Er was een kans dat hij blufte.
En toch...
Ze huiverde bij de gedachte aan zijn razernij. Ze speelde haar troefkaart uit. 'Kristi zal zich afvragen waarom je niet thuis bent. Ze stelt er al vragen over.'
'En wat zeg je dan tegen haar? De waarheid?' *Dat haar moeder haar benen niet bij elkaar kan houden?* Hij zei het niet, maar de veroordeling hing tussen hen in. Ze haatte dit. Als het niet om haar dochter, om hun dochter...
'Ik weet niet hoelang deze observatieklus gaat duren.'
Een makkelijke smoes. Haar bloed begon langzaam maar zeker te koken. 'Jij en ik weten allebei dat geen enkele rechercheur bij de politie de klok rond werkt.'
'Jij en ik weten zoveel dingen.'
In gedachten zag ze hem weer in de deuropening van de slaapkamer staan. Zijn gezicht in een grimas van woordeloos verwijt, terwijl ze in hun bed lag. Bezweet en naakt lag ze daar in de armen van een man, dezelfde man met wie ze eerder een relatie had: de biologische vader van Kristi. Rick greep meteen naar zijn dienstwapen, het pistool in de schouderholster, en een seconde lang voelde Jennifer echte doodsangst. IJzige paniek.
'Donder op!' had hij gecommandeerd, strak naar het tweetal starend. 'Godallemachtig, donder op uit mijn huis en kom nooit meer terug. Jullie allebei.'
Daarna draaide hij zich om, daalde de trap af en stapte naar buiten, zonder de deur achter zich dicht te smijten. Maar zijn woede was echt. Tastbaar. Jennifer had het er levend van afgebracht, maar ze was niet weggegaan. Dat kon ze niet.
Rick was niet teruggekomen. Ze hadden er zelfs geen ruzie over gemaakt. Hij verdween gewoon.

Hij weigerde te reageren op haar telefoontjes.

Tot vandaag.

Maar dat was te laat.

Ze had haar minnaar alweer ontmoet. Zowel uit vergelding als uit begeerte. Stik maar. Niemand was de baas over haar leven. Ook Rick Bentz, de heldhaftige supersmeris niet. Daarom had ze de man die ze voor altijd in haar hart had gesloten, weer ontmoet.

Slet!

Hoer!

Het waren haar eigen woorden. Ze sloot haar ogen en liet haar hoofd hangen. Ze voelde zich alleen. Verward. Nooit had ze Rick bewust willen bedriegen. Nooit. Maar ze was zwak geweest, en de verleiding was groot. Ze schudde haar hoofd en alles voelde zwart tot op de bodem van haar ziel. Wie wilde ze straffen? Hem? Of zichzelf? Had een van haar zielenknijpers niet gezegd dat ze eigenlijk vond dat ze Rick niet verdiende? Dat ze zelfvernietigend was?

Wat een onzin. 'Ik weet gewoon niet wat jij wilt,' fluisterde ze zwakjes.

'Ik ook niet. Niet meer.'

Ze pakte een van de martiniglazen en dronk het leeg. De strop werd nog strakker. Waarom kon het niet gemakkelijk met hem zijn? Waarom kon ze hem niet trouw blijven? 'Ik probeer het wel, Rick,' bracht ze tandenknarsend uit. Dat was geen leugen. Het probleem was dat ze wel probeerde, maar tevergeefs.

Ze meende dat ze beneden gedempte voetstappen hoorde, ze was even alert, maar bedacht dat het geluid kennelijk een echo in de telefoon was. Of het geluid kwam van buiten. Stond er een raam open?

'Jij probeert het?' snoof Rick. 'En wat dan wel?'

Dat was het dus. Hij wist het. Waarschijnlijk liet hij haar schaduwen, of het huis werd geobserveerd. Of erger nog, verderop in de straat zat hij in een geparkeerde auto die ze niet herkende, om het huis zelf te bespieden. Ze keek op naar het plafond, naar de lamp, de rookmelder en de traag bewegende ventilatorbladen die de warme lucht verplaatsten. Waren daarin kleine camera's verborgen? Had hij haar rendez-vous gefilmd? Was hij getuige van haar kronkelen en kreunen op het bed dat ze anders met hem deelde? Had hij gezien hoe ze het initiatief nam, likkend langs de buik van haar minnaar, steeds lager? Zag hij haar lachen? Uitdagen? Verleiden?

Jezus, hoe verknipt was hij?

Ze sloot haar ogen. Ze voelde zich als versteend. 'Jij misselijke klootzak.'

'Dat ben ik.'

'Ik haat je.' Ze werd steeds kwader.

'Weet ik. Ik wist alleen niet zeker of je dat kon toegeven. Het is voorbij, Jennifer.'

'Misschien hoeft dit niet te gebeuren, als je eens wat meer aandacht zou besteden aan je vrouw en dochter, in plaats van altijd op boeven jagen en de toprechercheur uithangen.'

'Jij bent niet mijn vrouw.'

Klik.

Hij had de verbinding verbroken.

'Schoft!' Ze smeet de telefoon op het bed en haar hoofd begon te bonken. Jij hebt dit gedaan, Jennifer. Jij alleen. Je wist dat je betrapt zou worden, maar je schoof alles opzij, ook Kristi en een nieuwe kans met je ex-man, omdat je een monster bent. Je bent waardeloos. Ze voelde een traan over haar wang glijden en veegde die woest weg. Dit was geen moment voor zelfmedelijden en tranen.

Ze had zichzelf toch voorgehouden dat een verzoening met Rick onmogelijk was? En ze was toch naar dit huis teruggekeerd, de woning die ze gedeeld hadden, in het volle besef dat het een enorme vergissing was. Net als toen ze jaren geleden voor de eerste keer 'ja, ik wil' had gezegd.

'Sukkel!' schold ze binnensmonds, terwijl ze naar de badkamer liep en haar spiegelbeeld boven de wastafel zag.

'Je bent lelijk,' voegde ze eraan toe, water over haar gezicht spattend. Maar dat was niet waar. Ze was niet ver in de dertig, haar donkere haar was nog dik en golvend, en viel tot over haar schouders. Haar huid was glad, haar lippen vol, en haar ogen hadden een blauwgroene kleur die mannen fascinerend vonden. Alle verkeerde mannen, hield ze zichzelf voor. Mannen die verboden en taboe waren. Al genoot ze van hun aandacht. Ze smachtte ernaar.

Ze opende het medicijnkastje en pakte haar flesje valium. Ze slikte twee tabletten in, om de scherpe kantjes weg te nemen en de dreigende migraine te verjagen. Kristi ging na de zwemles met een vriendinnetje mee naar huis. De hemel wist wanneer Rick thuiskwam. Dus had Jennifer het huis en de rest van de avond voor zich alleen. Ze ging niet weg. Nog niet.

Woesj.

Een onbekend geluid kwam van beneden omhoog langs de trap. Een luchtstroom? Werd er een deur geopend? Stond ergens een raam open?

Wat gebeurde er? Ze bleef staan en luisterde, met gespitste oren. De haartjes op haar handen gingen overeind staan.

Stel dat Rick hier in de buurt was?

Stel dat hij gelogen had aan de telefoon, en dat hij in werkelijkheid op weg naar huis was, zoals na een gewone werkdag? Die rotzak kon haar toch voor de gek houden?

Dat posten kon een smoes zijn, of als hij werkelijk de hele nacht iemand in de gaten moest houden, dan was zij dat waarschijnlijk: zijn eigen vrouw.

Ex-vrouw. Jennifer Bentz staarde naar haar spiegelbeeld en fronste toen ze de dunne lijntjes tussen haar wenkbrauwen zag. Wanneer waren die rimpels daar voor het eerst verschenen? Verleden jaar? Eerder? Of pas de afgelopen week?

Moeilijk te zeggen.

Maar die rimpels waren er wel, en herinnerden haar er nadrukkelijk aan dat ze niet jeugdiger werd.

Zoveel mannen hadden naar haar verlangd, hoe was het dan mogelijk dat ze zo eindigde: getrouwd, gescheiden, en daarna samenlevend met een agent in zijn burgerlijke kleine woning? Hun poging weer bij elkaar te komen was niet meer dan een poging. Het had niet lang geduurd, en nu... ach, ze was er tamelijk zeker van dat het nu voorgoed voorbij was.

Omdat ze niet trouw aan één man kon blijven. Zelfs niet aan de man die ze liefhad.

Lieve god, wat moest ze doen? Ze dacht aan zelfmoord. Meer dan eens. En ze had al een brief geschreven die na haar dood aan haar dochter gegeven moest worden.

Lieve Kristi,

Het spijt me zo, schat. Geloof me als ik je schrijf dat ik meer van je hou dan van het leven zelf. Maar ik kreeg weer een relatie met de man die jouw biologische vader is, en ik vrees dat ik daardoor Ricks hart breek...

Bla, bla, bla.

Wat een melodramatisch gebazel.

Weer dacht ze iets te horen... Het geluid van voetstappen, ergens beneden.

Ze wilde iets roepen, maar beet op haar tong. Ze sloop naar de trap, hield de leuning vast en luisterde. Behalve het zoemen van de ventilator in haar slaapkamer hoorde ze een ander geluid, zacht en klikkend.

Ze kreeg kippenvel.

Ze durfde amper te ademen. Haar hart bonkte in haar oren.

Het is alleen je verbeelding – knagend schuldgevoel. Of de kat van de buurman. Dat is het. Die scharminkelige kat, altijd scharrelend bij de vuilnisbakken, of op muizenjacht in de garage.

Ze sloop haastig terug naar de slaapkamer en tuurde door het raam. Er was niets bijzonders te zien op deze grauwe dag in het zuiden van Californië, waar de lucht mistig, stoffig en dik is. Zelfs de zon, een rode schijf laag aan de hemel boven de eindeloze rijen daken, leek vervormd door de smog.

Vandaag geen zuchtje wind van zee, niets bewoog of maakte geluid. Geen kat in de dorre struiken, geen fietser op straat. Er passeerde zelfs geen auto.

Het is niets.

Het zijn je zenuwen.

Kalmeer toch.

Ze goot het restje martini uit de cocktailshaker in haar glas en nam een slok, terwijl ze naar de badkamer liep. Maar in de deuropening zag ze haar spiegelbeeld en ze voelde weer een schuldbewuste steek.

'Het moet anders,' fluisterde ze en ze kromp ineen toen ze in de spiegel zag hoe het glas naar haar lippen bewoog. Dit was niet wat ze wilde met haar leven. Met haar dochter. 'Stomkop! Stomme trut!' De vrouw in de spiegel scheen haar uit te lachen. Tergend. Zonder erbij na te denken smeet Jennifer het martiniglas naar de grijnzende gestalte. Het glas sloeg tegen de spiegel in scherven.

Krrrak!

Langzaam spleet de spiegel in een spinnenweb van barsten. Glassplinters gleden in de wastafel.

'Jezus!'

Wat heb je gedaan?

Ze pakte een grotere scherf op en sneed in haar vingertop. Bloed drupte van haar hand in de wasbak. Snel zocht ze een losse pleister in het medicijnkastje. Het ging lastig, maar ze kreeg de schutlaag los en deed de pleister om haar wijsvinger. Toch was het bloeden niet gestopt. Bloed welde op onder het strookje pleister en gaas. Jennifer vloekte binnensmonds en weer zag ze haar gezicht in een restant van de gebarsten spiegel.

'Zeven jaren ongeluk,' fluisterde ze, zoals oma Nana Nichols haar voorspeld had toen ze, als driejarige peuter, het favoriete vergrootglas van haar oma had gebroken. 'Jij bent vervloekt tot je tien jaar bent, Jenny, en wie weet nog wel veel langer!' Nana, meestal zachtaardig, leek opeens een monster, met haar gele tanden en een grimas vol afgrijzen om haar bleke lippen.

De oude vrouw had helemaal gelijk gekregen. Pech scheen Jennifer overal te achtervolgen, tot op deze dag.

Kijkend naar haar gezicht, onregelmatig en vertekend in de restanten van de spiegel, zag Jennifer zichzelf nu als een oude vrouw – een eenzame oude vrouw.

God, wat een dag, dacht ze wazig.

Ze wilde de trap afdalen om stoffer en blik te halen, en struikelde bijna op de overloop. Ze herstelde zich, daalde de treden af en liep naar de bijkeuken.

Een deur stond open.

Wat?

Ze had die deur niet opengelaten. Dat wist ze heel zeker. En toen haar minnaar wegging was hij via de garage naar buiten gelopen. Dus...? Had Kristi op weg naar school de deur niet goed gesloten? Het slot ging stroef, maar...

Ze voelde een rilling van angst langs haar ruggengraat. Had ze niet iemand beneden gehoord? Of was dat een illusie door de drank? Ze voelde zich een beetje verward, haar hoofd was wazig, maar...

Steun zoekend bij het aanrecht bleef ze staan, ingespannen luisterend en ze probeerde zich te herinneren wat er gebeurd was. Ze liep naar de keuken, schonk zich een glas water in en bespeurde opeens de geur van sigarettenrook. Ongetwijfeld van haar ex-echtgenoot. Hoe vaak had ze hem niet gezegd dat hij met zijn vieze gewoonte naar buiten moest? En ver naar buiten. Niet bij de keukendeur blijven staan, omdat de sigarettenrook dan door de hor naar binnen trok.

Maar Rick was hier al twee dagen niet meer geweest...

Ze verstarde, en haar blik dwaalde naar het plafond. Niets... Opeens kraakte een vloerplank boven haar. Het knarsen van gebroken glas.

O, god, nee...

Geen twijfel mogelijk.

Nu wist ze het zeker.

Er was iemand in huis.

Iemand sloop hier stiekem rond.

Iemand die haar kwaad wilde doen.

De tabaksgeur drong weer in haar neus.

O, jezus. Dit was Rick niet.

Ze sloop zonder geluid te maken naar het messenblok op het aanrecht en trok langzaam een groot vleesmes uit de gleuf. Terwijl ze dat deed dacht ze aan alle misdrijven die Rick had opgelost, aan alle criminelen die hem bezwoeren wraak te nemen op hem en zijn gezin, als ze gearresteerd of veroordeeld werden. Veel van die misdadigers hadden gezworen zich op rechercheur Bentz te wreken, en wel zo pijnlijk mogelijk.

Hij had haar zelf nooit iets verteld over die dreigementen, maar ze hoorde het van andere agenten, die smakelijk vertelden over allerlei wraakzuchtige beloften.

En nu was er iemand in huis..

Jennifers keel werd kurkdroog.

Ze hield haar adem in en sloop naar de garage. Bijna struikelde ze over de enkele tree, toen ze besefte dat de garagedeur wijdopen stond: heel uitnodigend. En de indringer had die uitnodiging aanvaard.

Ze bedacht zich geen seconde en stapte in de auto. De sleuteltjes zaten in het contactslot.

Ze draaide de sleutel om.

De motor sloeg aan.

Ze schakelde in de achteruit en gaf gas. Met spinnende wielen schoot de auto achteruit over de oprit, bijna de magere kat van de buurman overrijdend, en rakelings langs de brievenbus.

Ze keek schuin omhoog naar het slaapkamerraam op de bovenverdieping, terwijl ze de versnellingspook in de vooruit ramde.

Haar hart stond even stil.

Een donkere gestalte stond achter het raam, een schim met een wrede, verwrongen grijns.

'Shit!'

Het licht veranderde op de zonwering en de gestalte was verdwenen. Misschien was het alleen een product van haar verbeelding.

Of toch niet?

Ze wilde het niet weten. Ze trapte het gaspedaal in en stoof weg door de straat, waar de bejaarde meneer Van Pelt juist met zijn oude Buick achteruitmanoeuvreerde. Jennifer remde uit alle macht, met piepende banden ontweek ze de geschrokken buurman, om meteen weer plankgas te geven.

'Er stond niemand achter dat raam. Dat weet je best,' probeerde ze zichzelf te overtuigen. 'Daar was helemaal niemand.'

Met één hand sturend zocht ze met haar andere hand op de stoel naast haar naar haar tas en mobieltje. Meteen besefte ze dat haar spullen nog in de slaapkamer lagen waar ze de donkere gestalte had gezien.

'Het was maar verbeelding,' herhaalde ze telkens weer, terwijl ze naar de hoofdweg reed en zich in het drukke verkeer mengde. Haar hart bonsde en haar hoofd bonkte. Bloed uit haar gewonde vinger besmeurde het stuur. Ze keek vaak in het spiegeltje, speurend naar een auto die haar volgde, in de zee van auto's achter haar. Metaal glansde in het zonlicht, en ze verweet zichzelf dat ze geen zonnebril bij zich had.

Niets leek ongewoon. Duizenden auto's reden in oostelijke richting: zilvergrijs, wit, zwarte sedans en sportwagens, trucks en SUV's... Ze dacht dat ze naar het oosten ging, ze wist het niet zeker. Ze besefte nauwelijks waar ze reed, maar begon zich nu wat te ontspannen. Ze bedacht dat ze degene die het op haar gemunt had te slim af was geweest. Áls er echt iemand jacht op haar maakte.

Het was een gewone dag in Zuid-Californië. Ze zag in het spiegeltje dat een donkerblauwe SUV snel achterop kwam en haar hart sloeg over van schrik. Maar de auto raasde haar voorbij, met een bumperklevende witte BMW erachteraan.

Ze zette de radio aan en probeerde haar zenuwen in bedwang te krijgen. Maar ze transpireerde, en haar vinger bloedde nog steeds. Kilometerslang gebeurde er niets, en Jennifer ademde wat rustiger. Haar aandacht verslapte en ze schampte bijna een andere auto naast haar. De bestuurder claxonneerde woedend en stak zijn middelvinger op.

'Ja, ja,' mompelde ze, opeens beseffend dat ze nu geen auto moest besturen. Niet in deze toestand. Bij de volgende afslag verliet ze de hoofdweg. Waar was ze ergens? Ver buiten de stad? Ze herkende de omgeving niet: verspreide huizen, akkers en struikgewas. Ze was op het platteland verzeild en de valium had zijn werk gedaan. Knipperend tegen het zonlicht keek ze in de zijspiegel en zag weer een blauwe SUV naderen.

Dezelfde auto?

Nee!

Dat was onmogelijk.

Ze geeuwde en de Explorer bleef op afstand achter haar rijden over de tweebaansweg die naar de heuvels leidde.

Het werd tijd om terug te keren.

Ze voelde zich zo vreselijk moe.

De weg voor haar leek te verschuiven en ze knipperde weer met haar ogen. Haar oogleden waren zo zwaar. Ze moest langzamer rijden en uitrusten. Proberen weer helder te worden, misschien ergens een kop koffie drinken.

Het was mogelijk dat er niemand in het huis was geweest. Allemachtig, wat haalde ze zich verzinsels in haar hoofd, haar zenuwen die tot het uiterste gespannen waren, het schuldgevoel dat aan haar knaagde. Haar geest speelde kennelijk een spelletje met haar. Gedachten tolden rond door haar hoofd.

Ze zag de bocht in de weg voor haar en ze remde af. Terwijl ze dat deed merkte ze dat de donkere Explorer dicht achter haar reed.

'Ga er dan langs, idioot!' schold ze, kijkend in het spiegeltje. De raampjes van de andere auto waren getint en donker, maar toch zag ze een glimp van de bestuurder.

O, god.

Haar hart stokte weer.

De bestuurder staarde haar strak aan. Ze wist een kreet te onderdrukken. Het was de insluiper die ze bij het slaapkamerraam had gezien.

Doodsbang trapte ze het gaspedaal in.

Wie was dat?

En waarom werd ze achtervolgd?

Ze zag een zijweg en sloeg meteen af, in de hoop de SUV af te schudden, maar ze had de situatie niet goed ingeschat en een van de wielen raakte de berm. Ze gaf een ruk aan het stuur, in een poging de auto op de weg te houden, maar het voertuig begon te kantelen. Als een dolle.

De auto werd totaal onbestuurbaar.
Alles sidderde en slipte.
En toen rolde de auto om.
Met een zekerheid als in slow motion besefte Jennifer dat ze zou sterven. Erger nog, ze wist dat ze vermoord werd.
En deze moordaanslag was vermoedelijk bekokstoofd door haar vervloekte ex-man, Rick Bentz.

Hoofdstuk 1

'We spreken elkaar over zes weken.' Melinda Jaskiels stem klonk beslist. Helder. Steunend op zijn goede been op de veranda aan de achterkant van het huis, met zijn mobieltje bijna vastgeplakt aan zijn oor in de hitte, begreep Rick Bentz dat zijn chef niet zou toegeven. Zweet drupte langs zijn neus, hij balanceerde op zijn kruk, die met de rubberen dop tussen twee flagstones klemzat. Zijn rug was pijnlijk en lopen kostte hem veel moeite, maar dat zou hij nooit toegeven – en zeker niet tegenover Jaskiel. Als hoofd van de afdeling Moordzaken van de politie in New Orleans had zij de bevoegdheid hem weer bij de actieve dienst te plaatsen. Of niet. Dat moest zij beslissen.

Weer had Melinda Jaskiel het vervolg van zijn carrière in handen.

Weer smeekte hij haar. 'Ik moet aan het werk.' Jezus, wat haatte hij die wanhopige ondertoon in zijn stem.

'Jij moet weer honderd procent in orde zijn, misschien wel honderdtien procent, voor je weer aan het werk kunt.'

Zijn kaak verstrakte, terwijl de felle zon van Louisiana in zijn nek brandde en een fijne nevel opsteeg boven het moerasland achter het huisje dat tussen de bomen verscholen stond. Jaskiel had hem een baan gegeven toen niemand dat wilde na de chaos die hij had achtergelaten in Los Angeles. En nu zette ze hem weer buitenspel.

Hij hoorde haar iets mompelen en even dacht hij dat ze zich bedacht. 'Luister, Rick, ik zie jou niet van acht tot vijf met mappen schuiven.'

'Ik ben nu een paar maanden met ziekteverlof geweest en voel me weer zo sterk als vroeger.'

'Sterk genoeg om achter een verdachte aan te jagen? Om iemand tegen de grond te werken en in de houdgreep te nemen? Een deur in te trappen? Razendsnel dekking te zoeken, je wapen te trekken en een collega te dekken?'

'Dat is allemaal politieserieonzin op televisie.'

'Je meent het?' Jaskiels stem klonk sceptisch. 'Volgens mij was jij nu juist met dat soort politieserieonzin bezig toen je in het ziekenhuis belandde.' Ze kende hem maar al te goed. 'Je kent de regels. Breng maar een briefje met een gezondverklaring van de bedrijfsarts en dan zullen we eens bespreken wat er mogelijk is voor jou. Bespréken. Ik beloof niets. Weet je, met pensioen gaan is ook niet slecht.'

Hij snoof. 'Hé, Melinda, ik krijg de indruk dat je me liever kwijt bent.'

'Je bent nog steeds onder doktersbehandeling en ook te gespannen. Einde onderwerp. Ik spreek je later.' Ze verbrak de verbinding.

'Pokkenwijf!' Hij smeet zijn kruk over de flagstones en het hulpmiddel rolde kletterend naar de struiken, waar een spotvogel verschrikt opfladderde. 'Ellendig pokkenwijf,' schold hij voor zich uit. Zijn vingers klemden zich om het mobieltje en hij wilde het toestel bijna in het moeras gooien, maar hij bedacht zich. De medische dienst had tot nu toe alleen naar zijn lichamelijke toestand gekeken, en hij wilde beslist niet dat de leiding zich met zijn geestelijke gezondheid bemoeide.

Geen psychotherapeuten. Niet roeren in zijn ziel. Niet zijn hart uitstorten. Dank je feestelijk.

Met moeite bleef hij staan, zijn evenwichtsgevoel was minder dan voor het ongeluk, al had hij dat niet aan Jaskiel verteld. En soms deed zijn been vreselijk veel pijn. Hij wist dat hij nog niet fit was voor de actieve dienst, maar van thuisblijven werd hij helemaal gek. Zelfs de relatie met zijn vrouw Olivia leed eronder. Haar biologische klok tikte als een dolle en ze zette hem onder druk dat ze een kind wilde. Zijn dochter Kristi was nu in de twintig. Hij wist niet zo zeker of hij nog een keer een kind wilde grootbrengen.

Nee, wat hij nodig had was het huis verlaten en weer aan het werk gaan. Er waren bijna drie maanden verstreken sinds het ongeluk en nog langer thuiszitten kon hij niet verdragen.

'Doe er dan iets aan,' zei hij tegen zichzelf.

Met op elkaar geklemde tanden zette hij een stap, zonder kruk. Eerst de ene voet, dan de andere.

Niet meer dat suffe geschuifel door een voet naar voren te brengen en dan de andere bij te trekken. Niks daarvan. Hij zou gewoon over deze patio lopen, met normale passen, wat er ook gebeurde.

Dat zou hij iedereen laten zien. Over een maand rende hij weer over deze stenen. Een kraai zat op het dak en kraste luid, de echo klonk tegen de boomstammen.

Bentz merkte het amper.

Een derde stap.

De vierde.

Hij zweette nu. Concentratie. De hitte was drukkend, de zon brandde genadeloos, en de muffe geur van het moeras drong in zijn neusgaten. De kraai bleef onophoudelijk spottend krassen. Irritante vogel.

Weer een stap en Bentz keek op van de ongelijke flagstones naar de bank. Dat was zijn doel. Hij liep op eigen kracht over de patio.

Zoals hij ook zou doen als hij niet gewond was geraakt.

Als hij niet bijna zijn leven had verloren.

Alsof hij niet gedwongen was eens na te denken over vervroegde pensionering.

Hij bewoog weer naar voren, soepeler en met meer zelfvertrouwen.

En toen voelde hij het.

De kille zekerheid dat hij bespied werd.

Zijn maag kromp ineen en hij keek over zijn schouder. Dorre bladeren ritselden, hoewel het windstil was.

De kraai was verdwenen, de spottende kreten verstomd.

Even was er een lichtstreep tussen de takken. Iets bewoog in de struiken, tegenover de veranda. Een schaduw passeerde snel en springerig tussen de takken.

Instinctief tastte Bentz naar zijn oksel.

Zijn hand bleef leeg toen hij zich naar het bos keerde.

Hij droeg zijn schouderholster niet.

Niet in zijn eigen huis.

Hij vernauwde zijn ogen tot spleetjes.

Wat had dit te betekenen?

Zonlicht speelde door het bladerdek en de dennennaalden. Zijn hart bonsde heftig. Zijn mond werd droog.

Het was alleen zijn verbeelding.

Weer.

Ja, toch?

Maar het kippenvel op zijn armen en alle spieren die zich spanden, maakten iets anders duidelijk.

Idioot! Je bent toch in je eigen achtertuin?

Hij keerde zich half om en probeerde te ontdekken of de indringer een buidelrat, of een hert, of misschien wel een krokodil was die uit het moeras was gekropen. Maar hij wist heus wel dat wilde dieren zich nooit zo dicht bij zijn huis waagden.

Hmm.

De ritselende bladeren werden weer stil op deze hete dag.

Bentz tuurde naar het bos. Hij twijfelde er niet aan dat hij haar weer zou zien.

Weer.

Hij werd niet teleurgesteld.

In de zinderende lucht doemde haar gestalte op. Gekleed in dezelfde zwarte sexy jurk, en ze glimlachte vluchtig naar hem, terwijl ze daar stond tussen twee cipressen met fletse schors op de stammen.

Jennifer.

Zijn eerste vrouw.

Haar had hij eeuwige trouw gezworen.

De sloerie die hem bedrogen had... En ze was nog even sensueel en adembenemend als zoveel jaren geleden. De lichte geur van jasmijn zweefde door de lucht.

Hij slikte.

Moeilijk.

Een geest?

Of een mens van vlees en bloed?

De vrouw moest een dubbelgangster zijn. Ze stond diep in het bos, naar hem starend met wijdopen ogen en dat sexy glimlachje. Hemel, die glimlach maakte hem duizelig.

Zijn hart leek stil te staan.

Een ijzige kilte trok door zijn aderen.

'Jennifer?' zei hij hardop, wetend dat zijn eerste vrouw allang dood was.

Ze trok een wenkbrauw op en zijn maag voelde aan of er een steen in zat.

'Jen?' Bentz deed een stap naar voren, zijn tenen haakten achter een ongelijk stuk steen en hij viel languit voorover. Hard. Zijn knieën raakten het eerst de grond. *Bam!* Zijn kin bonkte tegen de flagstones, schurend en krakend.

Pijn vlamde naar zijn brein. De kraai kraste spottend. Zijn mobieltje gleed over de flagstones.

'Shit!' mompelde hij, even stilliggend om op adem te komen. Hij hield zichzelf voor dat hij een dwaas was die dingen zag die niet bestonden. Hij bewoog zijn ene been en daarna het andere, om de schade aan zijn al gehavende lijf in te schatten.

Nog niet zo lang geleden was hij verlamd: het gevolg van een bizar ongeluk tijdens hevig onweer. Zijn ruggenmerg was gekneusd, maar niet gescheurd. Langzaam was hij daarvan hersteld, en hij hoopte maar dat hij zijn rug en benen niet weer beschadigd had.

Ondanks de pijn rolde hij zich om en werkte zich omhoog op zijn knieën, steeds kijkend in de richting waar hij haar had gezien.

Jennifer was uiteraard verdwenen.

Poef.

Als een geest in een oude tekenfilm.

Steun zoekend bij de bank trok hij zich overeind tot hij weer stevig rechtop stond. Hij negeerde de pijn en liep naar de rand van de veranda. Turend in de schaduwen zocht hij naar iets wat een aanwijzing was dat ze daar echt had gestaan. Plagend en uitdagend. Zodat hij dacht dat hij gek werd.

Maar er bewoog niets in het bos.

Geen vrouw hield zich schuil in de schaduwen.

Geen kille windvlaag als aanwijzing dat een geest op zijn ziel was gestapt.

En bovendien: Jennifer was dood. Begraven in een graf in Californië. Hij wist dat even zeker als hij zijn eigen naam kende. Had hij haar niet persoonlijk geïdentificeerd, meer dan twaalf jaar geleden? Ze was vreselijk verminkt door het ongeluk, bijna onherkenbaar. Maar de vrouw achter het stuur bij het eenzijdige auto-ongeluk was wel zijn mooie en doortrapte eerste vrouw.

Zijn maag kromp ineen toen een wolk voor de zon schoof. Hoog aan de hemel waren condensstrepen van vliegtuigen: witte pluimen verdeelden het onafzienbaar uitgestrekte blauw.

Waarom was ze nu teruggekeerd – althans in zijn geest? Was het een gevolg van zijn coma? Hij had twee weken bewusteloos in het ziekenhuis gelegen, en van die verloren veertien dagen kon hij zich niets herinneren.

Toen hij eindelijk ontwaakte, starend met een wazige blik, had hij haar beeld gezien. Een kille tocht streek fluisterend over zijn huid en hij had het zware aroma van haar parfum geroken, een bekende geur van jasmijn. Daarna had hij een glimp van haar gezien in de deuropening, van achteren beschenen door het gedempte licht in de gang. Ze blies hem een kus toe, zo werkelijk alsof ze echt nog in leven was.

Maar natuurlijk leefde ze niet meer.

En toch…

Starend naar de schemerige natuur, waar de schaduwen langer werden en de dampige geur van traag stromend water zich tussen de bladeren van de cipressen en struiken verspreidde, dacht hij weer aan iets anders. Hij twijfelde aan iets wat altijd een vaststaand feit was. Hij twijfelde over zijn geestelijke vermogens.

Kwam het door de pijnstillers die hij sinds het ongeluk had geslikt op aandringen van zijn dochter? Hún dochter.

Of werd hij gewoon gek?

'Onzin.' Hij tuurde weer naar het bos.

Geen Jennifer.

Uiteraard.

Ze bestond alleen in zijn verbeelding.

Iets had dit veroorzaakt in de halve maand toen hij op het randje tussen leven en dood zweefde.

'Doe normaal,' vermaande hij zichzelf.

Hij snakte opeens naar een sigaret. Hij was al jaren geleden gestopt met roken, maar in tijden van spanning gaf niets zo helder aan wat er gebeuren moest als een dosis nicotine, wervelend door zijn longen.

Hij trok een grimas en hoorde korte schelle blafjes. Het hondenluikje klikte open en even later krabbelden kleine pootjes over de flagstones. Hairy S, de terriër van zijn vrouw Olivia, stoof over de veranda, een verschrikt piepende eekhoorn de stam van een de dennenboom opjagend. Hairy, die vernoemd was naar Harry S. Truman, de favoriete president van Olivia's grootmoeder, raakte door het dolle heen. Hij sprong blaffend en met zijn borstelige nekharen recht overeind tegen de boomstam, terwijl de eekhoorn veilig op een hoge tak piepte.

'Hairy! Koest!' Bentz was niet in de stemming om met de hond te spelen. Zijn hoofd begon te bonzen en zijn trots was al gekrenkt door zijn val.

'Wat ben jij daar aan het doen?' klonk de stem van Montoya achter hem en hij struikelde bijna een tweede keer.

'Ik loop hier zonder die verdomde wandelstok en krukken. Hoe ziet dat eruit?'

'Nogal kreupel.'

Bentz keek om en zag zijn collega door de zijpoort komen. Hij liep lenig als een kat over de flagstones. En om het nog erger te maken leidde hij de aandacht van Olivia's hond voor de eekhoorn af. Hairy begon enthousiast rondjes te draven om Montoya's benen. Bentz probeerde zich groot te houden, maar in zijn geschaafde knieën prikten pijnscheuten. Ongetwijfeld vormden zich daar ook al blauwe plekken. Hij voelde iets warms en kleverigs langs zijn schenen druipen.

'Ik zag dat je probeerde een snoekduik op het terras te maken.'

'Leuk hoor.'

'Dat vond ik ook.'

Bentz was niet in de stemming om belachelijk gemaakt te worden door zijn bijdehante collega. Beter gezegd zijn bijdehante jóngere collega. Met zijn glanzend zwarte haar in het middaglicht, en de reflecterende zonnebril voor zijn scherpe ogen, was Montoya jonger en atletischer dan Bentz. En hij was niet bang om zijn oudere collega dat in te prenten.

Als Montoya liep, dan heupwiegde hij bijna, met een glimmend diamantje in zijn oorlel. Vandaag droeg hij niet zoals bijna altijd zijn zwarte leren jack: alleen een wit T-shirt en jeans.

'Is Olivia aan het werk?'

Bentz knikte. 'Ze komt over een paar uur naar huis.' Zijn vrouw werkte nog een paar dagen per week in Third Eye, een newagecadeauwinkel bij Jackson Square, het stadsdeel dat niet verwoest was door de orkaan Katrina. Olivia was niet lang geleden afgestudeerd als psycholoog, en ze overwoog een eigen praktijk te beginnen, maar dat deed ze nog niet fulltime. Bentz vermoedde dat ze de gezellige drukte van het French Quarter zou missen.

Montoya raapte het mobieltje van Bentz op, dat naast een grote bloempot vol roze en witte petunia's lag. 'Zocht je dit ding?' Hij veegde het stof van het toestel en gaf het aan Bentz.

'Bedankt,' bromde Bentz en stak het mobieltje met een woest gebaar in zijn broekzak.

'Slecht nieuws gekregen?' vroeg Montoya.

'Jaskiel vindt dat ik niet fit ben om aan het werk te gaan.'

'Dat is ook zo.'

Bentz wist een boze opmerking binnen te houden. In zijn toestand kon hij er niets tegen inbrengen. 'Kwam jij met een speciale reden helemaal hierheen, of wil je alleen mijn humeur bederven?'

'Geen van beide,' zei Montoya. Zijn witte tanden staken af tegen zijn donkere grijns. 'Ik word overgeplaatst. En Zaroster wordt mijn' – hij tekende aanhalingstekens in de lucht – 'tijdelijke collega'.

Lynn Zaroster was junior-rechercheur, hoewel ze pas zesentwintig was en iets langer dan twee jaar in dienst. Slim, leuk en atletisch. En enthousiast.

'Dat is wel even wat anders voor jou.'

'Ja,' grijnsde Montoya. 'Ik voel me soms net een babysitter.'

'En dat kan wel zo blijven ook.' Bentz besefte dat hij werd uitgerangeerd.

'Niet als het aan mij ligt. Maar ik wilde het persoonlijk tegen je zeggen. Beter dan het van iemand anders te horen.'

Bentz knikte. Hij wiste met een hemdsmouw het zweet van zijn gezicht. Uit het huis, door het openstaande raam, klonk het gekrijs van Olivia's papegaai, die ze met de hond en het huis van haar grootmoeder had geërfd. 'Jaskiel maakte toespelingen dat ik met pensioen moet gaan.' Een misprijzende trek verscheen om zijn lippen terwijl hij dat zei. 'Dan kan ik rustig van mijn levensavond gaan genieten.'

Montoya snoof. 'Jij bent nog geen vijftig. Dan heb je nog een hele tijd te gaan. Dertig, misschien wel veertig jaar vissen, voetbal kijken en op je krent zitten.'

'Dat is kennelijk niet belangrijk.'

'Je kunt ook een pensioen opstrijken en dan privédetective worden,' opperde Montoya, terwijl hij de kruk van Bentz opraapte.

'Ja, misschien. En dan kun jij blijven babysitten.' Bentz negeerde de aangeboden kruk en liep het huis in, achter de hond aan. 'Kom mee, we gaan een biertje drinken.'

Hoofdstuk 2

Bentz gleed weg van haar.

Olivia voelde het.

En ze baalde daarvan. Ja, ze was ook verdrietig, besefte ze, pittig rijdend met haar Ford Ranger, een ouwetje met bijna driehonderd-duizend kilometer op de teller. Ze moest deze auto hoognodig in-ruilen.

Ze hield van haar man, en toen ze beloofde in goede en slechte tijden bij hem te blijven had ze dat oprecht gemeend. Ze dacht dat hij het ook meende, maar sinds dat ongeluk...

Ze remde af voor een bocht in de landweg die zich door drassig gebied slingerde, op weg naar huis, een kleine bungalow bij het moeras. Daar had ze met haar oma Gin gewoond, tot de oude dame overleed. Een paar jaar woonde ze alleen in het huis, maar uiteindelijk, na haar huwelijk met Bentz, had hij zijn appartement opgezegd om zijn intrek te nemen in de bungalow, diep verscholen tussen de bomen.

Zijn dochter had nog een tijdje bij hen ingewoond, maar dat was geen succes. Kristi was een volwassen jongedame en ze had haar eigen territorium nodig. Maar de afgelopen jaren waren ze hier ge-lukkig geweest.

Tot dat ellendige ongeluk.

Een bizar toeval.

De bliksem was in een eik geslagen en een dikke tak op Rick neergestort, waardoor zijn ruggengraat bijna gebroken was. Ze huiverde bij de herinnering aan die donkere dagen vol onzekerheid of hij in leven zou blijven of sterven.

Hij had het overleefd. Op het nippertje. In die periode vonden Olivia en haar stiefdochter steun bij elkaar. Ze hielden elkaars han-den stevig vast, in het ziekenhuis, toen de artsen een slechte prog-nose voor het herstel van Bentz gaven.

Ze verwachtte dat ze hem zou verliezen. En in die moeilijke dagen kreeg ze spijt dat ze geen baby van hem had, geen kind in wie hij voortleefde. Misschien was het egoïstisch. Maar dat kon haar niet schelen.

Ze ving een glimp op van haar gezicht in het spiegeltje. Bezorgde, amberkleurige ogen staarden haar aan. Wat er nu gebeurde beviel haar helemaal niet.

'Doe er dan iets aan,' zei ze hardop. Ze was geen gesloten type. Haar temperament werd meer dan eens beschreven als spontaan. Door Bentz. De eerste keer dat ze hem ontmoette. Toen ze een moord rapporteerde die ze in een visioen had gezien. Dat maakte hem terughoudend, en hij geloofde haar eerst niet. Maar ze wist hem te overtuigen.

Nu moest ze hem weer overtuigen.

Ze bestuurde de auto en probeerde niet te piekeren over het feit dat de warmte in hun relatie leek te verdwijnen sinds hij uit zijn coma ontwaakt was. Hij was een ander mens geworden. Niet in elk opzicht, uiteraard, maar hij was wel veranderd. Eerst dacht ze dat zijn gebrek aan affectie een gevolg van bezorgdheid was. Hij moest zich concentreren op zijn herstel. Maar het liep anders dan ze verwacht had. Toen de weken verstreken en hij weer op krachten kwam, bespeurde ze iets van desillusie in hem. Ze hield zich voor dat zijn stemming meteen zou verbeteren als hij weer aan het werk kon en doen wat hij heel graag deed: moordzaken oplossen.

Maar ze werd zorgelijker met het verstrijken van de weken. Hoewel ze gesproken hadden over een kind nemen, leek hij steeds minder belangstelling te hebben voor dat vooruitzicht. Bentz was altijd een gepassioneerd man geweest, niet zo vurig als zijn collega Montoya, maar wel gedreven en vastberaden.

In bed was hij een gretige minnaar die niet alleen aan zichzelf maar ook aan haar dacht.

Maar dat was allemaal veranderd.

Ze twijfelde niet aan zijn liefde voor haar, geen seconde. Maar hun relatie werd met de jaren niet inniger, eerder flets. Een beter woord wist ze niet. En dat woord beviel haar helemaal niet.

Ze deed de zonneklep omlaag. Zonlicht bescheen het warme lint van asfalt, meanderend door het landschap. Een haas schoot weg in de struiken langs de weg.

Ze merkte het amper.

Haar relatie met Bentz had een stevige impuls nodig. Of misschien moest haar echtgenoot gewoon een schop onder zijn kont krijgen.

Ze stuurde de auto over de oprit. De banden spetterden door een plas regenwater die na een bui in de vroege ochtend was achtergebleven. Ze parkeerde in de garage en liep het huis in, waar jarentachtigmuziek van Bryan Adams uit de stereo schalde. Haar man, zwetend in een T-shirt en shorts was aan het trainen met een klein fitnessapparaat dat in de erker stond. Hij keek op toen ze in de deuropening verscheen en tegen de deurpost leunde. 'Hé, Rocky,' groette ze, en hij lachte warempel.

Dat was de laatste tijd een zeldzaamheid.

'Zeg dat wel.' Hij maakte de serie beenspieroefeningen af, met een ingespannen trek op zijn gezicht. De spieren in zijn dijbenen bolden op. Al drie weken lang, sinds zijn chef had gezinspeeld op vervroegd pensioen, had Bentz zijn conditietraining verdubbeld en verbeten gewerkt aan het herwinnen van zijn kracht. Zijn kruk verruilde hij meestal voor een wandelstok, en soms liep hij zonder hulpmiddel. Hij negeerde de waarschuwingen van zijn arts en trainde zwaarder dan was toegestaan. Grote stappen, maar niet groot genoeg om hem tevreden te stellen.

Olivia maakte zich onwillekeurig zorgen, beseffend dat deze conditietraining een van de weinige manieren voor Bentz was om zich af te reageren. Hij sliep onrustig, zijn enige contact met het politiebureau was Montoya, die het druk had met zijn werk en gezin. Kristi werd ook in beslag genomen door haar eigen leventje en de voorbereidingen voor haar huwelijk.

'Wat vind je ervan als ik je uitnodig voor een etentje?'

'Het is toch maandag?'

'Nou, dat vieren we dan.'

Bentz snoof, maar met een glimlach stapte hij van het apparaat en veegde zijn gezicht af met een handdoek. 'Het leven is wel heel erg saai als zelfs een maandag al reden is om dat te vieren.'

'Ik denk dat je er even uit moet.'

Hij trok zijn wenkbrauw onderzoekend op. Ja, hij was achter in de veertig, en ja, hij was een paar keer in levensgevaar geweest, sinds ze hem kende, maar hij was nog altijd een kerel. Hij kon nog flink tekeergaan als ze de liefde bedreven, al gebeurde dat sinds het ongeluk maar zelden. Ze probeerde hem hier en nu te verleiden, maar hij wist ook dat ze zwanger wilde worden.

'Wat dacht je van Chez Michelle?' stelde hij voor.

'Beetje te chic. Ik dacht eerder aan een cafetaria waar ze bakjes frites en gegrilde garnalen door een luik serveren.'

Zijn donkere ogen lichtten even op bij de herinnering aan hun eerste afspraakje. Met een grijns zei hij: 'Dat vind ik nou zo leuk aan jou, Livvie. Jij bent echt een romantisch type. Oké, ik ga mee.' Hij maakte een speels gebaar met de handdoek naar haar en liep naar de badkamer.

Twee uur later zaten ze aan een tafeltje op een binnenplaats, waar koerende duiven naar kruimels zochten in de ondergaande zon. De schaduwen kropen langs de bloempotten met geurig bloeiende kruiden.

Het restaurant zelf was donker en smal, de wanden waren versierd met visnetten, en op de tafels stonden vaatjes met schaafijs en daarin flesjes bier. Gelukkig was dit restaurant gespaard gebleven voor de verwoestende orkaan.

Olivia nam een slokje van haar icetea en ze at gretig van de pittig gekruide garnalen en knapperige frites. Er was geroezemoes van gesprekken en het gerinkel van servies echode over de binnenplaats. Dit was Olivia's favoriete restaurant en ze waren er al vaak geweest. Bentz was zonder zijn wandelstok naar hun tafeltje gelopen, en zijn voetstappen werden vaster en zelfverzekerder. Maar er was toch iets wat hem hinderde, en dat hield hij voor Olivia verborgen.

Ze had geen zin om nog langer te wachten tot hij erover begon. Dat zou toch niet gebeuren.

'Nou,' begon ze, haar bord opzijschuivend en haar vingers afvegend met het stuk citroen naast haar servet. 'Wat zit je dwars?'

'Hoe bedoel je?'

'Doe niet zo flauw, Rick.' Ze keek hem strak aan. 'Jij en ik voelen allebei spanning. Dat zal voor een deel wel door het ongeluk komen. Je hebt veel moeten doorstaan. Maar er is nog iets anders.'

'Aha, je gebruikt je zesde zintuig weer eens?' Hij nam een slok van zijn alcoholvrije bier.

'Kon ik dat maar.' Ze probeerde de irritatie uit haar stem te bannen, maar ze kende hem goed genoeg om te weten wanneer hij zich doelbewust ontwijkend gedroeg. 'Je houdt iets voor mij verborgen.'

Een van zijn borstelige wenkbrauwen bewoog. 'Denk je dat?'

'Zeker weten.'

'Kijk eens aan... Dankzij jouw bijzondere gave van buitenzintuiglijke waarneming.'

'Je weet best dat ik al jaren geleden gestopt ben met die 'krachten'.' Olivia wilde niet herinnerd worden aan die periode, toen ze Bentz voor het eerst ontmoette en ze gruwelijke moorden door de ogen van de dader kon zien. Eerst had Bentz haar openlijk uitgelachen over die visioenen, later vermeed hij dat. Maar hij bracht het wel telkens in herinnering. 'Probeer niet van onderwerp te veranderen, dat lukt je toch niet.' Ze schoof haar bord opzij en plantte haar ellebogen op tafel. 'Er is meer aan de hand dan dat je lijdt aan de gevolgen van dat ongeluk. Iets knaagt aan jou. Iets belangrijks.'

'Je hebt gelijk. Ik kan er niet tegen dat ik niet mag werken.'

'Heus?' Ze geloofde hem niet. Zijn betrokkenheid bij het politiewerk was geen verklaring voor de afstand die ze tussen hen voelde. En hij was ook wel erg snel met zijn antwoord. 'Verder niets?'

Hij schudde koppig zijn hoofd.

'Zou je het zeggen als er wel iets was?'

'Tuurlijk.' Hij grijnsde traag. Ze vond die grijns altijd zo charmant. Hij strekte zijn hand over de tafel en kneep in haar hand. 'Je moet een beetje geduld met me hebben, oké?'

'Ben ik dan niet geduldig geweest?'

Zijn blik dwaalde weg.

'Is het omdat ik graag een baby wil?' Olivia draaide er nooit omheen. Ze zag geen reden om het probleem te benoemen waarover ze elk gesprek vermeden. De eerste weken na het ongeluk was Bentz impotent. Niet zo gek, want hij kon amper lopen, laat staan vrijen. Maar dat probleem was verdwenen.

'Ik heb je al gezegd dat ik bijna vijftig word, dat ik met een stok loop en dat ik al een grote dochter heb die binnenkort gaat trouwen. Ik weet het niet... Niet dat ik geen kind van jou zou willen, maar ik ben er niet zo zeker van of dit wel een goed moment is om daaraan te beginnen.'

'Ik wel. En ik ben eind dertig. Mijn biologische klok tikt niet, Bentz, die weergalmt in mijn oren. Ik heb geen tijd om te wachten of lang te wikken en wegen. Als ik een kind wil baren, en dat wil ik, dan moeten we het nu proberen.'

Zijn onderkaak zakte en hij nam een slok uit het bierflesje. Hij keek opzij, alsof de daklijst van het restaurant opeens heel interessant was. Ze voelde de kloof tussen hen breder worden, en toen ze zag hoe de kelner een jong stel met een driejarige peuter naar een tafel leidde, voelde ze een steek in haar hart.

'Wat gebeurt er toch tussen ons?'

Een spier vertrok in zijn kaak en ze voelde haar hart ineenkrimpen. Hij worstelde ergens mee, afwegend of hij haar de waarheid wel kon vertellen. Haar maag voelde aan als een blok beton. 'Wat is er?' Haar stem klonk fluisterend, en een nieuwe angst kwam in haar opzetten. Ze geloofde dat hij van haar hield, maar toch...

Weer kapte hij het onderwerp af. 'Ik heb gewoon veel aan mijn hoofd.'

Vertaling: *Hou op met zeuren, en dwing me niet om een kind te nemen.*

'Ik ben psychologe. Ik voel dat je me buitensluit.'

'En ik ben een smeris. Een rechercheur. Tenminste, dat was ik. Ik moet gewoon een aantal zaken op een rij zetten.' Hij keek haar weer aan. Er was geen uitdrukking in zijn ogen te lezen. Maar toen hij haar hand weer pakte hield hij die vast. 'Vertrouw me.'

'Doe ik ook. Maar volgens mij ben je depressief, en dat kan niemand jou verwijten. Misschien moeten we de bakens flink verzetten. Een nieuwe start maken.'

'Met een baby? Hoor eens, ik denk niet dat het probleem daarmee opgelost is.' Hij keek haar koel aan. 'Voor problemen kun je niet weglopen, Livvie. Dat weet je best. Vroeg of laat komen ze terug. Fouten kunnen je lang achtervolgen, ook als het fouten uit een ver verleden zijn.'

'Is dat het?' vroeg ze, in gedachten zoekend naar kleine toespelingen die hij de laatste tijd had gemaakt. 'Jouw verleden in Los Angeles heeft je eindelijk gevonden?' Ze trok haar hand weg van de zijne.

'Ik weet niet wat er gebeurt, maar ik ben ermee bezig. Meer kan ik nu niet doen.' Hij wenkte een passerende kelner om af te rekenen, en daarmee was het gesprek afgelopen. Ze stonden op, Bentz stram maar zonder wandelstok. Ze liepen door het donkere restaurant naar de straat waar de jeep geparkeerd stond. Hij wilde beslist chaufferen, en op de heenweg deed hij dat goed. Maar op weg naar huis prevelde Olivia een paar schietgebedjes, toen Bentz veel te hard over de snelweg reed en ze beschuldigde hem ervan net zo roekeloos te rijden als Montoya.

Hij grijnsde even naar haar en gaf nog meer gas.

Ze reden zwijgend naar huis. De autoradio stond zachtjes aan, de motor bromde, en allebei waren ze in hun eigen gedachten verzonken. Bij het bordes van hun woning bood hij haar een arm aan, hield de voordeur hoffelijk open en gedroeg zich attent. Zelfs liefdevol.

Ze volgden de gebruikelijke routine. Olivia verzorgde de huisdieren en ging naar boven om in bed te lezen. Hij keek eerst naar het televisiejournaal voor hij naar de slaapkamer ging. Ze zeiden weinig: de spanning en onzekerheid tussen hen was nog steeds voelbaar.

Uit haar ooghoeken zag Olivia dat Bentz zijn shirt uittrok, en het ontging haar niet dat hij even een grimas van pijn trok toen hij in bed stapte. Ze maakte een ezelsoor aan de pagina die ze las, sloeg het boek dicht en legde het op het nachtkastje. 'Ik heb geen zin in ruzie,' zei ze, zich uitstrekkend om het licht uit te doen. Ze bleef even stil liggen terwijl haar ogen aan het donker wenden. 'Ik wil niet boos in slaap vallen.'

'Ben je dan boos?'

Een windvlaag tilde de gordijnen voor het raam op. 'Ja, een beetje. En gefrustreerd, en... bezorgd. Denk ik. Het lijkt wel alsof... of jij hier bent, maar toch kan ik je niet vinden.'

De matras kraakte toen hij zich naar haar omdraaide. 'Blijf dan zoeken,' fluisterde hij in haar haren. Zijn warme adem streek over haar huid. Een grote hand gleed over de welving van haar borst. 'Laat me niet stikken.'

'Laat ons niet stikken,' zei ze, en ze voelde hete tranen in haar ogen prikken.

'Nooit.' Hij sloeg zijn armen om haar heen en trok haar dicht tegen zich aan. Zijn lippen vonden haar mond in het donker en hij kuste haar vurig, met een gretigheid die haar warm maakte.

Ze moest dit niet doen, in deze seksuele val lopen, terwijl ze radeloos van angst was over hun toekomst. Maar zijn aanraking, zoals altijd, was verleidelijk, de warmte van zijn lijf troostend. Zijn tong duwde met kracht en gleed tussen haar tanden, dansend met en kronkelend om haar tong.

Doe dit niet, Livvie. Je moet seks niet inruilen voor een serieus gesprek.

Hij begon haar nachtpon steeds verder omhoog te sjorren, zijn vingers tastend over haar huid. Hij bleef haar tongzoenen en zijn warme hand bewoog vluchtig over haar dijen, haar heupen en omhoog naar haar borst.

'Ik denk dat dit geen goed idee is,' fluisterde ze.

'Is het ook niet. Het is een geweldig idee.' Hij rukte het nachthemd over haar hoofd, smeet het op de vloer en kwam snel op haar liggen. 'Je moet geen seconde twijfelen aan onze relatie,' zei hij, dicht bij haar huid, terwijl ze zijn boxershort uittrok en met haar vingertoppen over zijn strakke billen en benen streelde.

Ze wilde hem geloven. Met heel haar hart.

'Ontspan je,' zei hij. Ze sloot haar ogen en gaf zich met hart en ziel over aan zijn aanrakingen.

Later lag ze nog wakker. De plafondventilator zoemde boven het bed, de lucht in beweging brengend.

God, wat hield ze van deze man. Haar hart gloeide van liefde voor hem. Maar ze zou niet toestaan dat die liefde haar verwoestte.

Ze streek met haar vingers door zijn stugge haar en luisterde naar zijn zachte gesnurk. Zijn ogen bewogen snel achter de oogleden. Zijn lichaam verstrakte, de spieren waren meer gespannen. 'Nee,' zei hij hardop. 'Nee... O, god. Stop!'

'Ssst,' fluisterde ze. 'Stil maar, alles is goed.'

'Stop! Alsjeblieft! Niet doen!' Hij bewoog zich krampachtig, hij ademde zwaar. 'Jennifer!' Hij schreeuwde haar naam uit, zonder te ontwaken, om daarna in een onrustige sluimer te vallen.

Maar Olivia deed geen oog dicht.

Zijn stem die Jennifers naam riep echode in haar geest. Ze gleed uit bed en ging naar beneden. Ze sloeg een deken om en ging op de bank liggen. De hond kroop op haar schoot en rolde zich op. Ze staarde door het raam naar de wassende maan.

Olivia wist niet wat er met haar man aan de hand was, maar ze besefte wel dat de eerste vrouw van Rick een kloof tussen hen veroorzaakte.

Het was belachelijk. Ze had Bentz pas leren kennen toen Jennifer al lang dood was, en hoewel ze vermoedde dat hij zich wel een beetje schuldig voelde omdat hij nog leefde terwijl zijn jonge vrouw gestorven was, leek hij daar goed mee om te kunnen gaan.

Tot hij twee weken in coma lag.

Er was iets gebeurd in die verloren dagen toen hij bewusteloos was. Rick Bentz was veranderd. En dat was niet zo vreemd, gezien de omstandigheden. Hij was bijna bezweken.

Niemand kon zo'n trauma doorstaan zonder emotionele littekens. Afzondering zoeken en naar binnen gekeerd raken waren normaal. Deze man had de dood echt in de ogen gezien, en Olivia had hem veel tijd gegund om te herstellen. Niet alleen lichamelijk, maar ook emotioneel.

Maar wat had Jennifer Nichols Bentz daarmee te maken?

Ze was kennelijk in slaap gedommeld, want tot haar verbazing zag ze dat de dageraad de horizon kleurde. Diepe tinten magenta en lila maakten strepen aan de oostelijke hemel en meteen wilde ze geen seconde langer op de bank blijven liggen. Ze had hoofdpijn en ze besloot koffie te zetten. Cafeïnevrij, hield ze zichzelf voor, terwijl ze naar de badkamer liep en een kleine prullenbak onder de wastafel vandaan haalde.

Boven op een stapel gebruikte tissues lag haar recentste zwangerschapstest. Het teststaafje met de roze streep gaf nog steeds de uitslag positief aan. Inderdaad, ja heus, Olivia Bentz was in verwachting.

Hoofdstuk 3

'Help me.' Jennifers stem was even helder als toen hij haar voor het laatst in leven zag. 'Rick... help me.' Ze lag in de auto, haar gezicht bebloed, haar lichaam gebroken en roerloos. En toch had hij haar stem gehoord.

'Het komt allemaal goed,' zei hij, proberend dichter bij haar te komen, maar zijn benen leken van lood, het was alsof hij vastzat in drijfzand. Hoe meer hij zich inspande om bij haar te komen, hoe verder weg ze was, en haar gezicht viel vóór hem uiteen.

Opeens opende ze haar ogen.

'Het is jouw schuld,' zei ze, terwijl het vlees verdween en alleen een schedel met beschuldigende ogen overbleef. 'Jouw schuld!'

'Nee!'

Bentz sperde zijn ogen open en hij besefte dat hij alleen in bed lag. Zijn hart bonkte heftig, beukend tot in zijn brein, maar boven dat geluid hoorde hij buiten het ronken van een truck en het rammelen van vuilnisemmers die geleegd werden.

Hoe laat was het in hemelsnaam?

Zonlicht brandde door de ramen en hij keek naar de klok. Negen uur geweest. Hij was uiteindelijk toch in slaap gevallen. Onrustig, maar wel lang. Hij wreef met zijn hand over de stoppels op zijn kaak en probeerde de nachtmerrie over Jennifer te verjagen.

Olivia was al vertrokken.

Omdat zij nog een leven heeft.

Hij balde zijn vuist, kwaad op de wereld, en strekte zijn vingers langzaam.

Ach, nee, Bentz, hou toch op met dat zelfmedelijden. Die arme-ik-houding wordt vervelend.

Hij gaf zichzelf een mentale trap, deed een plas en hobbelde de trap af naar beneden, waar nog warme koffie in de kan was. Ze had geen briefje achtergelaten, maar hij wist dat ze een afspraak met een vriendin had, een vrouw die ook in de winkel werkte. Olivia en Manda hadden hun vaste afspraak met koffie, beignets en geroddel in Café du Monde, bij Decatur. Daar lazen ze de kranten en keken naar de passanten terwijl ze genoten van hun dampende koffie aan een tafeltje buiten.

Bentz schonk zich een kop koffie in, hij liet de hond naar buiten en terwijl Hairy S aan de randen van de veranda snuffelde staarde hij naar het bos, waar hij enkele dagen geleden heel zeker Jennifer had gezien.

Of iemand die zoveel op haar leek dat het hem de adem benam.

Natuurlijk was zij daar niet geweest. Hij had de plek bekeken waar ze tussen twee cipressen stond. Er waren geen voetafdrukken op de aarde, geen enkel spoor dat daar iemand geweest was, al zou hij op het leven van zijn dochter durven zweren dat hij daar zijn eerste vrouw had gezien. Ex-vrouw. Ze waren niet meer getrouwd toen ze stierf.

Als ze echt was omgekomen bij dat bizarre ongeluk.

Bentz was er altijd van overtuigd dat het 'ongeluk' de manier van Jennifer was om eruit te stappen. Zelfmoord, al was het wel een heel bloederige manier om dat te doen.

Hij vermoedde dat ze zich zo schuldig voelde, niet zozeer omdat ze hem bedrogen had – meer dan eens – maar omdat ze in bed met een andere man was betrapt. Bentz' eigen halfbroer. Zelfs nu, jaren later, voelde hij nog steeds de razernij die toen door hem heen trok. Even pijnlijk als haar ontrouw was het feit dat hij zo dom was om haar toch weer te vertrouwen.

Daarom was ze uit het leven gestapt, en had ze de opvoeding van hun dochter aan hem alleen overgelaten. Ze had zelfs een afscheidsbriefje geschreven, om haar daden en haar schuldgevoel te verduidelijken.

Toen was Bentz er zeker van dat Jennifer de vrouw achter het stuur van de verongelukte auto was, en zo had hij haar ook begraven. Er waren geen DNA-tests gedaan, er was geen bloed afgenomen. Alleen zijn verklaring dat zijn vrouw de bestuurster was.

Nu, starend naar de rand van het moerassige gebied waar hij zijn laatste 'Jennifer-visioen' had, voelde hij iets kriebelen in zijn nek, alsof iemand hem zwijgend observeerde. Hij draaide zich snel om, wankelde even en tuurde naar de ramen van het huis.

Niets.

Niemand keek vanuit het huis naar hem.

Niemand stond ergens achter een magnoliastruik naar hem te staren.

Hij ademde langzaam uit.

Hij negeerde het paniekgevoel dat hem besprong.

Allemachtig, Bentz, doe toch normaal!

Werd hij echt krankzinnig?

Hij wist dat hij Jennifer had gezien, niet alleen een paar weken eerder op deze plek en in het ziekenhuis, maar ook andere keren. Die keer toen hij voor in Olivia's auto zat te wachten, toen zij even in de stomerij was, en hij zeker wist dat hij een glimp van haar zag. Daar liep Jennifer, met haar handtas tegen haar borst geklemd, haar haren in een strakke paardenstaart: ze stak snel de straat over en verdween in een steeg. Hij was meteen uitgestapt, hinkte naar de ingang van de steeg, maar daar zag hij alleen een witte kat die wegglipte door een vermolmde schutting waarvoor overvolle vuilnisbakken stonden.

Een andere keer zag hij haar wandelen in een park. Ze liep kalm om een fontein heen, het zonlicht viel op haar donkere haren, met een kastanjebruin oplichtende gloed. Ze had zich omgedraaid, ze keek over haar schouder en een trage glimlach verscheen om haar lippen.

Haar ogen twinkelden uitdagend: *pak me dan als je kan...* Hij had zijn jeep meteen dubbel geparkeerd, achtervolgde haar steunend op zijn wandelstok, tot voorbij de fontein. Daar aangekomen bleek ze spoorloos verdwenen.

En dan was er die verschijning tussen de bomen, achter zijn huis.

Ze leek zo levensecht.

Hij werd krankzinnig. Dat was het. Of hij hallucineerde van de medicijnen die hij kreeg voorgeschreven. Maar hij had die pijnstillers al een maand geleden weggegooid. Lang voordat hij Jennifer een eind achter zijn eigen veranda zag staan.

Of haar geest.

Onmogelijk.

Hij geloofde helemaal niet in geestverschijningen of bovennatuurlijke en paranormale zaken. Hij had al moeite om te accepteren dat zijn vrouw visioenen had toen die seriemoordenaar, The Chosen One, heel New Orleans terroriseerde.

Toch wist hij zeker dat hij haar gezien had.

Echt? Maar dan was ze in twaalf jaar niet veel ouder geworden, toch? Hoe is dat dan te verklaren? Kom op, Bentz, accepteer maar dat je krankjorum wordt.

Hij mompelde een verwensing en nam een flinke slok voor hij zijn beker leeggoot in een perk vol met bloemen in tinten variërend van lichtroze tot donkerpaars.

Hij werd doodmoe van het piekeren over Jennifer. Hij begreep niet waarom zijn onderbewuste zo vastberaden probeerde haar weer op te rakelen. Hij probeerde haar te negeren. Hij hield zichzelf voor dat hij gewoon in een flits een vrouw had gezien die veel op haar leek, en dat ze daardoor 's nachts door zijn dromen spookte.

Maar daarmee was haar verschijning de vorige dag tussen de bomen niet verklaard. Dat ze een steeg in liep of in een park wandelde was tot daaraan toe, maar hier in zijn eigen achtertuin... De keren dat hij ergens in het openbaar een glimp van haar had opgevangen, konden nog worden toegeschreven aan de vluchtige ontmoeting met iemand die op haar leek, maar de beide keren dat hij haar alleen had gezien, in het ziekenhuis en in de tuin, dat was anders. Het kon geen gezichtsbedrog door zonlicht of schaduwen zijn.

Was de vrouw die achter in zijn tuin had gestaan een product van zijn verbeelding? Een wensdroom? Of een gevolg van verkeerde zenuwimpulsen in zijn gewonde brein?

Joost mocht het weten.

'Hou toch op.'

Hij floot de hond en liep naar binnen. Hij nam een douche, schoor zich en na een korte blik op het fitnessapparaat in de erker nam hij zich voor die middag te trainen. Hij wilde eerst naar de stad rijden, om er bij Jaskiel voor te pleiten dat ze hem weer aan het werk zou zetten, weg uit huis, waar de muren langzamerhand op hem afkwamen.

Hij nam zijn wandelstok mee.

Melinda Jaskiel had hem nog zes weken ziekteverlof gegeven, en de helft van die periode was traag verstreken. Hij kon echt niet veel langer wachten. Hij wilde zijn chef overtuigen dat hij aan het werk moest, desnoods halve dagen. Maar juist toen hij in zijn jeep stapte, de pijn in zijn been negerend, piepte zijn mobieltje.

Op het schermpje zag hij dat het Montoya was.

'Hallo?' zei hij in de telefoon.

'Daar ben ik weer. Heb je even tijd?'

Bentz zweeg een moment. Zijn collega deed weer eens gewichtig. 'Nou, heel even dan.'

'Kunnen we elkaar ontmoeten over... zeg een uur?' Dit was geen grap. Montoya klonk heel serieus.

'Op het bureau?'

'Nee, liever in de Cat's Meow.'

'Ik kan daar over een halfuur zijn.

'Mooi zo.' Montoya verbrak de verbinding en Bentz kreeg een akelig gevoel in zijn maag. Er was iets aan de hand. Zou het gerucht gaan dat Bentz verplicht met pensioen moest?

'Shit,' mompelde hij en startte de auto. De gedachte dat hij zijn politiebadge moest inleveren bezorgde hem brandend maagzuur. Hij was nog helemaal niet toe aan zijn pensioen. En hij zag zichzelf ook niet als privédetective. Hij schakelde ruw in de achteruit, keerde de auto snel en reed weg, met een flinke vaart richting New Orleans om te horen welk slecht nieuws Montoya voor hem had.

De Cat's Meow was een bar dicht bij Bourbon Street, en na de orkaan weer herbouwd in de originele, nogal sjofele staat. De bakstenen muren, zelfs al leken ze pas geschrobd, zagen eruit alsof ze konden instorten. Houten vloeren, nieuw gelegd, maar met slijtplekken alsof er jaren over gelopen was. Foto's van jazzzangeressen boven de bar, geretoucheerd, alsof ze al jaren in de sigarettenrook hingen. De laatste foto in de rij, van Ella Fitzgerald, hing scheef, alsof de eigenaar van de bar er trots op was dat niets in deze wereld perfect is.

De airconditioning zoemde luid, plafondventilators draaiden traag en rook kringelde op boven de tafeltjes waar groepjes stamgasten over hun drankjes gebogen zaten.

Montoya wachtte hem op in een hoek, met een kop koffie onaangeroerd voor zich. Hij keek Bentz vorsend aan, terwijl die probeerde geen grimas te trekken toen hij tegenover de jongere politieman ging zitten.

'Wat is er aan de hand?' viel Bentz met de deur in huis. Hij bestelde een kop thee.

'Ik heb een brief voor je.'

'Serieus?' vroeg Bentz.

'Nou, via het bureau.'

Montoya wachtte tot de serveerster de thee op tafel had gezet, voordat hij in zijn binnenzak tastte en een gele envelop tevoorschijn haalde. Het was een grote envelop en de naam Bentz was er met blokletters op geschreven, evenals het adres: Afdeling Moordzaken, Politiebureau New Orleans. Aan beide kanten was een stempel afgedrukt: PERSOONLIJK.

De envelop was niet geopend.

'Kwam dit vandaag?'

'Mmm.' Montoya nam net een slok van zijn koffie.

'Gescand?' Bentz doelde op de veiligheidsmaatregelen in verband met bombrieven en giftige stoffen zoals antrax.

'Ja.'

Bentz' ogen vernauwden zich. 'Door jou?'

'Inderdaad. Ik zag hem in de postkamer liggen en ik dacht dat niemand behalve jij er belang bij heeft. En dus...' Hij trok even zijn schouder op.

'Je hebt die envelop verduisterd.'

Montoya maakte een weifelend handgebaar. Misschien wel, misschien ook niet.

'Deze envelop is overduidelijk aan jou gericht. Het lijkt me beter dat jij hem in handen krijgt voordat Brinkman of een andere eikel naar de inhoud kijkt.' Hij wierp een snelle blik op de envelop. 'Waarschijnlijk is het niet belangrijk.'

'Als je dat echt dacht, dan had je de moeite niet genomen.'

Weer bewoog een in leer gehulde schouder omhoog. 'Maak je die envelop nou nog open?'

'Nu?'

'Ja.' Montoya nam weer een slok koffie.

'Dat is het: je bent gewoon nieuwsgierig.'

'Hé, ik probeer je alleen te helpen.'

'Fijn.' Bentz keek naar het poststempel. Het was gevlekt en in de bar was het te donker om veel te zien. Maar hij had een minizaklamp aan zijn sleutelbos en toen hij de smalle lichtbundel op het poststempel richtte, voelde hij een steek in zijn maag.

De naam van de stad was onleesbaar, maar hij herkende de postcode van de afzender: het was de omgeving waar hij en Jennifer hadden gewoond voor haar dood.

Met een sleutel als briefopener maakte hij de envelop open en haalde de inhoud voorzichtig tevoorschijn. Een enkel vel papier en drie foto's.

Hij hapte naar adem.
Zijn hart stond stil.
De foto's, voorzien van een datum, waren van zijn eerste vrouw, Jennifer.
Grote god, wat had dit te betekenen?
Hij hoorde zijn hartslag in zijn hoofd bonzen. Eerst die 'visioenen' en nu dit.
'Is dat...?'
'Ja.' De foto's waren scherp en helder. In kleur. Jennifer stak een drukke straat over. Jennifer stapte in een lichtgekleurde auto, het merk en type waren onduidelijk. De laatste foto was vanaf de straat genomen: ze stond in een winkel. Voor de etalage was een trottoir, er passeerden voetgangers en op de voorgrond waren twee krantenstandaards zichtbaar. Hij herkende *USA Today* en *L.A. Times*.
Nog scherper turend zocht Bentz naar een reflectie in de grote winkelruit, maar hij zag niets.
Dit was bizar.
'Zijn het oude foto's?' vroeg Montoya.
'Niet als de datum van de camera juist is.'
'Die datuminstelling kun je veranderen.'
'Weet ik.'
'En met fotoshoppen kun je elke foto veranderen zoveel je wilt. Hoofden op een heel ander lichaam zetten, bijvoorbeeld.'
Bentz keek op van de onheilspellende foto's. 'Maar waarom?'
'Iemand probeert jou in de maling te nemen.'
'Kennelijk.' Hij richtte zijn aandacht op het vel papier en zijn onderkaak werd hard als graniet. Het was een kopie van Jennifers overlijdensakte. Dwars over het keurig getypte formulier was een rood vraagteken gekrast.
'Wat heeft dit te betekenen?' vroeg Montoya.
Bentz staarde naar het bekladde document. 'Een misselijke manier om mij duidelijk te maken dat mijn eerste echtgenote mogelijk niet dood is.'
Montoya zweeg even en keek zijn collega aan. 'Je maakt een geintje, toch?'
'Vind jij dit dan geinig?' vroeg Bentz, wijzend naar de overlijdensakte en de foto's.
'Je gelooft toch niet dat dit Jennifer is? Onzin.' Hij keek Bentz strak aan. 'Je zit me te dollen, nietwaar?'

Bentz vertelde Montoya was er gebeurd was. Tot nu toe wist alleen Kristi, die erbij was toen Bentz in het ziekenhuis uit zijn coma ontwaakte, iets over de visioenen. Kristi dacht meteen dat het een gevolg van het coma en te veel medicijnen was. Na dat eerste visioen had Bentz erover gezwegen en zijn dochter, druk bezig met de voorbereidingen van haar huwelijk, was er niet meer over begonnen.

'Wacht eens even,' zei Montoya, terwijl Bentz een slok nam. 'Wil jij daarmee zeggen dat ze misschien echt nog leeft?'

'Ik weet niet wat ik moet geloven.'

'Maar anders jaag jij op spoken.'

Bentz fronste. Montoya keek hem strak aan. 'Ik jaag niet op een geest.'

'Wat dan?'

'En ik word ook niet krankzinnig.'

'Dan blijft over.... Ja, wat? Jij denkt dat iemand zich voordoet als dubbelganger van je vrouw, en probeert jou gek te maken? Geloof je echt dat je verzeild bent in een of ander bizar scenario van een Hitchcock-film?'

'Ik zei toch dat ik niet weet wat ik ervan moet denken.'

'Heb je het aan Olivia verteld?'

'Nee.' Bentz keek weg. 'Nog niet.'

'Bang dat ze moeilijk doet?' Eén van Montoya's donkere wenkbrauwen ging omhoog en hij dronk zijn koffie op.

'Nee. Ze zou het niet begrijpen.'

'Nou, ik snap er ook niets van.'

'Precies.'

Montoya schoof zijn lege koffiekopje opzij en steunde met zijn elleboog op de tafel. 'En wat wil je dat ik doe?'

'Hou het stil. Voorlopig. Maar ik heb een paar gunsten nodig.'

'Zoals?'

'Een paar dingen. Aangezien ik met ziekteverlof ben kan ik niet zo gemakkelijk informatie verzamelen. Misschien vraag ik je wat research te doen.'

'Om die vrouw te vinden?'

'Misschien,' zei Bentz. 'Eerst wil ik dat die akte op vingerafdrukken wordt onderzocht, en op DNA-sporen. Zoek op de achterkant van die postzegel en de plakrand van de envelop. Kun je mij een kopie van de rapporten geven?'

'Tuurlijk.' Montoya keek naar het document.

'En laat het lab onderzoeken of die foto's veranderd zijn. Dat kunnen ze toch uitzoeken?'

'Waarschijnlijk wel.' Hij keek naar de foto's. 'Ik zal het in elk geval vragen aan de jongens van het lab. Er is een laborant – Ralph Lee – die gespecialiseerd is in alles wat met fotografie te maken heeft.'

'Mooi. Als ik afdrukken heb, vraag hem dan goed naar die originelen te kijken. Hij moet vergrotingen maken, zo scherp mogelijk, en zoeken naar elk detail waarmee de locatie en het tijdstip van opname misschien bepaald kunnen worden. Zoek naar straatnamen, kentekenplaten, klokken op gebouwen, of de positie van de zon. Alles wat datum en tijdstip van de originele foto's kan bevestigen.'

Montoya fronste. 'En wat wil je met die kopieën doen?'

'Weet ik nog niet. Dat moet ik verder uitwerken.'

Bentz deed de overlijdensakte en de foto's weer in de gele envelop. Hij wist niet wat hij nodig had, nog niet, maar hij werd beroerd van het jagen op schimmen en de vrees dat zijn brein het liet afweten. Beetje bij beetje. Hij kon niet achteroverleunen, en degene die hier meer van wist met rust laten. 'Dus voorlopig niets zeggen. Als Jaskiel of iemand anders op het bureau denkt dat ik spoken zie, dan wordt het helemaal moeilijk om ze ervan te overtuigen dat ik echt weer aan het werk kan.'

Montoya krabde aan zijn kin en schoof zijn stoel achteruit. Het diamantje in zijn oorknop weerkaatste het licht.

Bentz zag de twijfel in de donkere ogen van zijn collega. 'Je gelooft mij niet.'

'Ik? Een twijfelaar? Welnee. Dat is niet mijn stijl.' Hij grijnsde nadrukkelijk. 'Maar zoals je zelf zei, het is wel vreemd. Ik ben het met je eens: ik weet ook niet wat ik moet geloven.'

Hoofdstuk 4

Dat poststempel uit Zuid-Californië zat hem het meest dwars. Het brandde in zijn gedachten terwijl hij wegreed uit Bourbon Street. Bij een copyshop had hij meer afdrukken van de overlijdensakte en de foto's gemaakt. Hij gebruikte de opties om het beeld te verscherpen en te vergroten. De originelen gaf hij aan Montoya.

Hij was ervan overtuigd dat iemand uit zijn verleden, of dat van Jennifer, zijn spoor volgde. Maar wie dan? Waarom? En waarom dit kat-en-muisspel?

Hij remde af voor een rood verkeerslicht, piekerend terwijl de jeep langzaam tot stilstand kwam. Donkere wolken schoven traag langs de hemel en de geur van de Mississippi drong door het open raampje in zijn neus.

Hij dacht aan de verschijning van Jennifer tussen de bomen achter zijn tuin. Zo dicht bij zijn huis – Olivia's huis. En nu deze foto's. Hij keek naar de foto's op de zitting naast hem: Jennifer die een straat overstak. De vrouw op die foto was ofwel zijn ex-vrouw, of een dubbelgangster.

Geesten zijn niet te zien op foto's.

Hersenspinsels zijn geen echte beelden, en dus kunnen ze niet op film vastgelegd worden.

Dus ze was het echt?

Zijn maag kromp ineen.

En wie stond dan achter zijn huis, het huis dat Olivia had ingebracht in hun huwelijk? Die laatste ontmoeting was onheilspellend. En te dicht bij Olivia.

De gedachte dat zijn vrouw hierin werd betrokken beviel hem helemaal niet, wat dit ook mocht betekenen. Olivia woonde hier ook, en het idee dat haar veiligheid in het geding kwam was onverteerbaar. Olivia had zich altijd veilig gevoeld in dit huis. Hairy S was geen waakhond, en daarom was op aandringen van Bentz al jaren geleden een alarmsysteem in de woning aangebracht. Ze gebruikten het zelden, maar dat zou veranderen.

Het verkeerslicht sprong op groen en hij wachtte even op een oudere vrouw in een rolstoel die nog bezig was met oversteken. Zodra ze voorbij was sloeg hij snel de hoek om maar hij moest meteen op de rem trappen. Een tiener gekleed in shorts en een te groot T-shirt liep op de weg, afgeschermd van de buitenwereld door de oordopjes van zijn iPod. De knaap had niet eens gemerkt dat Bentz hem bijna had aangereden.

Bentz reed langs het hoofdbureau en hij zag dat Brinkman zijn auto had geparkeerd op de plek die Bentz meestal gebruikte. Dat was geen verrassing: Brinkman was een goede politieman, maar ook eigengereid. Wat viel hem te verwijten? Bentz kon daar toch niet parkeren. 'Toe maar,' bromde Bentz, en hij reed verder naar een internetcafé. Hij logde in, terwijl hij van zijn ijskoffie dronk. De ijsklontjes met zijn tanden verbrijzelend zocht hij naar informatie over zijn eerste vrouw. Hij googelde ook zijn eigen naam. Bij de meeste treffers was hij een held, die meer dan één moordzaak had opgelost sinds hij in dienst was bij de politie van New Orleans.

Maar er waren ook negatieve berichten over hem. Artikelen uit Los Angeles, over een politieman met een bezoedeld blazoen, die onverwacht vertrokken was van de afdeling toen een ernstige zaak nog niet was opgelost.

En dan was er dat schietincident, toen hij een twaalfjarig jochie met een speelgoedpistool per ongeluk had aangezien voor een moordenaar die zijn collega wilde neerschieten. Bentz had de knaap gewaarschuwd, en toen gevuurd.

De jongen, Mario Valdez, bleek overleden bij aankomst in het ziekenhuis. Bentz begon te veel te drinken, en hij wilde ontslag nemen. Gelukkig was Melinda Jaskiel hier in New Orleans bereid hem een nieuwe kans te gunnen.

En daarom was hij hierheen overgeplaatst.

Dat hoofdstuk was afgesloten.

Maar nu probeerde iemand hem doelbewust terug te halen naar Los Angeles. Hij twijfelde er geen seconde aan dat degene die achter de foto's en de bekraste overlijdensakte zat hem met opzet naar Zuid-Californië lokte.

Maar waarom? En waarom juist nu?

Bentz dronk zijn koffie op en belde naar de mobiele telefoon van Montoya. Hij kreeg de voicemail en vroeg terug te bellen. Hij keek om zich heen naar de bezoekers van het internetcafé. De mensen zaten in groepjes aan lange tafels of in fauteuils bij het raam. Twee vrouwen van in de veertig deelden een donut. Drie tieners, een jongen en twee meisjes, zaten onderuitgezakt in de grote stoelen en ze nipten van mokkakleurige drankjes, bekroond met een flinke schep slagroom en chocoladekorrels. Zonder hun gesprek te onderbreken verstuurden ze alle drie razendsnel sms'jes.

Gelukkig was zijn eerste vrouw – of haar geest – nergens te zien. Al zou hij niet verbaasd zijn als ze hier wel verscheen.

Maar het antwoord op het raadsel Jennifer was ergens in Californië te vinden. Hij haalde de foto's tevoorschijn. Beslist in LA genomen. Er was een palmboom zichtbaar op de foto waar ze snel de straat overstak. En de Californische kentekenplaat van een geparkeerde auto. Op de foto waar ze in een cafetaria zat was een deel van een straatnaambord te zien. Bentz las: ADO AVEN. Dus een avenue, ergens in de stad. Dat kon overal zijn, maar in gedachten zocht hij koortsachtig en oude herinneringen kwamen boven. Mercado, of Loredo, of... Zijn maag kromp ineen toen hij aan Colorado Avenue in Santa Monica dacht.

Als dat het adres was, dan probeerde iemand hem echt op stang te jagen.

Hij en Jennifer hadden veel zaterdagmiddagen doorgebracht op de Third Street Promenade, dicht bij Santa Monica Boulevard. Een paar huizenblokken voorbij Colorado Avenue. Als hij zich goed herinnerde was er een winkelcentrum, met een ingang via Colorado. Hij voelde zijn alertheid toenemen, als door een dosis cafeïne, bij de gedachte dat hij verband tussen de feiten kon leggen.

Te gemakkelijk.

Zo slim was hij ook weer niet.

Maar het was wel een feit dat Santa Monica, met de winkeltjes bij het lange strand en de trendy restaurants, voor Jennifer een favoriete plek was. En ook voor hen als echtpaar.

'Shit.' Hij wreef met zijn hand over zijn nek, wetend dat hij, graag of niet, terug moest naar Zuid-Californië.

Iemand lokte hem daarheen.

Iemand wilde dat hij terugkwam.

'Klootzak,' mompelde hij. In Californië had hij nogal wat achtergelaten. Nogal wat onopgehelderde chaos. Weinig mensen bij de politiedienst, het LAPD, hadden zijn vertrek betreurd.

En nu zag hij geesten en kreeg hij anonieme post uit de omgeving waar hij vroeger had gewoond. Hij had nog wel gezworen dat hij daar nooit meer een voet zou zetten.

Dit zaakje stonk.

Bentz moest weten waardoor die stank werd veroorzaakt, ook al speelde hij dan een of andere gek in de kaart. Een andere mogelijkheid was er niet.

Hij schakelde de computer uit en besefte dat Olivia over een kwartier klaar was in de winkel. Dat kwam mooi uit. Leuk of niet, het werd tijd haar te vertellen wat er aan de hand was.

Buiten was het weer verslechterd: de wolken werden donkerder. Het was drukkend warm en er dreigde onweer. Hij stapte in zijn auto, draaide de raampjes dicht en reed naar het French Quarter, waar hij een parkeerplek vond op twee blokken afstand van Jackson Square.

Gebruikmakend van die ellendige wandelstok liep hij naar de winkel, die in zijn ogen weinig meer dan een souvenirshop was. Olivia vond omgaan met mensen leuk, en ze werkte graag samen met Tawilda, een slanke, elegante zwarte vrouw die al heel lang in de zaak was, en met Manda, die het winkelteam van Third Eye later kwam versterken. Daarom had Livvie besloten na haar studie hier te blijven werken terwijl ze ook haar eigen praktijk ging beginnen.

Bentz kreeg kippenvel van de winkel.

De kleine etalage was gevuld met allerlei newagekristallen, religieuze voorwerpen, boeken over voodoo, kralen en kleine krokodillenkopjes met glinsterende ogen. En dan waren er poppen, allerlei poppen die hem deden denken aan dode kinderen met hun beschilderde gezichten, valse glimlach en ogen die schuilgingen onder veel te lange wimpers. De poppen waren een recente aanvulling op het assortiment en volgens Olivia een verkoopsucces, vooral de duurste exemplaren dreven de winst flink omhoog.

Bentz begreep het niet.

Hij had ooit de fout gemaakt te vragen: 'Wie koopt zulke voodoorommel?'

Olivia, bij het keukenraam bezig het papegaaienvoer aan te vullen, was niet beledigd. Ze keek over haar schouder, en zei met een raadselachtige glimlach: 'Dat wil jij niet weten. Pas op hoor, want als jij iemand hebt gedwarsboomd of in de steek gelaten, dan kan er een vloek over je uitgesproken worden.'

'Ik geloof niet in die onzin.'

'Nog niet. Wacht maar tot je overal jeuk krijgt, of je ogen rood worden, of... weet ik veel... Je wordt impotent, of erger nog: je hele zaakje valt eraf.' Ze keek hem plagerig aan en trok haar wenkbrauwen uitdagend op. Meer was niet nodig.

'Je vraagt erom,' had hij gewaarschuwd en hij liep naar haar toe.

'O ja? En waar vraag ik dan om?'

Hij greep haar vast en tilde haar met een zwaai op, de korrels vogelvoer vlogen over het aanrecht en de vloer. Chia krijste, de hond blafte en Bentz droeg zijn vrouw de trap op. Olivia giechelde en kirde, haar sandalen vielen op de traptreden.

Zodra ze in de slaapkamer waren had Bentz de deur achter zich dichtgeschopt en ze belandden op het bed. En hij liet haar duidelijk zien dan zijn mannelijke organen nog stevig vastzaten en prima in orde waren.

God, wat hield hij veel van haar, dacht hij nu, terwijl de eerste regendruppels uit de loodgrijze hemel vielen en hij zich een weg zocht door de drukte op het trottoir langs Jackson Square. Maar nu was hun relatie gespannen en de vitaliteit leek verdwenen. De speelse flirterigheid van vroeger was er niet meer.

Er was nog wel passie, maar nu ontbraken de spontaniteit en de schalksheid waar ze allebei zo van konden genieten.

En wiens schuld was dat, rechercheur Superheld?

Zijn been werd pijnlijk toen hij de open deuren van de restaurants passeerde, zich amper bewust van de flarden jazzmuziek en de kruidige cajungeuren die naar buiten zweefden.

Hij had besloten haar alles te vertellen over de vreemde verschijningen van Jennifer, maar hij was nooit erg spraakzaam en ook niet het type dat zijn angsten en verwachtingen gemakkelijk kon uiten. Nu veranderde dat allemaal. Er moest iets gebeuren.

Hij baande zich een weg door een groep kunstenaars die hun werk toonden langs het smeedijzeren hek rond het plein. Een saxofonist blies een bekende melodie, zijn instrumentkoffer geopend voor giften, een tarotlezer legde zijn kaarten voor een groepje toeschouwers, die aandachtig luisterden naar de woorden van de toekomstvoorspeller.

Een gewone dag in het Quarter.

Het regende. Bentz stak de straat over achter een paard-en-wagen, en stapte Third Eye binnen. Olivia was bezig een verkoop af te ronden: enkele T-shirts, een klein doosje met zand en stenen om te ontspannen, en een krokodillenkopje. En twee poppen, met ouderwetse, starre gezichten.

Bentz keek naar de walgelijke spullen en hij bedacht dat het hoog tijd werd dat zijn vrouw haar psychologiepraktijk ging uitbreiden. Het werd tijd te verdwijnen uit deze winkel vol rare voorwerpen, om voortaan gesprekken te voeren met echte mensen over serieuze problemen.

'Hé!' Olivia zag Bentz toen hij opzij stapte voor een klant, een vrouw met een boodschappentas die langs een stellage met schelpen naar de deur liep.

'Ook hallo,' antwoordde hij.

Olivia glimlachte op een manier die zijn hart altijd deed overslaan. 'Wat doe jij hier? Een beetje slenteren?'

'Ik zoek een leuke date voor een spannend etentje.'

'Mói?' vroeg ze pruilend, en ze wees naar haar borst.

Met een frons bekeek hij haar keurend van top tot teen. 'Jij kunt er wel mee door, denk ik.'

'Mooi, Bentz,' lachte ze. 'Zo denk ik er ook over.'

'Gelukkig maar.'

'De mannelijke soort is altijd zo bescheiden,' zei ze tegen Manda, haar urenkaart invullend. Zodra dat gedaan was liep ze door de winkel naar haar echtgenoot en kuste hem vluchtig op de wang. 'Wat is de reden?'

'Jij vroeg me wat er aan de hand is, en het lijkt me nu tijd dat te vertellen.'

Haar glimlach verdween. 'Moet ik me zorgen maken?'

Hij aarzelde, want hij wilde haar geruststellen. Maar toch besloot hij open kaart te spelen. 'Niet echt. Tenminste, nu nog niet en ook niet over onze relatie. Maar er is wel iets heel vreemds aan de gang.' Hij zag haar paraplu bij de deur en pakte het ding op. Haar een arm gevend leidde hij haar de winkel uit. Regen spetterde op het trottoir en stroomde door de goot. Kunstverkopers, tarotlezers, muzikanten en straatartiesten bedekten hun spullen vlug met plastic zeilen of klapten hun tafeltjes in, om daarna snel een schuilplek te zoeken.

Bentz klapte de paraplu open en hield die hoog boven Olivia's hoofd terwijl ze haastig over het trottoir liepen. Regendruppels rolden langs zijn rug, hij probeerde plassen en andere voetgangers te ontwijken. Een fietser stoof voorbij, zigzaggend door het verkeer. Ergens werd getoeterd en klonk nerveus gehinnik van een paard.

De regenbui werd een wolkbreuk.

Half rennend naar het restaurant voelde Bentz de bekende pijn in zijn rechterheup: telkens weer de herinnering dat hij niet honderd procent fit was.

De schouderpanden van zijn jasje en de zomen van zijn broekspijpen raakten doorweekt, ondanks zijn pogingen dat te voorkomen.

Olivia lachte en haar ogen straalden van kinderlijke pret omdat ze door deze stortbui waren overvallen. 'Je bent helemaal doorweekt,' zei ze bij de ingang van het restaurant.

'Ja, omdat ik zo galant was jou droog te houden.'

'En dat waardeer ik zeer. Bedankt.' Ze knipoogde naar hem. 'Daar zal ik je een keer voor belonen.'

'Graag.' Onder de gestreepte luifel schudde Bentz de regendruppels van de paraplu en hield de deur voor haar open. Binnen waren kleine lichtjes aangebracht in het plafond, als een sterrenhemel. Op de bakstenen wanden waren donkerrode houten panelen bevestigd.

Een serveerster leidde het stel naar een hoek waar ze aan een tafeltje bij het raam konden zitten. Buiten gutste de regen onophoudelijk neer, staalgrijze wolken gleden laag over de stad en het hemelwater kolkte door de goten. Binnen, onder de traag draaiende plafondventilators, bracht een ober water en de menukaarten. Daarna stak hij het kaarsje op tafel aan en beloofde later terug te komen.

'En, wat gebeurt er dan?' vroeg Olivia, toen ze weer alleen waren. 'Waarom heb ik het gevoel dat ik het helemaal niet leuk zal vinden?'

'Omdat jij een heel intelligente vrouw bent.'

'Mmm.'

'En bovendien ben je een halve psychiater.'

'Op wie jij verliefd bent,' vulde ze aan.

'Juist.'

'Je aanbidt mij, beter gezegd.'

'Nu overdrijf je.'

'Je ontwijkt waar het om gaat.'

'Ik wacht op het juiste moment,' zei hij, de menukaart bekijkend. Pas na de bestelling wilde hij over Jennifer beginnen. Toen de ober weer verdwenen was, vertelde Bentz alles. Hij begon met het moment dat hij ontwaakte in het ziekenhuis en het opeens kouder werd, voordat hij zijn overleden vrouw in de deuropening zag verschijnen. Hij vertelde Olivia ook over de andere verschijningen. En uiteindelijk zei hij ook dat hij Jennifer enkele dagen geleden had gezien vanaf de veranda, en dat hij een bekraste overlijdensakte en foto's had ontvangen.

Bij elk feit werd Olivia ernstiger. 'Ik begrijp het niet,' zei ze zacht, hem strak aankijkend. 'Wat? Waarom?'

Hij gaf haar de kopieën die hij gemaakt had en zag dat haar gezicht asgrauw werd. 'Wist ik het antwoord op die vragen maar.'

'Jennifer is dood.' Ze keek hem aan, vragend om een bevestiging.

'Ja.'

'Er was dat afscheidsbriefje, en jij hebt haar lichaam geïdentificeerd.'

'Weet ik.'

'Dus?'

'Waarschijnlijk een bedrieger.'

'Of... het is jouw verbeelding.'

'Dat denk ik niet.' Hij tikte op de foto's. 'Deze zijn wel echt.'

'Iemand kan ze vervalst hebben.'

'Dat is mogelijk.'

'Rick, ze is dóód!' Olivia schraapte haar keel en leunde achterover. 'Heb je... heb je dit aan Kristi verteld?'

'Ze was er toen ik wakker werd en ze dacht dat het een hallucinatie was, als gevolg van het coma of de medicijnen. Ze noemde het "flippen". Ik wilde haar niet ongerust maken, daarom heb ik er niets meer over gezegd. Zij ook niet.'

Maar zijn dochter was bezig met haar werk en de voorbereidingen voor haar huwelijk. Kristi wilde niet geloven dat haar vader krankzinnig werd. Ook al was wel zeker dat hij gekweld werd door een kracht van buiten, hij vermoedde toch ook dat sommige visioenen van Jennifer alleen in zijn geest bestonden.

Misschien hadden invloeden van buiten een storing in zijn brein veroorzaakt en al wilde hij het niet toegeven, hij wist niet meer wat werkelijk was en wat alleen een product van zijn verbeelding.

'Kristi heeft dit niet gezien?' vroeg Olivia, wijzend op de foto's.

'Nee.'

Olivia ademde langzaam uit, starend naar de bekraste overlijdensakte en de foto's. Ze trok haar wenkbrauwen samen, er ontstonden lijnen op haar voorhoofd, en haar volle lippen krulden van afgrijzen. 'Dit is echt ziekelijk.'

'Helemaal mee eens.'

'Heb je enig idee wie dit verstuurd heeft?' Ze hield de foto's en de akte omhoog. Hoofdschuddend gaf ze de kopieën terug aan Bentz.

'Nee. Montoya laat de originelen onderzoeken in het lab. Vingerafdrukken, DNA, manipulatie met de foto's, of wat er meer te ontdekken is. En ook wat voor rode pen gebruikt is om dat vraagteken te schrijven.' Hij stopte de envelop in een binnenzak van zijn jasje toen de ober het voorgerecht op tafel zette.

'Denk jij dat Jennifer nog leeft?' vroeg Olivia.

'Nee.' Hij roerde in zijn vissoep en schudde zijn hoofd. 'Maar ik denk ook niet dat ze een geestverschijning is.'

'Dat is duidelijk. Dus... een bedrieger. Iemand die een spelletje met jou speelt.' Ze knikte overtuigd van haar eigen woorden en pakte haar vork. 'Wie?'

'Dat is de hamvraag.'

Geërgerd prikte Olivia een stukje groente en garnaal aan haar vork. 'Jij denkt dus dat iemand hier in Louisiana zich voordoet als Jennifer, en alleen aan jou verschijnt. En jij gelooft dat ze maanden geleden in het ziekenhuis verscheen, precies op het moment dat jij wakker werd. Maar die foto's en die akte werden verstuurd vanuit Los Angeles.' Haar ogen vernauwden zich terwijl ze een hap salade nam. 'Zo is het toch ongeveer?'

'Ja, ongeveer.'

'Waarom al die moeite? Waarom werd dat pakketje niet hier in New Orleans verstuurd?'

'Jennifer stierf in Zuid-Californië.'

'Als ze in haar auto stierf.'

'Dat is zo.'

'Je zei dat ze helemaal niet ouder leek, toch? Maar hoe dichtbij was ze?'

'Niet bepaald dichtbij.'

'Hmm. En die foto's, daarop lijkt ze jong, maar de afbeelding kan geretoucheerd zijn. Of haar gezicht is gefotoshopt op het lichaam van een andere vrouw.'

'Het antwoord is in Los Angeles te vinden.'
'Hoewel jij haar in Louisiana zag?'
'Die foto's zijn ergens in LA genomen.'
'Misschien.'
Weer die fotoshopmogelijkheid. 'Ze is begraven in Californië,' zei Bentz. Hij keek hoe Olivia reageerde.
'Jezus! Wil je haar laten opgraven?' Walging was op haar gezicht te lezen. 'Omdat jij denkt dat je haar gezien hebt? Omdat je een paar foto's toegestuurd kreeg en een overlijdensakte met een vraagteken en een poststempel uit de stad waar je ooit gewoond hebt? Is dat niet een beetje bizar? Ik bedoel maar: zou iemand dat ooit willen doen?'
'Weet ik niet, maar ik wel.'
'Dus jij wilt naar Californië gaan,' zei Olivia hoofdschuddend.
'Ja, aangezien ik toch niet werk.'
'Zo snel?'
Hij knikte. 'Montoya houdt hier de zaak wel in de gaten en hij beschermt jou.'
'Denk jij dat ik bescherming nodig heb?'
'Nee, maar...'
'Maar als ik me eenzaam en verlaten voel, dan is hij in de buurt. Ja toch?' vulde ze spottend aan. 'In het zeldzame geval dat ik het gevoel heb dat jij op spokenjacht bent of weet ik wat... Dat je bezig bent met oude emoties waarmee je nog niet klaar bent, dan kan ik rekenen op jouw collega, en niet op jou. Bedoel je dat?'
Bentz voelde de spieren in zijn rug verstrakken.
'Ik heb geen behoefte aan een kinderjuf of een oppasser, ja? Ik heb het grootste deel van mijn leven in dat huis gewoond. En meestal alleen. Ik hoef geen "bescherming". Soms vraag ik me af of jij echt krankzinnig wordt. Dit lijkt me eerder een zaak voor de politie.'
'Ik ben politieman.'
'Nee, in dit geval niet.' Ze schudde haar hoofd. Kaarslicht viel op haar goudblonde haren. 'In dit geval ben jij het slachtoffer.'
'Luister... Livvie...'
'Naar wat? Een of ander excuus om jacht te maken op een vrouw die dood is? Dit is iets voor de politie. En wat die visioenen van Jennifer betreft, misschien moet je daarover eens praten met de huisarts, of desnoods met een psychiater. Die foto's moeten wel vervalst zijn.'

'Olivia...'

'Ik weet al wat je wilt zeggen, Bentz. Letterlijk. Maar wat je mij niet vertelt gonst in mijn hoofd, bonkt in mijn brein en maakt een gat in mijn hart.'

'Wacht nou even.'

'Nee, ik wacht helemaal niet. Geen seconde. Geen halve seconde. Jij luistert eerst naar mij. Zoals ik het zie, wil jij alleen maar op jacht naar je eigen verleden. Zie dat onder ogen. Als we al een probleem in ons huwelijk hadden, dan was het Jennifer, de moeder van Kristi. De vrouw van wie jij ging scheiden, omdat ze jou bedroog, omdat ze niet trouw kon zijn. Jij vecht tegen emoties die jou al tien jaar kwellen. Schuldgevoel. Jij voelt je schuldig, omdat jij leeft en zij niet.'

'Is dat jouw professionele mening?'

'Daar is niets professioneels aan. Gewoon gezond verstand.' Het leek alsof ze nog iets wilde zeggen, maar ze schoof zwijgend haar salade opzij.

'Hoor eens, als jij het nodig vindt te gaan, doe dat dan. Zoek het allemaal uit. Je weet dat ik geprobeerd heb je te steunen en begrip te tonen, maar dit knaagt aan jou. Dus ga maar. Het is belangrijk voor jou, maar voor mij is echt belangrijk dat jij in het reine komt met je verleden en het ook afsluit.'

Hij voelde een zenuwtrek bij zijn slaap. 'Als jij niet wilt dat ik ga...'

'Ach welnee, dat interesseert je niet. Dit is jouw pakkie-an, niet het mijne. Als jij het nodig vindt iets doen, dan moet je het doen.'

'Ik dacht dat je wilde dat ik openhartig was over wat mij dwarszit.'

'Jawel,' gaf ze toe met een hoofdknik. Ze zweeg even omdat de volgende gang werd geserveerd. 'Ik wilde dat ook weten, maar dat had wel wat eerder gekund. Voordat jij in gedachten al je koffers had gepakt om naar sprookjesland af te reizen.'

'Ik heb al gezegd: als je niet wilt dat ik ga, zeg het dan.'

Ze aarzelde en boog naar voren. 'Nee, Rick. Ik wil dat je gaat. Hoe gelukkig we ook altijd waren, en we waren heel gelukkig, toch was er altijd iets van twijfel bij mij. En schuldgevoel bij jou. Kijk eens, als Jennifer nog leefde, dan waren wij waarschijnlijk niet samen. Dus nu moeten we uitzoeken hoe stevig ons huwelijk is.'

'Volgens mij is dat heel stevig.'

'Meen je dat?'

'Ja.'

'Maar een kind kun je niet aan.'

'Ik heb al een kind.' Hij wilde nog iets zeggen, maar hij zag haar trieste blik en hij besefte dat hij haar gekwetst had. Hij pakte haar hand. 'Dit is gewoon niet de geschikte tijd.'

Ze trok haar hand weg. 'Maar voor mij wel, Bentz,' zei ze en haar gezicht verstrakte. 'Voor mij is het nu of nooit.'

Hij overwoog toe te geven. Ze zou een perfecte moeder zijn, dat wist hij zeker. En wat maakte het uit, dat hij allang gepensioneerd was als hun kind van de middelbare school kwam? Dat gebeurde zo vaak. 'Ik zal erover nadenken,' zei hij.

Ze pakte haar handtas en schoof haar stoel achteruit. 'Denk dan snel na.'

Hoofdstuk 5

Ze had het tegen hem moeten zeggen.

Ze had niet moeten terugdeinzen.

Olivia stapte uit de douche en wreef zich droog met een handdoek. Het badkamerraam was beslagen en ze opende het op een kier. Ze maakte zichzelf verwijten. Bentz was eerder die ochtend vertrokken. Hij zat al in het vliegtuig naar Los Angeles.

Ze had hem niet moeten laten gaan zonder over de baby te beginnen. Maar de gedachte alleen al dat ze zo'n type vrouw was dat zich aan alles vastklampte, en elk excuus gebruikte, desnoods een ongeboren kind, om een man tegen te houden bij wat hij wilde doen. Ze geloofde niet in de teugels strak houden bij degene die ze liefhad. Dat was zinloos. En ze wilde ook niet op zijn schuldgevoel werken: hij was heel duidelijk geweest over zijn gevoelens om weer vader te worden.

Het was niet zo dat ze stiekem zwanger was geworden. Ze had geen list gebruikt: ze gebruikte gewoon geen voorbehoedmiddelen. Hij wist dat ze de pil niet slikte. Hoewel Rick meestal zelf maatregelen nam, was het een paar keer gebeurd dat hij geen condoom gebruikte, als de hartstocht het won van gezond verstand. En, bedacht Olivia, terwijl ze haar tanden poetste, kijkend naar haar wazige spiegelbeeld, ze was opgetogen over het nieuwe leven in haar lichaam, omdat ze bezorgd was dat het op haar leeftijd moeilijker werd in verwachting te raken.

Hoe dan ook, ze had de baby niet gebruikt als reden om te verhinderen dat hij voor die bizarre speurtocht naar LA was vertrokken.

Ze spuugde, hield haar gezicht onder de kraan, spoelde haar mond en ging weer rechtop staan. De vrouw in de mistige spiegel staarde haar zwijgend aan, met de onuitgesproken beschuldiging dat ze een lafaard was. Maar ze had met een goede reden gezwegen. Ze wilde ruzie vermijden, en ze zou de teleurstelling – misschien wel wrok – in zijn blik niet kunnen verdragen. Ze geloofde niet dat hij over abortus zou beginnen, maar alleen de gedachte al haar zwangerschap af te breken was onverdraaglijk.

'En ik dacht dat jij zo direct was,' zei ze hardop tegen haar waterige spiegelbeeld. 'Jij deinst toch nergens voor terug? Wat is er met je gebeurd?'

Ze legde haar handen op haar platte buik.

Een kind... Een leven dat nu in haar groeide.

En haar man wist niet eens dat ze zwanger was. Hij wilde het niet weten.

'Hork,' mompelde ze. Ze haalde een kam door haar haren, sloeg een handdoek om en opende de deur. Bijna struikelde ze over de hond: Hairy S was pal achter de deur van de badkamer gaan liggen. 'Dat is niet slim,' zei ze, de hond een aai over zijn kop gevend. 'Maar maak je niet druk, er gebeuren de laatste tijd wel meer domme dingen in dit huis. Een heleboel. Dus je bent niet de enige.'

Hairy klopte met zijn staart tegen de vloer, en volgde haar naar de slaapkamer, waar ze zich aankleedde en probeerde er niet aan te denken dat haar echtgenoot heel ver weg was en jacht maakte op demonen die hem al twaalf lange jaren kwelden.

De vlucht verliep probleemloos.

Even, nadat hij was weggedoezeld, meende Bentz jasmijn te ruiken. Hij keek speurend om zich heen in de cabine van de 727, half verwachtend tussen de passagiers het gezicht van Jennifer te zien, zittend bij het raampje, en kalm lezend in een boek. Ze zou uiteraard zijn blik op haar gericht voelen en opkijken, met dat sexy lachje waar hij altijd door getroffen werd. Zonder een woord zou ze hem vertellen dat ze wist dat hij haar spoor volgde.

Dat gebeurde niet.

Niemand in het vliegtuig leek zelfs maar een beetje op zijn eerste vrouw... Ex-vrouw, verbeterde hij zichzelf. Ex. Ze waren gescheiden, al woonden ze nog in hetzelfde huis, toen ze overleed. Maar daar moest een einde aan komen, omdat ze haar minnaar niet kon opgeven.

Het vliegtuig raakte de landingsbaan van LAX met een lichte bons toen de achterwielen contact met het asfalt maakten en er volgde een lichte trilling toen het neuswiel ook over de baan rolde. Terwijl de Boeing 727 naar de gate taxiede waren de meeste passagiers al bezig hun mobieltjes in te schakelen, de riemen los te maken en de bagage bij hun voeten te verschuiven. De vrouw naast Bentz had tijdens de hele vlucht aandachtig een boek gelezen, maar nu trok ze een grote handtas op haar schoot en zocht driftig naar haar mobiele telefoon. De landing maakte haar opeens gejaagd en ze zocht nerveus in de tas. Bentz kon de tas amper ontwijken toen hij zijn laptop onder de stoel voor hem pakte. De vrouw naast hem vond het toestel en ze begon meteen te telefoneren.

Bentz moest het gesprek wel horen: een verwijtende woordenstroom over het laatste vriendinnetje van haar ex.

Gelukkig stroomde het vliegtuig snel leeg.

Op weg naar de bagageafhandeling belde Bentz naar Olivia en hij liet een berichtje achter dat hij veilig geland was. Hij vond zijn koffer en huurde een auto met ingebouwde navigatie. Dat deed hij zonder zijn wandelstok te gebruiken, en al was zijn heup pijnlijk, hij negeerde het en gooide de stok in de kofferbak.

Terwijl hij het parkeerterrein van het verhuurbedrijf verliet in zijn Ford Escape, zette hij een zonnebril op. De omgeving was vertrouwd, maar het gespannen gevoel in zijn borst was nieuw. Jaren geleden was hij weggegaan uit LA met een akelige smaak in zijn mond, en nu kwamen al die oude gevoelens opeens weer in hem opzetten. Schuldgevoel over de zelfmoord van Jennifer, wroeging over de dood van een twaalfjarige knaap met een speelgoedpistool, knagende frustratie dat hij de dubbele moord op de Caldwell-tweeling had kunnen oplossen als hij de leiding over het onderzoek had gehad, en er niet de mist van te veel glazen whisky was geweest.

Zijn leven was toen een chaos. Jack Daniel's was zijn beste vriend geworden, maar die vriendschap schaadde elke andere relatie. Zijn werk had er ook onder te lijden, zoals zijn vermogen alles helder te zien.

Hoewel hij officieel zelf ontslag had genomen bij de politie in LA, was de druk om op te stappen bijna tastbaar geweest. De sfeer was even bedorven als de smog boven de stad. Zijn weinige vrienden bij de politie, de collega's die hem steunden, waren opgelucht toen hij vertrok. Zijn afscheid was voor iedereen beter. Vooral voor hem.

Alleen had hij enkele onafgemaakte zaken achtergelaten.

Hij was jaren geleden voor het laatst in Californië geweest, en al was er veel veranderd, de grote palmbomen en de moderne bogen van het Encounters-restaurant op het vliegveld herinnerden hem aan een periode die hij juist probeerde te vergeten.

Toen hij invoegde op de snelweg kon hij de heuvels in de omgeving niet zien door de smog boven de stad. Hij prutste met de knoppen van de airco om de oplopende temperatuur te bedwingen en zag de hoge gebouwen zinderen in de warme lucht. Intuïtief reed hij in de richting van zijn oude buurt, niet ver van Culver City.

Daar was weinig veranderd. De bomen en bosjes waren gegroeid, de wijk leek achteruit te gaan, wat te zien was aan barsten in het plaveisel en tralies voor veel vensters.

Zijn oude huis was niet veranderd. In de afgelopen twaalf jaar was het ooit duifgrijs geschilderd, maar een nieuwe verfbeurt was hoognodig. De verf op de garagedeur vertoonde blazen en de deur sloot niet helemaal. De tuin was verwilderd en dor. Onkruid kleurde bruin tussen de zongebleekte houtsnippers voor het bordes. Een bord TE HUUR was in de voortuin geplaatst, de letters waren verbleekt door de felle Californische zon.

Bentz liet zijn wandelstok achter in de huurauto en hij liep om het huis, turend door de smoezelige ramen. Hij zag de stoffige vloeren binnen en behang dat er een decennium eerder ook al was. Hij deed een paar stappen naar achteren en zijn ogen tegen het zonlicht beschermend keek hij naar het raam. Meteen kwam een golf herinneringen en beelden uit het verleden in hem op: de slaapkamer en wat hij daar aantrof. Gekreukte lakens op het bed en glasscherven onder de plek waar eerst de spiegel hing. In gedachten volgde hij de route naar de logeerkamer op de bovenverdieping, de kamer die Jennifer als werkruimte had gebruikt. Hij herinnerde zich dat het even geduurd had voordat hij het briefje vond dat ze had achtergelaten: niet op een duidelijke plek op tafel, maar weggestopt in een la van haar bureau. Het was gericht aan Kristi, en geschreven in het vloeiende handschrift van Jennifer.

Dat had hij altijd vreemd gevonden.

Het afscheidsbriefje voor hun dochter, weggestopt tussen de pagina's van het laatste zelfhulpboek dat Jennifer gelezen had. *The Power of Me*, zo'n egocentrische titel.

Alle goede raad in de hele wereld had zijn verwarde ex-vrouw niet kunnen helpen. Maar toch had ze dat briefje niet openlijk achtergelaten.

Alsof ze nog twijfels had.

Of ergens op wachtte. Ze had nog geen definitief besluit genomen.

Toen hij het briefje gevonden had zette hij de knagende vragen van zich af en oordeelde dat Jennifer, in haar streven naar de dood, het waardeloos had aangepakt. Zoals veel dingen in haar leven. Maar nu begon hij weer te twijfelen. Stel dat Jennifers dood geen zelfmoord was? Als ze niet in die auto had gereden? En stel dat de vrouw die hij geïdentificeerd had als zijn echtgenote en nu twee meter diep onder de grond lag iemand anders was?

Wie verging dan tot stof in dat graf?

Zijn maag kromp ineen bij de gedachte en hij wilde dat duistere akelige pad niet volgen.

Hij liep terug naar de huurauto en reed bijna acht kilometer naar de begraafplaats, naar de plek waar hij meende dat Jennifer was bijgezet. Hij parkeerde in de schaduw van een grote eik, opende zijn portefeuille en haalde een gekreukt visitekaartje van Jonas Hayes, rechercheur bij het LAPD tevoorschijn. Dat kaartje droeg hij twaalf jaar bij zich en hij herinnerde zich de dag dat Hayes het in zijn hand drukte: 'Zeg, als ik je ooit ergens mee kan helpen...' Dat was na de begrafenisplechtigheid, toen het bewolkt werd en begon te regenen. Zo lang geleden... En nu vroeg Bentz zich af of Jennifer wel in de kist onder die granieten grafsteen lag.

Hij liep over het dorre gras en vond het graf. Hij las de tekst op de steen en voelde een vreemde kramp in zijn borst. Had hij een fout gemaakt? Was het lijk onder zijn voeten iemand anders? Hij staarde naar het gras, alsof hij door de droge aarde kon turen naar de kist waarin het lichaam van een vrouw al twaalf jaar lag te ontbinden.

Een lichte bries streek langs zijn nek en opeens geurde het sterk naar jasmijn. Hoorde hij iemand zijn naam fluisteren? Hij draaide zich om, verwachtend dat hij Jennifer zag wenken, met de schalkse glimlach die haar handelsmerk was. Maar ze leunde niet tegen de hogere grafzerken, met haar kastanjebruine haren glanzend in het zonlicht. En ze stond evenmin bij het smeedijzeren hek rond het vredige kerkhof.

Hij was alleen bij de laatste rustplaats van zijn ex-vrouw. De begraafplaats was verlaten: behalve hijzelf waren er geen andere bezoekers te zien. Op sommige graven lagen verse bloemen. Er waren zerken versierd met plastic boeketten en andere opgedirkt met kleine Amerikaanse vlaggen die al verbleekt waren in de felle zon.

Maar er was niemand, geen mens en ook geen geestverschijning binnen het onheilspellend zwarte smeedijzeren hek.

Uiteraard niet.

Ze is dood, Bentz. Dat weet je. Je hebt met je eigen ogen het lichaam geïdentificeerd. En je gelooft niet in spoken. Denk daar toch aan, ja?

Hij bleef nog even staan en probeerde te begrijpen wat er toch met hem gebeurde. Hij geloofde niet dat hij krankzinnig werd. En hij wist dat hij niet in geesten geloofde. Dode vrouwen kunnen niet weer opduiken.

Maar waarom ben je dan hier gekomen, naar deze begraafplaats?

Zonder het antwoord keerde hij terug naar de auto, die kokendheet was geworden in de zon. Hij liet het portier openstaan en ging achter het stuur zitten. Hij startte de motor, om de airco in te schakelen. Terwijl de auto afkoelde bekeek hij het visitekaartje. Op de voorkant stonden de officiële gegevens van Jonas Hayes, rechercheur bij het LAPD vermeld, op de achterkant was lang geleden haastig een telefoonnummer gekrabbeld.

Bentz toetste het privénummer in op zijn mobieltje en kreeg een vlakke stem te horen die meldde dat het nummer niet meer in gebruik was. 'Geweldig,' bromde Bentz en hij draaide het kaartje om. Hij belde opnieuw, nu naar het hoofdbureau van politie en vroeg naar rechercheur Jonas Hayes.

Zonder veel moeite werd hij doorverbonden met de voicemail van Hayes. Hij liet een bericht achter dat hij in de stad was en een afspraak wilde maken. Daarna belde hij opnieuw en liet een berichtje achter voor Olivia. Toen hij de verbinding verbrak had hij het akelige gevoel dat hij bekeken werd. Alsof onzichtbare ogen elke beweging van hem volgden. Hij speurde het kerkhof af toen hij wegreed en keek in de spiegels of hij niet gevolgd werd, maar er was niemand te zien.

'Je bent een idioot,' zei hij tegen zichzelf. En daarna ging hij op zoek naar een goedkoop maar wel schoon motel.

Jonas Hayes vloekte binnensmonds. Hij was moe. Doodmoe. Hij had de vorige dag te veel uren besteed aan de details over de voogdij van zijn dochter Maren, en daarna had hij geen oog dichtgedaan voordat hij aan zijn roosterdienst begon. En nu had Rick Bentz hem gebeld.

'Verdomme,' bromde hij. Er waren veel redenen waarom hij het telefoontje niet wilde beantwoorden. Hij wachtte tot zijn dienst afgelopen was en hij in zijn auto een heel eind van het hoofdbureau weggereden was, voordat hij het nummer intoetste dat Bentz had ingesproken.

Na drie keer bellen nam Bentz op. 'Rick Bentz.'

'De Rick Bentz vol doodsverachting, de man die leeft als een bliksemschicht?' grapte Jonas, al was er niets humoristisch aan de reden voor het gesprek.

'Niet helemaal precies zo, maar je bent er dichtbij. Slecht nieuws verspreidt zich snel.'

'Roddels kennen geen grenzen. Tegenwoordig heb je met internet, mobiele telefoons met camera, infraroodcamera's en overal beveiligingscamera's nergens privacy. Je kunt in New Orleans niet eens pissen zonder dat iemand het op YouTube zet, zodat we het allemaal kunnen zien.'

'Is dat zo?' vroeg Bentz. 'Maar waarom zien we dan geen verdachten op de monitor?'

'Dat gebeurt wel. En vaak ook. In elk geval de sukkels. En alleen als we geluk hebben.'

'Heb je al een idee waar je gaat dineren? Ik ben in de stad, en ik trakteer.'

Hayes zag het al aankomen. Levensgroot. En dat beviel hem helemaal niet. 'Dat klinkt alsof je een gunst van mij wil.'

'Misschien.'

'Onzin, Bentz. Dat is de reden waarom jij uit de dood bent opgestaan. Geef het maar toe.'

'Over herrijzen uit de dood praten we verder bij de steaks. Wat dacht je van Roy's Restaurant? Bestaat dat nog?'

Roy's was ooit een populaire gelegenheid, helemaal in cowboystijl, als eerbetoon aan de gloriedagen van de westernfilm. 'Die tent bestaat nog, smoezeliger dan ooit, maar het eten is prima en tijdens het happy hour zijn de drankjes vijf dollar.'

'Is dat goedkoop?'

'In Hollywood? Zeker weten. Maar vanavond gaat niet lukken, want ik heb al een afspraak. Is morgen ook goed?'

'Tuurlijk. Zien we elkaar daar zo tegen zeven uur?'

'Dat lukt wel. Morgen om zeven uur. Tot dan.'

Hayes verbrak de verbinding, opende een vak tussen de voorstoelen van zijn oude 4Runner en vond een doosje Rennies. Hij had last van brandend maagzuur, en het telefoontje van Bentz maakte dat niet minder. Hij slikte een paar tabletten en spoelde die weg met een restje koffie uit zijn thermosfles. De smaak was bitter, maar draaglijk. Hij zette zijn zonnebril op, keek in het spiegeltje naar achteropkomend verkeer en begon weer te rijden.

Als Rick Bentz in LA was, dan stond er iets te gebeuren.

Iets wat niet goed was.

Ik mag mezelf wel feliciteren. *Deze klus is prima geklaard!* Rick de Bink Bentz is weer terug in LA!

Niet echt een grote verrassing.

Als een hongerige leeuw die een verzwakte gazelle bespringt was Rick Bentz op het lokaas afgekomen. Precies op tijd.

Ik kijk op de kalender en knik tevreden. Voel een tinteling langs mijn ruggengraat. Het kostte weinig tijd, en hij is nog herstellend, dus niet zo snel ter been en hij gebruikt nog een wandelstok, wat heel goed uitkomt. Onwillekeurig voel ik een golf van trots. Trots op mezelf. Niet omdat hij weer terug is, maar omdat ik zoveel geduld had. Ik moest wachten tot de tijd rijp was. Maar nu mag ik mezelf wel een borrel inschenken. Een stevige borrel.

Laat eens kijken... Een martini? Dat is wel passend. Ik loop naar de bar, ik zie de wodkafles en verwijt mezelf dat de olijven op zijn. Verdorie... Ach, wat maakt het uit? Ik pak de vermouth en schenk een bodempje in, dan schudden met ijs en inschenken. Mmmm... Omdat er geen olijven zijn, neem ik wel een snipper citroen... Perfect.

Ik loop naar de manshoge spiegel en ik hef mijn glas naar de vrouw in de spiegel. Ze is mooi. Rijzig. Lenig en slank. De sporen van de tijd zijn nog niet duidelijk zichtbaar. Haar donkere haar valt soepel golvend op de schouders. Haar glimlach is aanstekelijk. Haar ogen zijn die van een vrouw die weet wat ze wil en altijd haar zin krijgt.

'Op een nieuw begin,' proost ik met de rand van mijn glas tegen de spiegel. Even klinkt zacht getinkel. 'Jij en ik, we hebben lang op dit moment gewacht.'

'Dat hebben we zeker. Maar het wachten is voorbij,' antwoordt het spiegelbeeld, en de wenkbrauwen gaan samenzweerderig omhoog.

Ik tintel vanbinnen, wetend dat alles waaraan wij – ik – gewerkt hebben, nu vrucht zal dragen.

Het raam staat open en ik zie hoe de avond valt onder de rijzende maan, een smalle sikkel, stralend aan de schemerige hemel.

'Proost!' toost mijn spiegelbeeld naar mij, en haar ogen twinkelen vol schalkse verwachting terwijl ze het glas omhooghoudt. 'Dat we maar succes mogen hebben!'

'O, dat lukt heus,' bevestig ik glimlachend, terwijl ze naar mij grijnst. 'Zeker weten.' Dan drinken we tegelijk, de koele drank glijdt door onze kelen. Samen denken we aan Rick Bentz.

Aantrekkelijk, op een stoere manier. Eerder atletisch en gespierd dan slank. Met een hoekige onderkaak en ogen die dwars door elke leugen kijken is hij slim en bedachtzaam, en zijn emoties kan hij meestal goed in toom houden.

En toch heeft hij een achilleshiel.

Die hem ten val zal brengen.

'Bravo,' zeg ik tegen de spiegel. Omdat ik weet dat die ellendige klootzak spoedig zijn straf zal krijgen.

Hoofdstuk 6

Bentz had een heel programma af te werken, en daarom wilde hij geen tijd verliezen.

Eerst moest hij een plek vinden waar hij kon overnachten. Hij besloot in de buurt te blijven waar hij vroeger met Jennifer gewoond had: bij de postcode op de envelop die hem was toegestuurd.

Hoewel hotelprijzen in Zuid-Californië de pan uit rijzen vond hij een motel in het oudere gedeelte van Culver City dat adverteerde met 'voordelige, propere kamers'. De So-Cal Inn bleek een lang, laag gebouw, met gestuukte wanden en Bentz vermoedde dat het ongeveer tien jaar na de oorlog gebouwd was. Kamers werden ook per week verhuurd, er was een zwembad, airco, kabel-tv en draadloos internet. Het motel was ook kindvriendelijk, en huisdieren werden toegelaten.

Alles wat hij nodig had, en meer.

Bentz parkeerde voor het motel en liep naar de receptie. Een glazen koffiekan stond op een warmhoudplaatje. Een jongen die niet ouder dan veertien jaar leek, hanteerde de afstandsbediening van een televisietoestel dat aan de wand was bevestigd, boven een rek met folders over activiteiten in de omgeving. 'Mam!' riep de knaap door de halfgeopende deur achter de balie, en richtte de afstandsbediening daarna weer op het toestel, razendsnel op de knoppen drukkend. Hij deed het met de behendigheid van kinderen die opgegroeid zijn met sms-berichten en videogames. Maar het kanaal en het volume van de televisie veranderden niet, en aan de roodaangelopen wangen van de knaap was zijn ergernis te zien.

Toen Bentz voor de balie stond kwam een vrouw door de deuropening. Haar rode haar was hoog opgestoken, de mascara zo dik aangebracht dat haar oogleden te zwaar leken. Ze was ongeveer vijfendertig jaar oud. Sigarettenrook was haar parfum, ze was slank, en ze droeg shorts en een blouse met een fleurige print. Op haar borst was een naamplaatje met de tekst: REBECCA ALLISON – MANAGER. 'Wat kan ik voor u doen?' vroeg de vrouw, en haar glanzende lippen krulden in een vriendelijke glimlach.

'Ik zoek een kamer, voor één persoon. Zonder extra's.'

'We hebben enkele kamers met prachtig zicht op het zwembad,' zei ze wervend. 'Elke kamer heeft een schuifdeur en een privéterrasje bij het zwembad.'

'Zijn dat de goedkoopste kamers?'

Haar glimlach vervaagde niet. 'Dat niet. Als u een voordeliger kamer zoekt, die zijn er ook, met zicht op het parkeerterrein.' Ze noemde de prijzen per dag en per week.

'Liever de goedkoopste kamer. Voor een week.'

'Prima.' Ze pakte zijn creditcard aan, terwijl de jongen iets mompelde over waardeloze goedkope afstandsbedieningen.

Rebecca keek de jongen streng aan, en wendde zich dan weer tot Bentz. 'Dit is een plattegrond van de omgeving. Het ontbijt wordt geserveerd van zes tot tien uur, en u kunt de hele dag zelf koffie inschenken.'

Bentz vermeed nog eens naar de smoezelige koffiekan te kijken.

'Als u verder iets nodig heeft, dan kunt u hier terecht.'

'Dat kloteding!' schold de jongen.

'Tony!' zei Rebecca bits. 'Zo is het genoeg!'

De jongen trok een pruillip en keerde zijn moeder zijn rug toe. Hij schudde met de afstandsbediening, alsof dat de slechte werking kon verhelpen.

Bentz liep naar buiten en kneep zijn ogen halfdicht in de felle gloed. De komende week was hij weer inwoner van Zuid-Californië.

Hayes beende over het groene gazon voor het appartement van zijn ex-vrouw terwijl de zon in het westen achter de heuvels zakte. Met de afstandsbediening ontgrendelde hij de portieren van zijn SUV en botste bijna tegen een vrouw die haar twee honden uitliet en meteen de lijnen strak trok.

'Hee! Kijk toch uit!' zei de vrouw met een woedende blik, maar Hayes merkte het amper en hij rukte het linkerportier open.

Het interieur van de auto was kokend heet en hij kon het stuur amper aanraken. Maar de temperatuur in de 4Runner was niets vergeleken bij de verzengende hitte in zijn lijf. Jezus, wat was hij kwaad. Wie dacht Delilah wel dat ze was: echtscheiding aanvragen omdat ze niet langer getrouwd wilde zijn met een politieman. Ze wist toch dat hij ambitieus was bij het LAPD, toen ze twaalf jaar geleden met hem trouwde?

Maar toen was ze zwanger.

En ze wilden allebei een kind.

Dat was positief in hun relatie, besefte hij denkend aan zijn dochter. De rest was met ups en downs, als een rit in een achtbaan, aangedreven door zijn carrière en het wisselvallige humeur van Delilah.

Dus waren ze gescheiden. Shit. Hij voelde zich voor de tweede keer een verliezer. Hij was al eerder getrouwd geweest, met Alonda, zijn vriendinnetje op de middelbare school. Daar kwam een eind aan toen hij haar in bed met haar beste vriendin betrapte, en ze bekende dat ze lesbisch was. Altijd geweest. Ze hield wel van hem, maar toch...

Geweldig.

Hij was de kamer uit gestormd en had de volgende dag een aanvraag voor echtscheiding ingediend. Gelukkig waren er geen kinderen geboren uit dat mislukte eerste huwelijk.

Twee jaar later had hij Delilah ontmoet, en hij was meteen smoorverliefd. Maar hij was wel voorzichtig. Hij wilde niet nog een keer dezelfde fout begaan. Hij keek even naar het appartementengebouw: vier verdiepingen, met lichtroze gestuukte muren en een pannendak, een herinnering aan het oude Californië. Ze woonde op de bovenste etage, een flat met twee slaapkamers, een living met boogvensters en nieuwe tapijten op de vloer. Daar, had ze gezegd, 'kon ze een nieuwe start maken', en ontdekken 'wat ze werkelijk met haar leven wilde'. Wat dat ook mocht betekenen.

De motor van de Toyota sloeg meteen aan. Hij reed weg van de parkeerplek, een schaars goed hier in Santa Monica, zo dicht bij het strand. De huur was hoog, veronderstelde Hayes, maar Delilah had geld. Ze was voor de helft eigenaar van een modellenacademie, waar dochters door hun moeder naartoe gestuurd werden om de kneepjes van het vak te leren. Delilah, zelf ooit fotomodel, en een geboren verkoopster, had meegeholpen van deze academie een doorslaand succes te maken.

Wat moest ze met een echtgenoot die politieman was en aan zijn werk verslaafd? Hun scheiding was zes maanden geleden een feit geworden. Nu moesten ze alleen nog een omgangsregeling treffen.

Eerlijk gezegd was Jonas alweer begonnen met afspraakjes maken. Deze keer met Corrine O'Donnell, een collega die wel begreep wat het politiewerk vereiste. Ze was rechercheur geweest, maar na haar verwonding had ze een kantoorbaan gekregen op de afdeling vermiste personen. Ze beweerde dat ze het prima vond, maar hij betwijfelde dat.

Hij manoeuvreerde de SUV door het verkeer terwijl hij probeerde zijn woede over Delilahs laatste eisen over de omgangsregeling te beteugelen. De 4Runner koerste naar de Santa Monica Freeway. Hij wilde nog wat informatie verzamelen over Bentz voordat ze elkaar de volgende dag zouden ontmoeten.

Rick Bentz was niet zomaar uit het niets opgedoken.

Enkele korte telefoontjes die Hayes eerder had gepleegd bevestigden wat hij al vermoedde: Bentz was met ziekteverlof en de kans bestond dat hij niet meer zou terugkeren bij de politie in New Orleans. Bentz was gewond geraakt, hij had enkele weken in coma gelegen en daarna volgden maanden revalidatie. Als hij ooit weer aan het werk kon, dan zou hij waarschijnlijk achter een bureau belanden, terwijl de Rick Bentz die Hayes van vroeger kende bij de gedachte alleen al dat hij niet in actieve dienst werkte nog liever dood was.

Hayes veronderstelde dat Bentz wat dat betreft niet veranderd was.

Maar hij deed wel navraag. Hij herinnerde zich dat Bentz in een depressie was geraakt, na de dood van zijn ex-vrouw en het fatale schot op die jongen Valdez. Bentz werd vrijgepleit van alle aanklachten: de jongen had een vuurwapen op Bentz' collega Russ Trinidad gericht, al bleek later dat het een goedgelijkend speelgoedpistool was. Hoewel hij geen misdrijf had begaan, werd Bentz kennelijk verteerd door schuldgevoel, en blijkbaar had de zelfmoord van zijn ex-vrouw hem de laatste zet gegeven. Hij verloor zijn belangstelling voor alles, behalve voor zijn dochter, en hij was als een geslagen hond vertrokken.

Bentz had zijn LAPD-politiepenning ingeleverd, en al kon niemand hem echt iets verwijten over de fatale gebeurtenissen, toch werden er conclusies getrokken. Zelfs enkele van zijn naaste kennissen meenden dat hij de draad kwijt was toen hij terugkeerde bij zijn ex-vrouw. En de dood van Valdez was in hun ogen een gevolg van een verkeerde inschatting door Bentz, een gebrek aan alertheid, al was het uiteindelijk een tragische samenloop van omstandigheden.

Hayes wist niet wat hij ervan moest denken, toen hij naar de snelweg reed. Hij passeerde een oud volkswagenbusje, dat blauwe wolken uitlaatgas verspreidde, en hij trapte het gaspedaal diep in.

Zijn mobieltje rinkelde. Hij pakte het toestel. 'Met Hayes.'

'Hé, hoe gaat het?' vroeg Corrine. Ze was een van de weinigen die wisten dat Hayes nog hardnekkig probeerde de omgangsregeling te veranderen.

'Gaat wel,' zei hij met een vage glimlach. Corrine was een politievrouw, ze wist waar het om ging, en ze was zijn steun en toeverlaat geworden.

'Alles goed met je?'

Nooit als ik met Delilah te maken heb. De gedachte stond hem tegen, maar zijn psychiater scheen te denken dat hij nog steeds aan haar verknocht was. 'Het gaat best.'

'Kom je straks naar mij? Ik heb *First Blood* op een dvd. Dat lijkt me wel iets om je agressie te vergeten.'

Hayes moest lachen. 'Dan neem ik wel rauw vlees mee.'

'Je moet wel iets... Hoe heette dat ook alweer wat Rambo at?'

'Iets waar een dwerggeit van moet kotsen.'

'Ja, inderdaad.' Ze giechelde. 'We kunnen het altijd op de barbecue leggen. Een doodgereden beest, bijvoorbeeld.'

'Ik zal mijn best doen.' Hij voelde zich nu iets beter en keek naar het klokje op het dashboard. 'Zeg, ik moet nog een paar dingen doen. Ik ben over een uur bij je.'

'Waarom heb ik toch het gevoel dat dit met Rick Bentz en zijn aanwezigheid hier te maken heeft?'

Hayes had beter niet kunnen vertellen dat Bentz hem had gebeld, vooral niet omdat Bentz en Corrine in het verleden 'iets' met elkaar hadden gehad. Maar het zou vroeg of laat toch wel zijn uitgekomen, en Bentz had met meer vrouwen bij de politie verkering gehad voordat hij met Jennifer trouwde.

Het leek Hayes beter dat Corrine het uit zijn mond hoorde. Als hij al iets geleerd had van zijn twee mislukte huwelijken, dan was het wel dat het beter was je aan de waarheid te houden. En het was ook veel beter zelf de brenger van het slechte nieuws te zijn dan dat de vrouw in zijn leven het uit een andere bron te horen kreeg.

'Dus jij ziet een verband met Bentz?' plaagde hij. 'Het bewijs dat jij een ervaren speurneus bent.'

'Ja, zeg dat wel. De afdeling Vermiste Personen zou zonder mij heel anders zijn.'

Ze speelde het spelletje mee. 'Maar je moet niet denken dat vleiende praatjes kunnen goedmaken dat je te laat komt.'

'Weet ik best.'

'Ik zet de dvd wel aan. Weet ik tenminste zeker dat Rambo komt.'

'Oef! Ik kom heus. En snel ook.'

'Als je maar weet dat ik niet het type vrouw ben dat eindeloos blijft zitten wachten.'

'Wat mankeert jou?' grapte Hayes en Corrine grinnikte.

'Pummel!'

'Klopt, maar je houdt toch van me.'

'Dat is juist het probleem. Tot straks.'

Hayes legde zijn mobiel neer en hij voelde zich beter. Corrine was niet zijn grote liefde, en hij betwijfelde of ze dat ooit zou worden. En trouwens, hij had het huwelijk voorgoed afgezworen. Twee keer was genoeg, en als vrijgezel leven was zo slecht nog niet. Zij scheen er net zo over te denken: ze maakte in elk geval geen toespelingen op samenwonen of een trouwerij. Maar ze had zelf ook haar ervaring met echtscheiding.

Hayes bewoog door het verkeer en dacht weer aan Bentz. Hij besloot dat die wel wat steun kon gebruiken. Hij zou hem ontmoeten en kijken wat Bentz wilde. Zelfs al wist hij bij voorbaat dat het hem niet aanstond.

Bentz' nieuwe onderkomen was geen vijfsterrenhotel, en dat was zacht uitgedrukt. Kamer 16, met uitzicht op het gebarsten asfalt van het parkeerterrein met vervaagde strepen, kon amper twee sterren verdienen. Maar dat deerde Bentz niet. De twee lits-jumeaux hadden vale spreien, namaakeiken panelen waren bij het hoofdeind aan de wand bevestigd. In de kamer stond een simpel bureau, met daarop een televisietoestel uit de jaren tachtig. De aangrenzende badcel was klein: amper groot genoeg om zich om te draaien. De handdoeken waren dun, maar alles leek redelijk schoon. Waarschijnlijk voldeed het interieur niet aan de eisen van Olivia, maar voor Bentz was het goed genoeg.

Hij ritste zijn tas open toen de telefoon rinkelde en het mobiele nummer van Olivia op het schermpje verscheen.

'Hallo,' groette hij. 'Ik begon me al zorgen te maken.'

'Meen je dat?' Haar stem klonk opgewekt, en dat was een opluchting voor hem. De laatste dagen had ze geprobeerd optimistisch te zijn en zelfs grapjes te maken. De meeste pogingen mislukten, en hij wist dat ze bezorgd was over zijn reis. Twee keer had hij voorgesteld thuis te blijven, en beide keren had ze gezegd dat hij wél moest gaan. 'Je moet doen wat nodig is, en als het voorbij is kom je weer naar huis, oké? Olivia was niet het type vrouw dat thuis zit te wachten op haar man. Maar deze keer wilde ze dat toch doen, al ging het tegen haar aard in. Hij waardeerde haar opoffering en had haar beloofd dat hij alles zo vlug mogelijk zou afwerken en dan snel terugkeren.

'Dan kun je maar beter dag en nacht doorwerken,' zei ze ernstig.

'Ik ben hier pas een paar uur.'

'En dat lijkt wel een eeuwigheid,' fluisterde ze. Even trapte hij er bijna in, maar ze begon te giechelen. 'Sorry, ik kon het niet laten.'

Hij glimlachte onwillekeurig. Ze maakte in elk geval grapjes en stak de draak met hem. 'Oké, dat doe ik. Beloofd.'

'Wat weet je inmiddels?'

'Nog niets.' Ze spraken nog even met elkaar en Olivia vertelde dat ze met Lydia Kane gedineerd had, een vriendin die ze al sinds de middelbare school kende. Hij gaf haar het telefoonnummer van zijn motel en beloofde haar de volgende dag te bellen.

'Wees voorzichtig,' zei ze. 'Eerlijk gezegd weet ik niet wat beter is: dat je zekerheid krijgt dat Jennifer dood is en dat iemand een bizar spelletje met je speelt... Of dat ze echt nog leeft.'

'In beide gevallen is het akelig.'

'Weet ik. Maar ik meen het, Rick, neem niet te veel risico. We hebben je nodig.'

'We?'

Ze aarzelde heel even. 'Eh... Ja, wij allemaal. Kristi en ik, en Hairy S en Chia ook.'

'Ik kom gauw weer naar huis,' beloofde hij, maar ze wisten allebei dat hij haar alleen gerust probeerde te stellen. Hij had geen idee wanneer hij weer naar New Orleans zou terugkeren.

'Laat me wel steeds weten hoeveel wilde ganzen je gevangen hebt.'

'Grapjas.'

'Soms wel,' beaamde ze.

'Nee, meestal. Ik bel je.'

Hij legde de telefoon neer en overwoog even in het eerste vliegtuig naar het oosten te stappen. Waarom ook niet? Ze had gelijk. Hij maakte jacht op een geest, en hij werd ofwel in de val gelokt, of hij raakte zijn verstand kwijt.

Hij gokte op de eerste mogelijkheid.

En hij wist dat hij zou doorzetten.

Hij moest wel.

Hoofdstuk 7

Het ontbijt van Bentz bestond uit voorverpakte plakjes kaas, crackers en cola light, alles verkrijgbaar uit een automaat onder de pergola bij het zwembad.

Hij beet het cellofaan van de kaas open terwijl hij terugliep naar zijn kamer, om aan het werk te gaan. Hij had al lijstjes gemaakt met de namen van kennissen van Jennifer, en hij wilde proberen hen op te sporen, terwijl hij op de cracker met kaas kauwde.

Hij vermoedde dat een aantal bekenden van Jennifer nog in de buurt woonde, en dan kon hij een ontmoeting regelen. Tenminste áls men bereid was met hem te praten. De meeste mensen zouden hem wel als persona non grata beschouwen. En de kennissen die inmiddels verhuisd waren moest hij via de telefoon benaderen om contact te maken.

En wat zeg je dan tegen hen? Dat je meent Jennifer gezien te hebben, ook al heb je haar twaalf jaar geleden begraven?

Hij had geen antwoord op die vraag, bedacht Bentz. Hij zette zijn laptop op het bekraste formica bureaublad, opende de zonwering op een kier, zodat hij het parkeerterrein kon zien en ging zitten op een stoel met rechte rugleuning.

Hij belegde een cracker met kaas en zag een oude blauwe Pontiac, gebouwd in de jaren zestig, stoppen op een van de parkeervakken. De man achter het stuur droeg een geruite pet, en hij had een sikje. Hij pakte een paar tassen van de stoel naast hem en stapte uit. Meteen na hem sprong een kleine gevlekte hond, lijkend op een jackrussellterriër uit de auto en danste rond de voeten van zijn baasje. Met opmerkelijk snelle bewegingen sloot de man de auto af, floot en riep naar Spike, en met de twee plastic tassen en een aktentas beende hij naar de kamer naast die van Bentz.

Zodra de deur gesloten was richtte Bentz zijn aandacht weer op zijn laptop en de lijst met kennissen van Jennifer. Hij wilde niet zeggen dat hij meende Jennifer gezien te hebben, voordat iemand bereid was meer informatie te geven.

En die kennissen aan de praat krijgen werd nog lastig.

Iedereen die iets wist over Jennifers dood had twaalf jaar gezwegen, niet alleen tegen hem, maar ook tegen zijn dochter en de politie. Bentz was ex-politieman en ex-echtgenoot, dus het zou lastig worden iets los te peuteren bij degenen die haar gekend hadden.

Hij had al een lijstje opgesteld met goede vriendinnen uit de kennissenkring van Jennifer. Die vrouwen wisten het meest van Jennifer, en ze had hun waarschijnlijk wel dingen toevertrouwd.

Shana Wynn, die voor zo ver Bentz wist als getrouwde vrouw McIntyre heette, was een van Jennifers beste vriendinnen geweest, en een echte bitch, herinnerde Bentz zich. Ze was mooi. En slim. Ze ging voor de top. Zij en Jennifer waren huisgenoten tijdens hun studietijd en ze hadden duidelijk veel met elkaar gemeen. Als iemand wist dat Jennifer haar eigen dood in scène had gezet, dan moest Shana het weten.

Tally White stond ook op de lijst met personen die Bentz beslist wilde spreken. Tally's dochter Melody was op de lagere school bevriend met Kristi. Jennifer en Tally konden het goed met elkaar vinden. Heel goed. Beide vrouwen waren gescheiden.

Fortuna Esperanzo werd een vriendin van Jennifer toen ze allebei enige tijd in een galerie in Venice werkten.

En dan Lorraine Newell, de stiefzus van Jennifer: zij had al meteen een afkeer van Bentz. Een donkerharige primadonna die zich als een prinses gedroeg. Lorraine was niet bijzonder close met Jennifer, en ze had na Jennifers dood ook geen contact meer gezocht met Kristi.

Er waren nog anderen, maar deze vier vrouwen stonden boven aan de lijst. Hij moest hen opsporen. En dat was gemakkelijker gezegd dan gedaan. Tot nu toe hadden zijn naspeuringen via internet slechts één treffer opgeleverd: het huidige adres van Shana McIntyre. Hij klikte een link open en noteerde de straatnaam en het huisnummer op de envelop waarin hij de foto's bewaarde. Hopelijk was Shana thuis en bereid hem te ontvangen.

Bentz haalde de foto's uit de envelop en legde ze in een waaier op het bureau. Hij tikte op de foto van Jennifer, kijkend vanuit een cafetaria en hij begon online te zoeken naar cafés aan Columbia

Avenue. Bingo! Er waren genoeg gelegenheden om uit te kiezen. Een kop koffie zou morgenochtend zijn eerste zakelijke aankoop zijn.

Hij werkte tot laat in de avond, gaf het uiteindelijk op, en plofte neer op de dunne matras met een kuil in het midden. Hij propte kussens achter zijn rug en zette de televisie aan. Hij keek naar de sportuitslagen en terwijl de scores over het scherm gleden doezelde hij weg.

De afstandsbediening hield hij nog in zijn hand toen de telefoon naast zijn bed rinkelde. Met een schok was hij weer wakker. Hij nam op, wetend dat het een slecht voorteken was als iemand zo laat opbelde via het motel, en niet via zijn mobiel. 'Ja, met Bentz,' zei hij, nog wazig van de slaap. Op televisie was een worstelwedstijd te zien. Eerst hoorde hij niets. 'Hallo?'

Hij deed het geluid van de televisie uit.

Zacht huilen werd hoorbaar.

'Hallo?' herhaalde hij. 'Met wie spreek ik? Is alles oké?'

Weer klonk gesmoord snikken en Bentz ging rechtop in bed zitten. 'Wie wilt u spreken?'

'Het spijt me,' fluisterde ze, met schorre stem. Even dacht Bentz dat de vrouw zich excuseerde omdat ze verkeerd verbonden was, maar toen zei ze: 'Vergeef me, RJ. Ik wilde je niet kwetsen.'

Wat? Zijn hart stokte. 'Wie bent u?' vroeg hij bits. Zijn hartslag bonsde in zijn oren.

Klik.

De verbinding was verbroken. 'Hallo?' zei hij en drukte een aantal keren snel op de haak. 'Hallo?!'

Niets.

'Hallo! Hallo! Verdomme!'

Ze had opgehangen. Met klamme handen legde hij de hoorn neer, en het was alsof een ijskoud mes door zijn hart sneed. Die stem klonk bekend. Of toch niet?

Jennifer.

Zij was de enige in zijn leven die hem RJ noemde. Wel allemachtig. Hij slikte moeilijk, Hij mocht niet in paniek raken.

Iemand moest zich voor haar uitgeven.

Wat gebeurde er in hemelsnaam? Hij rolde van het bed, trok haastig een T-shirt aan en de kaki broek die hij over de rugleuning van de bureaustoel had gedrapeerd. De rits dichttrekkend liep hij blootsvoets naar de balie van het motel. Er reden maar weinig auto's voorbij en de nachtlucht was fris en aangenaam op zijn huid.

Bij de receptie was meer licht. In de glazen kan van het koffiezetapparaat zat een bodempje vloeistof: donker als stookolie. Niemand zat achter de balie. Hij volgde de instructies en rinkelde met een kleine bel. Na een halve minuut wachten belde hij nog een keer, en op dat moment kwam Rebecca door de deur met het opschrift ALLEEN PERSONEEL.

Zonder make-up, haar lipstick vervaagd, en met haar haren los over haar schouders leek ze opeens veel jonger. En kribbiger. 'Kan ik u helpen?' vroeg ze, met een pinnige blik op de klok. 'Is er iets niet in orde?' Ze zocht al naar een reservesleutel van zijn kamer, in de veronderstelling dat hij zichzelf had buitengesloten.

'Ik wil alleen weten of u de inkomende telefoongesprekken naar de kamers registreert.'

'Wat?' Ze onderdrukte een geeuw, en probeerde niet geïrriteerd te klinken, maar tevergeefs.

'Iemand belde mij maar zonder haar naam te noemen. Ik moet weten wie dat was.'

'Nu?' Ze keek hem aan alsof hij krankzinnig was, trok een la open en pakte sigaretten en een aansteker. 'Het is midden in de nacht.'

'Dat weet ik, maar het is belangrijk.' Hij tastte in zijn broekzak en haalde zijn portefeuille tevoorschijn. Hij toonde zijn politiebadge.

'Wat nou?' zei ze, opeens klaarwakker. 'U bent van de politie?' Een zorgelijke trek verscheen op haar gezicht en ze legde het pakje sigaretten op de balie.

'Ja. New Orleans Police Department.'

'Ach, hemel. Hoor eens, ik wil hier echt geen toestanden.'

'Dat hoeft ook niet.' Hij zwaaide nog een keer met zijn badge.

'Hoor eens,' zei ze, nerveus langs haar lippen likkend, alsof ze iets te verbergen had. 'Dit... dit is geen groot bedrijf. We zijn hier niet in het Hilton, toch?'

'Maar hier is toch wel een telefooncentrale waar de gesprekken doorgeschakeld worden?'

'Ja, ja... Dat wel.' Ze dacht diep na.

'Dan zal er toch wel nummerherkenning zijn?' vroeg Bentz. Ze knikte. 'Ik moet weten via welk telefoonnummer naar mijn kamer is gebeld.'

'Kan dat niet tot morgenochtend wachten?'

'Als dat zo was, dan stond ik hier niet.'

'Oké.' Ze knikte met een vermoeide zucht. 'Een ogenblikje, ja?'

Ze verdween weer achter de deur. Bentz beende door de hal, langs de rekken met folders over vistrips, rondleidingen door filmstudio's en musea. Hij hoopte maar dat zijn badge indruk had gemaakt. Nerveus rinkelend met de losse munten in zijn broekzak liep hij naar de glazen toegangsdeur en tuurde naar buiten. Hij zag maar enkele auto's op het parkeerterrein met de vervaagde strepen.

'Alstublieft,' zei Rebecca, terugkerend met een kaartje. 'Er is één gesprek geregistreerd.'

'Ik kreeg ook maar één telefoontje. Bedankt.' Bentz keek naar de cijfers, netjes met de hand geschreven: een lokaal nummer.

'Geen dank,' zei Rebecca zonder enig enthousiasme. 'Verder nog iets?'

'Nee, dit is alles.'

'Prima.' Ze raapte het pakje Marlboro en de aansteker op en volgde Bentz naar buiten.

Hij hoorde de aansteker klikken toen hij weer bij zijn kamer was.

Zodra hij binnen was toetste hij het nummer op zijn mobiele telefoon. Tien keer ging de telefoon over. Bentz toetste het nummer nog een keer in. Twaalf keer. Geen antwoordapparaat, geen voicemail. Hij deed weer een poging en telde hoe vaak het apparaat overging. Na acht keer klonk opeens een mannenstem. 'Ja?'

'Met wie?' vroeg Bentz kortaf.

'Paul. Met wie spreek ik?' De stem klonk verontwaardigd.

'Ik reageer op een telefoontje.'

'Waar heb je het over, man?'

'Iemand heeft mij via dit nummer gebeld.'

'Dat zal best,' zei de man, een beetje slissend. 'Dit is een telefooncel.'

Een telefooncel? Er stonden nog maar een handjevol van die prehistorische hokjes in het hele land. 'Waar?'

'Wat?' vroeg de onbekende Paul.

'Nou, de telefooncel waar je nu belt. Waar staat dat ding?'

'Weet ik veel... Ergens in LA. De straat heet Wilshire. Wat had je anders gedacht? Er is een bank op de hoek, California en nog wat, geloof ik.'

'Bij welke zijstraat?' vroeg Bentz snel.

'Geen idee. Ik geloof bij Sixth of anders Seventh. Zeg, ik moet nu zelf bellen, ja?'

Bentz wilde nog iets weten. 'Wacht even. Heb je de vrouw gezien die voor jou de telefoon gebruikte? Ongeveer twintig minuten geleden?'

'Wat heeft dit te betekenen?' De man aan de andere kant van de lijn had er duidelijk genoeg van.

'Ik dacht dat je misschien moest wachten tot de cel vrij was en dat je iemand gezien had. Een vrouw.'

'Nee, dat zei ik toch?' De man smeet de hoorn op de haak.

Bentz zette zijn mobiel uit, pakte zijn sleutels en trok zijn schoenen aan. Rondrijden door LA in het holst van de nacht leek zinloos, maar hij wist zeker dat hij voorlopig toch niet kon slapen. Rebecca drukte juist haar peuk uit in een grote asbak bij de voordeur. Er hing nog een zweem van sigarettenrook in de nachtlucht. Ze keek hoe hij in de Ford stapte.

Bentz kende de omgeving en hij reed even later over de bijna verlaten brede Wilshire Boulevard. Een politieauto met zwaailicht raasde voorbij. Bentz keek naar de winkelruiten van de gebouwen, hoog oprijzend naar de nachtelijke hemel. Ter hoogte van Sixth en Seventh Street dwaalde zijn blik over de trottoirs, de pleintjes voor de moderne gebouwen van staal en glas, speurend naar een telefooncel. Hij wist niet wat hij zou zien, maar het was wel zeker dat hij de vrouw die hem gebeld had niet zou aantreffen. Tenzij ze gestoord was. Ze was waarschijnlijk allang verdwenen, maar toch wilde hij beslist die telefooncel zien.

Eerst zag hij de cel over het hoofd, opeens zag hij de neonletters CALIFORNIA PALISADES BANK. Hij reed over het verlaten parkeerterrein voor de bank. Daar was die telefooncel. De banden piepten toen hij snel optrok en recht naar de cel reed. Het was een moderne cel: drie platen smoezelig, met graffiti beklad plexiglas aan een paal, voor een gebouw met op de parterre een Koreaanse winkel.

Er waren weinig mensen op straat. Benz stapte uit en liep rond de telefooncel. Een stadsbus stopte bij de halte.

Wie was die vrouw?

Waarom had ze hem gebeld? Wat wilde ze? Dat hij haar zou achtervolgen? Hij keek aarzelend om zich heen. Het was zinloos hem hierheen te lokken, tussen deze kantoorkolossen die op slapende reuzen leken, met naargeestige bewakingslichten achter het getinte glas. Op straat passeerden af en toe auto's. Verkeerslichten sprongen van groen op rood, en de straatlantaarns verspreidden hun sombere schijnsel.

Bentz zag niets ongewoons.

Maar iemand probeerde serieus iets met hem uit te halen.

Wie deed dat?

En, belangrijker nog: waarom?

Hoofdstuk 8

'Ik begrijp niet dat je mij niets verteld hebt,' brieste Kristi aan de andere kant van de draadloze verbinding.

'Weet jij hoe laat het is?'

'Jazeker. Acht uur 's ochtends.'

'Hier is het zes uur,' bromde Bentz, kijkend naar de digitale klok, terwijl hij zich omdraaide op de ongerieflijke matras. Hij had amper geslapen sinds hij de vorige avond op het bed geploft was, na zijn late rit over Wilshire Boulevard. 'Twee uur tijdverschil, weet je nog?' Zijn rug was pijnlijk en hij was pas tegen twee uur 's nacht in bed gekropen. En nu belde Kristi hem wakker.

'Sorry hoor.' Het klonk niet welgemeend. 'Maar hoor eens, pa, wat heeft dit allemaal te betekenen? Ik vroeg het aan Olivia, maar die deed nogal geheimzinnig. Je weet wat ze dan zegt: vraag het zelf maar aan je vader.'

Kristi was kennelijk buiten, misschien stond ze voor het appartement dat ze in Baton Rouge huurde dicht bij haar opleiding aan het All Saints College. Bentz hoorde verkeersgeluiden en de lach van een spotvogel op de achtergrond.

'Ik moet dingen op een rij zetten.'

'Dus je denkt over... echtscheiding?'

'Wat? Nee zeg!' Bentz wreef over de stoppels op zijn onderkaak en hij liep naar het raam om de zonwering op een kier te openen. Meteen drong fel zonlicht door het stoffige vensterglas. 'Ik moet bepaalde dingen doen.'

'Wat voor dingen?' wilde Kristi weten.

'Ik zoek nog wat oude zaken uit. Vanavond heb ik een ontmoeting met een van mijn vroegere collega's.'

'Waarom? Ik dacht dat jij een hekel aan LA had. Als ik me goed herinner wilde je daar zo snel mogelijk weg.'

'Toen werd ik er even gek van.'

'En nu, na al die jaren, spring je zomaar in een vliegtuig naar het westen? Bespaar me die onzin, papa.' Kristi zuchtte overdreven. 'Zeg me alleen dat dit niets met mama te maken heeft?'

'Dat klopt.'

'Jij bent een slechte leugenaar. Een heel erg slechte.'

Bentz bleef zwijgen. Hij vroeg zich af wat haar op de gedachte had gebracht. Ach ja, hij had Kristi verteld dat hij Jennifer in het ziekenhuis had gezien, toen hij uit zijn coma ontwaakte. Hoewel ze er nooit over gesproken hadden was Kristi slim genoeg om het verband te zien. En ook omdat ze zelf een beetje paranormaal begaafd was. Sinds een ongeluk waarbij ze zelf bijna was omgekomen beweerde Kristi dat ze wist wanneer iemand zou overlijden: dan veranderde die persoon 'van kleur naar zwart-wit'. Dat was beangstigend voor haar, en Bentz wilde haar niet nog bezorgder maken.

'Ik dacht dat jij met de voorbereidingen van je huwelijk bezig was?' zei hij.

'Niet van onderwerp veranderen, papa. Dat werkt niet bij mij.'

'Waarom bel je me dan? Kennelijk niet om me een goede reis te wensen.'

'Leuk hoor.'

'Vind ik ook.' Bentz liep naar de badruimte, waar een klein koffiezetapparaat op een plank stond. Hij scheurde een zakje koffie open en luisterde naar de vragen die Kristi op hem afvuurde: Waarom was hij in LA? Wanneer kwam hij weer terug? Had hij problemen met Olivia? Moest ze zich zorgen maken?

Hij strooide de inhoud van het zakje in de filter, vulde het apparaat met water en drukte op de knop.

'Met mij is alles prima. En mijn relatie met Olivia ook. Maak je niet druk,' stelde Bentz haar gerust, terwijl het koffiezetapparaat borrelde en siste. Hij moest plassen, maar besloot zijn dochter niet nog meer op stang te jagen en wachtte tot ze ophing.

Dat duurde nog vijf minuten, maar uiteindelijk zei Kristi dat hij haar op de hoogte moest houden. Toen kreeg ze een wisselgesprek. Bentz deed een plas, nam een douche en kleedde zich aan. Met de kop koffie in zijn hand besloot hij op zoek te gaan naar een ontbijt. Een cafetaria aan Colorado Avenue leek hem een geschikte plek.

Na het ontbijt zou hij weer proberen de vrouwen op zijn lijst te vinden. De eerste kandidate was Shana McIntyre. De vorige avond had hij weer informatie opgevraagd en haar getrouwde naam bleek enkele keren gewijzigd. Ze heette Wynn voor haar eerste huwelijk met George Philpot. Na haar scheiding werd ze mevrouw Hamilton Flavel, en nu gebruikte ze de naam van haar huidige echtgenoot Leland McIntyre. Bentz kende het type vrouw: een serie-echtgenote.

De vorige avond had hij een telefoonnummer gevonden en geprobeerd haar te bellen, maar hij kreeg alleen haar opgewekte stem te horen: 'Dit is het antwoordapparaat van Leland en Shana. Laat een bericht achter na de toon, dan bellen we terug.'

Fijn, dacht Bentz, en hij nam niet de moeite zijn naam en telefoonnummer in te spreken. Hij wilde haar verrassen, zodat ze geen tijd kreeg om antwoorden te verzinnen of hem te ontwijken.

Toen hij buiten liep rees de zon al boven de horizon en de hitte weerkaatste op het plaveisel. Zijn auto was warm, het interieur verzamelde de hitte beter dan een zonnepaneel midden in de Sahara. Hij reed weg van het parkeerterrein, in de richting van Santa Monica en Colorado Avenue, de straat die hij meende te herkennen op die foto van Jennifer.

Hij had al wat speurwerk gedaan via internet. Op een onlineplattegrond waren drie cafetaria's aangegeven.

Binnen twintig minuten had hij de plek gevonden: een café op de straathoek die ook op de foto zichtbaar was. The Local Buzz, was de naam. Twee krantenautomaten stonden naast de ingang en achter de ramen waren hoge krukken te zien.

Dit was te gemakkelijk, dacht Bentz. Wie die foto ook gemaakt had, hem hierheen lokken was niet erg subtiel.

Hij parkeerde in een zijstraat en stapte even later naar binnen. De geur van versgemalen koffie was overweldigend. Jazzklanken concurreerden met het gesis van de espressomachine en het geroezemoes van gesprekken. De meeste tafels waren bezet en enkele bezoekers hadden hun laptop geopend, gebruikmakend van de wifi-verbinding. Bentz bestelde zwarte koffie en wachtte terwijl andere klanten lattes en mokka's bestelden, in allerlei verschillende smaken.

Toen het minder druk werd toonde hij de foto's van Jennifer aan het barpersoneel. Niemand had Jennifer ooit gezien. Dat was zeker. Een lange meid met suède laarzen keek amper naar de foto's terwijl ze de hete melktuit van de espressomachine schoonveegde en ze schudde haar hoofd. Maar haar collega, een kleinere, gezette vrouw, ze was ergens in de vijftig, bekeek de afbeeldingen aandachtig. Boven haar randloze bril trokken haar wenkbrauwen samen. 'Ze kan hier wel geweest zijn als het erg druk was, of als hier ander personeel werkte. Maar ze is zeker geen vaste klant. Niet in de ochtend, want dan zou ik haar herkennen.' Ze legde uit dat er zes of zeven mensen achter de bar werkten, dus dat een ander de vrouw op de foto bediend kon hebben.

Bentz keek naar het tafeltje waar 'Jennifer' gezeten had, toen de foto genomen werd. Hij liep naar het raam en keek naar de straat. Links, een aantal blokken verder, eindigden de straten bij de Grote Oceaan. Hij en Jennifer hadden daar wel lome middagen doorgebracht, wandelend over de Santa Monica Pier en het pad langs de kust. Lang geleden had hij Santa Monica als hun bijzondere plek beschouwd, de plek waar hij en Jennifer voor het eerst op het strand de liefde bedreven.

Hij nam een slokje van zijn koffie en probeerde zich voor te stellen wat Jennifer – nee, de vrouw die zich voordeed als Jennifer – hier gedaan had en waarom hij naar deze plek was gelokt. Wat kon daar de bedoeling van zijn? Hij staarde nog even uit het raam en liep toen naar buiten, met de beker te hete koffie. En met het gevoel dat hij gemanipuleerd werd.

Shana kwam aan de oppervlakte, nadat ze over de volle lengte van haar zwembad onder water had gezwommen. Ze haalde diep adem en schudde de natte haren uit haar gezicht. Veertig baantjes. Ze was tevreden over haar prestatie en opeens hoorde ze de deurbel.

Ze was niet de enige die de bel hoorde: Dirk, een kruising tussen een Duitse herder en een rottweiler, begon meteen als bezeten te blaffen. Het dier had op de rand van het zwembad gelegen, maar sprong meteen waaks overeind.

Geweldig.

Precies wat ze nodig had: onverwacht bezoek van een of andere onbekende. Ze steunde op de rand bij de kleine waterval en kwam overeind. Ze was naakt, ze droeg zelfs geen stringbikini. De huishoudster had een vrije dag, de tuinman was al weg, en daarom maakte ze gebruik van de gelegenheid om streeploos bruin te worden. Ze had haar baantjes gezwommen, na het zonnebaden op haar favoriete ligstoel. Als ze nu niet gestoord was, dan was ze weer gaan liggen om de andere kant van haar lichaam te laten bruinen.

'Later,' nam ze zich voor, en ze pakte haar witte badjas. Ze trok hem snel aan en knoopte de ceintuur vast om haar slanke taille.

Er werd weer aangebeld, en Dirk barstte opnieuw los in heftig geblaf. 'Koest!' commandeerde ze de hond en luider riep ze: 'Ik kom eraan!'

Snel wrong ze het water uit haar haren, stapte in haar slippers bij de tuindeuren en liep ze door de serre en de woonkamer. Dirk volgde haar. De trouwe hond hield om de een of andere reden van haar, hoewel ze zelf weinig om het dier gaf. Ze was geen hondenliefhebber, al die haren, vuil en poep in de tuin vond ze hinderlijk. En als de grote lobbes uit zijn waterbak dronk, dan liep er een spoor van kwijl over de vloer tot aan de hal. Wat Shana betreft kwamen er helemaal geen dieren in huis, maar Leland zou nooit afstand willen doen van zijn vaak grommende, zeventig kilo wegende lieveling.

'Blijf!' commandeerde Shana en de hond gehoorzaamde. Ze tuurde door het raam naast de deur en keek recht in de ogen van de bezoeker.

'Nee maar.'

Rick Bentz was wel de laatste persoon die Shana voor haar deur had verwacht. Maar hij stond daar in eigen persoon, met zijn armen voor de borst gekruist en zijn benen wat gespreid tussen de enorme bloembakken met witte en rode petunia's. Een pilotenzonnebril op zijn neus, die minstens één keer, en vermoedelijk wel vaker gebroken was. Hij was slanker geworden, misschien vijf tot tien kilo afgevallen, sinds ze hem meer dan tien jaar geleden voor het laatst gezien had, bij de begrafenis van Jennifer.

Toen was hij er miserabel aan toe.

Aan de drank.

Vol zelfmedelijden en zelfverwijt, oordeelde ze met haar kennis van de psychologiecursus die ze gevolgd had nadat George, haar eerste echtgenoot, haar verlaten had voor een grietje dat nota bene Bambi heette. Hoe banaal kon een man zich gedragen?

Shana had in elk geval geleerd van die ervaring.

Ze ontgrendelde het slot en opende de zware voordeur. 'Rick Bentz.' Ze voelde haar mondhoeken naar beneden draaien, maar iets in haar, dat belachelijke, jaloers vrouwelijke, maakte haar toch nieuwsgierig. Ze hield zichzelf voor dat ze deze man nooit gemogen had. Hij kon haar aanstaren op een manier dat ze zich gedwongen voelde iets te zeggen. Ze werd nerveus in zijn aanwezigheid. Omdat hij politieman was: ze voelde zich altijd ongemakkelijk bij politiemensen. Maar ze moest toch erkennen dat hij sexy was. Op de ruwe manier die Hollywood altijd probeerde te etaleren.

'Shana.' Hij knikte. Dwong zichzelf te glimlachen. 'Dat is lang geleden.'

'Zeg dat wel. Wat doe jij hier?'

'Ik ben een paar dagen in de stad, en besloot je op te zoeken.'

'En waarom?' vroeg ze, terwijl een wenkbrauw als vanzelf omhoogschoot. 'Kom nou, is dit een of ander officieel bezoek?' Shana stond in de deuropening, met achter haar Dirk die zachtjes gromde.

'Nee hoor, dit is niet officieel.' Zijn glimlach was bijna ontwapenend. 'Ik wil alleen met je praten over Jennifer.'

Dat bracht haar in verwarring. 'Je meent het? Nu? En ze is al zo lang dood, tien, twaalf jaar. Wel een beetje laat, nietwaar?' Ze kruiste haar armen onder haar borsten die zo wat opgedrukt werden. Prima. Ze had geweldige borsten, en dat wist ze. 'Weet je, ik had de indruk dat je weinig aandacht voor haar had toen ze nog leefde, dus waarom wil je nu opeens over haar praten?' Ze keek hem argwanend aan.

'Daar wil ik het over hebben.'

Hmm.

Meer uit morbide nieuwsgierigheid dan om behulpzaam te zijn deed Shana een stap opzij en ze greep de halsband van Dirk. Ze trok de hond mee naar de patio. De hond gromde nog een keer waarschuwend. Bentz volgde haar door de hal naar de patio. Shana zag dat Bentz een beetje hinkte, al deed hij zijn uiterste best om dat te verbergen.

Eenmaal buiten liet ze de hond los. 'Laat ons met rust, Dirk. Ga weg!' Ze knipte gebiedend met haar vingers en wees naar het eind van de patio, waar schaduw onder de palmen was. De hond aarzelde even en sjokte gehoorzaam naar het gazon. Hij draaide een rondje en ging liggen, met zijn kop op zijn voorpoten en strak naar Bentz kijkend.

'Dat is wel een grote hond,' merkte Bentz op

'Van mijn man. Als bescherming.' Dat was een beetje overdreven. 'Hij blaft alleen naar die keffende chihuahua's van de buren. Zeg, ik moet je zeker iets te drinken aanbieden... Alcoholvrij?' vroeg ze met een vileine glimlach, doelend op zijn liefde voor de fles.

'Nee, dank je.'

'Vertel op.'

Shana ging zitten in een van de schommelstoelen rond de grote glazen tafel en ze gebaarde dat hij ook moest gaan zitten. 'Wat wil je over Jennifer weten?'

Bentz zat in de schaduw van een enorme parasol. 'Over haar zelfmoord,' zei hij.

Shana fronste en een geërgerde trek verscheen op haar gezicht.

'Jij was een van haar beste vriendinnen. Daarom denk ik dat je me iets kunt vertellen over haar geestelijke toestand voor haar dood. Wilde ze er echt zelf een eind aan maken?'

'Aha. Is dat het? Je wilt mijn mening horen over haar denkwereld?'

'Ja.'

Shana ging in gedachten jaren terug, zich Jennifer herinnerend: geestig, vrolijk en heel sexy. 'Ik heb het nooit begrepen. Ze was te levenslustig. Ze wilde er geen eind aan maken.'

'We hebben een afscheidsbriefje gevonden.'

'Ach wat!' Shana zwaaide door de lucht, alsof ze een hinderlijke vlieg verjoeg. 'Ik weet niet wat dat betekende. Tuurlijk, ze vertelde me wel eens dat ze tegen een depressie vocht, maar... Maar dat leek mij niet erg serieus. Misschien heb ik me vergist, maar ik wil wedden dat ze met dat briefje alleen aandacht wilde vragen, begrijp je? Ik bedoel maar, wie pleegt nou zelfmoord door tegen een boom te rijden?'

Hij luisterde, zonder aantekeningen te maken.

'Het was misschien een ongeluk. Ze dronk wel eens, en ze slikte pillen, maar...' Shana keek hem strak aan, 'als je mij vraagt of ik geloof dat Jennifer in staat was zelfmoord te plegen, dan zeg ik nee. En dat heb ik ook duidelijk gezegd toen ze net dood was.'

Bentz knikte. Alsof hij zich dat herinnerde.

'Ik woonde met Jennifer in Berkeley en later... Je weet dat ze toen iets met Alan Gray had? Ik geloof dat ze zelfs een tijdje verloofd waren, ja toch?'

Ze zag hoe zijn ogen zich vernauwden, een zwijgende bevestiging achter zijn zonnebril.

'Maar ze ging niet samenwonen met Alan, waarschijnlijk omdat ze jou leerde kennen. Ik vond het stom van haar. Alan was die schatrijke projectontwikkelaar. Hij bezat tientallen miljoenen. En toch viel ze op jou. Ze gaf een miljonair de bons. Hoe is het mogelijk.'

Shana zuchtte pathetisch. 'Maar wie van ons kon Jennifer begrijpen? Ze had wel iets dubbels.' Shana herinnerde zich Jennifer als flirt. De extroverte Jennifer. De wilde Jennifer. Maar ze kon zich Jennifer niet herinneren als somber en neerslachtig. 'Toch heb ik nooit gedacht dat ze zichzelf iets aan kon doen. Niet met opzet. Ik bedoel dat ze daar niet toe in staat was. Ze kon veel doen om aandacht te trekken. Heel veel. Maar ze was niet zelfdestructief.' Shana aarzelde even en zuchtte weer. 'Tenzij je op die affaire doelt.' Ze keek hem aan, maar kon zijn reactie achter de zonnebril niet peilen. 'James was haar achilleshiel.' Ze keek weg naar het zwembad, waar zonlicht danste op het helderblauwe water. 'Hoor eens, het is lang geleden en ik weet niet wat er toen in haar hoofd omging. Ik betwijfel alleen of het zelfmoord was.'

Bentz stelde nog een paar vragen over hun vriendschap, en toen ze op haar horloge keek kwam hij met de hamvraag.

'Denk jij dat Jennifer haar dood in scène heeft gezet?'

'Wat?' Shana keek geschrokken. 'Is dat een grap?' Maar Bentz was serieus. Zijn gezicht was strak. 'Absoluut niet. Ik bedoel, hoe zou ze dat moeten doen?' Gedachten tolden door Shana's hoofd. Kippenvel verscheen op haar armen. Was dit een of andere strikvraag? De uitdrukking op Bentz' gezicht wees op het tegendeel. 'Ik begrijp niet wat je bedoelt, maar nee: ik geloof niet dat ze dat ongeluk in scène kon zetten. Hoe dan? Een andere vrouw doden? Nee, dat is echt krankzinnig, Rick. Trouwens, jij hebt haar lichaam toch geïdentificeerd?'

Hij knikte. Zijn mond vertrok een beetje.

'Nou, heb jij je dan vergist?'

'Ik weet het niet,' antwoordde hij. 'Heeft ze daar met jou over gesproken? Heb je haar later gezien?'

'Nee! Godallemachtig!' Was Bentz gek geworden? 'Wat voor drugs gebruik je, Rick? Jennifer is dood. Dat weten we allebei!'

'Dat zeg jij.'

Shana leunde achterover in haar stoel en keek naar de man die Jennifers echtgenoot was geweest. Hij leed vroeger niet aan hallucinaties, in elk geval niet voor de problemen waar hij in terechtkwam. Ooit was hij een rijzende ster bij de politie in LA, maar die ster was bezoedeld, evenals zijn badge.

Maar nu leek hij weer op de Bentz van vroeger: knap en gehard. Ja, hij was wel een beetje sleetser en de jaren begonnen zich af te tekenen. Maar deze Bentz had een heldere en doortastende blik in zijn ogen. Gepassioneerd. De eigenschappen waardoor Jennifer zich tot hem aangetrokken had gevoeld.

'Waarom denk jij dat Jennifer nog leeft?' Dit gesprek was bizar. Heel bizar.

Bentz opende een envelop en spreidde enkele foto's uit op de glazen tafel. Shana's hart stond bijna stil. De vrouw op elke foto was Jennifer. Of anders haar identieke tweelingzus. 'Hoe kom je daaraan? Zijn dit echt recente foto's?' vroeg ze, in verwarring gebracht. Jennifer was dood.

'Iemand heeft ze naar mij gestuurd. En ik dacht dat jij misschien een idee hebt wie.'

'Nee, geen flauw idee. Maar... maar dit kan toch niet? Ze is dood. Jij was de enige die...' Shana pakte de foto van Jennifer die de straat overstak. Een rilling trok langs haar ruggengraat.

'Ik zoek nu feiten over haar dood,' zei hij, terwijl Shana de andere foto's bekeek, zoekend naar een aanwijzing dat dit bedrog was.

'Waar komen deze foto's vandaan?'

'Het poststempel is van Culver City.'

'Jij hebt daar gewoond.' Shana slikte. Ze hoorde de wind door de droge palmbladeren ritselen. Ze had het opeens ijskoud. 'Dit moet wel een illusie zijn.'

'Weet ik, maar ik had toch tijd en daarom wilde ik dit wat nader onderzoeken.'

'Waarom?'

Bentz antwoordde niet maar stelde zelf een vraag. 'Was er in de laatste week van haar leven iets ongewoons of opmerkelijks?'

'Afgezien van het feit dat ze stierf?' vroeg Shana cynisch. Ze keek weer naar de foto's. Ze miste Jennifer. En met Jennifers ex-echtgenoot praten vond ze niet bepaald leuk. Ze vond hem een hork, vervreemd van zijn vrouw, en hij vond zijn werk altijd veel belangrijker dan zijn gezin.

Shana voelde zich verbonden met Jennifer, zelfs nu ze niet meer onder de levenden was. Met Rick over haar praten leek op de een of andere manier verraad. Shana keek weg van Ricks indringende blik, naar de tuin waar overdadig bloeiende bougeainvillea een boomstam overwoekerde. De bladeren ritselden in de zachte bries.

Maar wat had het voor zin te zwijgen? Haar vriendschap met Jennifer was van lang geleden. Jennifer was er niet meer.

'Ik weet alleen dat Jennifer veel over weggaan praatte. Ze wilde afstand nemen en jou je vrijheid teruggeven.' Het pleitte voor Rick dat even een pijnlijke grimas op zijn gezicht verscheen. 'Ze vond jou meer geschikt als ouder dan zijzelf, ook al werkte je te veel, je dronk ook veel meer dan goed voor je was.' Shana streek door haar haren, zodat er een bries over haar nek streek. 'Ze was slim genoeg om te beseffen dat jij een goede vader was, wat dat ook mag zijn.'

Ze sloeg haar benen over elkaar en vroeg zich af of deze foto's echt waren. Onmogelijk. De vrouw was te jong. Of ze had een heel goede plastisch chirurg. Shana keek weer naar Bentz. 'Je wist al dat ze een minnaar had.' Aan Ricks verstrakkende onderkaak zag Shana dat ze een gevoelige snaar had geraakt. 'Met hem wilde ze het uitmaken. Het werd haar allemaal te ingewikkeld, en aangezien James jouw halfbroer was...'

'En de vader van mijn dochter,' vulde Bentz aan.

Shana haalde haar schouders op en wenste dat ze een karaf margarita's had gemixt. Ze was opeens dorstig en nerveus. 'Nou, ze besefte dat die affaire, zeker omdat hij priester was, alleen maar narigheid voor hen allebei zou veroorzaken.'

'Wist hij dat ze die relatie wilde verbreken?' vroeg Bentz ernstig.

'Hij vermoedde het, denk ik. Ze hadden nog niet echt weer het bed gedeeld, maar hij voelde wel dat het ging gebeuren. Hij was zichzelf niet meer.'

Bentz' gezicht verstrakte en Shana wist dat ze hem geraakt had. Mooi. Die klootzak verdiende dat, omdat hij zijn vrouw verwaarloosde en haar waarschijnlijk te vroeg de dood had ingejaagd, om dan opeens bij haar voor de deur te staan. Hij was sexy, op een aardse manier die ze fascinerend vond, en ook een beetje gevaarlijk. Hij was stoer en sterk... maar hij was ook een smeris. Shana leunde wat naar voren, ervoor zorgend dat haar badjas wat openviel, zodat haar perfecte decolleté zichtbaar werd. Dat was haar laatste investering, sinds haar borsten na haar vijfendertigste naar het zuiden wezen.

'En wat deed hij?'

'Pastor James?' vroeg ze opgewekt, omdat het gesprek weer op hem kwam.

'Ja.'

'Hij baalde, uiteraard. Ze hadden een paar keer ruzie. Hij was... hij kon zich niet beheersen.'

Bentz' onderkaak bewoog. 'Denk jij dat hij iets met het ongeluk te maken heeft?'

'Dat... dat wil ik niet beweren,' zei ze aarzelend. Maar wat wist zij van een priester die zijn belofte aan God en de kerk telkens gebroken had? Had ze zichzelf niet dezelfde vragen gesteld? Ze besloot van onderwerp te veranderen. 'Weet je, die broer van jou was verdomd sexy en hartstochtelijk. Nogal lastig, omdat hij priester was geworden.' Shana wapperde met haar vingers. 'Die belofte van celibaat wordt dan wel erg hinderlijk.'

Bentz zweeg, maar hij werd duidelijk woedend en Shana genoot ervan. Ze ging nog een stap verder. 'Weet je, soms ontmoetten ze elkaar bij de Santa Monica Pier, of daar ergens in de buurt. Ik geloof dat het daar voor het eerst serieus werd. Op het strand misschien, daar bij dat pretpark.'

Ze zag de grimas van Bentz, en ze wist dat het een schot in de roos was. Prima. 'En toen, waar had ze het aldoor over?' vervolgde Shana, de strakke trek op Bentz' gezicht opmerkend. 'O ja, ik weet het alweer. Dat vond Jennifer om de een of andere reden belangrijk. Ze spraken meestal af in een motel in San Juan Capistrano.'

Bentz verstarde nog meer en zijn ogen achter de zonnebril vernauwden zich tot spleetjes. 'Weet je de naam van dat motel?'

'Nee. Maar ik herinner me wel dat het deel uitmaakte van een oude missiepost. Niet dat grote gebouw daar. Het is een klein kerkje, dat later verbouwd is tot motel.' Ze probeerde zich meer details te herinneren. 'Wacht eens, ze zei toch dat ze altijd kamer 7 wilden. Dat was hun geluksgetal, of zoiets.'

'Kamer 7?' herhaalde Bentz kortaf.

'Ja, volgens mij wel, al weet ik niet waarom ik me dat nog kan herinneren.' Maar opeens kwam de herinnering aan een gesprek met Jennifer over haar geheime rendez-vous weer boven. Haar ogen straalden schalks en haar lippen krulden van ondeugendheid, toen ze van haar martini dronk en enkele sappige details van haar geheime relatie vertelde. En de naam van dat motel in Capistrano? Ze wist het bijna weer. 'Ik geloof dat het Mission San... San Michelle was. Nee, toch niet.' Ze knipte met haar vingers toen de naam haar te binnen schoot. 'Mission San Miguel, dat is het! Daar waren ze de eerste keer geweest, toen ze zwanger werd en later ook, toen ze de relatie hervatten.' Shana zag de walging die Bentz probeerde te maskeren en ze voelde een voldane siddering.

Die kerel verdiende een dosis kille, harde realiteit. Het was zijn schuld dat Jennifer in de misère raakte. Zijn afstandelijkheid had haar in de armen van een andere man gedreven. Shana leunde wat meer naar voren en zei met hese stem: 'Toch wel ironisch, vind je niet? Pastor James, die elke belofte breekt en dan gaat biechten om zijn ziel weer te reinigen.' Shana trok haar neus op. 'Ik ben niet katholiek, maar zo werkt dat toch?'

'Weet ik niet.' Bentz scheen iets in zijn geheugen te prenten. 'Waren er nog andere plaatsen?'

'O, ik geloof dat ze ook ergens in een hotelletje bij Figueroa afspraken, maar dat weet ik niet zeker.' Misschien vertelde ze hem al te veel. Misschien kon ze maar beter haar mond houden. Wat ze ook vertelde, Jennifer zou toch niet terugkomen.

Op Bentz' gezicht was een harde uitdrukking. Zijn blik en zijn stem waren ijzig. Afstandelijk. De politieman. 'Is er nog iets wat jij je kunt herinneren?'

'Alleen dat ze er spijt van had,' antwoordde Shana, in een opwelling van eerlijkheid. 'Dat ze jou gekwetst had.'

Bentz keek naar Shana.

'Ik meen het, Rick. Ze verachtte zichzelf om wat ze zelf 'haar vloek' noemde. Dat ze alles wat goed in haar leven was moest vergooien. Ja, ze was egocentrisch en ijdel, maar eigenlijk was ze een goed mens. En op haar eigen manier hield Jennifer van jou. Heel veel.'

Hoofdstuk 9

Bentz zag Jennifer die dag voor het eerst in Los Angeles.

Na zijn vertrek bij het huis van Shana reed hij in zuidwestelijke richting, op zoek naar Figueroa Street, om zijn morbide nieuwsgierigheid te bevredigen.

Hij was nog bezig alles wat hij van Shana gehoord had te verwerken, hij probeerde feiten en fantasie van elkaar te scheiden, althans wat de gekleurde kijk van Shana op de dingen betrof, terwijl hij zich aan het begin van de middag een weg zocht door het verkeer. Eén ding was zeker na zijn ontmoeting met Shana McIntyre: de foto's van Jennifer hadden haar nerveus gemaakt. Shana had niet gespeeld gereageerd. En dat moest toch iets betekenen.

En dan de kattige manier waarop ze hem had aangeraden navraag te doen naar Alan Gray, de man met wie Jennifer een relatie had.

Voor een tijdje.

Alan Gray was een projectontwikkelaar die zijn kapitaal vergaard had in de jaren zeventig en tachtig, voordat de economische situatie verslechterde. Hij was in Jennifers leven verschenen en er weer uit verdwenen. Bentz nam zich voor na te gaan wat deze schatrijke Alan Gray tegenwoordig deed. Hij moest achter in de vijftig zijn, of begin zestig. Misschien was hij wel met pensioen.

Bentz zou het uitzoeken.

Zijn ogen dichtknijpend tegen de felle zon, deed hij de zonneklep naar beneden, en hij zag verschillende motels waar Jennifer en James hun amoureuze rendez-vous hadden. Maar in de administratie was vast niet meer te lezen dat ze elkaar achter deze gestuukte gevels hadden ontmoet.

En wat dan nog?

Het was meer dan twaalf jaar geleden.

In die periode waren er andere eigenaren gekomen, oude gebouwen waren gesloopt en nieuwe geopend. Hij wilde juist in de richting van Culver City rijden, toen hij een glimp opving van een slanke, donkerharige vrouw in een gele zomerjurk. Ze droeg een zonnebril en ze stond bij een bushalte.

Nou en? dacht hij eerst. Maar toen hij voorbijreed zag hij het profiel van de vrouw en zijn hart sloeg over. Die neus en kin... Zoals ze haar tasje vasthield, staand bij een bankje... Haar ogen waren gericht op de naderende bus die blauwe dieseldampen uitbraakte. Ze hield haar hand boven haar ogen, tegen de zon.

Precies zoals Jennifer dat deed.

Shana's woorden klonken in zijn hoofd: 'Op haar eigen merkwaardige manier hield Jennifer heel veel van jou.' Hij was toen te verbluft geweest om te reageren.

Dit is krankzinnig. Zij is het niet. Je weet dat het Jennifer niet is. Het is de kracht van je verbeelding, meer niet!

Met een schuin oog gericht op de spiegel zocht hij naar een parkeerplek, terwijl de bus bij de halte stopte.

'Wel verdomme,' vloekte Bentz, en hij stuurde de huurauto met jankende motor naar de eerste vrije parkeerplek voor een winkelcentrum. Op een bord stond dat hier alleen door klanten geparkeerd mocht worden. De deuren van de bus waren open. Twee opgeschoten knapen met iPod-oordopjes in duwden elkaar lachend terwijl ze hun skateboards in de bus tilden.

Bentz sprong uit de auto en hinkte naar de overkant van de straat.

Ze was verdwenen.

De vrouw in de gele zomerjurk was nergens te zien.

De deuren van de bus gingen dicht, de richtingaanwijzer knipperde al.

'Nee!' Bentz hinkte naar de bus, zijn slechte been was pijnlijk. Hij arriveerde juist bij de halte toen de stadsbus ronkend optrok.

Was ze ingestapt?

Terwijl de bus wegreed van de halte tuurde Bentz door de stoffige ramen. Hij keek naar elk gezicht dat hij kon onderscheiden, maar herkende niemand. Er was niemand die zelfs maar een beetje op zijn ex-vrouw leek.

Bentz noteerde in gedachten het nummer van de bus en de tijd, en keek daarna om zich heen. Geen donkerharige vrouw in een citroengele jurk wandelde op het trottoir, verdween bijna om een hoek of stapte in een van de geparkeerde auto's.

Hij voelde weer iets van een déjà vu.
Het was alsof hij hier eerder was geweest.
Alsof hij Jennifer al eens had achtervolgd in deze straat.
Hij staarde naar de stadsbus, tot het voertuig uit het zicht verdween, en overwoog even de achtervolging in te zetten. Hij kon proberen bij een volgende halte op de route in te stappen.

Denk toch na, hield hij zichzelf voor. *Dat was Jennifer niet. Het is alleen je verbeelding, na wat Shana heeft gezegd. Jennifer, levend of dood, zit niet in die bus. Kom op, man! Jennifer maakte trouwens toch nooit gebruik van het openbaar vervoer.*

'Ik vind dit gewoon niet leuk, dat is alles,' gaf Kristi toe. Ze stuurde met één hand, haar mobieltje hield ze in de andere hand en ze telefoneerde met Reuben Montoya, de collega van haar vader.

'Hij had behoefte even weg te gaan.'

'Waarom?' wilde Kristi weten, zich een weg zoekend door de smalle straten van Baton Rouge, in de richting van het All Saints College.

'Hij zei alleen dat hij een tijdje weg wilde. Hij werd bijna gek van dat werkeloos thuiszitten.'

'Maar waarom naar Los Angeles?'

'Dat moet je hem vragen.'

'Heb ik gedaan, maar hij reageerde niet.' Kristi voelde paniek opkomen. Er was iets mis, helemaal mis. Sinds dat ongeluk was haar vader zichzelf niet meer. Ze had gedacht – nee, gehóópt – dat hij na zijn revalidatie weer de oude zou worden. Maar dat was niet het geval.

'Jouw vader weet heus wel wat hij doet,' suste Montoya. 'Maak je geen zorgen over hem.'

'Dat wil ik ook niet.' Ze verbrak de verbinding en reed over het parkeerterrein bij haar appartement, tegenover de campus. Het oorspronkelijk grote huis was opgedeeld in kleine studentenflats. Kristi woonde daar alleen met haar kat. Als Jay college forensisch onderzoek gaf bleef hij bij haar logeren. Jay woonde in New Orleans, en had daar een baan bij het politielaboratorium.

Als ze in december getrouwd waren en Kristi klaar was met deze opleiding, dan zouden ze naar New Orleans verhuizen. Ze hoopte maar dat de voorlopige versie van haar boek over een werkelijk gepleegde misdaad dan af was.

Maar eerst haar vader. Wat spookte Bentz toch uit? Ze piekerde daarover en haalde een tas boodschappen uit de kofferbak van haar Honda. Daarna liep ze naar haar studentenflat op de derde verdieping. Ze speelde even met de gedachte Olivia, haar stiefmoeder, te bellen maar hun verstandhouding was niet altijd even goed. Het was beter haar persoonlijk te spreken. Maar wanneer moest dat gebeuren?

Terwijl Kristi de laatste goedkope diepvriesmaaltijden in de vriezer deed zag ze Houdini voor het raam. De zwarte kat kwam binnen en Kristi pakte haar op om het dier te strelen. De telefoon rinkelde. 'Hallo?' zei ze, en de kat sprong lenig op de vloer.

'Ha, Kristi, ik ben het, Olivia.'

Perfect.

'Hoi.'

'Hoe gaat het met je studie?'

Wat had dit te betekenen? Olivia belde haar nooit. 'O, prima,' antwoordde Kristi afwachtend.

'En de trouwerij?'

'Alles ligt op schema.' Kristi trok een stoel dichterbij en ging zitten. 'En hoe is het met jou?'

'Prima.'

Genoeg gekeuveld. 'Maar waarom is papa dan naar Los Angeles?'

'Nou, dat is het juist. Ik weet het niet,' gaf Olivia toe. 'Maar het is kennelijk iets wat hij beslist moet doen.' Haar stem klonk even zwakker, alsof ze wegkeek van de telefoon. Kristi voelde haar hart heftiger bonzen, want ze verwachtte elk moment te horen dat haar vader en Olivia wilden gaan scheiden. 'Heeft hij je niets verteld?'

'Nee, niet echt. Hij zei iets over oude politiezaken in LA en dat hij snel weer terug zou komen. Mij leek het alleen een smoes en ik vraag me af wat er aan de hand is. Ik dacht dat er iets mis is met jullie relatie.'

Geen antwoord. Kristi's hart klopte in haar keel.

'Jouw vader... Hij heeft het moeilijk, sinds dat ongeluk. Thuis houdt hij het niet uit, daarom denk ik dat hij voor zichzelf een nieuw perspectief heeft gezocht. Of dat hij een aantal dingen op een rijtje wil zetten.'

'Wat voor dingen?' vroeg Kristi argwanend. Er was een ondertoon in dit gesprek die ze niet begreep.

'Ik weet het niet precies. En volgens mij weet hij het zelf ook niet, maar hij zal het heus wel aan ons vertellen als hij meer weet.'

Daar zou ik niet op rekenen.

'Hoe dan ook, ik belde je om te vragen of je een keer komt eten, of anders ergens koffiedrinken? Als je weer eens in New Orleans bent?'

'Tuurlijk.' Olivia had wel geprobeerd de kloof tussen haar en haar stiefdochter te overbruggen, en ze hadden ook samen dingen gedaan, maar meestal was Bentz erbij. Dit was een beetje ongewoon. 'Over ongeveer een week kom ik naar New Orleans,' opperde Kristi.

'Laten we dat doen. En als je vader dan al terug is, dan nodigen we hem misschien ook uit.' Olivia aarzelde even. 'Of toch maar niet,' voegde ze eraan toe.

'Afgesproken.' Kristi legde de telefoon neer. *Als je vader dan terug is*, had Olivia gezegd. Dus zij tastte ook in het duister. Het beviel Kristi helemaal niet. Wat haar vader ook doormaakte, het was niet goed.

Na een lange dag colleges gooide Laney Springer haar studieboeken op de kleine cafétafel die een van haar huisgenoten ooit had bijgedragen aan de inrichting van de flat. Dit was een vreselijke dag geweest: het begon met professor Williams' dodelijk saaie lezing over de Koreaanse oorlog. Waarom Laney ooit gedacht had dat moderne geschiedenis en de Amerikaanse politiek in de twintigste eeuw een interessante invulling van haar studieplan kon zijn, begreep ze zelf ook niet meer. Gelukkig was het semester bijna afgelopen, en dan werd professor Williams zelf geschiedenis – letterlijk.

Ze liep naar de koelkast en keek erin. De inhoud was deprimerend: een uitgedroogde pizza, nog in de doos, maar de plakjes salami waren al verdwenen. Een bos selderij kleurde bruin naast een paar halflege flessen Pepsi light.

Jakkes.

Ze sloot de koelkast en besloot dat ze toch niets wilde eten. Ze wilde dat haar dunne, zilverkleurige jurk vanavond niet te strak zat. En het meest van alles wilde ze er goed uitzien. Echt héél sexy.

Vergeet die oude pizza.

Dit werd haar grote avond. Nou, eigenlijk niet alleen van haar, maar ook van haar tweelingzus Lucy.

Om middernacht zouden ze allebei eenentwintig zijn. Eindelijk volwassen!

Het duurde nog zes uur voor de klok twaalf uur sloeg. Laney had wel een identiteitskaart met een vervalste geboortedatum, maar die zou ze vannacht feestelijk verbranden.

Het goede nieuws was dat ze niet meer veertien minuten extra moest wachten als haar tweelingzus de eerste legale slok sterkedrank nam. Lucy had haar altijd ingepeperd dat zij om 12.47 uur was geboren, en Laney pas om 1.01 uur op de wereld kwam. Maar deze avond was dat onbelangrijk: het ging om de datum, niet om het tijdstip.

Het zou een groots feest worden: al haar vrienden waren uitgenodigd, zelfs Cody Wyatt, die coole jongen uit haar Engelse literatuurklas. Mooi. Want ze wist dat ze moest concurreren met Kurt Jones, die enge vriend van Lucy. Wat een loser! Hij was al dertig en had zijn middelbare school niet eens afgemaakt, hij was nooit getrouwd met de moeder van zijn kind, en volgens Lucy wilde hij zelfs niets te maken hebben met zijn drie jaar oude zoontje. Nu scharrelde Kurt met Lucy en die praatte alles wat hij deed weer goed. Ongetwijfeld was hij haar dealer. Lucy raakte echt verslingerd aan wiet en misschien ook aan ander spul.

Dat baarde Laney zorgen.

Een jointje roken was één ding, maar harddrugs konden een groot probleem worden. Laney nam zich voor Kurt te negeren, als hij vanavond van de partij was. Wat maakte het uit wat hij deed?

Wiet, coke, pillen, hij heeft het allemaal.

Ze hoopte maar dat Lucy hem de bons gaf.

Voorgoed.

Ze besloot wat aan fitness te doen. Haar spieren waren verkrampt na een lange dag in de ongemakkelijke schoolbanken. Ze zou vanavond op de dansvloer genoeg bewegen, maar ze wilde nu gericht aan haar conditie werken. Eerst wilde ze wat met gewichten trainen, daarna haar yoga-dvd opzetten en rekoefeningen doen. En daarna lang onder de douche en haar haren wassen, voordat ze zo lang ze wilde met haar make-up bezig zou zijn. Het was immers bijna haar verjaardag. Of eigenlijk hún verjaardag. Die van haar én Lucy.

Ze vond haar iPod in haar boekentas en klikte het apparaat in de versterker van haar kamergenoot Trisha. De muziek klonk luid, maar alle bewoners van het huis waren studenten, en niemand klaagde ooit over harde muziek en feestjes, zelfs niet over huisdieren, hoewel die streng verboden waren.

Lopend naar de slaapkamer die ze met Trisha deelde pakte Laney de oefengewichten van de boekenkast. Op het vloerkleedje tussen het onopgemaakte bed en de garderobekast van Trisha begon Laney haar armspieren te trainen, op de muziek van Fergie.

De bewegingen waren gemakkelijk en Laney sloot haar ogen. De volgende song had een andere sfeer. Laney luisterde naar de beat en de tekst van Justin Timberlake, daarna Maroon 5...

Nog een serie oefeningen. Ze begon het wel echt te voelen.

Kom op, kom op, moedigde ze zichzelf aan terwijl de muziek door haar hoofd dreunde. *Je kunt het, niet opgeven.*

Ze hijgde en ze transpireerde hevig.

Toen haar bicepsen en tricepsen heftig protesteerden strekte ze zich uit op de vloer en begon met beenliften.

Laney dacht dat ze iemand binnen hoorde komen en ze riep: 'Ik ben hier!' boven het dreunen van de bas en een keyboardrif uit, terwijl ze bleef bewegen tot haar lichaam helemaal bezweet was en haar benen pijnlijk werden.

Pas nadat ze alle oefeningen had afgewerkt kwam ze overeind. Ze greep haar handdoek en liep naar de woonkamer, terwijl de muziek nog steeds door de flat schalde. Tijd om even te pauzeren. En ze wilde Trish of Kim de kans geven haar alvast te feliciteren met haar verjaardag.

Maar ze zag geen van beide huisgenoten op de tweedehandsbank zitten die Kim ergens gevonden had. En ze waren ook niet in de keuken om popcorn te maken.

Vreemd.

Ze had toch gehoord dat een van beiden thuiskwam?

Het zweet van haar gezicht wissend liep ze naar Kims kamer. Niemand.

Plok!

Een vreemd geluid. Gedempt.

Sloeg haar iPod over?

Ze verdween weer uit Kims kamer en sloot de deur achter zich. Ze liep terug naar de woonkamer. Opeens bespeurde ze de geur van sigarettenrook. Niet bijzonder, want ze rookten alle drie.

Plok!

Achter haar?

In de gang?

Angst stroomde opeens door haar aderen.

'Kim?' vroeg ze, zich omdraaiend.

In een fractie van een seconde zag ze dat de deur die ze zojuist gesloten had weer open was, en in de donkere gang stond een gestalte. Iemand die hier eerst niet was.

'Hé! Wie bent...' De woorden bestierven op haar lippen toen ze de riem in zijn handen zag. 'O, jezus...'

Laney krijste, maar de belager was in een oogwenk bij haar. Hij deed de smalle riem met een snelle beweging om haar hals en trok de lus aan, zodat haar kreet meteen gesmoord werd.

O, god! De indringer wilde haar kwaad doen. Haar verkrachten! Vermoorden! Angst borrelde overal in haar op.

Ze schopte en trapte. Ze raakte haar belager met haar hiel en hij siste van pijn.

Goed zo.

Ze probeerde dat nog een keer maar werd ruw opzijgetrokken. Haar adem werd afgesneden en een brandend gevoel verspreidde zich in haar longen.

Dit kan niet waar zijn, dacht ze vertwijfeld. Ze hapte hoestend naar adem, rukkend aan de riem, worstelend om los te komen van de knellende strop.

Nee, nee!

Als een dolle probeerde ze nog een keer tegen zijn scheen te trappen, maar ze verloor haar evenwicht en de aanvaller maakte van de gelegenheid gebruik, door haar met de riem omhoog te trekken, alsof ze een pop was.

Raak die griezel. Die riem moet weg! Haar longen leken te branden, maar toch haalde ze uit met haar vuist in een poging de aanvaller op zijn neus te raken, op zijn ogen, of waar dan ook. De vingers van haar andere hand krabden vertwijfeld aan de riem om haar hals.

Ze kon niet meer ademen, niet meer denken.

Help me. Alsjeblieft! Help me toch!

Ze was niet tenger, maar haar krachten namen af. De pijn werd ondraaglijk.

Bewusteloos raken leek beter.

Nee!

Niet opgeven!

Vechten!

O, god, die pijn... Ik kan niet meer ademhalen. Help! Help me toch!

Ze sloeg niet meer met haar vuist en probeerde zich met beide handen te bevrijden van de wurgende riem.

Haar vingers klauwden aan haar hals.

Diep.

Maar het was te laat.

Haar longen barstten.

Pijn gierde door haar hele lichaam.

Haar hart bonkte.

Alles werd zwart.

Op dat afgrijselijke moment besefte Laney dat ze haar eenentwintigste verjaardag niet zou beleven.

Hoofdstuk 10

Hayes had gelijk: Roy's Restaurant was duidelijk afgetakeld in de afgelopen jaren, bedacht Bentz, toen hij daar langsreed.

Nog steeds wat geschokt na zijn recente 'Jennifer-visioen' vond hij enkele straten verder een wel erg krappe parkeerplek. Hij manoeuvreerde de Ford Escape erin en deed geld in de parkeermeter. De pijn in zijn been negerend wist hij enkele voortrazende skateboarders te ontwijken. De wieltjes knarsten over het asfalt, terwijl Bentz naar de ingang van het restaurant hinkte.

Het etablissement was vernoemd naar de oorspronkelijke eigenaar, en niet naar Roy Rogers, zoals veel mensen dachten. De voorgevel had nog de uitstraling van een saloon, met halve deuren, die eerder bij een schuur pasten. Ooit was er een steigerend plastic paard boven de luifel, maar toen een grappenmaker in het holst van de nacht een keer naar boven was geklommen om de edele delen van het dier vuurrood te verven was de witte hengst weggehaald.

Nu was er alleen een bord met het opschrift ROY'S.

Duidelijk genoeg, vond Bentz, de klapdeuren openduwend om een stap terug in de tijd te doen.

Binnen leek het donkere restaurant ouderwets. Twaalf jaar geleden waren alle cowboymemorabilia, verzameld op sets van westernfilms en -televisieseries heel trendy. Maar nu zagen de versleten zadels en de cowboyhoeden er stoffig en vaal uit.

De klandizie was ook veranderd, of in elk geval ouder geworden, evenals de plankenvloer.

Een lange bar, met een koperen stang op voethoogte, was geplaatst langs de achterwand van het restaurant. Tafels en stoelden vormden het overige meubilair.

Bentz vond een plek en bestelde alcoholvrij bier bij een serveerster die bijna uit de naden van haar cowgirlkostuum barstte.

Voor ze terugkeerde zag Bentz dat Jonas Hayes binnenkwam.

Hayes was ook ouder geworden. Hij was een Afro-Amerikaan, en met zijn lange gestalte nog altijd indrukwekkend. Maar hij was ook dikker bij zijn middel dan toen hij nog een jong agentje was. In zijn zwarte kroeshaar zaten zilvergrijze plekken, en toen hij zijn zonnebril afzette waren kraaienpootjes zichtbaar bij zijn ooghoeken. Hayes kleedde zich echter nog altijd alsof hij mannequin was. Een duur pak, glanzend gepoetste schoenen, en een zijden stropdas die perfect gestrikt was.

Bentz wenkte hem en kwam met uitgestoken hand overeind. 'Dat is lang geleden.'

Hayes knikte en kneep stevig in Bentz' vingers. 'Hoeveel jaar alweer? Elf? Twaalf?'

'Zo ongeveer.'

Ze gingen tegenover elkaar zitten. 'En nu kom jij zomaar opduiken, omdat je iets van mij wilt.'

'Zo is dat.'

De serveerster keerde terug en haar humeur leek niet verbeterd toen Hayes een glas whisky met ijs bestelde.

'Die is vriendelijk,' merkte Hayes op, toen de vrouw wegslofte.

'Ik denk dat ze het niet leuk vindt dat ze die kleren moet dragen.'

'Kan ik begrijpen. Sta je nog steeds droog?' vroeg Hayes, met een knik naar Bentz' flesje alcoholvrij bier.'

'Ja. Gestopt na de dood van Jennifer.'

'Waarschijnlijk heel verstandig.'

Bentz trok een wenkbrauw op. 'Meestal, ja. Werkt Trinidad nog bij de dienst?'

'Die blijft zijn hele leven,' beaamde Hayes. De serveerster kwam met whisky en twee geplastificeerde menukaarten. Ze dwong zichzelf tot een glimlach en noemde snel een paar specialiteiten op. Ze wilde zich weer omdraaien, maar Bentz vroeg snel: 'Serveren jullie nog altijd T-bonesteak en frites?'

Zonder enig enthousiasme antwoordde de serveerster: 'Ja, dat staat altijd op de kaart.'

'Dacht ik al. Doe dat maar, niet helemaal doorbakken. En graag blauwekaasdressing op de salade.'

Ze nam niet de moeite de bestelling op te schrijven en keek vragend naar Hayes, die de menukaart bestudeerde en gegrilde varkenskarbonade bestelde.

Zodra de serveerster weer verdwenen was richtte hij zijn donkere ogen op Bentz. 'Oké, vertel op. Wat voor gunst wil je van mij?'

'Ik wil dat je het dossier over de dood van Jennifer nog eens bekijkt.'

'Jennifer? Je vrouw?'

'Ex-vrouw.' Bentz leunde achterover en nam een slok uit het bierflesje.

'Dat is toch twaalf jaar geleden, man! Ze is omgekomen bij een eenzijdig auto-ongeluk. Waarschijnlijk was het zelfmoord.' Hayes keek onderzoekend naar Bentz' gezicht. De blik van een politieman.

'Dat hebben we allemaal steeds gedacht. Maar het is wel een rare manier om zelfmoord te plegen. Nogal slordig. Soms lukt het niet, en dan eindig je als een plant in een verpleeghuis, of je neemt een ander mee in de dood. Of je zit de rest van je leven in een rolstoel. Niet de gebruikelijke manier om zelfmoord te plegen. Waarom geen overdosis slaappillen, of je met de auto vergassen in de garage? Polsen doorsnijden in de badkuip? Jezelf verhangen op zolder?'

'Ze was jouw vrouw, dus jij kunt het weten.'

Bentz schudde zijn hoofd. 'Trouwens, ze zou er nooit zo'n troep van maken. Daar was ze veel te ijdel voor.'

'Ze heeft zichzelf gedood, man. Met pillen en drank. Ze kon niet helder denken. Het kon haar geen zier schelen hoe ze eruitzag, en misschien gebruikte ze de auto omdat ze niet wilde dat jij of je dochter haar thuis zou vinden. Niet zo leuk voor een kind om haar moeder dood aan te treffen.'

'Ze hoefde het niet thuis te doen. Er zijn wel andere plekken, zoals een motel.' Bentz dacht aan de So-Cal Inn, armoedig en heel geschikt voor een zelfmoord. Goedkoop. Anoniem. Eventueel met uitzicht op het zwembad.

Hayes draaide zijn glas langzaam tussen zijn handpalmen. 'Oké, laten we kappen met die onzin. Wat is er echt aan de hand?'

Bentz nam nog een slok bier en haalde uit zijn binnenzak een kopie van de bekraste overlijdensakte. Snel verduidelijkte hij dat het document via de post verzonden was uit Culver City.

'Nou en?' vroeg Hayes. 'Iemand neemt je in de maling.'

Bentz knikte. 'Maar er is meer.' Hij legde de foto's van Jennifer op tafel. 'Ik denk dat iemand mijn gangen nagaat.'

'Ach, jee. Dat zijn foto's van Jennifer, toch? En recent, veronderstel ik?'

'Dat moet ik kennelijk geloven van degene die dit naar mij stuurde.'

Hayes keek hem strak aan. 'Een dubbelgangster?'

'Precies.'

'Maar wel twaalf jaar later. Geen pondje aangekomen, en niet meer rimpels?'

'Inderdaad.'

'Wat een klootzak.' Hayes staarde naar de foto's en, nog aandachtiger naar de overlijdensakte. Zijn interesse was in elk geval gewekt.

'Iemand doet zich voor als Jennifer,' zei Bentz.

'Maar waarom?' vroeg Hayes zich hardop af.

'Geen idee. Maar ze doet dit niet alleen. Iemand heeft die foto's van haar genomen.'

'Dus het is een samenzwering? Om jou tot waanzin te drijven?'

Bentz knikte.

'Dat is wel heel vergezocht,' vond Hayes, maar hij richtte zijn blik weer op de foto's. 'Man, man... Oké, ik luister. Begin maar bij het begin.'

Bentz bracht Hayes op de hoogte. Vanaf het moment dat hij bijkwam in het ziekenhuis en de aanwezigheid van Jennifer voelde en rook, dat hij haar zag, tot haar verschijning in zijn achtertuin. Hij vertelde niet over de vrouw bij de bushalte. Dat voorval was te vaag, en die vrouw kon evengoed iemand anders zijn.

Hayes dacht even na over wat hij gehoord had. 'En jij denkt dat deze persoon in New Orleans en in LA was. Zij wist op de een of andere manier wanneer je uit dat coma zou bijkomen. En daarna ging ze vlug terug naar LA om zich daar te laten fotograferen?'

'Nee, als de datum op die foto's klopt, dan reisde ze retour van LA naar New Orleans.'

'Dan moeten er vliegtickets zijn.'

'Ik heb dat laten navragen, maar zonder resultaat.'

'Ze kan een valse naam gebruikt hebben.'

'Jennifer Bentz is haar alias,' zei Bentz, alsof hij zichzelf wilde overtuigen. 'Ik moet weten wie ze werkelijk is en wat ze wil.'

'En daar heb je mijn hulp bij nodig,' zei Hayes.

'Ja.'

'Hoe dan?'

Bentz vertelde over het telefoontje uit de telefooncel. 'Daarom wil ik opnamen van beveiligingscamera's in die omgeving zien. Satellietfoto's van de hele straat zou nog beter zijn.'

'Je vraagt nogal wat, nietwaar? Volgens mij is er geen misdrijf gepleegd.'

'Tenzij de vrouw die in Jennifers graf ligt een andere is.'

'Dat is wel een gewaagde veronderstelling.'

Bentz kon dat niet tegenspreken. De serveerster zette grote borden op tafel. Ze waarschuwde dat het servies erg heet was, en vroeg of ze nog een drankje wilden bestellen.

'Nee, bedankt,' zei Bentz, en Hayes beaamde dat met een hoofdknik.

'Oké, als u nog iets nodig hebt, geef me dan een wenk.' De serveerster liep weg naar een tafeltje waaraan vier dames plaatsnamen.

Zodra de serveerster buiten gehoorsafstand was zei Hayes: 'Dus jij wilt dat ik via het bureau hier help degene op te sporen die jou op stang jaagt.'

'Je kunt samenwerken met Montoya, in New Orleans. Zoals ik zei werkt hij al aan deze zaak.'

'Juist. Dus we gaan een rechercheteam opzetten voor het oplossen van... Oeps, er is alleen geen misdrijf gepleegd.' Hayes staarde naar zijn bord met karbonade, maïsbrood en appelmoes. In feite ben jij hierheen gekomen vanwege een poststempel en een paar foto's.'

'Het leek me een logische plek om te beginnen.'

'Ik zei al dat iemand jou in de maling neemt.'

'Ongetwijfeld. Maar waarom?'

'Zeg jij het maar.'

'Ik probeer daar nu juist achter te komen.' Hayes was niet veranderd, hij had altijd een flinke duw nodig om in beweging te komen. 'Kort en goed: ik moet weten of Jennifer wel of niet in die grafkist ligt.'

'Wat?' Hayes liet zijn vork bijna vallen.

'Ze werd begraven voordat we DNA-tests konden doen zoals dat tegenwoordig gebeurt,' zei Bentz, met volle mond. 'In die jaren stonden DNA-tests nog in de kinderschoenen.'

'En waarom wil je die test laten doen?' vroeg Jonas, met zijn vork in Bentz' richting priemend. 'Omdat Jennifer daar misschien niet ligt? Omdat ze mogelijk nog leeft?'

'Ik moet ergens beginnen.'

'Allemachtig...'

'Dus je zoekt dat dossier over haar zelfmoord voor mij?'

'Vertel me nog eens waarom ik iets voor jou zou doen?'

'Omdat ik jouw zwarte hachje in het verleden meer dan eens gered heb.'

En dat was waar. Toen Hayes in scheiding lag met zijn geschifte eerste vrouw Alonda had Bentz het voor hem opgenomen. Het feit dat Alonda hem voor een vrouw verliet, had Hayes hevig geschokt. Voor Bentz was overspel gewoon overspel, onverschillig met wie je in bed kroop, maar voor Hayes, altijd al een macho, was het onverteerbaar. Hij stortte zich enkele maanden tot het ochtendgloren in het uitgaansleven om zijn mannelijkheid te bewijzen, en versierde daarbij allerlei dames.

'Oké,' zei Hayes met tegenzin. 'Ik zal kijken wat ik kan doen.'

'En ik heb ook wat hulp nodig met de toestemming voor opgraving.'

'Opgraving? God, dit wordt wel steeds heftiger,' klaagde Hayes, maar hij protesteerde niet en dronk zijn glas leeg. Hij bestelde nog een whisky en sneed een stuk van zijn koud geworden karbonade.

Snap!

Lucy Springer keerde zich om, spiedend langs de rand van het park, terwijl ze haastig over het trottoir naar haar appartement liep. Ze zag niets alarmerends in de schaduwen, alleen een oudere man die zijn hond uitliet, een eindje verder. De hond, zo te zien een magere windhond, plaste tegen een boom. Maar de avond was donker en een beetje mistig, zodat alles in het blauwige schijnsel van de straatlantaarns onscherp en schimmig werd.

Lucy kreeg kippenvel en haar polsslag versnelde.

Het was hier op straat te... stil.

Ze hield zichzelf voor dat ze een angsthaas was, een bangerik, zoals haar vriendje Kurt haar noemde. Ze moest niet zo snel nerveus worden. Met haar mobieltje in de hand bleef ze op de straathoek staan, wachtend tot het licht groen werd.

Met een druk op een knop verscheen het telefoonnummer van haar zus op het scherm en ze begon een sms te typen.

Snap!

Met een ruk keek ze op en over haar schouder. Wat was dat voor geluid? Het klonk niet alsof iemand op een tak trapte. Eerder was het een scherpe harde klik. Ze moest het geluid kunnen herkennen.

Maar ze zag niets. Alleen die oude man met zijn hond, verdwijnend in tegenovergestelde richting.

Er was niet veel verkeer, daarom ging ze op straat staan, waar wat meer licht was en ze sms'te Laney.

Waar ben je?

Bijna 21.

Legaal.

Kom naar Silvio's. Ik trakteer om 12 u.

Feesten!

Vreemd dat Laney niet terug-sms'te of -belde. Ze hadden dit feestje al zo lang gepland. Al eenentwintig jaar. Eindelijk werden zij en haar tweelingzus volwassen! Dus waarom ontweek Laney haar?

Dat was raar.

Niets voor Laney.

Lucy opende het slot in het hek voor het appartementengebouw en liep verder. Haar mobieltje rinkelde. Ze keek naar het schermpje, zich vaag bewust dat het hek achter haar dichtviel.

Een sms van Laney.

Eindelijk.

Het bleek een mms en ze opende het bestand. Ze zag een vage foto van haar zus. Laneys ogen waren wijd opengesperd en hol van angst. Een rode reep stof was strak voor haar mond gebonden. Ze leek doodsbang.

Wat?

'O, christus,' fluisterde Lucy, met bonzend hart en ze voelde afgrijzen langs haar ruggengraat omhoogkruipen.

Wat had dit te betekenen?

Opeens begreep ze het. Deze akelige foto was een grap van Laney. 'Kreng,' mompelde Lucy voor zich uit. Haar tweelingzus had haar doel bereikt: de uitdrukking op Laneys gezicht was pure doodsangst. Logisch, Laney deed toch een theateropleiding? Ze had toch een beurs gekregen voor acteerles? En ze had al een paar kleine rollen gespeeld in reclamespotjes. Laney wist precies hoe ze emoties moest uitbeelden, en ze had vriendinnen die heel deskundig waren met make-up en film.

Toch was Lucy vreselijk geschrokken. 'Niet bepaald grappig,' zei ze hardop, maar meteen verstijfde ze omdat ze zachte geluiden achter haar hoorde... Ademen?

Onmogelijk. Het hek was achter haar in het slot gevallen. Toch?

Ze kwam bij de deur van haar woning en ze begon razendsnel een sms te toetsen.

Je had me beet.

Tot straks!

Ze zocht in haar portemonnee naar haar sleutels en zag de kat van de buren op de balustrade. Het dier staarde naar Lucy. Het licht in de hal weerkaatste in de ogen. 'Hallo, poes.'

De grijze kat bleef even roerloos zitten en sprong toen op het beton, om weg te kruipen. Maar de kat bleef voor de struiken zitten en keek naar Lucy, om dan langgerekt te miauwen.

'Malle poes. Hee, Platinum, ik ben het: Lucy.'

De kat kromde haar rug en blies venijnig, haar scherpe tanden blikkerden even en het dier verdween snel tussen de struiken.

'Platinum, wat mankeert jou?' vroeg Lucy, voordat ze opeens iets rook. Sigarettenrook. Of...

Snap!

Deze keer was het geluid zo dicht bij haar oor dat ze van schrik opsprong.

Ze schreeuwde het bijna uit.

Uit haar ooghoeken zag ze iets bewegen in de duisternis. Een schimmige gestalte sprong in haar richting.

Wat?!

Grote handen die een smalle leren riem vasthielden.

O, god, nee!

Ze wilde om hulp roepen, ze wist dat ze moest vluchten, maar het was al te laat. Haar arm werd vastgegrepen, en ze werd met geweld naar voren getrokken. 'O, o,' fluisterde Lucy hijgend met een zwakke kreet uit haar longen, net voordat de leren riem om haar hals strak getrokken werd.

Wat gebeurde er?

Pijnscheuten trokken door haar lichaam.

Ze kon niet meer ademen, niet meer schreeuwen. *O, jezus, die pijn!*

Haar vingers klauwden om de strop, ze probeerde onder het gladde leer te komen, maar de dodelijke riem bleef strak zitten.

Ze voelde dat haar belager zwaar en snel ademde, klaarkomend op haar pijn, de leren riem straktrekkend.

Wie? Wie wil mij vermoorden??

Waarom?

Haar longen brandden, smachtend naar zuurstof. Ze schopte wild om zich heen, ze hoopte de schenen van haar belager ergens te raken. Hees hapte ze vertwijfeld naar lucht.

Help mij! Alsjeblieft, help me toch!

Rukkend aan de leren riem krabde ze langs haar hals. Een vingernagel brak af, bloed welde op. Haar hoofd zat in een bankschroef. En haar longen... O, god, haar longen dreigden te barsten. Met een wrede ruk trok de aanvaller de riem nog strakker en het leer sneed in haar zachte keel.

Haar ogen puilden uit de kassen.

Een schelle pijn vloog door haar hele lichaam.

Ze zou sterven. Hier, voor haar eigen voordeur.

Ze schopte als een dolle, in de hoop haar belager of de voordeur te raken, om geluid te maken. De buren wakker maken!

Gedachten tolden door haar hoofd, snelle beelden van haar ouders thuis, zich niet bewust dat ze hun dochter nooit meer zouden zien, en flitsen van Kurt, haar vriendje...

Lucy's ogen rolden, haar longen krijsten in stilte, maar de kracht om terug te vechten verdween uit haar lijf. Haar armen werden zwaar. Haar benen stroomden vol lood en haar hele wezen smachtte alleen naar lucht. Het was voorbij. Ze kon niet meer tegenstribbelen, ze raakte bewusteloos.

Haar handen vielen langs haar zij, en ze was zich vaag bewust dat degene die haar in een houdgreep hield haar langzaam op het beton liet zakken.

Toen de genadige duisternis zich over haar spreidde was Lucy's laatste gedachte aan Laney... lieve, trouwe, onnozele Laney.

Hoofdstuk 11

'Dus Bentz is weer terug in de stad?' Russ Trinidad fronste boven zijn glas. Hij liet de whisky ronddraaien en keek ernaar alsof daar een of ander wonder te zien was.

Hayes had Trinidad gevraagd na werktijd met hem een borrel te drinken, wat hoogst ongebruikelijk was. Daarom was Trinidad, van nature al argwanend, nu extra waakzaam. 'Wat spookt hij hier eigenlijk uit?'

'Het gaat over zijn ex-vrouw.'

'Jennifer?' Trinidad snoof veelbetekenend. Op de achtergrond was zachte Japanse muziek hoorbaar, en het ruisen van een kleine waterval. 'Dat was wel een toestand. Al kende ik haar eigenlijk niet.'

'Wees maar blij,' zei Hayes.

Trinidad was iets kleiner dan Hayes, maar hij had wel een militair postuur. In Trinidads wereld was black beautiful, en kaal was even sexy als een weelderige haardos. Ze zaten in een hoekje van de bar in Little Tokyo, niet ver van Parker Center, het gebouw waar de afdeling Moordzaken en roofovervallen was gevestigd, maar wel ver genoeg om geen agentenkroeg te zijn. Trinidad had al zijn tweede glas whisky, terwijl Hayes nog nipte van zijn eerste glas sake.

Hayes had besloten om Trinidad in vertrouwen te nemen, omdat die als ex-collega vroeger aan de zijde van Bentz stond.

'Oké, vertel op.' Trinidad nam een slok van zijn whisky, hij zag iets in zijn glas drijven en viste de ongerechtigheid behendig met zijn vinger op. Hij nam weer een slok, zonder zijn beklag te doen bij de serveerster. 'Zeg eens, hoe gaat het met onze oude vriend Bentz?'

Hayes deed wat hem gevraagd werd.

Hij vertelde over zijn ontmoeting, de vorige avond, met de gewezen rechercheur van politie in LA, over de foto's die Bentz had ontvangen, en dat zijn al lang overleden vrouw daarop te zien was.

'Dus hij denkt dat zijn ex-vrouw nog leeft?' vroeg Trinidad, met een diepe frons zijn glas leegdrinkend. 'Hij heeft haar toch zelf geïdentificeerd?'

'Ja, maar ze zag er niet meer zo netjes uit.'

'Geloof jij het?' Trinidad trok zijn wenkbrauwen op. 'Het klinkt allemaal nogal onzinnig.'

'Ik geloof helemaal niets, maar ik heb wel gecheckt dat Bentz de enige persoon was die een overlijdensakte van haar opgevraagd heeft. Niemand anders heeft dat gedaan.' Hayes draaide zijn sakeglas ongemakkelijk tussen zijn handpalmen. 'Het is mogelijk dat Bentz gek geworden is. Hij heeft een raar ongeluk amper overleefd, en daarna lag hij ook een tijd in coma.'

'En hij werd alleen maar wakker omdat hij bezocht werd door de geest van zijn reeds lang gestorven ex-vrouw,' zei Trinidad schamper. 'Heel apart.'

'Of gewoon gek.' Hayes nam een flinke slok sake en keek naar een jong Aziatisch paar dat binnenkwam en een plek vond aan de bar. 'Hij gaf me een kopie van de envelop en de overlijdensakte die hij toegestuurd kreeg. Hij laat de originelen in New Orleans onderzoeken op vingerafdrukken en op DNA-sporen in de plakrand.'

'Dus jij wilt je nek niet voor hem uitsteken, of wel? Je kunt niets voor hem doen, tenzij je de originelen hebt. Maar zelfs als je die van hem krijgt, dan denk ik toch dat je er verkeerd aan doet hierbij betrokken te raken.'

'Dat is niet gebeurd. Maar ik dacht dat jij een vriend van hem was.'

Trinidad trok zijn schouders op. 'Vrienden helpen elkaar niet om paranoïde te worden.' Hij leunde over de tafel en zei zachter: 'Rick Bentz raakte de weg kwijt. Niet zo vreemd, nadat hij die knaap Valdez had doodgeschoten. Dat is begrijpelijk. Maar daarna heeft hij zijn leven niet meer op de rails gezet. Ik dacht dat hij alles wel weer onder controle kreeg toen hij eenmaal bij de politie in New Orleans ging werken. Hij schijnt daar toch een soort held te zijn, en dat hij lastige moordzaken oplost. Maar ik zeg je, er was een periode dat hij er op een haar na onderdoor ging.' Trinidad hield zijn duim en wijsvinger heel dicht bij elkaar. 'En kennelijk is hij nu toch doorgedraaid. Mijn advies, al zit je daar niet op te wachten: blijf bij hem uit de buurt.'

'Ik heb nog niets gedaan.'

'Juist, en dat "nog" is het probleem, nietwaar?' Trinidads mondhoeken verstrakten.

Aan de bar lachte het Aziatische meisje terwijl ze haar drankje bestelde. Haar vriend streelde onophoudelijk haar hals, Hayes dacht dat de man al een stijve kreeg. Jonge liefde. Hij had daar ook een paar keer gezeten.

Trinidad klopte op de zakken van zijn overhemd en vond een pakje sigaretten. Hij haalde er een sigaret uit en wenkte de serveerster om af te rekenen. Samen liepen ze naar buiten. De wazige avondzon weerkaatste op de glazen wand van een nieuw appartementengebouw. Verder weg in de straat was de koepel op de toren van de St. Vibiankathedraal zichtbaar. De barokke Spaanse bouwstijl vormde een contrast met de strakke skyline in het centrum van LA.

Trinidad stak zijn sigaret op en zoog de rook diep in zijn longen toen ze over het drukke trottoir liepen. 'Bentz was een prima politieman. Dat akkefietje met Valdez deed hem echt de das om.' Hoofdschuddend voegde hij eraan toe: 'En dan scharrelde zijn vrouw met zijn eigen halfbroer. Allemachtig, wie zou dan niet flippen?' Ze sloegen een hoek om, naar de plek waar Trinidad zijn Chevy Blazer geparkeerd had. 'Maar ik ben al bijna met pensioen.' Hij blies een rookwolk uit. 'Oude dossiers opzoeken? Een lijk opgraven, terwijl iedereen weet wie er in de kist ligt? Ik heb geen zin in die toestanden.'

'Maar stel dat Jennifer niet dood is?'

'Ze is wel dood. We hebben geen DNA nodig om dat te bewijzen. Het was háár auto. Háár lichaam werd door háár echtgenoot geïdentificeerd. En er zijn geen andere vermiste personen die aan haar signalement voldoen.'

'Dat weten we niet.'

'Ik wil alleen maar zeggen dat Bentz de neiging heeft de grenzen op te zoeken, en ik heb daar geen zin in. Nog een jaar, en dan ga ik met pensioen. Ik wil geen hommeles.'

Maar Trinidads woorden pasten niet bij de uitdrukking op zijn gezicht. Hij gooide zijn peuk op straat en trapte die uit, met onnodig veel kracht. 'Shit.' Hij keek omhoog naar de hemel en schudde zijn hoofd. 'Die vervloekte Bentz. Waarom komt hij nu opeens terug, ziet hij spoken en brengt alleen onrust? Die klootzak liet mij en andere collega's met de gebakken peren achter. Hij liep weg van een paar zaken, sommige nog smerig ook, die werden nooit opgelost.'

Hayes herinnerde zich een grote zaak, een dubbele moord, maar dat onderzoek liep vast toen Bentz na het ongeluk van Jennifer niet meer kon werken. De Caldwell-tweeling... De moordenaar was nooit gepakt, want hij liet geen sporen na, afgezien van de verminkte lijken. Tijdens het politieonderzoek naar die dubbele moord was Bentz een wrak, en zwaar aan de drank.

'Bentz zou jou nooit iets illegaals vragen,' zei Hayes, toen Trinidad het portier van zijn Blazer opende.

'Ja, ja.' Trinidad stak met een driftige beweging de sleutel in het contactslot. 'Je kent die uitspraak: Als je dat gelooft, dan heb ik nog wel wat moerasland in Florida voor je te koop.'

'Disney had daar succes mee.'

Trinidad grijnsde zijn tanden bloot. 'Jij blijft erin geloven, maar wees voorzichtig.'

'Dus je wilt hem niet helpen?'

'Helpen zijn dode ex-vrouw te vinden, nadat ze haar zelfmoord in scène heeft gezet en een andere vrouw door een verkeersongeluk vermoord heeft?'

'Ja.'

Trinidad schudde zijn hoofd. 'Absoluut niet, man.' En hij reed met brullende motor weg.

Hayes stapte in zijn SUV, startte de motor en op dat moment rinkelde zijn telefoon. Hij voegde zijn auto in de verkeersstroom en keek naar het scherm.

De naam Riva Martinez verscheen.

Zijn collega.

'Met Hayes,' zei hij. 'Wat is er?'

'We hebben een dubbele moord. Twee lijken van vrouwen, gevonden in een opslagruimte onder het viaduct van de 110.' Ze noemde de zijstraat en de oprit naar de Harbor Freeway – de 110 – en voegde eraan toe: 'Het schijnt dat de slachtoffers tweelingen zijn.'

'Wat? Wacht eens even...' Zijn brein werkte koortsachtig en hij hield zichzelf voor kalm te blijven. Hij legde verbanden die er niet waren. Toen hij Bentz weer ontmoette, moest hij terugdenken aan de zaak-Caldwell, de onopgeloste dubbele moord die twaalf jaar geleden gepleegd was.

'Wat scheelt eraan?' vroeg Martinez.

'Een tweeling?' Hayes sprak langzaam, al kolkte de adrenaline door zijn aderen. 'Identieke tweeling?'

'Dat denk ik wel. We zullen het snel genoeg weten. Ga maar gauw naar de plaats delict.'

Ze hing op en Hayes kreeg een overweldigend onheilspellend voorgevoel. Hij trapte het gaspedaal in.

Bentz had de Caldwell-moorden nooit opgelost. De moordenaar van die tweeling was nooit gepakt. Hij leek wel van de aardbodem verdwenen, of althans uit Zuid-Californië. Uiteraard waren er wel enkele hypothesen: sommigen veronderstelden dat de dader in de gevangenis zat vanwege een ander misdrijf. Anderen dachten dat de dader dood was, of het land uit. Niemand bij de politie geloofde dat een sadistische moordenaar zijn neiging had ingeruild voor vliegvissen of golf spelen.

'Verdomme.' Hayes negeerde de maximumsnelheid, zette zijn zwaailicht aan en belde snel met Trinidad. Zijn gedachten waren somber en tuimelden over elkaar. Hij reed over een kruising waar het licht net op rood was gesprongen.

Hoe was het mogelijk dat amper achtenveertig uur nadat Bentz weer in LA was opgedoken een moordenaar bijna exact dezelfde misdaad pleegde die een eind aan Bentz' carrière had gemaakt?

Toeval?

Of een duivels berekend plan?

De laatste vierentwintig uur hadden Bentz niets opgeleverd. Elk spoor liep dood. Hij was weer naar Santa Monica gereden, parkeerde zijn auto en wandelde over de promenade. Aan het einde van de pier staarde hij naar de zee en in gedachten zag hij Jennifer daar. Met hem. Met James. Alleen.

Hij was langs enkele plekken gereden waar hij vaak met Jennifer was geweest, toen ze nog leefde. Een hamburgerrestaurant waar ze borden frites gedeeld hadden, niet ver van West Los Angeles College. Een bar aan Sepulveda, waar ze hem voor het eerst martini liet proeven. Een romantisch Italiaans restaurant, waar ze naast elkaar zaten in een donkere hoek. Jennifer legde haar hand op zijn dij. Ernesto's restaurant bestond niet meer. Het pand was verbouwd en er was nu een Thais afhaalrestaurant gevestigd. Met een ironisch gevoel bestelde hij een kom noodles met veel knoflook.

Hij was langs de telefooncel bij Wilshire gereden, wetend dat het niets zou opleveren, en hij was naar de bushalte gegaan waar hij de vrouw had gezien die sprekend op Jennifer leek. Hij had twee uur gewacht bij de halte. Hij was er al een uur voor het tijdstip dat hij de vrouw de vorige dag daar had gezien en hij bleef nog een uur wachten. Zonder resultaat. Geen vrouw in een citroengele zomerjurk. Geen Jennifer. En al had hij de route die de bus elke middag reed gevolgd, het leverde geen enkele aanwijzing op.

Hij kocht een pizza, nam die mee naar zijn motelkamer en at een paar punten terwijl hij zijn aantekeningen doornam, zich concentrerend op de informatie die hij van Shana McIntyre had gekregen. Ze had hem meer verteld dan hij verwacht had, maar hij kreeg toch niet de indruk dat Shana contact met Jennifer had.

Hij spoorde de buschauffeur op die de route reed waar hij Jennifer had gezien: een vrouw achter in de veertig, met piekerig grijs haar en een verveelde blik. Ze herinnerde zich geen passagier die op Jennifer leek. Dat wist ze niet zeker, uiteraard, maar ze wist wel dat de vrouw op de foto geen vaste klant op deze lijn was.

Weer een doodlopend spoor.

Bentz had de nummers op zijn lijst gebeld, maar hij kreeg niemand aan de lijn en hij liet geen voicemail achter. Hij piekerde over andere kennissen van Jennifer: zouden die meer weten dan Shana al had verteld?

En die Alan Gray? Waar zat die kerel ergens? Via internet vond hij weinig, maar uit enkele artikelen in tijdschriften en kranten bleek dat Gray kennelijk in Palm Desert woonde en heel veel golf speelde. En naar de uitslagenlijsten van amateurtoernooien te oordelen was hij ook een goede speler.

Hij telefoneerde weer en liet een bericht achter voor Hayes, maar Jonas liet niets van zich horen. Waarschijnlijk wist hij ook niets. Wie dan wel? vroeg Bentz zich af. De airconditioning bracht de verduisteringsgordijnen in beweging. De gordijnen waren open, en door de luxaflex drongen smalle strepen zonlicht naar binnen.

Er was geen enkele logica, bedacht Bentz. Hij keek door het raam en zag een mollige vrouw een zonnescherm boven het dashboard in haar oude Cadillac plaatsen. Zodra het scherm goed op zijn plek stond pakte ze een grote handtas van de stoel naast haar, deed de riem over haar schouder en sloot de Caddy af. Ze keek om en liep daarna haastig naar een motelkamer bij het zwembad.

Bentz vroeg zich af wat voor lieden dit sjofele motel bewoonden. Elke gast had zijn of haar eigen geheim dat bewaard moest blijven in de identieke kamers met versleten vloerbedekking, gebrekkig sanitair en een minikoelkast waar amper een sixpack in paste.

Bentz sloot de zonwering en probeerde zich te concentreren.

Alles bij elkaar was dit een dag wandelen langs herinneringen geweest, hoewel hij niet meer zekerheid had of Jennifer nog leefde of echt dood was.

Toen hij zijn derde stuk pizza met salami en olijven verorberd had vroeg hij zich af waarom hij eigenlijk naar LA was gekomen. Misschien hadden alle anderen wel groot gelijk. Misschien joeg hij alleen een geest achterna. Misschien wilde degene die de foto's en de overlijdensakte had verstuurd hem gek maken, omdat hij of zij wist dat Jennifer al sinds Bentz uit zijn coma ontwaakt was door zijn hoofd spookte. En misschien probeerde die sadist hem nu echt de laatste zet te geven. Om er zeker van te zijn dat Bentz gek zou worden.

Maar wie kon weten dat hij na het bijkomen uit zijn coma een schim van Jennifer had gezien, behalve Kristi en enkele verpleegsters? Tenzij zij iets hadden gezegd tegen iemand die Bentz te grazen wilde nemen, een andere verklaring was er niet.

'Verdomme.' Bentz sloot de pizzadoos, veegde zijn vingers af en belde het nummer van Olivia, de vrouw van wie hij hield. Zij wachtte op hem in hun huis buiten New Orleans. Zij deed echt haar best vertrouwen in hem te hebben.

Olivia nam niet op, en hij liet geen bericht voor haar achter. Wat moest hij zeggen? Dat hij van haar hield? Dat wist ze al. Dat hij haar miste? Waarom stapte hij dan niet in het eerste vliegtuig naar huis? Dat hij niet wist wat hij eigenlijk deed? Waarom was hij hier dan nog steeds?

Hij dacht terug aan het gesprek met Shana. Morgen zou Tally White aan het werk zijn op de school waar ze lerares was. En Lorraine, de stiefzus van Jennifer, had hij ook niet kunnen bereiken. Er waren nog meer vrienden en bekenden, maar Shana, Tally en Lorraine stonden bovenaan op de lijst vertrouwelingen van zijn exvrouw. Zij wisten misschien wat er met haar gebeurd was. En Fortuna Esperanzo, de vriendin van Jennifer in de galerie.

Uiteraard had hij graag over haar met pastor James willen praten – James, zijn eigen halfbroer – maar dat was onmogelijk. James zou niet opstaan uit de dood. Pastor James was geen tweede Lazarus. Bentz was ervan overtuigd dat de geestelijke dood was, het slachtoffer van een seriemoordenaar, en vrijwel zeker brandde hij nu in de hel.

Samen met Jennifer?

Op die vraag wist hij het antwoord niet.

Bentz kreeg weer last van brandend maagzuur. Hij viste een rolletje Tums uit zijn zak en slikte een paar dragees. Daarna pakte hij de sleuteltjes van zijn huurauto.

Bentz keek fronsend naar zijn wandelstok die tegen de wand stond, greep de stok en zijn jasje om dan naar buiten te lopen, waar de hitte van de dag nog bleef hangen. Nadat hij zijn motelkamer had afgesloten liep hij over het parkeerterrein naar de Ford. Hij passeerde zijn al wat oudere buurman die zijn hond uitliet. Spike, de hond, keek op naar Bentz om dan weer te snuffelen over het parkeerterrein, op zoek naar etensresten of een plek om te poepen. Bentz knikte naar de man en stapte in zijn huurauto.

Hij had al genoeg uren doorgebracht tussen de benauwende muren van zijn kamer in het So-Cal motel.

Hij draaide het contactsleuteltje om, zette de ventilator hoog en gaf gas. Het werd tijd om naar San Juan Capistrano te rijden. Met een beetje geluk had hij daar nog een paar uur tijd voordat het donker werd.

Hayes kwam met piepende banden tot stilstand onder het viaduct van de Harbor Freeway. De straat was afgezet. Overal zwaailichten die de straat en de beroete pilaren van het betonnen viaduct beschenen.

Nieuwsgierigen, sommigen namen met hun mobieltjes foto's, hadden zich verzameld bij een opslagruimte onder de oprit naar de 110. Twee agenten regelden het verkeer, ze wenkten de auto's naar de vrije rijstrook waar de bestuurders vaart minderden en zo een grote opstopping dreigden te veroorzaken. Andere agenten in uniform bewaakten de ingang naar de bergruimten, die afgezet waren met geel politielint. Oranje pionnen en dranghekken hielden de nieuwsgierigen op afstand.

Terwijl de auto's over het viaduct voorbijreden met gierende banden en zoemende motoren, verzamelden steeds meer mensen zich voor de plaats van het delict. Een busje van KMOL News met een paar satellietschotels op het dak stond een eindje verder met twee wielen op het trottoir geparkeerd, zodat andere auto's konden passeren. Joanna Quince, de slanke blonde verslaggeefster, en een magere man met een televisiecamera op zijn schouder kwamen aanlopen. Een helikopter van een andere lokale nieuwszender zweefde boven de plek. Het geraas van de rotors werd overstemd door het lawaai van de autoweg.

Hayes parkeerde dubbel naast een politiebusje en liep tussen de auto's van de technische recherche naar de afzetting. Rechercheurs waren al aan het werk. Ze zochten naar voetafdrukken, vingerafdrukken, haren en andere sporen die de identiteit van de moordenaar konden bepalen. Er werden foto's genomen, iemand maakte een videofilm en afstanden werden opgemeten. Hayes keek omhoog, speurend naar een beveiligingscamera, maar het apparaat dat deze omgeving moest bewaken hing in een vreemde positie afgebroken van de roestige steun.

Weinig kans op bewakingsbeelden.

Martinez, een kleine vrouw met vuurrood haar en een vlijmscherpe tong, stond in de deuropening van Unit 8 en ze wenkte dat Hayes naar binnen moest komen.

'Kom even kijken,' zei ze, met een licht Spaans accent. 'Maar ik waarschuw je dat het geen prettig tafereel is.'

Hayes vermande zich en keek eerst niet naar de slachtoffers. Hij keek naar de stoffige cementen vloer, de potten met spijkers, een gebroken tuinstoel die in een hoek was geschoven. Na al die jaren voelde hij zich nog steeds ongemakkelijk in de nabijheid van dode slachtoffers. De geur en de aanblik van de dood bleven hem bij, en beheersten altijd nog dagenlang zijn gedachten. Meestal kon hij dat wel verdringen.

Deze avond niet.

Kijkend naar de ontzielde lichamen van de tweeling, die nog tieners leken, kon hij de pijn die door hem heen sneed niet maskeren.

De meisjes waren hier doelbewust neergelegd, vastgebonden en gekneveld, naakt, in foetushouding. Blauwe plekken en schrammen waren aan hun hals zichtbaar. Ze lagen met het gezicht naar elkaar, de ogen open, in het kale licht van een enkele gloeilamp. De zusjes staarden elkaar roerloos aan. Hun huid was heel bleek, bijna blauwig. Het blonde haar van beide slachtoffers was met een lang rood lint bijeengebonden. Met hetzelfde lint waren ze geboeid. Omdat ze een identieke tweeling vormden, leek het wel een krans voor een spiegel.

Zo neergelegd, alsof ze nog in de baarmoeder zitten. Precies zoals de Caldwell-tweeling.

Hayes gezicht verstrakte. 'Identiteit al bekend?'

'Ja... Hun kleding, portemonnees, en zelfs hun sieraden en mobieltjes, alles ligt daar. Met hun geboorteakten. Met een roze markeerpen is het tijdstip van hun geboorte geaccentueerd.' Martinez gebaarde met haar kin naar een hoek. Op de vloer waren de persoonlijke bezittingen en kleding van de twee meisjes keurig opgestapeld.

Een nette, verzorgde plaats delict, bedacht Hayes, zich over de opgevouwen kleding buigend. Dit kwam hem allemaal te bekend voor. Boven op elke stapel lag een kopie van een geboortebewijs, en de datum en het uur waren gemarkeerd met roze inkt. Waarschijnlijk dezelfde inkt die op de huid van de meisjes aangetroffen zou worden, veronderstelde Hayes. Als het dezelfde dader was als de moordenaar die jaren geleden LA onveilig maakte.

'Lucille en Elaine Springer,' zei Martinez. 'Ik heb Vermiste Personen al gebeld. Ze trekken de namen na.'

Jonas dacht aan zijn eigen kind. Twaalf jaar oud, en een wijsneus, maar nog altijd argeloos. Hij zou het vreselijk vinden als hij Maren moest verliezen, maar de gedachte dat iemand haar opzettelijk van het leven beroofde... Gal welde in zijn keel op, en hij richtte zijn aandacht weer op de situatie ter plekke.

De foto's waren genomen, de lichaamstemperatuur gemeten, en de lijken konden afgevoerd worden. Maar Jonas wist met kille zekerheid wat men zou zien als de lichamen omgedraaid werden.

'Doet je ergens aan denken?' vroeg een schorre stem achter hem. Hayes keek over zijn schouder en zag rechercheur Andrew Bledsoe in de deuropening staan.

Jonas rechtte zijn rug en knikte. 'Ja, de zaak-Caldwell.'

'En is het niet toevallig dat onze vriend Bentz juist weer terug is in deze stad?'

Bledsoe slaagde erin veelbetekenend te glimlachen, ondanks de twee dode meisjes.

Martinez trok een grimas, met haar lippen strak op elkaar. Ze keek woedend naar Bledsoe. 'Is er een reden dat jij hier bent?'

Hoewel hij in de vijftig was, leek Bledsoe wel tien jaar jonger. Hij was tamelijk lang en wat gezet, zijn huid zorgvuldig gebruind en zijn gitzwarte haar strak naar achteren gekamd. Zijn kostuums waren meestal op maat gemaakt en weinig ontging zijn staalblauwe ogen. Hij was een vakkundig politieman. En een lastpak. 'Ik kwam van een delict in Watts, toen ik dit op de scanner hoorde.'

'Nou, we hebben het druk,' zei Martinez, zonder haar minachting voor Bledsoe te verbloemen. De man irriteerde haar altijd. Dat wist Hayes, iedereen ergerde zich aan hem. En Riva Martinez was niet iemand die haar gevoelens verborgen hield.

Ze keerde Bledsoe haar rug toe en knielde neer bij een van de slachtoffers. Hayes onderzocht het andere lichaam.

'Striemen rond de hals,' zei Martinez, 'en cijfers en letters gekrast op de romp, onder de borsten.'

De boodschap was met roze inkt gekrabbeld en duidelijk. Op elk slachtoffer was de exacte geboortetijd genoteerd, eenentwintig jaar geleden, en het tijdstip van overlijden die nacht – precies eenentwintig jaar later. Op de minuut. Alsof de moordenaar ervan genoot hun leven te doven op het moment dat ze volwassen werden.

'Godallemachtig.' Hayes kreeg het koud, ondanks de benauwende hitte in de opslagruimte. Deze meisjes waren veertien minuten na elkaar geboren, en dus waren ze precies veertien minuten na elkaar gestorven.

Hayes twijfelde er niet aan dat de jongste van de twee – Elaine, geboren om 1.01 uur – getuige was geweest van de verwurging van Lucille, om 12.47 uur. Waarschijnlijk gewurgd met hetzelfde lint dat nu om hun haar, polsen en enkels was gebonden, en ook voor hun monden. Hayes vermoedde dat het lint in hun haar sporen van hun huid zou hebben, omdat de stof in hun zachte keel had gesneden. En hij wist dat hij ook andere sporen in hun hals zou vinden. De tweeling was vermoord met een sterk soort lint waar dun en scherp draad in geweven was.

Elk meisje had precies eenentwintig jaar geleefd.

Precies zoals de Caldwell-tweeling. De laatste moordzaak waaraan Rick Bentz hier in LA had gewerkt. Die zaak was nooit opgelost, na zijn vertrek.

Hayes wilde het niet toegeven, maar deze keer had Bledsoe wel een punt.

Waarom waren deze twee meisjes vermoord, enkele dagen nadat Rick Bentz weer terug was in LA?

Hoofdstuk 12

'Sukkel!' Olivia keek naar haar mobieltje. Het apparaat hield ze in haar hand, maar ze had Bentz' nummer niet ingetoetst, omdat ze nerveus werd bij de gedachte hem te bellen. En dat was belachelijk. Ze was bepaald niet schuchter, en ze had evenmin gebrek aan zelfvertrouwen. Toch zat ze in de woonkamer, met haar voeten opgetrokken. Een kop thee die allang koud was geworden stond op de salontafel. Ze wist niet wat ze zou doen. Hairy S had zich ook op de bank genesteld, en een van Bentz' oude Bruce Springsteen-cd's speelde op de achtergrond. Maar de huiselijke sfeer stelde haar niet gerust.

Ze was als verlamd.

Moest ze Rick wel of niet bellen?

En ze had wel gezien dat hij haar gebeld had, maar zonder een bericht in te spreken.

'Ach, toe nou,' vermaande ze zichzelf en ze toetste het telefoonnummer in dat haar met hem zou verbinden.

Hij nam op voordat het toestel twee keer gerinkeld had. 'Hee!' zei hij, en zijn stem klonk opgewekt – of eerder opgelucht? – omdat ze hem belde.

'Ja, hallo.'

'Hoe gaat het?'

'Ik was even nieuwsgierig,' zei ze. *Zeg het tegen hem. Nu meteen. Je hoeft niet te wachten tot hij terug is. Laat hem weten dat je in verwachting bent. Maak duidelijk dat je dolblij bent, hoe hij ook reageert. Vertel dat je al op zoek bent naar babykleertjes en nadenkt waar het wiegje moet staan.* 'Wat ben je aan het doen?'

'Ik zit in de auto, op weg naar San Juan Capistrano.'

'Die oude missiepost? Waarom? Ga je zwaluwen kijken?' zei ze plagend, hem herinnerend aan de jaarlijkse terugkeer van zwermen zwaluwen naar Capistrano. 'Ik wist niet dat jij een vogelaar was.'

'Het is al te laat voor de zwaluwen, dacht ik. Die komen in het voorjaar.'

'Wat dan?' vroeg Olivia.

'Ik moest even weg uit dat vlooienmotel.'

'Om Jennifer te vinden?'

Het bleef even stil. 'Misschien.'

'Heb je haar nog gezien?' Olivia kon het sarcasme niet uit haar stem houden.

'Weet ik niet.'

Ze wilde een schampere opmerking maken, maar beheerste zich. Ze veranderde van onderwerp. 'Hoe voel je je? Je been?'

'Dat zit er nog aan.'

'Doe je die oefeningen?'

'Elke dag.'

'Leugenaar.' Olivia lachte en hoorde hem grinniken.

'En hoe gaat het met jou?'

Olivia verzamelde al haar krachten en wilde het nieuws in één adem vertellen, onverschillig wat de gevolgen waren. Maar op dat moment begon Hairy S als bezeten te blaffen. 'Koest jij!' beval Olivia, en ze hoorde haar echtgenoot weer lachen.

'Mooi is dat: jij belt me alleen om te zeggen dat ik me koest moet houden.'

'Ik heb je vaak verteld dat ik een geweldige echtgenote ben.'

'Weet ik... Livvie... Misschien wel een miljoen keer...' Zijn stem klonk vervormd en hakkelig. Ze kon niet elk woord verstaan.

'Hé, ik kan je niet goed horen. De verbinding valt weg.' Maar het was al te laat. De verbinding was verbroken en Olivia zei tegen het apparaat: 'Trouwens, je wordt weer vader.' Maar dat kon Bentz niet horen. Olivia besefte weer dat dit soort nieuws doorgeven via een slechte telefoonverbinding geen goed idee was.

Kennelijk had ze de laatste tijd helemaal geen goede ideeën. Ze bracht haar kopje naar de keuken en zette het in de spoelbak. De maan rees boven de cipressen en dennen in de achtertuin. Enkele sterren twinkelden en toen ze het raam opende hoorde ze een koor van kikkers luid kwaken.

Ze gaf Chia voer, sprak tegen de vogel en besloot geduldig te wachten tot Bentz weer terug was. En als dat te lang duurde, dan zou ze zelf naar hem toe reizen om het goede nieuws over haar zwangerschap aan hem te vertellen.

'Vijf dagen, Bentz,' zei ze met haar vinger tegen haar kin tikkend. 'Ik geef je vijf dagen respijt, en dan kom ik naar Californië.'

'Wie heeft de lijken gevonden?' vroeg Hayes. Opgelucht dat hij uit de benauwde opslagruimte was ademde hij frissere lucht in, al was dat in het drukke spitsverkeer. De dieselrook en benzinedampen bleven wel hangen onder het viaduct, maar het was toch de geur van de dood die in zijn longen drong.

'Een scholiere.' Riva Martinez wees naar een politieauto waarin een meisje op de achterbank uit het raampje staarde. Haar ogen waren groot van schrik, en haar gezicht was bleek achter het glas. 'Ze heet Felicia Katz, ze zit op het USC, maar heeft hier wat spullen opgeslagen. Ze kwam vanmiddag hierheen om iets uit haar berging te halen – een oude stoel, geloof ik. Haar berging is nummer 7.' Martinez wees naar de bergkast naast de lichamen. 'Ze zag dat de deur van nummer 8 niet dicht was en dat het slot opengebroken was. Ze dacht dat er misschien ingebroken was en besloot een kijkje te nemen.'

'En ze kreeg heel wat te zien,' vulde Bledsoe aan.

Hayes voelde zijn maag ineenkrimpen bij de gedachte aan de slachtoffers die nu vluchtig onderzocht werden voordat ze in lijkenzakken werden afgevoerd naar de lijkschouwer. Een etmaal geleden waren ze nog argeloze meiden, waarschijnlijk bezig hun verjaardag voor te bereiden.

Martinez vervolgde: 'Hoe dan ook, Felicia zag de slachtoffers, ze sms'te haar vriendje en belde daarna 112.'

Hayes keek even naar de auto waarin de getuige zat. 'Waarom eerst haar vriendje?'

'Ze zegt dat ze totaal van de kaart was.'

'Dat wil ik geloven,' zei Bledsoe.

'Wie is dat vriendje?'

'Robert Finley. Wordt Robbie genoemd. Werkt overdag in een cafetaria en is 's avonds drummer in een grungeband. Hij kwam hier kort nadat de eerste collega – dat moet Rohrs geweest zijn – hier arriveerde. We hebben Finley in een andere auto gezet. We houden Felicia en hem apart, zodat we hun verhalen kunnen vergelijken.'

'Denk je dat hij er iets mee te maken heeft?'

'Nee. Jij?'

'Waarschijnlijk niet.' Hayes schudde zijn hoofd.

'Het is de Twenty-one-moordenaar,' merkte Bledsoe op. Hij keek om zich heen.

'Wie?' vroeg Riva. Ze werkte nog betrekkelijk kort bij de politie en kende niet alle moordzaken uit het verleden.

'Zo noemden wij hem. Hij heeft ook een tweeling vermoord. Delta en Diana Caldwell, ook op hun eenentwintigste verjaardag. De zusjes werden twee dagen eerder als vermist opgegeven, daarom vermoedden we dat hij hen gekidnapt heeft en vastgehouden tot hij hen vermoordde, precies op het tijdstip dat ze eenentwintig jaar werden.'

'Dus hij kende hen?' begreep Riva. Haar ogen vernauwden zich.

'Of hij wist van hun bestaan. Maar de moordenaar is nooit gepakt.' Op Bledsoes gezicht verscheen een harde uitdrukking. 'De ouders van die tweeling belden ons elke week, en dat zes jaar lang. Ik hoorde dat het echtpaar daarna gescheiden is.'

'En er zijn geen vergelijkbare moorden gepleegd sinds die zaak-Caldwell?' vroeg Riva, met een blik op de bergruimte. 'Dus dit kan ook gedaan zijn door een imitator?'

Bledsoe schudde zijn hoofd. 'Sommige details zijn nooit bekendgemaakt aan de pers of het publiek. Dat rode lint, die roze markeerstift. Het feit dat de kleding keurig opgevouwen was, alsof hun moeder of een kindermeisje dat gedaan had.' Bledsoe keek over Hayes' schouder. 'Over de pers gesproken...'

Hayes keerde zich om en zag Joanna Quince, de doortastende verslaggeefster die hij al eerder had gezien, praten met een van de agenten in uniform bij de afzetting. Hij trok een grimas en draaide zich weer om, maar Quince had de rechercheurs al gezien en ze herkende Bledsoe.

'Rechercheur!' riep ze. 'Kan ik een paar vragen stellen? Is het waar dat dit een dubbele moord is? Zijn er twee dode meisjes aangetroffen in een van de bergruimtes?'

'Ik praat wel met haar,' zei Bledsoe. Hij sprak graag met de pers, maar zou niet te veel loslaten. Hij zou Joanna Quince naar de voorlichter verwijzen. Later werd een verklaring afgelegd en werden vragen beantwoord, als de naaste familie op de hoogte was.

Die taak – de familie inlichten – kreeg Hayes op zijn schouders. En praten met diep geschokte ouders was bijna even moeilijk als de lijken aantreffen.

Bentz reed harder dan toegestaan in zuidelijke richting over de snelweg die van Canada naar Mexico voert. De zon stond laag boven de horizon, het was erg druk op de weg, maar het verkeer reed jachtiger dan in Louisiana. Bentz had verwacht zich thuis te voelen in LA, omdat hij hier zoveel jaren van zijn leven gewoond had.

Maar dat was niet het geval: hij voelde zich als een vis op het droge.

Het telefoontje van Olivia zat hem dwars en hij vroeg zich af, niet voor het eerst, of hij niet een grote fout had begaan door naar LA te reizen. Niet alleen had hij zijn vrouw ongerust gemaakt, maar als zijn chef in New Orleans te weten kwam dat hij hier jacht maakte op een dode vrouw, dan stuurde ze Bentz binnen de kortste keren weer naar een psycholoog. Of hij werd voorgoed arbeidsongeschikt verklaard. Dan was zijn carrière bij de politie echt afgelopen.

Nou en? De politie in New Orleans kon ook wel zonder hem.

Zijn vingers verkrampten om het stuur, toen hij van rijstrook wisselde en een busje zo snel langsraasde dat het leek alsof zijn eigen Ford Escape stilstond. Hij keek naar de snelheidsmeter: honderd kilometer per uur.

Zijn mobieltje rinkelde. Hij schakelde de radio uit en keek naar het schermpje. Het telefoonnummer van Montoya lichtte op.

Mooi. Bentz had al te lang gepiekerd over het gesprek met Olivia. Hij had behoefte aan afleiding.

Hij nam op. 'Het werd tijd dat je me eens belt. Heb je iets gevonden?'

'Niet veel. Geen vingerafdrukken op de envelop en de overlijdensakte. Afgezien van die van jou en mij.'

Bentz vloekte binnensmonds.

'Je had ook afdrukken verwacht?'

'Nee, maar ik dacht dat we misschien mazzel hadden. Dat de afzender een beetje slordig was.'

'Lijkt me niet. DNA-resultaten zijn er nog niet, maar ik verwed er een jaarsalaris om dat de dader niet aan die lijmrand gelikt heeft. Tegenwoordig weet iedereen die naar een politieserie op tv kijkt hoe dat werkt.'

'Het was te proberen,' zuchtte Bentz. In de verte zag hij de afrit van de snelweg.

'Ik laat het lab uitzoeken wat voor inkt op dat document zit, maar waarschijnlijk levert dat ook weinig op.'

'Proberen kan geen kwaad,' vond Bentz. Hij liet het gaspedaal opkomen, zette zijn richtingaanwijzer aan en stuurde naar de afrit.

'Weet je, je kunt echt beter stoppen met waar jij mee bezig bent,' zei Montoya.

'Is dat zo?'

'Ik weet dat je gek wordt van werkeloos thuiszitten, maar kun je niet iets anders verzinnen?'

'Je bedoelt iets wat minder krankjorum is?'

'Ja. Golf lijkt me goed. Of ga vissen. Je kunt bij ons toch geweldig vissen?'

'Ik zal erover nadenken. Ik kan een mooie hengel en een set golfclubs kopen, voor tussen mijn kalligrafiecursus en yogalessen in.'

'Dat lijkt me geen slecht idee.'

'Dan doe je toch mee? Schrijf ons samen in. En dan ook stijldansen. Een glitterjurk staat je vast geweldig.'

Montoya moest onwillekeurig grinniken. 'Vind jij jezelf grappig?'

'Ik weet dat ik geestig ben.'

Montoya kon er niet om lachen. Hij vroeg: 'Heb jij je ex-vrouw nog gezien?'

Bentz aarzelde. Hij stuurde de auto over de afrit. 'Misschien,' gaf hij toe, afremmend voor een rood verkeerslicht. 'Ik weet het niet zeker.'

'Heus?'

'Ja. Ze heeft mij ook opgebeld, en ze noemde me bij de koosnaam die ze me gegeven had.'

'Je meent het.'

'Ik vertel alleen wat er gebeurd is.'

'En wat doe je daarmee?'

Moest hij dat vertellen aan de sceptische Montoya? Waarom ook niet? 'Ik heb met een vriendin van Jennifer gesproken. Ze vertelde dat Jennifer en James elkaar ontmoetten in San Juan Capistrano. Daarom besloot ik daarheen te rijden.'

'Is dat een geintje? Wat heeft dat ermee te maken? Denk jij soms dat jouw dode broer er iets mee te maken heeft?' Montoya mompelde een verwensing in het Spaans, voordat hij eraan toevoegde: 'Dit klinkt allemaal steeds krankzinniger. Ik ben een paar keer in San Juan Capistrano geweest. Dat hele oord schijnt vol met geesten te zitten.'

'Net als New Orleans.'

'Ik meen het. Die zogenaamde vriendin van Jennifer neemt je in de maling. San Juan Capistrano? Kom nou! Jij vertelt aan die dame dat je spoken ziet, en zij stuurt je naar Capistrano. Maak het nou!'

'Ze is geen spook,' protesteerde Bentz, al voelde hij zich wel bezocht door geesten. Precies wat degene die hierachter zat ook wilde.

'Ik moet ophangen.' Bentz kon niet nog meer schampere opmerkingen verdragen.

'Mooi. Loop maar over die gewijde grond, praat met de vrouwe in het wit, of met de monnik zonder gezicht, of anders met die dode kerel in een schommelstoel. Of met Jennifer, aangezien jij kennelijk denkt dat ze daar ergens rondhangt. Trouwens, als je haar ooit te spreken krijgt, doe haar dan vooral de groeten van mij.'

'Barst maar, Montoya,' zei Bentz toen het verkeerslicht op groen sprong en hij weer verder reed naar de missiepost.

'Veel geluk.' Zijn collega hing op en Bentz voelde zijn lippen wat omhoogkrullen. Hij miste zijn gevatte collega, zoals hij zijn werk ook miste. Maar het meest miste hij Olivia.

'Trek de gesprekken met hun mobiele telefoons na, en laat me weten of er iets belangrijks bij zit,' zei Hayes, toen hij en Martinez van de plaats delict naar hun auto's liepen. 'Daaruit moet blijken in welke periode die meisjes ontvoerd werden. Als dit vergelijkbaar is met de zaak-Caldwell, dan moeten we aannemen dat de slachtoffers elders vermoord zijn en later hierheen gebracht, zodat ze gevonden zouden worden. We moeten uitzoeken wie de eigenaar van dat pakhuis is en wie hier ruimte huurt. Dus niet alleen Unit 8, maar alle ruimtes. Kijk of er enig verband is met de Springer-tweeling. En vraag of iemand iets verdachts heeft gezien.'

'Ik laat de opnamen van alle verkeerscamera's ook natrekken, en die van een paar beveiligingscamera's van bedrijven in de omgeving.'

Er zou een buurtonderzoek komen met agenten in uniform en in burger, om mensen op te sporen die mogelijk iets gezien hadden. Een kleine supermarkt en een tankstation hadden zicht op het viaduct en de opslagruimte. Misschien had het personeel of een klant iets gezien wat een aanwijzing kon zijn. Alles was bruikbaar. Als het tijdstip van overlijden van de slachtoffers klopte, dan waren de meisjes al meer dan twaalf uur dood, en elke minuut in die periode was van groot belang voor het onderzoek.

'En we moeten contact zoeken met kennissen van die tweeling. De moordenaar wist dat het een tweeling was. Hij wist ook wanneer ze precies geboren waren en heeft ze kort voor hun verjaardag ontvoerd. Dat vereist planning.'

'Ook de chatgroepen,' opperde Martinez, en de omvang van het onderzoek werd opeens veel groter.

'Inderdaad.'

'Onze dader heeft dit grondig aangepakt,' merkte Martinez op, 'Nauwgezet. Waarschijnlijk een controlfreak.'

'Die maar één keer in de twaalf jaar een dubbele moord pleegt,' zei Hayes.

'Dat denken wij. Ik zal navraag doen bij andere politiediensten in andere staten, en bij de FBI. Misschien heeft de dader een groot werkterrein. We kunnen nagaan of er meer moorden op tweelingen zijn gepleegd in andere streken. Of in de hele Verenigde Staten.'

'En we moeten natrekken wie kortgeleden is vrijgelaten uit de gevangenis. Misschien heeft de dader wel twaalf jaar vastgezeten. We moeten ook kijken naar de psychologische profielen van iedereen die het afgelopen jaar is vrijgelaten na een geweldsdelict.'

'Dat kan wel eens een lange lijst zijn.'

'Amen.' Bentz wilde er niet aan denken hoelang dat naspeuren zou duren.

Ze kwamen bij Martinez' auto en ze opende het portier. 'Zeg, wat had die opmerking van Bledsoe te betekenen? Wat heeft Rick Bentz in hemelsnaam met deze zaak te maken?'

'Niets. Waarschijnlijk toeval.' Hayes zocht in zijn zak en zette zijn zonnebril op. 'Het enige verband is dat Bledsoe met Bentz en Trinidad aan de zaak-Caldwell werkte.'

Martinez knikte begrijpend.

'Bledsoe wil altijd iemand de schuld geven.'

'O ja? Niet omdat Bledsoe een blauwtje liep bij Bentz' vrouw?' vroeg ze. 'Rechercheur Rankin zei daar iets over toen zijn naam vanochtend genoemd werd.'

'Rankin heeft haar eigen problemen,' zei Hayes. Hij wilde zich niet mengen in de roddels op het bureau, en zeker niet als die al twaalf of vijftien jaar oud waren.

'Ja, ze zei dat ze ook iets had met Bentz.'

'Dat beweren er zoveel.'

'Onder anderen Corinne O'Donnell,' verduidelijkte Martinez.

'Dat klopt.' Hij knikte en geleund tegen de carrosserie van de auto voelde hij de hitte door zijn broek. 'Er waren er nog meer. Bonita Unsel, bijvoorbeeld. Ze werkte bij Zedenmisdrijven, voordat ze bij Moordzaken kwam. Van anderen weet ik de namen niet meer. Het is allemaal geschiedenis.'

'Maar wel geschiedenis voordat Bentz uit deze stad verdween.' Lijntjes verschenen tussen haar wenkbrauwen. Een zware oplegger reed over de oprit naar de snelweg. 'Misschien wil onze dader niet zozeer tweelingen vermoorden, als wel een andere moordzaak aan Bentz opdringen. Misschien weet hij ook dat Bentz weer in de stad is.'

'Dat is mogelijk,' beaamde Hayes.

'Hoe is het toen gegaan? Met die moord op de Caldwell-tweeling?' vroeg Martinez. 'Gooide Bentz zelf de handdoek in de ring?'

Hayes schudde zijn hoofd. 'Nee. Bentz was er toen miserabel aan toe, geloof me. Maar dat was niet zijn fout. In elk geval niet helemaal zijn schuld dat die zaak onopgelost bleef.'

Hayes had het nooit erkend, maar hij vond dat Bentz de dubbele moordzaak al eerder had moeten overdragen aan Bledsoe of aan Trinidad. In die periode was Bentz een schim van zichzelf, en zo afgestompt dat zijn werk hem nauwelijks nog interesseerde. De leiding van de afdeling vond dat Bentz als hoofdonderzoeker verantwoordelijk was voor het vinden van de moordenaar van twee knappe eenentwintig jaar oude studentes. De zaak stond volop in de belangstelling, en dat maakte het veel erger dat de dader niet gepakt werd. 'Hij werd de zondebok.'

'Bledsoe schijnt het hem nog steeds kwalijk te nemen.'

Hayes trok zijn schouders op. 'Bledsoe en Bentz konden het nooit goed met elkaar vinden. Ze werkten samen aan die zaak, maar ik zei al dat Bentz de leiding had. Toen hij verdween nam Bledsoe het over. Maar hij gaf zijn ex-collega altijd de schuld.'

'Jakkes.'

'Zeg dat wel. Die twee konden slecht met elkaar overweg.'

Martinez' mobiel rinkelde. 'Ik bel je wel als ik iets weet.' Ze drukte op een toets. 'Met Martinez.'

Hayes keek nog even om en liep toen op een sukkeldrafje naar zijn auto, denkend aan de lange lijst telefoontjes die hij moest afwerken, en aan de dossiers die hij moest bekijken om de moordenaar op te sporen. Met zo'n berg werk voor zich mocht hij zich gelukkig prijzen als hij zijn dochter weer zag voordat ze dertig jaar werd.

Hoofdstuk 13

De avond was klam en de geur van de Mississippi dreef door de straten van New Orleans. Montoya voelde zich even onrustig als het traag voorbijstromende water, denkend aan zijn telefoongesprek met Bentz.

Bentz was een grote stommeling: jacht maken op de geest van zijn gestorven ex-vrouw, terwijl hij hier thuis kon zitten met zijn levende echtgenote van vlees en bloed. Het klopte niet: Bentz was gewoonlijk nuchter; kennelijk liet zijn verstand hem in de steek. Ongetwijfeld had die bijna-doodervaring zijn geestelijke vermogens aangetast.

Er was op dit late uur weinig verkeer op straat, maar overal brandden lichten in de stad, die zich weer herstelde na de orkaan. Montoya stuurde zijn auto naar de oprit voor zijn huis.

Hij deed de autosleuteltjes in zijn zak en liep naar zijn woning, die hij eigenhandig gerenoveerd had tot orkaan Katrina had toegeslagen met de kracht van een wraakgod. De buurt veranderde in een puinhoop, al was Montoya's huis niet zo zwaar getroffen als andere woningen, die compleet weggevaagd waren door het natuurgeweld. Montoya moest er niet aan denken dat er nog een orkaan zou komen. Hij had zijn huis hersteld, zoals veel anderen deden. De renovatie moest de charme van de woning zoveel mogelijk intact laten, maar ook aangepast worden aan zijn nieuwe gezin. Hij had met Abby niet alleen een vrouw gevonden: ze nam haar intrek met Ansel, een schuwe kater die zich tussen de meubels verstopte en Hershey, een vrolijke chocoladebruine labrador. De hond danste aan zijn voeten en kwispelde heftig zodat alles van de salontafel gezwiept dreigde te worden.

'Braaf,' zei Montoya, en hij krabde de hond over zijn kop. 'Wil je uit?' Met een zware blaf draafde Hershey door de gang naar de achtertuin.

Montoya volgde de hond en belde met zijn mobiel naar Abby. Ze was fotografe en maakte deze avond opnamen in haar eigen studio buiten de stad.

De hond rende speels heen en weer. 'Ik snap het,' zei Montoya tegen de hond en hij gooide een gele tennisbal ver in de tuin, wachtend tot Abby zou opnemen. Hershey stoof weg en vond de tennisbal even later in de donkere tuin. Montoya sprak een bericht in voor zijn vrouw. De grote labrador draafde terug en liet de tennisbal voor Montoya's voeten vallen. Hij kwispelde tot Montoya de bal opraapte en weer zo ver mogelijk weggooide. Hershey apporteerde even later en weer gooide Montoya. En nog een keer. En nog eens. Ze speelden bijna een halfuur, de hond was onvermoeibaar, terwijl Montoya piekerde over de emotionele reis van Bentz naar LA.

Wat deed hij daar? Bentz' eerste vrouw Jennifer was niet bepaald een engel geweest. En ze was allang dood en begraven. Gelukkig. Montoya had de indruk dat Jennifer tijdens haar leven nogal een bitch was. Bentz was immers van haar gescheiden? Montoya had Jennifer nooit ontmoet, maar van Bentz had hij gehoord dat ze hem regelmatig bedroog, en zelfs met Ricks eigen halfbroer James, die nota bene priester was.

'Bitch,' zei Montoya hardop en hij gooide de tennisbal weer. De hond stoof erachteraan.

Ironisch genoeg had Olivia zich ook aangetrokken gevoeld tot dezelfde man, pastor James McLaren, voordat ze met Bentz getrouwd was. Maar ze was tot inkeer gekomen en sindsdien waren ze gelukkig samen.

Tot voor kort.

Sinds Bentz uit dat ellendige coma was gekomen, een coma dat hij volgens zijn dochter niet zou overleven, was hij een ander mens geworden. Afstandelijk. Bijna een bezetene.

Montoya zocht de oorzaak eerst in de gedwongen inactiviteit. Niet in staat naar zijn werk te gaan, de kracht missen om te vechten en zonder stok te lopen. Maar nu was hij daar niet meer zo zeker van. Misschien kreeg een man die zo dicht bij de dood was geweest wel andere, duistere opvattingen wanneer hij terugkeerde bij de levenden. Want dat was het geval; Rick Bentz was niet ontwaakt uit zijn bewusteloosheid met een hernieuwde waardering voor het leven, met nieuwe *joie de vivre*. Bepaald niet. En evenmin was hij tot het licht geroepen: Bentz werd geen herboren christen.

In plaats daarvan had hij alleen de drang zijn dode ex-vrouw te vinden, al was ze een feeks geweest.

Bentz was duidelijk de weg kwijt.

Het was alles bij elkaar een grote chaos.

Wat Montoya betrof moest Jennifer Bentz maar vooral heel erg dood blijven.

Voordat hij naar San Juan Capistrano vertrok had Bentz zijn huiswerk gedaan. Hij had internet afgespeurd en in het bevolkingsregister van Orange County en de burgerlijke stand van San Juan Capistrano gezocht naar iets wat verband hield met Saint Miguel of San Miguel. Hij dacht dat Shana McIntyre misschien gelogen had, om hem dwars te zitten. Maar nee, hij vond verwijzingen naar en afbeeldingen van een kleine kapel die geen deel uitmaakte van de grote missiepost.

Hij ontdekte ook dat Saint Miguel's Church en het terrein door het diocees in de jaren zestig verkocht waren. De kapel was gerenoveerd en verbouwd tot een hotel. In de afgelopen veertig jaar was het complex een aantal keren van eigenaar verwisseld. De laatste transactie in het kadaster maakte duidelijk dat het onroerend goed anderhalf jaar geleden was aangekocht door een Japans conglomeraat, en nu niet meer openbaar toegankelijk was.

Met zijn TomTom reed Bentz door de straten van de stad. Weelderige tuinen, daken met rode pannen en gestuukte muren, overal in de omgeving. De schemering viel in toen hij door het historische stadsdeel reed, waar mensen langs de etalages flaneerden of buiten dineerden onder parasols.

Aan de andere kant van de spoorlijn reed Bentz enkele kilometers verder weg van het centrum en kwam hij in een minder florissante omgeving. Hij passeerde loodsen langs de oude San Miguel Boulevard en kruiste een droge rivierbedding naar een stoffige, doodlopende straat.

De rest van de stad was schilderachtig en levendig, maar deze buurt leek eerder achteruit te gaan. Verbleekte borden met TE HUUR waren te zien in de leegstaande winkels. Bentz minderde vaart toen het vervallen hotel rechts in zicht kwam. Het gazon was overwoekerd met hoogopschietend onkruid, de stuclagen brokkelden van de gevel en er waren zwarte roetstrepen op te zien. Het was duidelijk dat deze omgeving betere tijden had gekend.

Bentz keerde zijn huurauto bij een zijstraat en parkeerde voor een rij winkels: een antiquariaat, een tweedehandskledingwinkel en een kleine buurtsupermarkt. In een van de panden was volgens het opschrift ooit een pizzeria gevestigd, maar de zaak was gesloten en stond te huur, met een lokaal telefoonnummer op de ruit geplakt.

Het enige bedrijf dat goed liep was de taveerne ernaast; DINSDAGAVOND HAPPY HOUR stond op de gevel. Een paar gehavende pickuptrucks, een smerig busje met de woorden WAS MIJ op de achterklep geschreven, een roestige Ford en een zilverkleurige Chevrolet met een verbleekt parkeervignet achter de voorruit stonden verspreid op het gebarsten asfalt. De hele omgeving was grauw, met een desolate sfeer, alsof dit deel van de stad wegdroomde naar betere tijden in het verleden.

Vanuit zijn auto zag Bentz enkele mensen op straat: een paar kinderen met skateboards op het trottoir, een oudere man in shorts met een breedgerande hoed rookte een sigaret, terwijl hij zijn karamelkleurige hond uitliet, een eenogige bastaardpitbull, die aan zijn riem trok. De hond snuffelde aan de plukken dor gras en kwispelde met zijn gecoupeerde staart als de oude baas iets zei.

Bentz stapte uit, liet zijn wandelstok in de auto, maar hij nam een kleine zaklantaarn en een setje gereedschap mee, voor het geval hij een slot moest openmaken. Met een druk op de afstandsbediening sloot hij de Ford af en hij liep naar het oude gebouw, dat was omheind door een ouderwets hek. Nog amper leesbaar was het bordje VERBODEN TOEGANG, zacht wiegend in de wind, die stof en dorre bladeren deed opdwarrelen, en een gescheurde plastic zak over de straat bewoog.

Hij probeerde het hek te openen.

Afgesloten, uiteraard.

Zoekend naar een mogelijkheid om op het terrein te komen volgde hij de omheing en richtte zijn zaklantaarn op het hek. Hij bewoog langzaam verder, tot hij een gat in het metaalgaas ontdekte. Hij kroop door de opening, zijn arm streek langs het scherpe afgebroken ijzerdraad. Zijn mouw scheurde en het metaal veroorzaakte schrammen op zijn huid. Hij merkte het amper. Zijn heup en zijn knie protesteerden ook pijnlijk, maar hij negeerde het ongemak terwijl hij op zijn doel afging.

Binnen het hek tuurde hij naar het verwaarloosde en vervallen gebouw. De klokkentoren was nog redelijk intact. De meeste ramen waren dichtgetimmerd met platen hout en hoog onkruid overwoekerde de ooit keurige gazons en bloemperken. Dakpannen waren naar beneden gegleden en aan scherven gevallen op de paden en in de tuin. Een fontein in het midden van de ronde oprit stond droog. Een gebeeldhouwde engel die water uit een vat in de vijver goot was onthoofd en miste een vleugel.

Was dit de plek van hun geheime rendez-vous?

Deden ze het hier?

Bentz kneep zijn ogen tot spleetjes en keek naar de vervallen gebouwen. Het was moeilijk je voor te stellen hoe deze missiepost er vroeger uitzag, met gemaaide gazons, goed onderhouden tuinen, gebrandschilderde ramen en spuitende fonteinen.

Hij stapte over stapels rommel en baande zich een weg naar de met houtsnijwerk versierde deuren. Een roestige ketting was om de handgrepen gewikkeld, afgesloten met een hangslot.

Kennelijk om nieuwsgierigen, zwervers en plunderaars buiten te houden.

Of een smeris met te veel vrije tijd die geobsedeerd is door zijn gestorven ex-vrouw.

De stem in zijn hoofd negerend maakte hij met zijn gereedschap het hangslot open en liep verder door een galerij, om bij een binnenhof te komen. Het was een rechthoekige open ruimte, aan elke kant begrensd door het twee verdiepingen tellende gebouw. De lange zijden waren verdeeld in kamers met elk een deur op de parterre en op de etage een Frans balkon. De binnenhof lag al in de schaduw, de schemering kroop naar het gehavende standbeeld van St. Miguel, omdat de zon achter de klokkentoren onderging.

Het complex leek verlaten.

Eenzaam.

Lopend over de galerij en af en toe turend door de smoezelige vensters trapte Bentz bijna op een rat, die snel verdween in een barst in het cement.

Bentz vond dit geen romantische plek om een geliefde te ontmoeten.

Althans niet nu het motel in deze deplorabele staat verkeerde. Het was hier griezelig, eerder het decor van een horrorfilm. Bentz probeerde elke deurkruk te bewegen.

Alle kamers waren afgesloten.

De deur van kamer 7, een suite in de hoek, was ook op slot. Het kamernummer bungelde aan een stang en leek elk moment tussen de rommel op de grond te kunnen vallen.

Met zijn gereedschap werkte hij zwetend aan het deurslot, tot het eindelijk opensprong. De scharnieren van de kamerdeur knarsten naargeestig.

Nu of nooit, hield hij zichzelf voor. Maar hij had een gevoel alsof hij over Jennifers graf liep, toen hij de bedompte suite binnenstapte. Meteen werd hij teruggeworpen naar een periode die hij juist wilde vergeten.

Een tafel was gebroken. De standaard voor een televisietoestel was omgevallen. De vloer was smerig. Spinnenwebben in de hoeken en verdroogde dode insecten op de vensterbanken.

De hele suite leek verdoemd, besefte Bentz en hij kreeg kippenvel. Een wenteltrap leidde naar de bovenverdieping en elke tree kraakte toen hij met een pijnlijk been naar boven liep. De overloop gaf toegang tot een slaapkamer. Er waren nog twee deuren. Achter de ene deur was een smoezelige badkamer, waar de wasbakken van de wand waren gerukt en de toiletpot was verdwenen. De andere deur was dicht, maar toen Bentz hem openduwde zag hij dat daarachter een gang was. Aan de ene kant was een nooduitgang naar de brandtrap. Aan de andere kant was een lange gang voor de buitenmuur van het gebouw. Bentz liep door de gang en zag dat aan het einde een trap was naar de lobby en het kantoor van het motel.

Handig, dacht hij. Een geheime ingang voor een priester die niet gezien wil worden bij de deur van kamer 7, als hij een afspraak had met zijn minnares.

Bentz liep terug naar de donkere en naargeestige slaapkamer.

Hún slaapkamer. De herinneringen en het schuldbesef leken hier nog voelbaar.

De plek waar Kristi misschien verwekt was, als hij Shana McIntyre moest geloven. Uiteraard bestond de kans dat Shana gelogen had, en dat zij deze omgeving alleen van haar eigen overspelige ontmoetingen kende. Shana had er nooit een geheim van gemaakt dat ze Bentz niet mocht. Ze zou ervan genieten hem te beduvelen, alleen maar om hem te zien lijden.

Hij rook bijna de geur van langvergeten seks en keek naar de stoffige boekenkast langs de wand. Een paar vergeten boeken lagen verspreid op een plank. De bladzijden en omslagen waren vergeeld.

Andere boeken waren op de vloer gevallen en aan de rafelige randen te zien was eraan geknaagd. Hij raapte een boek op, een thriller uit de jaren negentig. Een boek dat Jennifer had gelezen. Hij herinnerde zich dat ze erover gesproken hadden.

Was dit van haar?

Zijn keel werd droog toen hij door het boek bladerde, om het weer weg te werpen. De steeds donker wordende kamer werkte op zijn zenuwen.

Toeval, meer niet.

En toch...

Hij kreeg bijna het gevoel dat ze hier onlangs geweest was. Bijna.

'Dwaas,' zei hij mopperend en zijn blik dwaalde naar het bureau. Het meubel was voor een kast geschoven en er ontbraken enkele laden. Op het bekraste blad stond een ouderwets telefoontoestel, de hoorn bungelde langs de zijkant.

Had Jennifer hier werkelijk uren doorgebracht? Hele nachten? Met James? Hij liep naar de balkondeuren. Aan de buitenkant was het glas afgetimmerd met board en de panelen vertoonden barsten. De deuren gaven ooit toegang tot een klein privébalkon met zicht op de binnenhof. Bentz vermoedde dat de deuren naar binnen openzwaaiden. Hij verschoof de grendels. Geen van beide deuren kon bewegen.

Het werd snel donker, en de bedompte kamer leek de adem uit zijn longen te drijven. Hij scheen met de zaklantaarn over een versleten fauteuil. Schuimrubber uit het binnenwerk puilde uit het gerafelde velours dat ooit ijsblauw was geweest, maar nu was verkleurd tot dof en vaal grijs.

Bentz voelde dat zijn spieren verstrakten toen hij de lichtbundel op het bed richtte: niet meer dan een vlekkerige matras op een gammel onderstel. Het bed was in een hoek geschoven, onder een gebarsten glas-in-loodraam.

Kijkend naar de rommel en de kamer in gedachten opruimend, stelde Bentz zich voor hoe deze ruimte er dertig jaar geleden uitzag. In de periode dat Jennifer en James met hun affaire begonnen.

Tegen beter weten in zag hij in gedachten hoe de inrichting toen was. De houten vloeren waren zeker met tapijt bedekt. De blauwe fauteuil was toen nog nieuw, en het antieke bureau glanzend gepoetst. Het bed was uitnodigend opengeslagen, met gladde lakens en een gezellige sprei.

Hij bedacht dat er ook een bureaustoel had gestaan, misschien bekleed met dezelfde blauwe stof als de fauteuil. Hij zag in gedachten een zwarte priesterpij en een ronde witte boord over de rugleuning van de stoel.

Onwillekeurig balde hij zijn vuist.

Hij dacht aan zijn halfbroer. Pastor James McClaren, een knappe man, met de glimlach van een misdienaar, een wilskrachtige kaak en intens blauwe ogen die veel vrouwen, dus niet alleen Jennifer, heel verleidelijk vonden. Er waren dames die het een uitdaging vonden om een priester te verleiden. Anderen waren kwetsbaar en konden geen weerstand bieden aan de geestelijke die hen gewetenloos veroverde, omdat ze steun bij hem zochten.

Een egocentrische zondaar.

Bentz kon bijna de zware lach van zijn halfbroer horen en de sluipende voetstappen over de vloer. In deze kamer, alleen met Jennifer, had James zich waarschijnlijk helemaal uitgekleed, en terwijl zij kirde en giechelde had hij haar vastgepakt, gekust en haar langzaam uitgekleed.

Of was het andersom?

Had zij in pikante lingerie op hem gewacht, in bed luisterend naar zijn voetstappen, kijkend naar de deur waardoor hij de kamer in kwam?

Het maakte niet uit. Ze belandden uiteindelijk toch in bed, om de liefde te bedrijven, telkens weer.

Ja, ja: de gelofte van kuisheid.

Vreemd, bedacht Bentz, toen hij het tafereel in gedachten zag. Zijn woede en vertwijfeling waren in de loop van de tijd verdampt. Het brandende gevoel van verraad was gereduceerd tot smeulende as.

Zoveel jaren geleden.

En nu was Olivia er.

Zijn vrouw.

De vrouw die hij beminde.

Lieve hemel, waarom was hij hier, terwijl zij op hem wachtte in New Orleans?

Hij had niets te zoeken in Californië.

Jennifer was dood.

Heel even, een fractie van een seconde, rook hij de geur van jasmijn, een vleug van haar parfum.

Ja, echt.

Toen drong Jennifers stem tot hem door. Een heel zacht gefluister. 'Waarom?' vroeg ze, en hij wist dat het allemaal verbeelding was.

Lieve hemel, misschien werd hij inderdaad krankzinnig.

Hij keerde zich naar de balkondeuren en in gedachten zag hij zonlicht door het gaas van de gordijnen spelen. Een fles champagne in een ijsemmer op het nachtkastje, James en Jennifer lagen onder de lakens en de klokken van de kapel werden geluid...

Boing! Boing! Boing!

'Jezus!' Bentz werd met een ruk uit zijn dagdromen gewekt, door het beieren van kerkklokken ergens in de buurt.

Hij hield zichzelf telkens weer voor dat hij een sukkel was en scheen met de zaklantaarn over de rommel die overal verspreid lag. Hij vroeg zich af wat hij hier eigenlijk wilde bereiken. Hij had niets concreets gevonden. Er was geen enkele reden om te geloven dat Jennifer nog leefde.

In gedachten verzonken liep hij weer naar de balkondeuren. Hij tuurde naar de binnenhof door een kier in de panelen die voor de gebroken ramen waren gespijkerd.

Zijn hart stokte.

IJswater stroomde door zijn aderen.

Jennifer!

Of iemand die sprekend op haar leek.

Of was het toch haar vervloekte geest, daar bij de verste zijde van de binnenhof, in de schaduw van de klokkentoren?

Ongeloof vloeide door zijn aderen, en Bentz draafde via de trap naar beneden. Hij schoof de deur open en sprong door de galerij naar de binnenhof. Zijn slechte been bonkte pijnlijk. Met bonzend hart stoof hij over de ongelijke flagstones. Zijn schoen haakte achter een rand. Hij kon zijn evenwicht bewaren, maar een pijnscheut vertraagde zijn passen.

Hij tuurde naar de overkant van de binnenhof, maar die was verlaten.

Geen Jennifer.

Verdomme!

Geen vrouwengestalte, tastbaar of een geestverschijning, was ergens te zien in de schemering. Hij draaide zich om, keek in alle richtingen en verweet zichzelf dat hij het tafereel zelf verzonnen had: misschien had hij een glimp opgevangen van het standbeeld van St. Miguel. Had zijn geplaagde brein het gehavende standbeeld veranderd in iets wat hij wilde zien? Wat moest hij verwachten?

Was het allemaal de kracht van zijn fantasie?

Absoluut niet!

Zijn hart klopte gejaagd en kippenvel in zijn hals maakte hem duidelijk dat hij toch echt iets gezien had. Hij ademde een paar keer diep in en probeerde nuchter na te denken. Hij moest zijn gedachten in bedwang houden. Weer helder worden.

Grote god, hij was zijn hele leven altijd rationeel. Maar nu... nu...

Shit, wat nu? Hij streek met zijn handen door zijn haar en dwong zichzelf tot kalmte. Hij keek omhoog naar de bovenverdieping van het oude motel. Een van de balkons was anders dan de andere: de deur was niet gebarricadeerd.

Waarom?

Een schaduw bewoog daar.

Hij tuurde nog aandachtiger.

Was het een illusie? Of stond daar een gedaante in de schaduwen, verborgen achter de gehavende vitrage?

Hij kwam weer in beweging, en dwong zijn voeten tot rennen. Zijn been gloeide van pijn, zijn ademhaling ging hortend, en hij rende naar de deur van kamer 21.

De deur stond op een kier.

Zijn hart stond stil.

Hij tastte naar zijn dienstwapen, maar hij had de schouderholster achtergelaten in het handschoenenkastje van de huurauto.

Hij had geen tijd om naar de auto te rennen en zijn wapen te halen. *Rustig aan. Kalmeer toch. Denk eerst goed na. Het kan een hinderlaag zijn!* Behoedzaam duwde hij tegen de deur.

Hevig transpirerend liet hij de lichtbundel van de zaklantaarn over het interieur dwalen. De kamer was als de andere: smerig en verwaarloosd.

En er hing de geur van jasmijn.

Wat betekende dat?

Bonk.

Er was iets gevallen in de slaapkamer, de dreun weergalmde in de woonkamer. Bentz sprong naar voren. Hij besefte dat dit een val kon zijn en dat hij geen wapen had. Maar zonder aarzelen stormde hij de trap op, zonder te controleren of het hout van de treden vermolmd was.

De geur van haar parfum was hier sterker. Zijn keel werd droog. Op de overloop bleef hij even staan, al voelde hij zich onbeschermd en een gemakkelijk doelwit. Hij zocht dekking bij de muur en richtte de zaklantaarn op de lege slaapkamer. Hij sloop naar de gesloten deur van een kast. Hij zette zich schrap en rukte de kastdeur open.

Leeg.

Wat had hij dan verwacht?

Zwetend en zijn angst inslikkend liep hij naar de badkamer. Hij telde tot drie en trapte de deur open.

Met een kreet en heftig fladderende vleugels vloog een uil op van het handdoekenrek, om door het raam te verdwijnen.

Bentz' knieën knikten. Bevend deinsde hij achteruit. De badkamervloer lag bezaaid met veren, vogelpoep en uilenballen.

Toen dacht hij opeens aan de andere trap.

Met gespannen zenuwen keerde hij terug naar de gang en hoorde het geluid van snelle voetstappen en gejaagd ademhalen op de benedenverdieping.

Bentz sprong de treden af en scheen in de donkere gang. Niemand. Verlaten.

Geen levende ziel en geen geestverschijning te zien.

Zijn been stond in brand en hij hinkte moeizaam naar de lobby, waar de hoofdingang van de missiepost was.

De lucht was bedompt en muf.

Afgezien van de vage geur van Jennifers parfum.

Wel allemachtig, wat heeft dit allemaal te betekenen?

Hij wist al dat de voordeuren afgesloten waren, nog voordat hij die probeerde te openen. Hij wist ook dat hij hier door dit vervallen gebouw kon dwalen, zoekend in de kapel, de wijnkelders, in alle kamers en bij de receptie, zonder dat hij haar zou vinden.

Ze was verdwenen.

En hij wist niet meer dan toen hij eerder op de dag uit LA was weggereden.

Perfect! denk ik glimlachend. Ik tuur door een verrekijker, vanuit mijn schuilplek op de bovenverdieping, waar het ruikt naar stof en olie. Maar die geuren hinderen mij niet. Vandaag niet. Ik concentreer me op Bentz, die nog steeds door de gangen hinkt, en overal aan deuren morrelt of met zijn zaklantaarn in de donkere hoeken schijnt.

Ga zo door, Bentz.

Je zult niets vinden.

Het wordt steeds donkerder. De schaduwen worden langer, maar ik zie nog dat hij de brokkelige buitenkant van de missiepost bekijkt. Hij piekert weer over het mysterie van zijn eerste vrouw.

Mooi!

'Blijf zoeken,' fluister ik zo zacht mogelijk. Adrenaline golft door mijn lichaam. 'Maar wees voorzichtig, wie weet wat je zult vinden...'

Ik voel mijn lippen tevreden krullen, omdat ik hem zo goed begrijp. Ik weet nu dat ik hem kan manipuleren zoveel ik wil. En dat geeft een goed gevoel.

Het werd ook tijd.

'Goed zo, RJ,' prevel ik zacht, als tegen een hond die een moeilijk kunstje heeft vertoond. 'Heel goed gedaan.'

Heerlijk, dat hij zo getergd wordt!

Hij loopt al weg van de missiepost, daarom doe ik een stap weg van het raam, omdat het licht van een straatlantaarn in de verrekijker kan weerkaatsen.

Ik kan me niet veroorloven onzorgvuldig te zijn.

Rick Bentz is zeker niet dom.

Dat weet ik.

Hij is gewoon een smerige klootzak. Hij verdient dit en ik kan niet wachten tot hij radeloos is. O, zeker. Hoe zal het zijn als hij weet wat pure angst is, de allesoverheersende paniek, wanneer je beseft dat je bezeten bent. Hij zal die verwarring en angst ervaren, en hij zal denken dat hij krankzinnig wordt.

En er zijn manieren om die marteling nog te verhevigen. O, zeker.

Het wordt tijd wat meer druk op zijn thuisfront te leggen.

Olivia... Zij is de sleutel, denk ik, voor de genadeslag. Er is geen betere manier om Bentz te raken dan via zijn vrouw.

Ik zie dat hij door de opening in de omheining kruipt, en naar het parkeerterrein loopt. Zijn schouders zijn nog altijd breed, maar zijn eens zo doelbewuste manier van lopen is nu onvast.

Een kilheid trekt door mijn hart.

Voel je mij, jij ellendige klootzak?

Heb jij enig idee wat je mij hebt aangedaan? Zoveel pijn?

Nee?

Nou, dan zul jij dat gaan voelen, Bentz. Zeker weten.

Ik garandeer je dat de pijn en het schuldgevoel zo hevig zullen zijn dat je alleen nog vurig wenst dood te zijn.

Hoofdstuk 14

Bentz liep naar zijn auto en hij zag dat er iets veranderd was op het parkeerterrein. Een van de twee pick-uptrucks was verdwenen en er stond nu een oude Datsun met verlopen kentekenplaten en de motor draaiend voor het antiquariaat. Een meisje zat achter het stuur te telefoneren met haar mobieltje. De auto waar WAS MIJ op geschreven was stond nog voor de kroeg, maar de zilverkleurige Chevrolet stond niet meer naast de smerige bestelbus.

Bentz vroeg zich af of een van de auto's van 'Jennifer' was. Als dat inderdaad zo was, dan was ze bepaald geen geestverschijning. Voor zover hij wist werden kentekenplaten alleen verstrekt aan levende personen, en geesten hadden toch geen voertuig nodig.

In een opwelling liep hij naar de kroeg en keek naar het personeel en de weinige bezoekers die gebogen aan de lange bar zaten of naar een groot televisiescherm in de hoek staarden. Opgelucht dat de schim die hij had nagejaagd zich hier niet schuilhield bestelde hij alcoholvrij bier en maakte een kort praatje met de serveerster. Hij vroeg of ze de eigenaar van de Chevy kende. De serveerster keek hem effen aan, evenals de barkeeper aan wie Bentz dezelfde vraag stelde. Als deze lieden al iets wisten, dan zouden ze dat niet vertellen. Maar Bentz kreeg de indruk dat ze geen idee hadden, en dat het voor hen ook onbelangrijk was.

Hij liet zijn bierglas onaangeroerd staan, legde een paar dollarbiljetten op de toog en liep naar buiten. Hij ging naar het antiquariaat, waar de bejaarde winkelier op het punt stond de zaak te sluiten. Het meisje uit de Datsun was nu in het antiquariaat, nog steeds telefonerend liep ze door de gangpaden tussen de boekenkasten. Ze richtte haar aandacht op een vak met het opschrift: VAMPIERS EN GEESTEN. Zonder haar gesprek te onderbreken pakte ze enkele boeken op, bladerde even door de inhoud en plaatste de boeken daarna weer terug.

De boekwinkel was bijna verlaten, afgezien van een kalende dertiger die bij de computerboeken stond en een vrouw met een klein meisje met vlechten, bij de kinderboeken.

Geen van hen kon de rol van Jennifer hebben gespeeld.

In de buurtsuper waren amper klanten. Twee opgeschoten jongens met lang haar rekenden snoep af en ze wisselden fluisterend blikken om de 'lekkere meid' achter de kassa. Een jonge armoedig uitziende moeder met een peuter op haar heup keek met gefronste wenkbrauwen naar de prijs van wegwerpluiers.

Meer klanten waren er niet in de winkel.

Geen Jennifer.

Uiteraard.

Buiten stonden twee jongemannen te roken bij een Dumpster.

Niks bijzonders in deze omgeving. Bentz vroeg zich af waarom hij hierheen gekomen was. Wat was hij hier te weten gekomen?

Alleen dat hij een sukkel was die graag op spoken jaagde.

Bentz stapte in zijn auto en kon zich wel voor zijn hoofd slaan dat hij geen foto's had genomen van de vrouw die hij gezien had. Zelfs een opname met zijn mobieltje was al bruikbaar geweest.

Hij draaide het contactsleuteltje om en keek naar de lege plek waar de zilverkleurige Chevy had gestaan. Er was iets met die auto. Zijn politie-instinct was alert en dat was altijd zo als hij iets ongewoons opmerkte – iets wat ongerijmd leek.

Hij probeerde zich meer details van die auto te herinneren. Het was een Chevrolet Impala, dacht hij, misschien model 2000. Hij probeerde in gedachten de cijfers van het kenteken weer te zien, maar hij kon zich alleen herinneren dat de auto in Californië geregistreerd stond. Toch was er iets bijzonders met dat kenteken. Twee of drie keer een 6. Hij wist het niet zeker. Maar er zat ook een verlopen parkeervignet achter de voorruit, om bij een ziekenhuis te parkeren, of zoiets. Hij had het niet precies kunnen lezen, en bovendien had hij haast. Toch voelde hij dat er iets ongewoons was aan dat vignet. Wat kon dat toch zijn?

Hij probeerde in gedachten de kaart weer te zien, maar tevergeefs. Hij gaf het op. Wat ook zijn aandacht had getrokken, hij was het vergeten. Meestal schoot zoiets hem later weer te binnen. En meestal midden in de nacht.

Hij had foto's moeten nemen. Bij die gedachte zette hij de motor weer uit en stapte uit om foto's te nemen met zijn mobieltje. Hij maakte opnamen van de kentekenplaten, de merken en modellen van de auto's die hier nog geparkeerd stonden en in de straat voor de missiepost. Alles bij elkaar telde hij acht auto's. Een auto stond op blokken, zonder kentekenplaten. Die telde niet mee.

Hij piekerde nog steeds over dat parkeervignet.

Bentz besloot een kijkje te nemen bij de ziekenhuizen in de omgeving. Er was een grote kans dat de eigenaar van de Chevy iets met een ziekenhuis of een medische dienst te maken had. Tenzij die vergunning nog van een vorige eigenaar was.

Hij reed terug en onderweg rinkelde zijn mobieltje. Hij nam op, en zag amper dat er ANONIEME OPROEP op het schermpje stond.

'Bentz.'

'Hallo Rick,' klonk een vaag bekende vrouwenstem ijzig. 'Je spreekt met Lorraine. Je had mij gebeld.'

Lorraine Newell, de stiefzus van Jennifer.

'Dat klopt. Ik ben in LA en vroeg me af of we een afspraak konden maken.'

'Ik zou niet weten waarom.'

'Ik heb een paar vragen, in verband met de dood van Jennifer.'

'Ach, hemel. Jij hebt wel lef.' Lorraine slaakte een diepe zucht. 'Ik had kunnen weten dat jou terugbellen een grote vergissing is. Wat wil je van mij?'

'Dat vertel ik je als we elkaar zien.'

'Kom nou, je gaat toch niet moeilijk doen? Laten we er niet omheen draaien. Jij gaat altijd recht op je doel af. Je bent een hufter, maar wel rechtdoorzee.'

'Kunnen we morgen ergens afspreken?'

'Ik heb het de hele dag erg druk. Werk en afspraken.'

'Morgenavond is ook goed.'

Ze aarzelde. 'Waarom weet ik nu al dat ik er spijt van zal krijgen?' Ze zweeg even, alsof ze nog een besluit moest nemen. 'Oké, kun je om halfvijf bij mijn huis zijn? Ik heb een dinerafspraak, maar een paar minuten kan ik wel vrijmaken voor jou. Voor Jennifer. Ik woon tegenwoordig in Torrance.'

'Ik heb je adres,' moest Bentz bekennen.

'Ja, dat dacht ik al.' Er klonk een schampere ondertoon in haar stem.

'Tot dan,' zei hij, maar de verbinding was al verbroken.

Hij voegde in op de snelweg en probeerde de nieuwe informatie te ordenen. Dat was niet veel. Een Chevrolet Impala met een parkeervignet: die auto kon iets met Jennifer te maken hebben. Maar de andere auto's daar ook.

En dan Shana. Zij was de enige in Los Angeles die van San Miguel wist. Of ze gaf hem die informatie om hem daarheen te sturen, zodat 'Jennifer' kon verschijnen. Welke rol speelde Shana werkelijk?

Het was weinig, maar hij wist toch meer dan twee uur geleden. Misschien zou het niets opleveren, maar het was een begin.

'Wil jij zeggen dat deze dubbele moord een herhaling van de zaak-Caldwell is?' vroeg Corrine aan Hayes, toen hij zijn jasje ophing in de vestibule van haar appartement. Met twee slaapkamers en een fantastisch uitzicht op de bergen was het een kleine, maar schitterende woning. Schoon en netjes, net als de eigenares.

'De zaak is identiek. Tot en met hoe de kleding was opgevouwen, de linten in het haar, en de manier waarop de lichamen waren neergelegd.' Hayes was moe en hongerig.

Ze schudde haar hoofd. 'Weet je de namen?' vroeg ze met een zorgelijke blik.

'Ja, de dader liet hun identiteitsbewijzen achter. Elaine en Lucille Springer.'

'Verdomme!' Ze slaakte een zucht. 'Ik herinner me een melding van vermiste personen, uit Glendale.'

'Klopt.'

'Wat een klootzak.' Ze streek de haren uit haar ogen en staarde uit het raam. 'Allebei dood. Net als die andere tweeling.'

'Exact.'

'Heb je de familie ingelicht?'

'Ja, ik heb de ouders gesproken,' zei hij, zich hun ontkenning herinnerend. Hun ergste vermoedens waren uitgekomen, de afschuw en het verdriet. 'Aardige mensen. Hij is verzekeringsagent, en zij lerares.'

Corrine knikte star, en in haar ogen was een schaduw, alsof ze de pijn voelde van de ouders die ze nooit ontmoet had. 'Ik herinner het me,' zei ze zacht.

'Ze kwamen naar het mortuarium, deden de identificatie, en je zag dat die mensen gebroken waren.' Hayes schudde meewarig zijn hoofd en streek met zijn hand over zijn gezicht. Hij dacht weer aan het echtpaar Springer: vader George, gekleed in kaki shorts en een Izod-golfshirt, werd bleek onder zijn gebruinde huid. Zijn vrouw Cathy, de moeder van de tweeling, was zwijgend binnengekomen, als een zombie, en haar gezicht leek een masker van ontkenning. O, god, het was afschuwelijk geweest.

Hayes liet zich in de fauteuil voor de televisie zakken. De stoel stond dicht bij de huisbar met krukken die de kleine keuken van de woonruimte scheidde. Corrine kwam achter hem staan en masseerde zijn schouders.

'Het is nooit gemakkelijk,' zei ze.

'Hun twee kinderen. Weg.' Eerst waren ze gelukkige ouders, bezig met hun dagelijkse bestaan, en even later waren ze totaal ontredderd. Hayes had tevergeefs geprobeerd het gezicht van Cathy Springer te vergeten, de ontkenning die plaatsmaakte voor afgrijzen, tot haar knieën knikten en ze werd opgevangen door haar bevende man.

'Nee!' jammerde Cathy steeds weer, en haar smartelijke kreten echoden door de lange gang. Ze beukte met haar gebalde vuisten op de borst van haar man, die haar probeerde te kalmeren.

En George, de vader, was ontredderd en verslagen. Hij keek beschuldigend naar de politieman. Hayes begreep wat de man dacht. *Waarom mijn meisjes? Waarom? Waarom niet jouw dochters, of die van een ander? Waarom mijn lieve onschuldige dochters?*

Hayes zou precies zo denken als zijn eigen Maren iets overkwam.

'Je zult de schoft die dit gedaan heeft grijpen,' zei Corrine bemoedigend.

'Dat hoop ik.'

'Ga daar maar van uit. Als het niet met hulp van de goden is, dan wel door vakwerk van de politie. Met technische recherche en moderne tests is veel te bereiken. Twaalf jaar geleden hadden we nog niet de helft van de technieken waar we nu over beschikken. Die moordenaar is de klos. En als hij inderdaad de Twenty-one-moordenaar is, dan hebben we dubbel beet. Dan hebben we iets te vieren.'

Hayes wilde het graag geloven.

Corrine masseerde zijn schouders en probeerde zijn verkrampte spieren losser te maken. 'Wat dacht je van een borrel?' stelde ze voor. 'Ik heb pasta, van die strikjes...'

'Farfalle?'

'Ja, met pesto en een paar Italiaanse worstjes.'
'Ik dacht dat jij een Ierse meid was?'
Ze lachte. 'Ja hoor, maar de kool en cornedbeef zijn op.' Haar vingers waren sterk en troostend, maar met zijn gedachten bleef Hayes bij de moordzaak. Waarom had de dader juist nu weer toegeslagen? Waarom was de tweeling Springer het slachtoffer? Wie was deze moordenaar? Zou hij spoedig nog eens toeslaan of weer twaalf jaar wachten?'
'Praat tegen mij,' zei Corrine, terwijl ze hem masseerde. Dat deden ze altijd, als een van beiden piekerde over een heel ernstig misdrijf.
'Jij gelooft echt dat beide zaken verband met elkaar houden?'
'Dat moet wel.'
'Nee hoor. Pas op voor tunnelvisie.'
'Hoe kan een imitator de details kennen van een twaalf jaar oude moordzaak, terwijl die nooit aan de pers bekend zijn gemaakt?'
'Politiemensen zijn wel eens loslippig.'
Hayes keek haar aan. 'Tegen moordenaars?'
'Misschien zonder het te weten. Of mogelijk had iemand te veel biertjes op en werd wat hij zei afgeluisterd.'
'Dat is wel vergezocht.'
'Oké, of er werd gepraat in de bajes. De Twenty-one-dader zit voor een ander vergrijp achter de tralies en praat zijn mond voorbij. Zijn celgenoot is voorwaardelijk vrij en pakt de draad op waar zijn maat gebleven is.'
'Dat denk ik niet.'
'Ik probeer je alleen op alternatieven te wijzen. Deze moord kan heus wel door een imitator gepleegd zijn.' Zijn schouders knedend boog Corrine zich naar voren en kuste zijn voorhoofd. 'Misschien heb je gelijk, en is Twenty-one terug om weer in actie te komen. Controleer de lijst met onlangs vrijgelaten gedetineerden ook maar.'
'Dat wordt al gedaan.'
'Wist ik toch.'
Hayes keek op en zag dat Corrine grinnikte. 'Bentz is weer in de stad,' zei hij.
Corrine knikte. 'Dat nieuws heb ik gehoord. Iedereen op kantoor heeft het erover.'
Hayes fronste, maar Corrine haalde haar schouders op. 'Trinidad zal het wel verklapt hebben, denk ik.'

'Sommige mensen zijn er niet bepaald blij mee.' Hayes keek haar uitdagend aan.

'Je bedoelt Bledsoe?' vroeg ze.

'Ik dacht eerder aan jou.'

'Nou, ik ben niet bepaald de voorzitter van de Rick Bentz-fanclub, maar wat er ooit is gebeurd is al zo lang geleden.' Ze knipoogde. 'En trouwens, ik heb nu toch een veel leukere vriend?'

'Jij hebt Bentz nog niet gezien.'

'Oké, je hebt gelijk. Dat moet dan nog gebeuren.'

'Hij revalideert nog steeds na dat ongeluk. Soms loopt hij met een wandelstok.'

'Dus je wilt dat ik nu medelijden met hem krijg?'

'Dat bedoelde ik niet. En je bent geen... Niet meer.'

'Mooi zo.' Corrine zuchtte en schudde haar hoofd. 'Het is wel bizar. Hij was toch al heel lang weg, tien jaar toch?'

'Twaalf jaar.'

'Echt waar? O ja, hij vertrok toen de Caldwell-tweeling vermoord was... Maar dat is wel heel toevallig.' Ze trok een grimas. 'Dat moet wel toeval zijn.' Ze keek hem aan en hij kon bijna zien dat haar gedachten in een hogere versnelling schoten. 'Ja toch?'

'Dat moet wel.'

'Mee eens. Maar dat Bentz hier plotseling opduikt heeft wel heel wat beroering veroorzaakt. Terwijl jij op de plaats delict was ging het bericht als een lopend vuurtje door het hele bureau. Is dat niet vreemd?'

'Wie kan het iets schelen?' vroeg Hayes.

'Nou, om te beginnen Bledsoe. Die heeft geweldig de pest in, al zou ik niet weten waarom. Bentz is toch niet hierheen gekomen om werk te vragen?'

'Bledsoe heeft altijd de pest in.'

'Ja. En volgens mij is Trinidad nerveus, maar waarom weet ik niet. Waarschijnlijk omdat hij vroeger een bevriende collega was van Bentz. Hij wil daar niet aan herinnerd worden.'

'En wat denk je van Rankin?' Hayes dacht hardop.

'Wie weet? Het is allemaal erg lang geleden.'

'Ze had het moeilijk met Bentz.'

'Dat gold voor ons allemaal,' plaagde Corrine. 'Blijf toch eten, je weet dat ik lekker kook.'

'Dat weet ik, maar ik heb geen trek. Sorry.'

Ze zuchtte en knikte. 'Ja, dat kan ik begrijpen.' En dat was ook zo: Corrine O'Donnell was een uitstekende rechercheur geweest, die veel grote onderzoeken had geleid, tot ze tijdens een achtervolging werd aangereden door een auto en haar been had gebroken. Ze was blij dat ze het overleefd had, maar sindsdien kon ze alleen nog kantoorwerk op het bureau doen. Voor haar geen actieve dienst meer. Ze deed veel aan fitness, ze was sterk en gezond, maar haar knie bleef een probleem. Ze probeerde het te verbergen, maar toch hinkte ze af en toe een beetje. Hayes wist dat ze het nog erger vond dat ze geen hoge hakken meer kon dragen.

'Ik zal een borrel voor je inschenken.'

'Ik moet eigenlijk terug naar het bureau.'

'Morgen is vroeg genoeg,' zei ze, in de vriezer zoekend naar ijsklontjes. 'Die arme meisjes komen toch niet meer terug.'

Dat was waar, al wisten ze allebei dat de eerste uren na een moord altijd cruciaal zijn. Naarmate de tijd tussen het plegen van een moord en het verzamelen van bewijsmateriaal langer duurt, worden de kansen kleiner dat de dader gepakt wordt.

'Het is wel bizar dat die Twenty-one-moordenaar na zoveel jaar opeens weer actief is.' Corrine keerde terug met een stevig glas whisky en gaf hem ook een koud blikje gingerale. 'Je mag zelf mixen.'

Ze knipoogde naar hem en Hayes glimlachte voor het eerst weer sinds hij de lijken had gezien. Haar gezelschap was prettig, ze stelde weinig eisen en ze begreep hem. Veel beter dan zijn respectieve echtgenotes. En ze was aantrekkelijk. Slank en elegant, met het postuur van de marathonloopster die ze ooit was. Corrine O'Donnell was iemand om rekening mee te houden. Haar diepliggende ogen waren groot, een beetje grijzig en als ze opgewonden raakte verscheen er een donkere gloed in. Hayes besefte dat hij verliefd op haar kon worden, al daagde ze hem niet uit.

En toch.

'Hoor eens, Hayes, je hebt nu geen dienst. Neem een borrel, misschien wat minder sterk dan dit spul, want jij en ik weten allebei dat je weer teruggaat naar het bureau.' Ze pakte het glas weer uit zijn handen en liep ermee naar de keuken, om even later met een flesje bier terug te komen. 'Eerst even relaxen, dan eten we wat en daarna ga je weer aan het werk.'

'Vind jij dat een goed plan?' vroeg hij sceptisch. Delilah zou een woedeaanval krijgen, maar ja, Delilah had nooit bij de politie gewerkt.

'Goed plan? Ach, ik vind het niet geweldig, maar het is prima. Als jij de dader pakt, dan smijt je hem in de cel, en je komt in looppas terug hierheen.'

'Dat kan wel eens langer dan een paar uur duren,' zei hij, en nam een flinke slok uit het flesje Coors-pils.

'Zelfs voor een superspeurneus zoals jij?' reageerde ze spottend. Ze liep om de fauteuil heen en legde haar slechte been op zijn schoot. 'Welnee...' Daarna kuste ze hem vurig. Haar lippen waren warm en gewillig.

Zijn lichaam, toch al gespannen, reageerde meteen. Hij beantwoordde haar kus, voelde haar tong tegen de zijne en zijn penis kwam tot leven. Ze frummelde al aan zijn stropdas en hemdknoopjes en zijn handen bewogen over haar billen, haar jeans sjorde hij naar beneden.

De volgende twintig minuten was Jonas Hayes de dubbele moord helemaal vergeten.

Bentz stopte bij een afhaalrestaurant in Culver City, een paar straten verwijderd van zijn motel. Hij bestelde een broodje pastrami met koolsla en een Pepsi, bij een knaap die nog helemaal geen zestien jaar oud leek. De jongen had een naambordje met ROBBIE op zijn shirt bevestigd, hij leed ernstig aan acne en naar zijn gezicht te oordelen zou hij overal liever zijn dan achter de balie van Corner Deli. In het restaurant waren nauwelijks klanten. Bentz hoopte maar dat het wegens het late uur was, en niet vanwege de kwaliteit van het eten. Een andere jongen veegde de vloer, terwijl Robbie de bestelling van Bentz in orde maakte.

Een kwartier later was Bentz in zijn motelkamer en hij at aan het bureau. Happend van zijn sandwich werkte hij met zijn laptop en maakte een lijst van de auto's die hij gezien had en de kentekenplaten die hij gefotografeerd had bij het winkelcentrum en bij de missiepost. Hij baalde dat hij de nummerplaten van de Chevrolet Impala niet had gefotografeerd, maar van de andere auto's kon hij de kentekens wel noteren.

Hij had geen printer, daarom stuurde hij een e-mail naar zichzelf om de gegevens later af te drukken. Daarna zou hij aan Hayes vragen wie de eigenaren waren van de auto's die bij de vervallen missiepost geparkeerd stonden.

Hij had zijn sandwich opgegeten en veegde zijn vingers af aan een servetje, voordat hij op internet ging zoeken naar medische instellingen in de omgeving, voor het geval de zilvergrijze Impala op de een of andere manier verband hield met de verschijning van Jennifer. Zijn speurtocht in de wijde omgeving leverde honderden namen op.

Er moest een manier zijn om dat aantal kleiner te maken.

Hij dronk zijn cola op, liet de ijsklontjes rammelen in het glas en dacht na over de auto's op het parkeerterrein. Het leek een idee-fixe, maar het was wel iets waar hij mee aan de slag kon.

Bentz betwijfelde dat de bestuurder van de Impala in San Juan Capistrano woonde, en daarom richtte hij zich vooral op Los Angeles. Culver City lag hem te veel voor de hand. Weer bleek de lijst erg lang.

Fronsend leunde hij achterover op de bureaustoel, en staarde naar de monitor. Waardoor was zijn argwaan over dat parkeervignet op de Chevy gewekt? Het moest iets bijzonders zijn. Het vignet was verbleekt in de zon, zodat de cijfers amper leesbaar waren. Het was alsof de eigenaar van de vergunning die al heel lang niet verlengd had. Mogelijk een medewerker van een ziekenhuis die met pensioen was, of een andere baan had gekregen, of de auto had verkocht?

Met een pen op het bureau tikkend sloot hij zijn ogen en bekeek in gedachten het parkeervignet opnieuw. Er waren cijfers en een datum, de naam van een ziekenhuis en nog iets anders... een logo of een plaatje... Een bekend symbool, dat door de donkere hoeken van zijn brein zweefde en maar niet naar de voorgrond wilde komen. Bentz concentreerde zich, maar zonder resultaat. Het symbool ontglipte hem en hij gaf het op. Vroeg of laat zou hij zich weer herinneren wat er belangrijk aan was.

Dat hoopte hij.

Hij verzamelde de restanten van zijn maaltijd en gooide alles in de afvalbak. Nadat hij de airco lager had gezet deed hij wat oefeningen, liggend op een handdoek die hij op het kleed had uitgespreid. Zijn been was al pijnlijk, maar hij bleef zwetend bewegen tot zijn spieren verkrampten. Hij kwam overeind en liep naar de douche.

Met een klein zeepje en shampoo waste hij het zweet en stof van de dag af. De douchestraal was zwak maar warm en hij liet het water over zijn heup en knie stromen. Het pijnlijk kloppende gevoel deed hem beseffen dat hij oud werd en dat hij nog niet hersteld was. Hij kon ook niet op geesten jagen door vervallen gebouwen, over verwaarloosde binnenplaatsen en door duistere gangen zonder dat hij daar een prijs voor moest betalen.

Met een onmogelijk dunne handdoek droogde hij zich af en zette de televisie met de afstandsbediening aan, voordat hij zich op het bed liet vallen.

Hij vond een zender met het laatste nieuws.

Beelden van een misdrijf. De camera bewoog langs een viaduct van de snelweg, politieagenten binnen een afgezet gebied, een opslagruimte achter een verslaggeefster in een blauw colbert. Met een microfoon in haar hand keek ze ernstig in de camera en zei: 'Vandaag werden hier in een bergruimte onder autoweg 110 de lichamen van twee meisjes aangetroffen, die volgens bronnen zusjes zijn – een tweeling. Ze werden het slachtoffer van een tragische dubbele moord.'

'Wat?' Bentz verstarde. In zijn hand hield hij de afstandsbediening nog vast en hij keek gefixeerd naar het kleine televisiescherm.

'De namen van de slachtoffers zijn nog niet bekendgemaakt, omdat eerst de familie ingelicht moet worden. Volgens een anonieme bron die betrokken is bij het onderzoek werden de meisjes eerder op de dag als vermist opgegeven, en het is vandaag hun eenentwintigste verjaardag.' De verslaggeefster pauzeerde even veelbetekenend en voegde er dan aan toe: 'Helaas hebben ze het verjaardagsfeest niet meer kunnen vieren met hun familie en vrienden.'

'Wel allemachtig!' Bentz zat meteen rechtop en staarde naar de televisie. Een gevoel van déjà vu greep hem naar de keel. *Een tweeling? Vermoord op hun eenentwintigste verjaardag?* Het beeld veranderde en Bentz zag rechercheur Andrew Bledsoe, die een paar kilo zwaarder was dan Bentz zich herinnerde en nu met grijze strepen in zijn zwarte haren in gesprek met de verslaggeefster. Bledsoe keek ernstig en bezorgd, maar hij liet weinig concreets los. Bentz besefte wat dit betekende.

Hij liet zich terugvallen op het kussen en voelde zich misselijk.

Bledsoe vertelde weinig, maar Bentz had de boodschap begrepen.

De politie van LA vreesde dat de Twenty-one-moordenaar, de krankzinnige die in het verleden toegeslagen had en nooit gepakt was, weer terug was.

En dat hij zich wilde wreken.

Hoofdstuk 15

'Het spijt me!' zei Bentz, en zijn stem echode als in een tunnel. 'Dit moet ik gewoon doen!'

'Nee! Je moet niet gaan, Rick! Laat me niet alleen, laat ons niet alleen.' Olivia rende achter hem aan door de duisternis. Haar benen bewogen snel, maar voelden stram als hout. Ze struikelde over de rails en het grind van de spoorbaan. Ze werkte zich met bonzend hart naar voren. Hij was niet ver voor haar, maar met zijn gezicht naar haar gekeerd rende hij toch weg van haar.

'Rick!' krijste ze. 'Stop!'

'Kan ik niet.'

'Maar de baby, Rick... We krijgen een baby!'

Een ander geluid, hard en schel. Het geraas van een zware motor en geknars van wielen op rails.

Bentz keerde zich om, alsof hij het niet gehoord had en hij draafde verder door de holle tunnel. Olivia bleef hijgend achter, rennend probeerde ze de grote locomotief met het onheilspellende licht voor te blijven.

Nee!

Een schril gefluit weergalmde, zo luid dat haar trommelvliezen dreigden te barsten.

Nee! O, jezus, nee!

'Rick! Help!' schreeuwde ze. Het einde van de tunnel leek te krimpen en steeds verder weg.

Haar hart bonsde heftig en haar benen waren zwaar, zo loodzwaar...

'Bentz!' Ze wilde gillen, maar haar keel werd dichtgeknepen en haar stem klonk als gefluister.

Hij keerde zich even om en ze zag zijn politiebadge oplichten in het zonlicht. 'Dat kan ik niet,' zei hij. De dag veranderde in nacht en opeens was hij niet meer alleen. Een vrouw was bij hem, een beeldschone vrouw met lang donker haar en dieprode lippen. Ze pakte zijn hand, haakte haar vingers in de zijne en met een triomfantelijke en tegelijk boosaardige glimlach trok ze hem mee.

'Nee! Wacht, Rick...'

De trein kwam donderend dichterbij, de rails trilden. Ze struikelde en kon amper overeind blijven.

Een ijselijk gefluit snerpte en de wielen krijsten. Het geluid van metaal knarsend op metaal was oorverdovend, de geur van dieselrook drong scherp in haar neus.

Stoom kringelde overal rond haar.

Help me! Red mijn baby!

Maar haar schietgebed werd niet verhoord door het weergalmende geraas en wolken stoom in de lange tunnel.

'Nee!' gilde ze, wakker schrikkend.

Haar hart bonkte heftig en ze was helemaal bezweet, de lakens op haar bed waren verfrommeld. Lieve god, het was een droom. Alleen maar een ellendige nachtmerrie. Ze haalde een paar keer diep adem en keek naar de klok. Kwart over drie in de nacht. Ze kon nog een paar uur slapen, voordat ze eruit moest en zich moest aankleden om een dag lang te werken in de winkel.

Ze ging rechtop zitten, streek het haar uit haar ogen en besefte dat haar vingers nog beefden van de angstdroom.

Vanuit zijn mand op de vloer tilde Hairy S zijn slaperige kop op. Zijn oren schoten overeind en hij kwispelde hoopvol met zijn staart.

'Ja hoor,' zei Olivia, 'kom maar op het bed.'

De hond had geen aansporing meer nodig. Hij kwam uit zijn mand, en met een sprong belandde hij op het grote bed, in de buurt van Olivia's hoofdkussen. Hij likte enthousiast haar gezicht en kroop onder de lakens. Olivia liet zich weer zakken. Met een hand krabde ze achter Hairy's oren. Zijn warme lijf lag dicht tegen haar aan.

Niet te vergelijken met de omhelzing van Rick, maar ze kon het ermee doen. Wat deed hij toch in hemelsnaam in LA? Een schim achternajagen, of een droom? Ze wilde er niet aan denken dat hij nog steeds iets voelde voor zijn overleden ex-vrouw, maar ze wist wel beter. Zijn schuldgevoel nam hem helemaal in beslag, en iemand loerde op hem.

Wie?

Die knagende vraag hield haar al bezig sinds Rick haar de overlijdensakte met dat gekraste vraagteken had laten zien, en spookte telkens weer door haar gedachten. Olivia wist niet wat ze van geestverschijningen moest denken. Ze had zelf ervaring met onverklaarbare en misschien wel paranormale zaken. Ze had toch zelf al eens door de ogen van een gestoorde en sadistische seriemoordenaar gekeken?

Ze keek weer naar de klok. Het was nu pas tien voor halftwee 's nachts in Los Angeles. Was Rick nog wakker? Dacht hij nu aan haar? Joeg hij achter een droombeeld aan? Ze streek over haar nog platte buik en vroeg zich af of zij met Rick en de baby ooit een normaal leven zou leiden.

Ja, maar wat is dat? Je wist toch waar je voor tekende, toen je met een workaholic trouwde?

Zuchtend sloot ze haar ogen, vastbesloten zich te ontspannen en weer in slaap te vallen. Ze begon juist weg te doezelen toen de telefoon rinkelde. Ze glimlachte naar de hond. 'Ik denk dat hij ook niet kan slapen.'

Ze nam op en zei: 'Hoi,' met een vrolijke toon in haar stem.

'Weet jij wel wat jouw man uitspookt in Californië?' klonk een schorre vrouwenstem.

'Wat?' Olivia was opeens klaarwakker. Van schrik kreeg ze kippenvel. 'Met wie spreek ik?'

'Hij is op zoek naar háár. En weet je waarom? Omdat ze zijn grote liefde is. Niet jij, maar Jennifer. Hij heeft haar nooit kunnen vergeten.'

'Met wie spreek ik?' wilde Olivia weten.

Maar de verbinding was al verbroken.

'Kutwijf!' siste Olivia in de telefoonhoorn. Ja, ze wist heus wel dat Rick in LA was. En ze wist ook dat hij op zoek was naar Jennifer, of naar een vrouw die zich als Jennifer voordeed. Ze keek naar het scherm, maar de beller was anoniem. Geen naam, geen telefoonnummer. Onmogelijk om na te gaan wie haar gebeld had. *Het is onbelangrijk, gewoon een mafkees die Bentz kent en weet dat hij in LA is, om uit te zoeken wat er precies met Jennifer gebeurd is.*

Maar er waren niet zoveel mensen die dat wisten. Tenminste niet hier in New Orleans. Alleen Montoya en zijzelf. Dus moest het telefoontje afkomstig zijn van iemand anders, en ze wist wel zeker dat er gebeld was vanuit Californië.

Bentz had kennelijk wat in beweging gebracht. En dat was ook wat hij wilde.

Ze legde de telefoonhoorn weer terug en overwoog Rick te bellen om te vertellen wat er gebeurd was, maar ze besloot dat niet te doen.

Nu niet.

Ze wierp de lakens van zich af en liep naar de keuken, schonk zichzelf een glas water in en dronk het leeg. Ze staarde over het aanrecht uit het raam naar de tuin en zag het maanlicht door de cipressen schijnen.

Even later zette ze het lege glas in de spoelbak en controleerde nog eens of alle deuren en ramen wel goed afgesloten waren.

Daarna kroop ze weer in bed.

Ze keek nog een keer naar de digitale klok en besloot dat ze Rick over vijf uur zou opbellen en hem vragen wat er in hemelsnaam allemaal aan de hand was.

Bentz bleef wakker en volgde de nieuwsberichten, of hij zocht naar informatie op internet. Waarom had de Twenty-one-moordenaar, of een of andere idiote imitator, besloten weer toe te slaan, na zoveel jaren? Het was al te laat om Olivia te bellen. Hij besteedde een paar onrustige uren aan piekeren over de moord op Delta en Diana Caldwell. Het was een drama voor de nabestaanden: de door verdriet verslagen ouders en een oudere broer van de tweeling, zijn naam begon ook met een D... Donny of Danny... Nee, Donovan. Dat was de naam! Die broer van de tweelingzusjes was acht jaar ouder toen de tragedie plaatsvond, en hij moest proberen het diepgetroffen gezin bij elkaar te houden. Kennelijk was dat tot mislukken gedoemd, want jaren later had Bentz gehoord dat de ouders toch gescheiden waren.

Toen Bentz zijn ogen sloot zag hij in gedachten weer hoe de slachtoffers aangetroffen waren: naakt, met de gezichten naar elkaar gekeerd en aan elkaar vastgebonden met een rood lint dat hem aan bloed deed denken. Bij de eerste aanblik had Bentz bijna overgegeven.

Denkend aan de Caldwell-moorden piekerde hij of hij toen wel met zijn volle aandacht bij het onderzoek was. Hij had zo goed hij kon aan de zaak gewerkt, gezien zijn eigen geestelijke toestand, maar dat was niet genoeg. Bledsoe had gelijk. Bentz had het naar Trinidad doorgeschoven. En nu waren kennelijk twee andere meisjes het slachtoffer geworden van dezelfde maniak.

Misschien zou deze dubbele moord niet gepleegd zijn als hij scherper had opgelet bij de zaak-Caldwell. Dan zouden deze onschuldige meisjes nu nog in leven zijn.

***

Na een slapeloze nacht besloot Bentz zijn hulp aan te bieden bij het onderzoek naar de dubbele moord. Hij wist dat hij niet echt een medewerker van de politie in LA was, maar hij kon wel adviseren, omdat hij destijds de leiding had bij de zaak-Caldwell.

Hij zei dat toen hij zijn oud-collega belde om meer informatie.

'Shit, Bentz, je weet toch dat ik niet over die zaak kan praten,' zei Trinidad. 'En gezien de reden waarom jij weer naar LA bent gekomen – ik hoorde een en ander van Hayes – wil ik dat ook niet. Ik moet aan mijn pensioen denken. Ik wil niets doen om dat in gevaar te brengen. En dan bedoel ik niet deze nieuwe moordzaak. Ik praat niet met jou, niet met mijn vrouw en niet met de pers. Ik zeg helemaal niets tegen niemand!'

'Maar ik werkte aan die eerste zaak.'

'Dan ga jij ervan uit dat beide misdrijven met elkaar verband houden.'

'Dat is ook zo.'

'En jij weet dat zo zeker omdat je een nieuwsflits op het journaal hebt gezien? Laat het toch rusten, Bentz. Ik zal open kaart met je spelen: niemand hier wil jouw hulp.'

Bentz gaf het niet op. De herinnering aan de zaak-Caldwell spoorde hem aan weer te telefoneren. Nu met Hayes.

'Ik verwachtte al een telefoontje van je,' zei de rechercheur. 'Dit is politiewerk, Bentz. Jij hebt er niets mee te maken. Ik steek mijn nek toch al voor jou uit. Dus je moet het niet eens voorstellen, dan zijn we allemaal veel beter af.'

Bentz beëindigde het gesprek, maar hij moest toch iets doen. Daarom belde hij Andrew Bledsoe.

Die was niet blij de stem van Bentz te horen.

'Jezus, Bentz, jij hebt wel lef om op te bellen nadat je mij en iedereen hier hebt laten barsten. En nu wil jij graag meer informatie? Ben je helemaal gek geworden? Je weet best dat ik niets aan jou kan vertellen. Shit, heb je nog niet genoeg schade aangericht binnen het politiekorps, of ben je dat vergeten? Toen konden we nog als collega's met elkaar praten. Dat beviel mij toen niet, en nu nog steeds niet. Wat heeft dit te betekenen? Waarom bel je mij eigenlijk? Wil niemand anders met je praten?' Bledsoe raasde maar door. 'Allemachtig, jij probeert wel het onderste uit de kan te krijgen, nietwaar? Weet je wat: lees over deze zaak maar in de krant, zoals ieder ander.'

Bledsoe smeet de hoorn op de haak, nog steeds verwensingen mompelend.

Bentz had niet verwacht dat iemand voor hem zou buigen als een knipmes. Toch was het frustrerend dat niemand hem meer details wilde vertellen over de dubbele moord, terwijl dit misdrijf hoogstwaarschijnlijk verband hield met de zaak waar hij het laatst aan had gewerkt in LA. De gruwelijke dubbele moord die hij toen niet kon oplossen.

Hij piekerde daar nog over toen Olivia hem opbelde. Op weg naar de winkel besloot ze hem te bellen. Eerst reageerde ze ontwijkend toen hij vroeg waarom ze al zo vroeg belde, maar Bentz vermoedde dat er een reden was en dat zei hij ook.

'Ik kan toch gewoon opbellen omdat ik je mis?' zei ze.

'Tuurlijk, altijd.' Maar dat was niet haar stijl.

'Ik hoop alleen dat je daar gauw klaar bent. Hoe gaat het?'

'Niet zo snel als ik hoopte,' erkende Bentz. Hij wilde niet vertellen dat hij Jennifer had gezien bij de oude missiepost. Hij wilde daar met niemand over praten, voordat hij wist met wie hij te maken had, en voordat hij concrete bewijzen had dat ze daar inderdaad geweest was. Maar hij vertelde Olivia wel over de dubbele moord en dat die een kopie leek van de laatste zaak waaraan hij in LA gewerkt had, twaalf jaar geleden.

'En jij denkt dat die maniak weer in actie komt omdat jij in Californië bent?' vroeg Olivia sceptisch.

'Ik weet niet wat ik moet denken,' bekende hij.

'Wil de politie in LA wel hulp van jou?'

Bentz lachte schamper. 'Wat denk je zelf?'

'Is het zo erg?'

'Nog erger. Ze willen dat ik meteen ophoepel, geloof ik.'

'En ben jij dat ook van plan?'

'Ach, ik denk er wel over. Aangezien jij me zo vreselijk mist.'

'Zeg, geef mij niet de schuld. Jij bent bezig met een of andere missie. Maak die eerst af, ik red me wel. En ik wil me niet schuldig voelen omdat jij speciaal voor mij terugkomt terwijl je daar nog niet klaar bent. Beslist niet.'

'Ik maak het zo snel mogelijk af,' beloofde hij. Na het telefoongesprek had Bentz het gevoel dat Olivia toch iets voor hem verborgen hield. Hij voelde dat er meer aan de hand was, en dat maakte hem bezorgd, zeker na wat er in Los Angeles was gebeurd. New Orleans was ruim drieduizend kilometer ver, maar hij had 'Jennifer' meer dan eens in Louisiana gezien, en die overlijdensakte was naar New Orleans gestuurd; dus wist degene die hier achter stak waarschijnlijk ook wel dat Bentz getrouwd was.

Bentz begreep dat hij het belangrijkste doelwit was, maar de gemakkelijkste manier om hem te treffen was via zijn geliefden. En dat besef gaf hem een akelig knagend gevoel.

Hij moest wel onder ogen zien dat Olivia en Kristi in gevaar konden zijn.

Tegen het middaguur had hij enkele koppen koffie gedronken, en een exemplaar gekocht van elke krant die op straat te koop was. Hij had urenlang alle nieuwsberichten gelezen over de dubbele moord en wist nu de namen van de slachtoffers en wat meer details van het misdrijf. Uiteraard werd veel informatie niet bekendgemaakt door de politie, om zo de echte dader te kunnen traceren. Want hoe misselijk ook, er waren altijd aandachttrekkers die beweerden verantwoordelijk te zijn voor de vreselijke wandaad. Zulke mensen kickten op belangstelling van de media, of ze waren geestelijk zo gestoord dat ze werkelijk meenden de moordenaar te zijn, hoe huiveringwekkend die ook had toegeslagen. Een dubbele moord kreeg altijd meer aandacht van de pers, en dan waren er ook meer valse claims.

Het was allemaal heel vervelend.

Montoya had de ochtend doorgebracht met het opstellen van een proces-verbaal van een andere moord. De vorige avond was er een steekpartij geweest bij de oever van de rivier, niet ver van het New Orleans Convention Center. Het slachtoffer was bezweken, maar met hulp van getuigen kon de dader gepakt worden. Montoya voltooide het rapport toen Ralph Lee belde uit het lab. Hoewel hij het heel druk had met het onderzoeken van forensisch materiaal, had Lee toch tijd vrijgemaakt om de overlijdensakte en de foto's die naar Bentz waren gestuurd te onderzoeken.

'Er is niet veel houvast,' zei hij, terwijl Montoya achteroverleunde in zijn stoel en zijn hals- en schouderspieren rekte. 'Zo te zien is er niet geknoeid met de foto's. Ik heb in elk geval geen aanwijzingen gevonden dat de afdrukken gemanipuleerd zijn.'

Montoya wist niet of dat gunstig was of niet.

'We hebben wel vastgesteld dat de auto waar de persoon instapte een model van General Motors was, waarschijnlijk een Chevrolet Impala. Je zei dat die foto's vermoedelijk in Californië genomen zijn, en dat klopt wel met de vegetatie, de kentekenplaten en de straatnaamborden. We hebben Colorado Boulevard ontcijferd. Ik heb de foto's vergroot, zodat de krantenkoppen leesbaar werden. Die teksten heb ik gecontroleerd. De *USA Today* en de *LA Times* zijn met zekerheid te dateren op donderdag, twee weken geleden. We hebben nog gezocht naar een reflectie van de fotograaf, maar dat is niet gelukt. Ik heb wel een paar gedeelten van kentekenplaten van auto's die daar in de omgeving geparkeerd stonden. Daar heb ik een lijst van gemaakt, met merk en model, voor het geval die fotograaf ongewild zijn eigen auto heeft gekiekt, als dat niet die Impala was. Wat die overlijdensakte betreft, er is geen DNA aangetroffen op de lijmrand van de envelop. We hebben vingerafdrukken gecheckt met het landelijke bestand, maar geen treffer. De rode inkt is identiek aan de inkt die in Write Plus-pennen wordt gebruikt, maar die zijn overal in het land te koop, en ook in Canada, al worden ze meer in de westelijke staten gebruikt. Die overlijdensakte is authentiek en meer dan tien jaar oud. Dat kunnen we zien aan de papiersoort. Meer heb ik niet.' De laatste woorden van Lee klonken bijna verontschuldigend. 'Ik weet niet of je er iets aan hebt.'

'Jullie hebben prima werk geleverd,' zei Montoya. 'We zijn er echt mee geholpen.'

'Mooi. Ik heb het rapport hier, ik kan het e-mailen of je kunt een kopie krijgen als je die originele documenten komt ophalen. We hoeven die niet te houden, want het is geen lopend onderzoek.'

'Ik kom vanmiddag langs,' beloofde Montoya en hij verbrak de verbinding. Hij had gedaan wat hij kon voor Bentz en zijn rare spokenjacht. Hij zou Bentz opbellen en de informatie doorgeven. Daarna was Bentz misschien zo verstandig weer naar huis te gaan, naar zijn vrouw van vlees en bloed.

Het werd tijd te stoppen met het speuren naar een vrouw die niet meer bestond.

Hoofdstuk 16

Lorraine Newell bewoonde een oudere woning met twee verdiepingen in een doodlopend laantje in Torrance, ten zuiden van het centrum in Los Angeles. De abrikooskleurige verf bladderde af in de zon, en op het groene gazon waren vergeelde plekken, omdat ze buiten bereik van de tuinsproeiers waren.

Dit was niet bepaald het paleis dat Lorraine zich vroeger gewenst had.

Hoewel Bentz een kwartier te vroeg was, drukte hij op de bel, en de deur vloog even later open. Het was alsof Lorraine in de vestibule had gewacht tot de melodieuze gong zijn komst aankondigde.

'Rick Bentz,' zei ze hoofdschuddend, zodat haar donkere haar tegen haar kin bewoog. Jennifers stiefzus leek niet ouder geworden sinds hij haar de laatste keer zag. Ze was klein van stuk, maar probeerde zich zo statig mogelijk te bewegen. Lorraine had Bentz nooit gemogen, en daar maakte ze geen geheim van. Ook vandaag geen gespeelde glimlach of omhelzing, wat Bentz wel prima vond. Er was geen reden om te doen alsof.

'Jij bent wel de laatste persoon die ik hier verwacht had,' zei ze.

'Het kan verkeren.'

'Is dat zo?' Ze deed een stap opzij uit de deuropening en ging hem voor naar de woonkamer, die nog helemaal ingericht was in de stijl van de jaren tachtig, toen haar echtgenoot Earl, een autohandelaar, nog leefde. Bentz herinnerde zich de stoelen met geruite bekleding en een lange, mosgroene zitbank, een marmeren schouw met aan weerszijden veel spiegelpanelen wat de ruimte een vreemde lachspiegelsfeer gaf. De namaakplanten waren stoffig, op de salontafel lagen boeken over Californië en wijnen. Bentz meende dat het dezelfde boeken waren die daar al een kwarteeuw geleden lagen.

'Ga zitten,' wuifde Lorraine naar een fauteuil en zelf ging ze op de leuning van de bank zitten. Ze was gekleed in strakke jeans en een zwarte trui en ze had balletschoenen aan haar voeten. Niet bepaald wat Bentz een zakelijk tenue vond voor een diner met een klant, maar hij had de bestudeerde nonchalance van de Californiërs nooit goed begrepen.

Lorraine kwam meteen ter zake. 'Wat is dit allemaal over Jennifers overlijden?' Ze maakte aanhalingstekens in de lucht om haar mening te benadrukken. 'Je weet dat ik altijd twijfels had over dat ongeluk. En dat zelfmoordverhaal geloofde ik helemaal niet. Dat weet jij ook. Jennifer kon zich wel eens pathetisch gedragen, maar een auto-ongeluk?' Ze schudde haar hoofd. 'Dat was bepaald niet Jens stijl. Pillen misschien wel, maar zelfs dat lijkt me onwaarschijnlijk. Ze was wel een beetje geneigd tot zelfdestructie, maar ze was niet iemand die zelfmoord pleegt.' Lorraine keek op naar Bentz. 'Jennifer was eerder iemand die een zelfmoordpoging zou doen om aandacht te trekken. Maar opzettelijk tegen een boom rijden, zodat ze door de verbrijzelde voorruit vloog? Niets voor haar. Ze had niet eens het lef om zo'n stunt uit te halen. Ze had het kunnen overleven, met littekens, of kreupel.' Lorraine schudde haar hoofd en kruiste haar armen. 'Geen denken aan.'

Bentz toonde haar afdrukken van de foto's, maar hij liet de overlijdensakte niet zien.

'Ach hemel,' verzuchtte Lorraine hoofdschuddend toen ze foto's van haar stiefzus bekeek. 'Dat... die vrouw lijkt inderdaad op Jen. Maar dat is onmogelijk. Misschien heeft een vijand van jou, of iemand die jij achter de tralies kreeg haar gebruikt om jou voor de gek te houden.' Ze keek op. 'En dat is kennelijk gelukt.'

Je moest eens weten. Bentz dacht weer aan de vrouw in zijn achtertuin, en de dromen die hij over Jennifer had. 'Ik zoek alleen naar een verklaring.'

'Een paar foto's van een dubbelgangster zijn niet genoeg voor wat jij doet. Dan zou je niet helemaal hierheen gekomen zijn.' Lorraine fronste. 'Er is nog meer, nietwaar? Iets wat jou hierheen bracht.'

'Ik heb een tijdje vrijaf.'

'Wordt er bij een ander politiebureau gesnoeid in het personeel?'

'Het zijn niet alleen die foto's, Lorraine. Ik denk dat ik haar gezien heb.'

'Ach, jezus.' Ze legde haar slanke hand op haar voorhoofd. 'Dit wordt echt krankzinnig. En wat wil je nu van mij weten? Of ik soms contact met haar had? Dat we samen ergens wat gedronken hebben? Of dat ik haar hier heb uitgenodigd voor een etentje?'

Bentz antwoordde niet. Het was soms beter iemand te laten uitrazen. Hij was vaak meer te weten gekomen door te zwijgen dan door een aantal vragen af te vuren. 'Nou, dan zit je er echt helemaal naast. Dit is gewoon belachelijk.' Ze beende naar het grote raam dat de woonkamer domineerde. Buiten vloog een kolibrie bij de bloesems van een wijnrank.

'Weet je, Rick,' zei Lorraine. 'Je bent echt de weg kwijt. Als Jennifer werkelijk nog leefde, dan zou ik dat weten. Ze zou contact met mij hebben gezocht. Waar heeft ze zich al die jaren schuilgehouden? En als zij niet die vrouw in de verongelukte auto was, wie was dat dan wel? Waarom heb jij dan de verkeerde geïdentificeerd? Je gaat me niet vertellen dat je dronken was.'

'Natuurlijk niet! Ik dacht... ik denk nog steeds dat Jennifer achter het stuur zat.'

'Maar nu ben je daar niet meer zo zeker van, toch? Omdat je foto's hebt van iemand die veel op haar lijkt, en omdat je denkt dat je Jennifer gezien hebt?'

Bentz negeerde de vraag. 'Wat herinner jij je van de laatste keer dat je Jennifer zag?'

'O, nee, wil je werkelijk alles weer oprakelen?' vroeg Lorraine en haar houding verstarde.

'Ja, inderdaad.'

Haar lippen vormden een misprijzende grimas en haar neusvleugels bewogen. 'Oké, ze heeft me een paar dagen voor dat ongeluk opgebeld. Ze had het duidelijk moeilijk, en misschien was ze wel aangeschoten, dat weet ik niet. Ze was in elk geval niet in orde. Toen ik haar vroeg wat er mis was gaf ze jou de schuld. Ze zei dat jij niet geloofde dat ze van jou hield, en dat knaagde aan haar. Ik wist wel dat ze ontrouw was, maar om de een of andere reden was ze nog altijd dol op jou. Nou, op jou én op die priester. Hij was toch jouw halfbroer?'

Bentz' maag kromp ineen, maar hij bleef haar strak aankijken. 'Verder nog iets?'

'Niets waar jij mee te maken had. Soms wens ik dat ze bij Gray was gebleven. Als ze niet weggegaan was bij Alan Gray, dan zou ze nu misschien nog leven. En ze zou rijk zijn. Maar nu...' Ze haalde haar schouders op. 'Ik heb haar gewaarschuwd dat het fout was te breken met Alan, maar ze wilde niet luisteren.'

Bentz kwam overeind en hij probeerde niet met zijn ogen te knipperen. Hij wilde niet dat Lorraine zijn gevoelens kon peilen.

Terwijl ze met hem naar de voordeur liep zei ze: 'Weet je, zelfs al zou Jennifer nog in leven zijn, waarom doe je dit in hemelsnaam? Laat het verleden toch met rust. Je moet geen slapende honden wakker maken. Als jij serieus bezorgd bent, dan moet je het aan experts overlaten. Vertel de politie wat je weet, en laat die onderzoek doen. Jij bent hertrouwd, dus ga naar huis. Geef al je aandacht aan je nieuwe vrouw.' Lorraine opende de deur en wachtte tot Bentz naar buiten stapte. Ze zag een verdorde bloesem van een petunia en plukte die weg. 'Je moet niet twee keer dezelfde fout begaan. Als jij genoeg aandacht geeft aan je nieuwe vrouw, dan zal ze niet op zoek naar een ander gaan, zoals Jennifer deed.'

Bentz negeerde het advies. 'Wanneer je nog iets te binnen schiet, of wanneer je iets van haar hoort...'

'In hemelsnaam, Bentz, ze is dood. D-O-O-D. En ik heb nog nooit gehoord dat iemand terugkeert uit de dood, sinds Jezus Christus. En dat is toch weer een paar duizend jaar geleden.' Lorraine duwde de voordeur achter hem dicht, en zei nog snel: 'Doe Crystal de groeten van mij.'

Bentz nam niet de moeite haar te corrigeren. Kristi had alleen vage herinneringen aan de stiefzus van haar moeder. Sinds de dood van Jennifer had Lorraine nooit opgebeld, nooit een kaartje gestuurd, of op een andere manier contact gezocht met Kristi. En Bentz zag geen reden daar nu verandering in te brengen.

Hij reed weg uit Torrance met weinig nieuwe informatie. Lorraine was vroeger al een onmogelijk mens, en dat was in de loop der jaren niet verbeterd. Maar de grote vraag was toch of zij eerlijk tegen hem was geweest.

Bentz wist het niet zeker. Lorraine had net als Shana haar gram willen halen en dat was haar gelukt. Maar het was wel zeker dat ze Jennifer niet gezien had. Hij keek strak naar de weg, terwijl hij in de richting van Culver City reed. Het verkeer reed stevig door over de snelweg, ondanks de gele mist die boven het gebied kwam opzetten. In het westen leek de zon een gloeiende schijf achter de smog. Bentz opende het raampje op een kier en morrelde aan de knop van de airco, nog steeds piekerend over wat Lorraine tegen hem gezegd had. En dat kwam neer op: 'Pak je spullen en ga naar huis.' Maar Lorraine en hij konden nooit goed met elkaar overweg. En dan die toespelingen op Alan Gray. Bentz had al heel lang niet meer aan die man gedacht. Maar Lorraine was hem niet vergeten.

Zodra hij de borden voor zijn afrit langs de weg zag, besefte Bentz dat hij flink was opgeschoten. Nog een paar kilometer. De telefoon rinkelde op het moment dat hij naar de afrit reed. Op het scherm verscheen het nummer van Montoya en Bentz nam op.

Montoya bracht hem snel op de hoogte van de schaarse nieuwe informatie. En van de zilverkleurige Chevrolet Impala, geparkeerd in San Juan Capistrano. Bentz verduidelijkte: 'Dus ik kijk uit naar een zes, zeven jaar oude oude auto, met kentekenplaten van Californië, en een verlopen parkeervignet van een ziekenhuis.'

'Je weet niet welk ziekenhuis?'

'Nee. Maar er was een logo op dat vignet...' Bentz kon zich niet voor de geest halen hoe het vignet eruitzag. Hij wist het werkelijk niet.

'Ik zag op het tv-journaal dat er weer een dubbele moord is gepleegd, op tweelingzusjes,' zei Montoya. 'Dezelfde dader?'

'Daar lijkt het wel op.' Bentz klemde zijn vingers zo stevig om het stuur dat de knokkels wit werden. Een witte BMW kwam dicht achter hem rijden. Montoya kende de zaak van de Caldwell-moorden, twaalf jaar geleden. Daar had Bentz hem lang geleden over verteld.

'Een imitator?'

'Dat geloof ik niet.' Bentz verwisselde van rijstrook in de richting van de afrit en hij reed achter een oude pick-uptruck geladen met tuingereedschap. Hij liet de wegpiraat in de BMW passeren. Die auto reed echt te hard.

Een andere auto volgde de BMW.

Een zilverkleurige flits schoot voorbij.

Bentz zag de achterlichten en herkende een ouder model Chevrolet Impala. Een donkerharige vrouw zat achter het stuur. En er was een sticker op de voorruit.

Allemachtig!

Jennifer!

Bentz liet de telefoon vallen en gaf vol gas. Op het laatste moment zwenkte de Chevrolet weer van de afrit naar de snelweg, over de witte streep.

'Kom op, kom op,' spoorde hij zijn huurauto aan. De zilverkleurige auto was al een paar honderd meter voor hem, steeds wisselend van rijstrook.

Was dat echt mogelijk?

Welnee.

Met opeengeklemde kaken en zo snel als hij durfde te rijden sneed hij links en rechts langs auto's en trucks, de zilverkleurige auto achterna.

Het leek wel alsof de bestuurster besefte dat ze gevolgd werd en ze maakte nog meer ontwijkende manoeuvres, tussen andere auto's door scheurend, links en rechts inhalend. Het enige wat ze kennelijk belangrijk vond was meer afstand te winnen tussen haar auto en die van Bentz.

Maar Bentz haalde haar langzaam in. Hij won terrein.

Opeens zwenkte ze naar rechts, bijna slippend naar de afrit van Sunset Boulevard. Remlichten flikkerden op, en er werd getoeterd. De Impala verdween over de afrit. Bentz probeerde de auto te volgen, maar een busje blokkeerde hem. De bestuurster, een vrouw met een hoofdtelefoon op en onverschillig voor alles om haar heen, versperde de weg. Ze raakte met haar kleine bus bijna de achterbumper van een grote oplegger, geladen met hout. Het was onmogelijk de beide voertuigen te passeren. Bentz zat vast.

Hij beukte met zijn vuist op het stuur.

Had hij nu maar een sirene en zwaailicht.

Om bij de afrit te komen moest hij achter het busje gaan rijden. Toen hij eindelijk van de snelweg was moest hij wachten voor een rood verkeerslicht. De Chevrolet was door oranje gereden. Bentz klemde het stuur gefrustreerd vast, de vrouw in het busje babbelde onverstoorbaar door.

Bentz keek in de verte en zag de Impala bij de volgende kruising weer door oranje rijden. Hij kon haar nooit meer inhalen.

Zo dichtbij, en toch zo ver...

Kentekenplaten van Californië. Hij fronste. De laatste twee cijfers leken 66, maar de andere tekens kon hij niet lezen.

Toen het licht weer op groen sprong kon Bentz het busje passeren. De zilverkleurige Chevrolet was nergens meer te bekennen.

Adrenaline stroomde door zijn lijf, zijn zenuwen waren tot het uiterste gespannen, en Bentz speurde de omgeving af. Terwijl hij weer voor een rood licht wachtte, ging zijn telefoon.

'Wat mankeert jou?' vroeg Montoya en Bentz vertelde wat er gebeurd was.

'Dus jij denkt dat je dezelfde vrouw op de snelweg zag? Kom nou toch! Hoe groot is die kans?'

'Ze wist dat ik bij Lorraine Newell was.'

'Hoe dan?'

'Weet ik niet. Waarschijnlijk is ze me gevolgd. En had ze een vermoeden wat ik ging doen.'

'LA is een grote stad, en er zijn hier veel donkerharige vrouwen. Dat was Jennifer niet, en ook niet de vrouw die op haar lijkt.'

'Ik zeg je toch dat...'

'Wat? Wat vertel je mij? Dat jij ergens op de weg in een miljoenenstad toevallig degene die je zoekt tegenkomt? De bekende naald in een hooiberg?'

'Het was dezelfde auto. En er zat een vrouw met donker haar achter het stuur. Ik heb haar gezicht niet gezien. Ik zag wel een glimp van dat parkeervignet. Er stond een kruis op, zoals bij ziekenhuizen die verbonden zijn met een kerk.'

'Jij zegt het.'

'En het kenteken eindigde op 66, de andere letters en cijfers kon ik niet lezen.'

'Weet je zeker dat het niet 666 was?'

'Bespaar me je grapjes.'

'Dat is het probleem, Bentz. Dit is gewoon een misselijke grap van die vrouw. Wees toch eens verstandig en kom naar huis. Ik heb hier werk te doen, veel werk. Bel me maar als je weer bij zinnen bent.' Montoya verbrak de verbinding. Bentz reed nog een uur lang zoekend in de omgeving rond.

Hij controleerde parkeerterreinen en zijstraten, speurend naar een zilverkleurige Chevrolet. Er waren veel zilvergrijze auto's, maar nergens zag hij de Impala.

Hij gaf het op en reed binnendoor via Westwood en Beverly Hills terug naar Culver City. Hij was bijna terug bij het motel toen zijn mobiel weer overging. Er verscheen geen nummer op het scherm.

'Met Bentz,' zei hij.

'Pak me dan, als je kan, RJ,' fluisterde een hese vrouwenstem.

Bentz voelde zijn hart in zijn keel kloppen. 'Wat?'
'Je hebt me wel verstaan.'
'Wie bent u?' vroeg hij.
'O, dat weet je wel.' Ze lachte, een akelig kakelend geluid. Bentz kreeg het opeens koud. 'Het kost je alleen moeite te geloven wat voor je neus gebeurt. Ik ben weer terug, RJ, en het goede nieuws is dat jij nog steeds naar mij verlangt.'

Ik kijk in het spiegeltje en zie mijn eigen glimlach. 'Prima werk,' zeg ik tegen mezelf. Rick Bentz rent overal rond, zoekend naar kennissen en vriendinnen van zijn ex-vrouw, en gravend in het verleden. En dat is helemaal perfect.

Het geeft een goed gevoel, dat ik hem eindelijk te pakken heb. 'Jij schoft,' zeg ik hardop, denkend aan zijn scherpe gelaatstrekken. 'Jij verdient dit.' Tijdens het rijden schop ik mijn hoge hakken uit en geef gas met mijn blote voet. Mijn tenen krullen om het gaspedaal. Ik voelde zijn ergernis aan de telefoon en dat was een kick. Hem volgen en kijken hoe hij achter een schim aan jaagt.

Ik voel de adrenaline, en dat moet zo blijven.

Als ik het viaduct nader, gooi ik de telefoon op de passagiersstoel en ik open het raampje. Ja, er hangt smog, maar dit is LA. Uiteraard is er lichte nevel. Maar de wind strijkt door mijn haren als ik naar de afrit rijd.

Een prepaidtelefoon is perfect: onmogelijk de gesprekken te traceren.

Arme Bentz. Hij zal mij niet kunnen vinden, niet voordat ik dat wil.

Hij is met open ogen in de val gelopen die ik vóor hem opgezet heb. Misschien is hij niet meer zo slim.

Mooi.

Hij heeft nooit geweten dat ik hem schaduwde. Ik wist precies wanneer hij bij Shana McIntyre op bezoek was, en vandaag bij die bitch Lorraine Newell. Wat een miserabel mens is dat toch.

En Bentz?

Ach hemel, wat is hij toch voorspelbaar.

Altijd al geweest. Zulke lieden veranderen nooit.

Ik geef flink gas, maar minder vaart als ik mijn snelheid zie. Dit is geen goed moment voor een bekeuring.

Maar mijn hart bonkt nog wild.

Het wordt tijd de zaak te versnellen.

Ik word warm bij die gedachte. Mijn spiegelbeeld knipoogt naar me. 'Slimme meid,' zeg ik tegen de wind, en ik denk na over de volgende zet.

Bentz zal nooit begrijpen wat hem is overkomen.

Hoofdstuk 17

Hayes sloeg de mappen dicht en leunde achterover op zijn bureaustoel. De stoel protesteerde krakend en leverde zo een bijdrage aan de kakofonie van geluiden: rinkelende telefoons, geroezemoes en het geklik van toetsenborden. En op de achtergrond klonk het altijd aanwezige brommen van de verouderde airconditioning.

Iemand lachte bij een printer, een paar bureaus verder. Trinidad nam een verklaring af van een langbenige zwarte vrouw, waarschijnlijk was ze getuige in een nog lopend onderzoek. Er waren meer moordzaken die opgelost moesten worden, maar het meest werd toch gepraat over de dubbele moord op de tweeling Springer. Dit was een misdrijf dat veel aandacht van de media trok, en van het geschokte publiek. Journalisten belden naar het bureau, en de persvoorlichter had het even druk als de rechercheurs die aan de zaak werkten.

De tijd verstreek, zonder dat er duidelijke sporen gevonden werden.

Hayes dronk zijn beker ijsthee leeg. De ijsklontjes waren al aan het smelten vanaf de lunch. Hij nam een grote slok en voelde dat het kartonnen bekertje al slap was.

Hij had de dag besteed aan het doorlezen van de dossiers over de zaak-Caldwell, speurend naar informatie die twaalf jaar geleden misschien over het hoofd was gezien.

Zonder resultaat.

Nadat Bentz toen vertrokken was, had Trinidad een andere collega gekregen. Ze heette Bonita Unsel maar zij werkte inmiddels niet meer op dit bureau. Zij en Trinidad, bijgestaan door Bledsoe, hadden het onderzoek zorgvuldig gedaan, maar de Twenty-one-moordenaar was nooit opgepakt.

Met zijn gedachten nog bij de dossiers dronk Hayes het laatste restje ijsthee op en scrolde door de foto's van de plaats delict op zijn computerscherm. Een doos met bewijsmateriaal was uit het archief gehaald en toen hij de inhoud doorzocht, zag hij dat het lint waarmee de slachtoffers van de eerste moord aan elkaar gebonden waren identiek was aan het lint dat bij de tweeling Springer was gevonden.

De schoft die dit op zijn geweten had bewaarde zijn moordgereedschap kennelijk zorgvuldig. Zelfs het met ijzerdraad verstevigde lint, zoals gebruikt wordt om dure kerstgeschenken mee te verpakken. Jaren geleden had de recherche gespeurd naar de fabrikant van dat lint, en overal navraag gedaan bij groothandels en winkeliers, maar zonder resultaat.

En er waren ook geen vingerafdrukken of andere sporen gevonden die met de slachtoffers verband hielden. Urenlang waren kennissen van de tweeling ondervraagd: vriendjes, vriendinnen, familieleden, klasgenoten. Maar de gesprekken hadden niets opgeleverd.

De eerste verdachte was een jongeman, Chad Emerson, die met beide meisjes verkering had gehad, maar zijn alibi was sluitend en hij was kennelijk ook hevig geschokt door de dood van de tweeling. En hetzelfde gold voor hun oudere broer Donovan, die volgens Blescoe beslist iets te maken had met deze zaak. Het onderzoek leverde niets concreets op. Hij was weliswaar jaloers op zijn tweelingzussen, omdat die zoveel aandacht kregen, maar jaloezie is nog geen misdaad, en het is ook niet zo bijzonder. Toch wilde Hayes beide verdachten nog eens spreken, om te zien of er een mogelijk verband was met de Springer-tweeling.

'Hé!'

Hij keek op en zag Dawn Rankin, een van de rechercheurs van de afdeling, naar haar bureau lopen. Ze gooide een dossiermap in zijn postbak. 'Ik heb dit via e-mail naar je gestuurd, maar ik dacht dat je het ook op papier wilde hebben. Over die schietpartij in West-Hollywood. Getuigenverklaringen.'

'Was dat geen ongeluk?'

Ze schudde haar hoofd. 'Het ziet ernaar uit dat we wel een strafzaak krijgen. Merkwaardig, nietwaar? Beste vrienden van elkaar, maar uiteindelijk vermoordt de een de ander om een vrouw.'

'Domheid kent geen grenzen.'

'Dat zal best.' Ze lachte even sardonisch naar hem. 'Zeg, ik hoor dat Rick Bentz weer terug is om naar het verleden en de dood van zijn vrouw te graven.'

'Ex-vrouw, om precies te zijn. Maar hij is inderdaad terug.'

'Wat heeft dat allemaal te betekenen?' Dawns wenkbrauwen trokken samen. Ze was een aantrekkelijke vrouw. Slank, schrander, met een lichte teint die weinig make-up nodig had. Ze dwong zich tot een glimlach, maar haar ogen lachten niet mee.

'Weet ik niet. Het schijnt dat hij in de maling wordt genomen door iemand die hem laat geloven dat Jennifer nog leeft.'

'Hij heeft haar toch zelf geïdentificeerd?'

'Jawel, en dat weet hij ook.' Hayes voelde een lichte hoofdpijn opkomen. 'Bentz leek me niet het type dat in dit soort valkuilen trapt. Ik bedoel dat hij eerder korte metten maakt met iemand die hem in de maling wil nemen.'

'Tenzij hij echt gelooft dat ze nog leeft.' Ze stak bezwerend haar hand op. 'Ik kreeg nooit hoogte van hem.'

Hayes herinnerde zich opeens weer dat Bentz iets met Dawn had, lang geleden. Ze was er kennelijk al lang overheen, maar toen de relatie bekoelde was ze behoorlijk van streek geweest.

'Hoe dan ook, ik heb een middag gesprekken gevoerd met mensen die de slachtoffers in de zaak-Springer kenden. Ik heb ook de vriendjes van beide meisjes opgespoord. Ze hebben allebei een alibi, maar Kurt Jones, die verkering had met Lucy, heeft wel een strafblad. Niet ernstig, geen geweldsdelicten, maar iets met drugshandel. Hij schijnt dealer te zijn.' Ze schudde haar hoofd. 'Kruimelwerk. Ik denk niet dat hij de dader is.'

'Hij kan ook moeilijk iets te maken hebben met de zaak-Caldwell.'

'Met zijn leeftijd zou het kunnen, maar hij is niet het type om zo'n misdrijf te plegen.'

Bledsoe hoorde het laatste deel van het gesprek toen hij binnenstapte. 'Vertel me niet dat jullie over mijn favoriete ex-diender Bentz praten.' Hij trok een vies gezicht. 'Toch wel toevallig dat Bentz hier opduikt, terwijl die Twenty-one-moordenaar weer uit de mottenballen komt? Volgens mij is de moordenaar weer in actie gekomen omdat hij weet dat Bentz hier rondhangt, en alleen maar om zout in zijn wonden te strooien en hem op stang te jagen.'

'O, ja hoor. Zo gaan seriemoordenaars altijd te werk,' merkte Dawn geïrriteerd op. Het hinderde haar duidelijk dat Bledsoe zich met het gesprek bemoeide. Bledsoe wist alles altijd ingewikkelder te maken, zonder dat het hem moeite kostte. 'Straks beweer je nog dat Bentz die meisjes vermoord heeft.'

'Welnee. Hij is een klootzak, maar geen moordenaar. Hoewel... die knaap Valdez werd wel omgelegd door Bentz.'

'Dat was een ongeluk,' zei Dawn. 'Misselijk om dat erbij te halen.'

'Ik geloof niet zo in toeval,' reageerde Bledsoe, zijn handen afwerend opstekend. Zijn telefoon rinkelde, en hij liep weg, met het toestel tegen zijn oor gedrukt.

'Wat een eikel,' mompelde Dawn. Ze keek Bledsoe na en zocht in haar tasje naar een pakje Marlboro Light.

'Ik wist niet dat jij een fan van Bentz bent?'

Ze keek weer naar Hayes. 'Een fan? Nee. Bentz is ook een klootzak. Maar Bledsoe?' Ze maakte een nieuw pakje sigaretten open. 'Voor types zoals hij hebben ze een speciale afdeling in de hel.'

Een uur voor de schemering inviel reed Bentz naar Santa Monica, de plaats die belangrijk was in zijn leven met Jennifer. En een heel belangrijke plaats ook, omdat ze daar voor het eerst de liefde hadden bedreven, voordat ze met elkaar trouwden. Was die herinnering de reden dat Jennifer zo gefascineerd was door de kustplaats? Of hield hij zichzelf voor de gek? Hij vond een lege parkeerplek en wilde juist zijn auto afsluiten toen hij de wandelstok op de achterbank zag liggen. Omdat de zeurende pijn in zijn been heviger was geworden na zijn achtervolging van 'Jennifer' door Saint Miguel's Inn, pakte hij het vermaledijde hulpmiddel en liep met de stok naar de zee.

Hij liep onder een boog van de lange wandelpier door. Hoewel het nog niet donker was, glinsterden de neonlichten al boven het water. Een achtbaantreintje bewoog hoog boven de andere kermisattracties. Geschreeuw van de passagiers klonk uit boven het geraas van de wielen op de stalen rails. Het enorme reuzenrad Pacific Wheel draaide traag en hoog boven het water, zodat de inzittenden konden uitkijken over de winkels en het strand voor de donkere oceaan.

Rick staarde naar de kleurige lichten boven het strand en de zee. Hoe vaak was hij hier niet geweest met Jennifer en Kristi? Ze hadden hier zoveel keren het aquarium bezocht, ze hadden hier hotdogs gegeten en op blote voeten over het strand gelopen.

Hij voelde een steek in zijn maag.

Hij herinnerde zich ook de avonden dat hij hier met Jennifer was geweest zonder hun dochter. Dan liepen ze over de wandelpier, ze voelden de zilte druppels van de oceaan opspatten en dronken wat op een van de terrassen langs het strand.

En toch had ze hier ook James ontmoet.

Nu wilde hij niet over het strand lopen terwijl de herinneringen hem overmanden. De pijn in zijn been verhinderde dat. Hij stapte een rumoerig Cubaans restaurant binnen om wat te eten. Het restaurant was in felle primaire kleuren geschilderd, precies zoals vroeger. De vierkante tafeltjes stonden in een grote ruimte, verdeeld door lage scheidingswanden en palmen in grote potten. In de zaal klonk opgewekte Caribische muziek. Het was erg druk in het restaurant, maar toch werd hij naar een tafeltje bij het raam gebracht. Daar keek hij naar het laatste tafereel van de zonsondergang.

De ondergaande zon is niet een van de fraaiste vergezichten als er zeemist komt opzetten, zodat de horizon wazig wordt, de zee en hemel samenvloeien en de meeste voetgangers van de promenade en het strand verdwijnen.

Bentz en Jennifer waren hier eerder geweest, ze hadden zelfs een verjaardag hier gevierd, maar de herinnering was wazig en hij deed geen moeite die helder voor de geest te krijgen. Hij vroeg zich af of ze het gewaagd had hier ook met James te dineren, al maakte dat geen verschil. Niet meer. Lang geleden was hij gekwetst door haar affaire. Nu hij hier weer was deed het veel minder pijn. Hij had het half verwacht, en hij was erop voorbereid door emotioneel een harnas aan te trekken.

En die vrouw achter het stuur van de zilverkleurige Impala? Hoe had ze hem gevonden? Had ze hem wel gevonden? Of maakte hij er in gedachten meer van dan realistisch was?

Misschien was die roekeloze bestuurster weinig meer dan een product van zijn verbeelding, een visioen dat door de chaotische omstandigheden werd opgeroepen. Het was mogelijk dat die vrouw alleen maar op Jennifer leek en dat ze alleen in zijn gekwelde geest veranderd was in een levende Jennifer.

Jij verliest de controle, plaagde zijn geweten en dat irriteerde hem omdat hij wist dat dit precies de bedoeling was van degene die hem misleidde.

Hij bestelde een kom zwartebonensoep en pork adobo; de gerechten smaakten hem nog beter dan vroeger. Het varkensvlees was mals, de soep pittig, en zijn herinneringen waren bitterzoet.

De nacht viel en er flitsten meer lampen aan. Hij liep over de pier, gebruikmakend van die ellendige wandelstok. Hij keek zonder veel belangstelling naar de draaimolen, onscherp in de zeemist. Zijn gedachten waren bij de vrouw in de zilverkleurige auto, de moord op de tweeling, de bizarre anonieme telefoontjes, en de 'geest' die hij gezien had in de vervallen missiepost bij San Capistrano.

Wie er ook achter dit bedrog zat, de bedenker wist hem in de tang te nemen en er moest veel tijd aan besteed zijn om zo'n sluw plan te bedenken. Bentz betwijfelde dat het meesterbrein iemand was die hij ooit gearresteerd had of naar de gevangenis had gestuurd. Als een van de boeven die hij opgepakt had een kick kreeg van wraak nemen, dan gebeurde dat wel meteen.

Dit was toch anders. Iemand wilde psychologische spelletjes met hem spelen. Iemand met een gestoorde persoonlijkheid.

Jennifer.

Zij was de enige wie hij nooit had vergeven, en dat had hij haar ook duidelijk gemaakt. Zelfs toen ze hun relatie een tweede kans gaven. Bentz was op zijn hoede gebleven. Argwanend. Klaar om er meteen een punt achter te zetten. En dat was ook gebeurd.

Hij passeerde een winkel waar zonnebrillen en strandspullen werden verkocht, maar hij besteedde er amper aandacht aan omdat hij bij het gedeelte van de pier was gekomen dat boven de zee is gebouwd, als een arm die zich uitstrekt tussen de Grote Oceaan en de dikker wordende mist. De straatlantaarns verspreidden licht, de mistflarden dreven door de straten als naargeestig oplichtende sluiers.

Er waren maar weinig mensen buiten. Een jong paartje: de knaap met een strakke muts en wijde shorts omhelsde een blond meisje dat haar haren boven op haar hoofd had vastgezet. In hun innige omstrengeling zittend op een bankje leken ze zich niet bewust van de omgeving.

Prille liefde, dacht Bentz en hij dacht ook aan Olivia, en aan het gevoel dat ze hem gaf als ze ongestoord samen waren. Alsof hij dan de enige man in het universum was. *Oudere liefde*. Hij pakte zijn mobieltje om Olivia te bellen, en zag een oudere man een sigaar roken, leunend tegen de balustrade. De man had een verzorgde sik en een kaalgeschoren hoofd, en hij verdween bijna in zijn veel te grote jas. Een magere hardloper boog zich voorover, met zijn handen op zijn knieën steunend, alsof hij weer op adem moest komen na de inspanning. Verder weg op de pier, in de nevel, stond een eenzame vrouw.

Bentz bleef met een ruk staan.

De vrouw was gekleed in een rode jurk, haar lange haar viel over haar rug en ze keek in de richting van de zee.

Jennifer! Zij had ook zo'n jurk.

Bentz voelde zijn hart overslaan. Opeens herinnerde hij zich weer dat Jennifer precies zo'n jurk had: vallend tot op de knie, iets getailleerd en mouwloos... Allemachtig, dit was exact hetzelfde model jurk. Hij herinnerde zich hoe Jennifer na een dag winkelen de jurk aan hem getoond had, voor hem ronddraaiend, zodat het kaarslicht over de rode zijde speelde.

'Heel leuk.'

'Ach, toe nou, RJ,' had ze gepruild. 'Deze jurk is wel wat meer dan "leuk".'

'Als jij het zegt.'

Jennifer had gelachen en haar hoofd in de nek geworpen. 'Nou, en dat zeg ik inderdaad. Ik vind dit sexy. In elk geval is het een schitterende jurk.' Ze trok een van haar donkere wenkbrauwen op en verdween met danspassen door de hal naar de slaapkamer. En Bentz liet zich door haar meelokken.

Nu klemden zijn vingers zich om de wandelstok.

Ga daar niet naartoe, waarschuwde hij zichzelf, toen hij zag dat de vrouw op de pier blootsvoets was. *Jennifer ging altijd op blote voeten naar het strand. Ach, verdomme, denk toch niet dat elke vrouw met koffiekleurig haar en blote voeten Jennifer is... Nee!* Hij corrigeerde zichzelf: *denk toch niet dat daar de vrouw staat die zich voordoet als Jennifer.*

Toch werd hij aangetrokken door de gestalte en hij liep verder over de pier, richting zee. Zijn ogen waren strak op de vrouw gericht, zoekend naar iets waaruit zou blijken dat ze een bedriegster was. Maar de vrouw was te ver weg, en de mist te dik. Bentz versnelde zijn passen. Alsof de vrouw voelde dat ze gevolgd werd, deed ze een stap achteruit van de balustrade en ze begon naar het einde van de pier te lopen. Daar werd de zeemist nog dikker en de gestalte vervaagde.

Bentz slikte moeilijk en bedacht wat hij tegen haar moest zeggen. Zijn pols was gejaagd en het bonkte in zijn hoofd, terwijl hij verder liep. Deze keer kon ze hem niet ontlopen. Er was geen uitweg.

En toch scheen ze te willen ontsnappen.

Dat voelde hij.

Steeds sneller liep hij over de pier, de wandelstok tikte staccato op de planken, en hij voelde pijnscheuten in zijn been.

Hij had geen tijd om aan pijn te denken.

Sneller, sneller, spoorde hij zichzelf aan. *Grijp haar!*

En wat moest hij doen als hij op haar schouder tikte en ze was niet zijn ex-vrouw?

Allemachtig, maak je daar toch niet druk om. Stel eens dat ze het wel is. Wat dan, Bentz? Als ze niet een dubbelgangster is, maar echt Jennifer, en geen spookverschijning? Je ex-vrouw!

De vrouw rende op haar blote voeten naar het einde van de pier. Haar benen bewogen snel onder de rode zoom van haar jurk.

Zijn been deed snerpend pijn, zijn spieren leken te branden, maar hij draafde door toen hij haar in de mistflarden zag verdwijnen.

Waar ging ze heen? Ze rende de duisternis tegemoet, aan het einde van de pier was de zwarte nacht boven de zee.

Bentz' longen gloeiden, en hij zag de vrouw pauzeren bij de reling. Eindelijk! Nu kreeg hij de kans haar aan te spreken.

Maar een ogenblik later zette de vrouw zich af en zonder aarzelen klom ze eerst op de balustrade, om er meteen overheen te klimmen.

Ach nee, ze zou toch niet springen? Of toch wel? Dit was typisch Jennifer. Waaghalzerige Jennifer.

'Nee!' schreeuwde hij.

Even bleef ze balanceren op de smalle rand. En op dat moment keek ze om. Bentz zag haar beeldschone gezicht, haar blik strak op hem gericht. Een fractie van een seconde later keek ze naar het zwarte water, kolkend om de pijlers. Ze schatte de afstand en de diepte.

O, christus! Ze wilde toch springen!

'Stop! Jennifer!' riep hij.

Even stond ze daar, omringd door mistflarden. En even later verdween ze uit het zicht.

Was ze echt in zee gesprongen?

'Nee! Jen!' Hij stormde naar voren, de angst greep hem bij de keel. 'O, god!'

Wat was er gebeurd? Zijn ogen probeerden de duisternis te doorboren.

Hoorde hij een plons in het water?

Ja?

Nee?

Jezus, waar was ze?

Verward en ervan overtuigd dat hij haar hangend aan de balustrade zou vinden, klemde hij zijn kaken op elkaar en haastte zich naar de plek waar ze over de reling was geklommen. In de diepte was het water inktzwart, en nergens een zwemmer te zien.

Geen Jennifer.

Hij schreeuwde haar naam.

Hij had alleen een kleine zaklantaarn. Toch moest hij kijken. Met snelle bewegingen klauterde hij over de reling en zette zijn voeten op de smalle richel. Met zijn linkerhand hield hij de reling vast en richtte de kleine bundel licht uit de zaklantaarn naar beneden. Maar het zwakke schijnsel kon de mist niet doorboren en bereikte het wateroppervlak nauwelijks.

'Jennifer! Jezus, Jennifer!' krijste hij naar het golvende water.

'Hé, jij daar!' klonk een mannenstem.

Maar Bentz keek niet op, zijn ogen bleven strak op het zwarte water gericht. Was ze daar ergens? Verstopte ze zich? Of was ze onder water verdwenen?

Of was alles niet meer dan zinsbegoocheling geweest? Had er wel echt een vrouw op de pier gestaan?

Hij wist het niet, maar hij kon haar niet laten verdrinken. Wie deze vrouw ook was.

Hij liet de reling los. De lucht streek fel langs zijn lichaam. Hij sloeg hard op het water. De klap trok pijnlijk door zijn lijf. Hij voelde het koude water op zijn huid, toen hij snel naar de diepte zonk.

Dieper, steeds dieper. De zee was nachtzwart. Het zoute water sloot zich rond hem. Hij schopte zijn schoenen uit en werkte zich uit zijn jas. Zijn ogen wijd open en brandend van het zout, probeerde hij de duisternis van de eindeloos grote oceaan te doorboren.

Niets.

Hij zocht in het inktzwarte water, zijn adem inhoudend, en wetend dat ze hier ergens moest zijn. Dichtbij. *Waar ben je? In godsnaam, Jennifer!*

Zijn longen dreigden te barsten terwijl hij het water wegtrapte om weer boven te komen. Hij ademde hoestend uit zodra hij aan de oppervlakte was. Hij zoog de koele lucht in en begon vloekend weer te zoeken.

Waar kon ze toch zijn?

Waar?

Hij schudde zijn haar uit zijn ogen en wilde dat ze zou opduiken.

Toe nou, kom dan! Geef het op, Bentz, waarschuwde zijn geest, *ze bestaat niet. Dat weet je toch? Je jaagt op een verzinsel van je eigen verbeelding.*

Angst, even koud als de oceaan, trok door zijn lichaam. Hij werd gek. Dit werd te erg. Jezus...

Niet opgeven! Je hebt haar toch gezien?

Watertrappend keek hij om zich heen, onder de pier, langs de pijlers naar de kust en naar het water.

Nergens een spoor van een vrouw in een rode jurk.

Niemand te zien. Hij draaide zich om in het water, zijn slechte been meeslepend, met benauwde longen, en hij keek zonder iets te zien naar de golvende zee. Waar was ze? Waarheen verdwenen?

Mensen schreeuwden boven hem, maar hij liet zich meevoeren door de getijstroom onder de pier en tussen de pijlers door. Hij zwom, met zijn hoofd boven water, speurend naar een glimp van haar, naar een aanwijzing dat ze hier geweest was. Hij tuurde de omgeving af. Het strand was verlaten. Niemand hing aan de pier boven hem, en hij zag ook niets drijven in zee.

'Jennifer!' riep hij weer, met zijn handen bij zijn mond. Zijn stem weergalmde over het water. Hij klampte zich vast aan een met zeepokken overdekte pilaar, zoekend en turend over de golven. Hijgend wilde hij dat ze weer opdoemde. *Kom nou toch, waar ben je?*

'Jennifer!' gilde hij, zout water uitspugend. De geur van pekel drong in zijn neusgaten, het water sloeg in zijn gezicht, aan zijn doorweekte kleren trok de getijstroom. Hij kreeg geen antwoord op zijn kreten, alleen waren er stemmen boven hem en voeten die over de plankieren bonkten. Toch probeerde hij haar te vinden, of een bewijs dat ze hier werkelijk geweest was. Hij liet de pijler los en tuurde watertrappend door de mist of ergens iets bewoog aan de oppervlakte.

Niets, behalve duisternis. De bewegende schaduwen onder de pier, en in de verte het schijnsel van de straatlantaarns. Het fletse licht werd gevangen in de bewegende mistflarden, en de neonverlichting van de kermisattracties vormde een fel spectrum in de nevel.

Het was onwerkelijk.

Surrealistisch.

Jennifer, of wie ze ook kon zijn, was verdwenen. Hij zocht bij elke steunpilaar, spiedend naar de schaduwen en overal leek de dood nabij. Hij hield zich vast aan een pijler en riep telkens weer haar naam, maar alleen de echo keerde terug, zijn eigen stem, hol en galmend boven het geklots van de zee.

Huiverend voelde hij een vis langs zijn huid glijden. Hij liet de pijler los en zwom naar de kust.

Zijn hart bonsde bij het vooruitzicht haar te vinden: omgekomen door de val in zee. Dood omdat ze van hem wegvluchtte.

Maar eerst had ze hem naar de pier gelokt. Dit paste allemaal in haar plan. Nu moest hij nog geen schuldige aanwijzen.

Ze is er niet. Je bent helemaal alleen.

De stemmen boven hem klonken luider, al leken ze vanuit het water gesmoord door de mist en het getij.

Ze is hier niet. Ze is hier nooit geweest. Het was weer je verbeelding. Die rode jurk... Dat is symbolisch. Jennifer die zich in zee stort, vanaf de wandelpier.

Lieve hemel, wat was er met haar gebeurd?

Nu werden de kreten op de pier boven hem verstaanbaar.

'Ik zag hem. Ik zeg je toch dat een kerel hier in het water sprong?'

'Je kon hem zien? Ondanks de mist?'

'Ja! Een of andere gek maakte een snoekduik van de reling.'

'Nu is het opeens een duik. Heb je weer te veel tequila gedronken, Barney?'

'Geloof me nou, ik zeg je dat een kerel met kleren en al van de pier sprong.'

'Maar daarbeneden is niets te zien.'

'Hoe weet jij dat? Het zicht is slecht met die dikke mist. Trouwens, ik heb 112 gebeld,' zei Barney. 'De politie zal zo wel komen.'

Mooi, dacht Bentz. Hij kon wel wat hulp gebruiken. Hij zwom onder de pier vandaan naar de kust, geholpen door de aanrollende golven. Opgelucht zag hij de zwaailichten van hulpdiensten naderen. Toen hij door de branding heen was en op het strand kwam, werd opeens een zaklantaarn op hem gericht.

'Daar is hij!'

'Ik zei het toch!' zei Barney. Andere stemmen klonken op de pier, en steeds meer mensen kwamen nieuwsgierig kijken. Een sirene jankte in de nacht, het geluid kwam snel dichterbij. Bentz krabbelde overeind op het strand. Hij was tot op het bot verkleumd en liep met doorweekte kleren over het strand. Hij keek om naar de zee.

De lichten van de stad waren fel. Het grote Ferris-reuzenrad weerkaatste op het water. Bentz vroeg zich af waar Jennifer ergens in de koude donkere baai was. Verstopte ze zich in de schaduwen, lachte ze hem uit, voldaan dat ze hem in het water had laten springen? Of was ze ergens onder water, verstrikt geraakt in zeewier en staarde ze met dode ogen naar boven in haar rode jurk die als een lijkwade haar doodsbleke huid omhulde?

Wel allemachtig, blijf toch nuchter! Hij streek met zijn bevende hand over zijn gezicht en zag dat enkele mensen naar hem toe renden. Het jonge stel dat hij eerder gezien had was het eerste bij hem.

'Hé, is alles oké?' De jongeman was in de twintig, hij had een strakke muts over zijn krullen getrokken. Hij leek oprecht bezorgd en riep over zijn schouder. 'Heeft iemand een deken of zo?'

'Met mij is alles goed,' zei Bentz hijgend. *Alleen ijskoud, doodmoe en bang dat ik krankzinnig word.* Hij rilde onophoudelijk. 'Er was een vrouw op de pier – ze sprong in het water, en ik sprong haar achterna.'

Het blonde meisje schudde haar hoofd. 'Ik heb daar geen vrouw gezien.'

'Ze stond een eind verder.'

'Rende u daarom?' vroeg het meisje. 'Ik zag dat u die wandelstok weggooide.'

Bentz knikte. De loeiende sirenes kwamen dichterbij.

'Waar is ze nu?'

'Weet ik niet. We moeten haar zoeken.'

Bentz klappertandde en huiverde. De politieauto met zwaailichten kwam met piepende banden tot stilstand en twee agenten stapten uit.

'Hij raakt in een shock,' zei de oudere man met de sigaar.

Bentz schudde zijn hoofd en stak afwerend zijn hand op. 'Nee, ik heb het alleen koud. Ik meen het serieus: een vrouw sprong van de pier. Dat heb ik toch zelf gezien!'

'Kom mee!' Enkele mannen renden naar de vloedlijn, al had Bentz weinig hoop dat ze iemand zouden vinden. Jennifer, of wie ze ook was, was verdwenen.

Alweer.

De oudere man trok zijn grote windjack uit. Het kledingstuk rook sterk naar tabaksrook. 'Hier, trek aan.'

Dankbaar stak Bentz zijn armen in de warme mouwen van het jack, zonder zijn blik af te wenden van de mannen die al in zee waren om te zoeken naar de drenkeling.

'Meneer?' klonk een stem.

Bentz draaide zich om en zag twee agenten over het strand naderen. Achter hen kwamen een brandweerauto en een ambulance aanrijden. 'Twee ziekenbroeders komen u helpen,' zei een van de agenten in uniform.

'Laat maar, ik ben zelf politieman.' Bentz zocht in zijn zak en vond zijn doorweekte portefeuille en zijn politiebadge. 'Ik heb geen hulp nodig, alles is oké met mij. Maar er moet een opsporingsteam komen, want ik zag een vrouw van de pier springen.'

De agent knikte en keek Bentz onderzoekend aan. 'Toch moet u medisch onderzocht worden.'

'Ik wil alleen een sigaret, en dat iemand rechercheur Jonas Hayes, van Moordzaken, voor me belt.'

'Is er dan iemand dood?'

Bentz schudde zijn hoofd. 'Hayes is een vriend van mij.' Bentz glimlachte geforceerd, toen de jongeman hem een Camel en een vuurtje gaf. Het was de eerste sigaret die Bentz sinds heel lang opstak. Hij inhaleerde gretig en voelde de warme rook in zijn longen. Hij blies de rook uit. 'Ik werkte vroeger bij het LAPD.'

Hoofdstuk 18

'Allemachtig, Bentz, ik heb wel wat beters te doen dan babysitter spelen voor jou .' Hayes had de pest in, en deed geen enkele moeite zijn irritatie te verbergen. Hayes had voorgesteld elkaar te ontmoeten in een bar dicht bij de So-Cal Inn in Culver City.

Bentz staarde afwezig over de bar naar de grote spiegel, die het interieur weerkaatste. De toog was betegeld en daarboven hingen lampjes uit de jaren zestig. 'Hoe staat het met het onderzoek naar de zaak-Springer?' vroeg Bentz.

'Je weet dat ik daar niets over mag zeggen.' Hayes hield zijn Manhattan vast, Bentz liet zijn alcoholvrije bier onaangeroerd. 'Maar... we hebben geen duidelijke sporen. Veel materiaal is waardeloos.' Met een handgebaar wuifde hij het onderwerp weg. 'Dus jij gelooft nog steeds dat Jennifer nog leeft en bij jou komt spoken? En ook dat ze in de Santa Monica Bay sprong?'

'Ik weet niet of het Jennifer is. Dat is pas zeker als haar graf geopend wordt. De aanvraag daarvoor ga ik doen.'

'Wat jij wilt.' Hayes was nog steeds ontstemd. Op zijn voorhoofd waren zorgelijke rimpels. 'Is je pistool nat geworden?'

'Had ik niet bij me. Opgeborgen in het handschoenenkastje van mijn auto. Maar mijn mobieltje is morsdood.' Bentz prees zich gelukkig dat zijn dienstwapen en de envelop met de foto's en de overlijdensakte veilig in de auto waren. Zelfs zijn wandelstok was hij niet kwijtgeraakt. Maar zijn jasje en nette schoenen lagen nu ergens op de zeebodem. Hij droeg zijn afgetrapte Nikes.

Hij was ook dankbaar dat Jonas de zaak gesust had bij het politiebureau. Hoewel het opsporingsteam geen lichaam of bezittingen van een vrouwelijke drenkeling had gevonden, wist Jonas de politie te overtuigen dat er niets bijzonders gebeurd was.

Al geloofde hij dat zelf niet.

Na een zoekactie in de omgeving waren de brandweer en de ambulance weggestuurd. De agenten hadden een verklaring van Bentz opgesteld. Hayes gunde hem tijd om te douchen en droge kleren aan te trekken in het motel voordat ze elkaar in de bar ontmoetten.

'Die obsessie met je overleden vrouw moet niet mijn probleem worden, oké?' waarschuwde Hayes.

'Dat snap ik.'

'En je moet mij niet opbellen om allerlei gunsten, terwijl je zelf de politie meesleept in je bizarre fantasieën.' Bentz wilde protesteren, maar Hayes stak bezwerend zijn hand op. 'Ik weet al waarom jij hier bent, Bentz. Iemand speelt een spelletje met je. Maar zolang de wet niet wordt overtreden, of beter gezegd, zolang er geen moord wordt gepleegd in mijn werkgebied, wil ik er niets mee te maken hebben.' Hayes keek Bentz ernstig aan. 'Gezonde mensen springen niet in het donker van een pier in zee. En ze breken ook niet in bij een verlaten hotel om te kijken of daar ook spoken zijn. En ze jagen niet op buspassagiers of andere automobilisten. Zelfs niet als ze 's nachts rare telefoontjes krijgen. En dan die kennissen van je ex-vrouw opzoeken, of contact opnemen met vroegere collega's bij de politie, die trouwens vinden dat je 'm smeerde en de rommel voor hen achterliet. Dat is geen serieus onderzoek, Bentz. Het lijkt eerder masochisme.'

Bentz kon er weinig tegen inbrengen. Trinidad en Bledsoe hadden duidelijk gemaakt hoe ze over hem dachten toen hij om hulp vroeg.

Hayes had zijn hart gelucht en dronk zijn Manhattan langzaam op. Hij zette het glas neer en schudde zijn hoofd. 'Luister naar mijn advies, Bentz. Ga terug naar New Orleans, naar je vrouw. Weet je nog wie dat is? Je huidige vrouw die nog leeft. Doe dat en vergeet de rest.'

Kon ik dat maar, dacht Bentz.

'Bedankt voor de borrel.' Hayes verdween en Bentz nam een teug van zijn alcoholvrije bier.

Vertrekken uit LA was geen optie.

Nog niet.

***

De douche is weldadig. Warm water stroomt langs mijn lichaam, en ik denk aan wat er bij de pier gebeurde. Ik wist wel dat Bentz zou toehappen, en het was hartverwarmend te zien hoe hij vertwijfeld probeerde 'Jennifer' te redden.

'Sukkel,' fluister ik, mijn haar met shampoo masserend en weer uitspoelend. Weer grinnik ik als ik aan de gekwelde uitdrukking op zijn gezicht denk.

Perfect.

Ik draai de douchekranen dicht en wikkel een handdoek om mijn lichaam, denkend aan de volgende zet. Ach, wat zou ik dit graag sneller doen. Maar ik ben geduldig, ik denk na, ik droog mijn haar met een handdoek.

Naakt buig ik me voorover en zet de föhn aan. Het hoge zoemen overstemt de muziek die al urenlang keihard aanstaat. Songs uit de jaren tachtig – Bruce Springsteen, Bon Jovi, The Pointer Sisters, Madonna en Michael Jackson. Het volume hoog en het raam op een kier. De buren moeten de muziek gehoord hebben, net als de voorbijgangers. Iedereen zou zweren dat ik de hele avond thuis was. Mijn auto, buiten geparkeerd, zou dat ook bevestigen. Slim van mij, om mijn auto hier te laten. Ik liep naar de bushalte, en stapte daarna over in een taxi die mij naar Santa Monica bracht.

Op dezelfde manier keerde ik later terug.

Mijn plan moest wachten tot Bentz eindelijk weer in Santa Monica terug was, wat ik wel verwachtte. Ik moest wachten op het juiste moment, en gelukkig was dat deze avond. Ik glimlach als ik eraan denk hoe mooi ik mijn plan heb uitgevoerd.

Ik wachtte tot hij bij de pier verscheen. Ik zorgde ervoor dat alles klaar was. Ik zag dat hij naar dat restaurant ging. Terwijl hij dineerde had ik net genoeg tijd om alles voor te bereiden.

Vanzelfsprekend besloot Bentz na zijn maaltijd een eindje te wandelen. Steunend op zijn stok dacht hij ongetwijfeld aan Jennifer.

Ik gooide het lokaas uit. En hij hapte toe. Hij joeg achter Jennifer aan, zoals een wolf op een lam jaagt. Alleen zou het anders aflopen, toch?

Ik rek me uit, veeg condens van de spiegel en bekijk mijn spiegelbeeld. Mijn hoofd beweegt op het ritme van Fleetwood Mac, een favoriete song van Jennifer.

Bentz zou de ironie wel kunnen waarderen, denk ik.

Wat een idioot.

Proberen een droom te laten herleven.

Zijn eigen schuldgevoel versterken.
Net goed.
'Wacht maar, Ricky-Boy,' zeg ik tegen de spiegel. 'Dit is pas het begin.'

Bentz schoof dichter tegen Olivia aan, hij voelde haar naakte lichaam tegen zijn huid in hun bed. 'Ik hou van je,' fluisterde hij, maar ze reageerde niet. Ze sloeg haar ogen niet op en ze zei niets.
Daar was het weer, het geheim dat ze koesterde, het geheim dat haar dwong te zwijgen.
Maar met gesloten ogen bewoog ze haar kin wat omhoog en hij kon haar niet weerstaan. Zo dicht bij haar stroomde het bloed warmer en zijn hartslag versnelde. Begeerte groeide. Verhit en gretig kuste hij haar met een hartstocht die hem verteerde.
Ze reageerde. Kreunend bij zijn open mond trokken haar handen zijn kleren opzij, haar vingers streelden zijn armen.
'Ik hou van je,' herhaalde hij en weer gaf ze geen antwoord. Haar lichaam beefde, haar huid gloeide en haar lippen waren vochtig, maar ze zei niets.
Onder haar passie voelde hij iets anders, een verlangen, maar ver weg. Ze leek heel ver weg.
Hij raakte haar kwijt.
Op de een of andere manier, ondanks hun liefdesspel, gleed ze van hem weg.
Haar geur drong in zijn neusgaten. Hij liet zijn tong over haar hals glijden, hij proefde haar parfum en zout op haar huid.
Hij kuste haar overal, hij voelde dat ze reageerde en even sidderde. Hij gloeide inwendig, zijn penis was al stijf, zo stijf...
Hij hield zichzelf voor kalm aan te doen, om haar te plezieren, maar ze was al even opgewonden als hij. Haar lippen, vol en warm. Met dwingende vingers kneedde ze zijn spieren.
Met zijn duimen streek hij over haar ribben, hij kuste haar tepels en keek naar haar naakte lichaam. Ze opende haar ogen, de gouden irissen nauwelijks zichtbaar, de pupillen, rond en zwart, werden groter.
'Ik ben er alleen voor jou.' Hij ademde boven haar buik, zijn hoofd gleed naar de rode kant van haar slipje – een string die amper iets bedekte.
Haar spieren verstrakten. 'Je kunt echt een zak zijn,' fluisterde

ze, en haar stem zweeg weer. Eindelijk had ze iets gezegd. Hij rook vaag de geur van jasmijn.

Zijn adem streek zwaar over haar string, dat kleine strookje ondeugende kant. Ze kronkelde onder hem toen hij met zijn tanden de string wegtrok.

'Echt waar?' Haar huid werd opeens koud. 'Alleen voor mij?'

'Wie anders?' vroeg hij, met zijn vingers langs haar huid strijkend. Ze pakte met beide handen zijn hoofd stevig beet. De pijn vergrootte zijn genot. Hij wilde haar bezitten, en hij voelde dat ze beefde van verlangen.

'Livvie,' fluisterde hij en dwong met zijn knieën haar benen uit elkaar.

In een ademloos moment drong hij diep in haar en verloor zichzelf. Lichaam en ziel, hij versmolt magisch met zijn vrouw. Zijn bloed gonsde in zijn oren en hij ademde met korte heftige stoten. Sneller en sneller bewegend, maar ze reageerde niet meer. Haar warmte verdween en hij voelde alleen kou. Ze werd steenkoud.

Toen hij naar haar keek was ze veranderd. Haar gelaatstrekken waren veranderd in die van Jennifer: haar witte huid en donkere haar, de rode string was nu een gevlekte, bebloede jurk.

'Ik hou van je,' zei Jennifer, maar haar mond bewoog niet. Ze rook naar brak water en de dood. Haar glazige ogen waren star op hem gericht.

Bentz kreeg kippenvel en zijn bloed werd opeens koud als zeewater. Hij wilde van haar af rollen, maar haar handen grepen hem beet, stevig alsof hij in de tang werd genomen.

'Het is jouw fout, RJ,' zei ze, weer zonder dat haar lippen bewogen. 'Jouw schuld!'

Bentz probeerde zich los te rukken uit haar greep, en opende zijn ogen.

Hij lag in bed, in zijn motelkamer.

Alleen.

Geen Olivia. Geen Jennifer.

Alleen zijn schuldgevoel. Dat verdomde schuldgevoel.

Bentz slaakte een diepe zucht en besefte dat hij nat was van koud zweet. De droom was zo levensecht geweest. En zo angstaanjagend. Hij wilde meteen Olivia bellen, maar zag op de klok dat het 12.47 uur was. Bijna drie uur 's nachts in Louisiana. Hij moest wachten.

Hij stapte uit bed en liep naar het raam. Hij opende de luxaflex en keek naar het parkeerterrein.

Afgezien van een aantal auto's was het terrein verlaten.

Stil.

Nog steeds nerveus ging hij naar de badkamer en plensde water over zijn gezicht. Hij hield zichzelf voor dat hij wel ergere dingen had meegemaakt dan akelige nachtmerries. Hij slikte twee tabletten ibuprofen, tegen de pijn in zijn been, en ging weer in bed liggen. Hij zette de televisie aan en zocht naar een zender die hem afleiding zou geven. Maar hij besefte dat geen enkel praatprogramma de herinnering aan zijn droom zou verdrijven.

Niets kon zijn aandacht daarvan afleiden.

Hij moest ermee leven.

De volgende ochtend, na een onrustige nacht, ging Bentz naar een telefoonwinkel om een nieuw mobieltje te kopen. Hij was de eerste klant in het winkelcentrum. Bentz wist dat hij er belabberd uitzag, maar even later had hij wel een nieuw toestel.

Twee winkels verder was een kledingzaak en Bentz kocht een nieuwe kaki broek en een goedkoop jack.

Schoenen zou hij later wel kopen.

Hij keerde weer terug naar het motel, nam een douche en belde naar Olivia. Hij liet een voicemail achter. Daarna was hij een tijd bezig met het invoeren van telefoonnummers in zijn nieuwe toestel. Terwijl hij dat deed piekerde hij ook over de gebeurtenissen van de afgelopen dagen, en hij vroeg zich af hoe die vrouw – Jennifer – geweten had waar hij was. Voor zover hij wist werd zijn motelkamer niet afgeluisterd. Hij had nergens een verborgen microfoon aangetroffen. Dat maakte weinig uit, want hij kon zich niet herinneren dat hij iets over zijn plannen had gezegd wanneer hij hier telefoneerde. Hij inspecteerde de huurauto nog een keer, maar nergens zag hij een zendertje in de wielkasten of bij het chassis.

Toch had 'Jennifer' geweten waar hij naartoe ging.

Hoe?

En waarom deed ze dit?

In de motelkamer, met de televisie afgestemd op een nieuwszender en de zonwering geopend, zodat hij zich niet helemaal afgesneden van de buitenwereld voelde, dronk hij zijn lauwe koffie. Zijn gedachten keerden weer terug naar de afgelopen nacht. Wat was er in hemelsnaam gebeurd op die pier? Ze was daar geweest, hij had haar gezien, maar Hayes had gezegd dat de agenten de mensen op de pier hadden ondervraagd: de oudere man met zijn sigaar, en het jonge stel. De jogger was er niet, en de anderen konden zich hem niet herinneren.

Bentz maakte een notitie, maar waarschijnlijk maakte het weinig verschil dat de jogger ontbrak.

Hij pakte zijn laptop en zocht met Google naar afbeeldingen van de Santa Monica Pier. Hij vond een link naar een webcam die elke vier seconden een foto maakte van de toegang tot de wandelpier. Misschien kon hij opnamen van de vorige avond vinden, of beelden van verkeerscamera's. Hoewel hij niet meer bij de politie in LA werkte, had hij nog wel zijn badge en met een beetje overredingskracht kreeg hij die beelden wel te zien.

Tegen elf uur had hij gesproken met het bedrijf dat de webcam bij de pier beheerde en hij kreeg de toezegging dat men de beelden van de vorige avond zou bekijken. Bentz zocht op internet naar een ziekenhuis in de omgeving dat het verlopen parkeervignet had uitgegeven. Daarna gebruikte hij zijn nieuwe mobiel om sms-berichten te versturen naar Fortuna Esperanzo en Tally White, de twee vriendinnen van Jennifer die niet de moeite hadden genomen hem terug te bellen.

Tally was onderwijzeres en Fortuna werkte nog in een galerie in Venice. Geen van beide vrouwen was erg op Bentz gesteld.

Een motorfiets reed knetterend door de straat. Door de dunne wanden van het motel hoorde Bentz dat Spike aansloeg en heftig blafte, tot de hond gesust werd door zijn eigenaar. Bentz rekte zich uit, voelde zijn rugwervels kraken en ging toen staan om zijn been te bewegen.

Hij pakte zijn sleutels en vroeg zich af hoelang de oude man in de kamer naast hem hier al logeerde. Hij vond zijn vochtige portefeuille en deed zijn dienstwapen in de schouderholster, verborgen onder zijn nieuwe jasje. Omdat zijn been nog steeds pijnlijk was, pakte hij ook de wandelstok, die in de hoek bij de deur stond.

Buiten voelde hij de hitte van de dag, al was het nog geen twaalf uur. Hij overzag het stoffige parkeerterrein. Behalve zijn huurauto stonden er nog vier auto's, die kennelijk van motelgasten waren. Er stond een bronskleurige Pontiac geparkeerd achteraan op het terrein. Een witte Mini Cooper was overdag meestal weg, maar stond er 's avonds altijd. De oude marineblauwe Jeep Cherokee stond op dezelfde plek. Hij had de kentekens genoteerd en er met Montoya over gesproken. Omdat de vrouw die zich als Jennifer voordeed kennelijk steeds wist waar Bentz was, vroeg hij zich af of ze hem elke dag vanuit het motel schaduwde. Hij wilde zekerheid dat de geparkeerde auto's niet verdacht waren.

Bentz keek scherp om zich heen. Voor zover hij dat kon beoordelen hield niemand hem in de gaten. Er drentelde ook niemand in de buurt. Er was een tankstation en een winkel naast een ander motel aan de overkant van de straat. Een eindje verder verrees een drie etages hoog gebouw, met op de begane grond winkels en daarboven kantoren. En daarnaast was de bar waar hij met Hayes de vorige avond gezeten had.

Maar nergens was een zilvergrijze Impala te zien.

Rusteloos liep hij naar zijn auto, omdat hij in actie wilde komen nadat hij urenlang op zijn laptop had gewerkt aan het bureau in zijn motelkamer.

Dus Hayes wilde dat hij zijn spullen pakte en naar New Orleans zou terugkeren.

Geen sprake van. Iemand probeerde hem te lokken, deed zich voor als zijn gestorven vrouw en schaduwde hem.

Bentz was vastbesloten erachter te komen wie dat was.

Met hulp van Montoya en de telefoonmaatschappij probeerde hij de eigenaar op te sporen van het toestel waarmee naar hem gebeld was door de vrouw die zich voordeed als Jennifer.

Maar dat bleek een prepaidtelefoon te zijn, en dus niet te traceren.

Hij moest zelf inventief zijn, en bovendien had hij vreselijke honger. Hij kocht een paar kranten en bestelde daarna in een cafetaria een ontbijt. Boven het gerinkel van bestek, het sissen van de braadpannen en het geroezemoes van de gasten klonk de stem van Patsy Cline met de song 'Crazy'.

Heel toepasselijk, dacht Bentz en steunend op zijn stok liet hij zich zakken aan een tafel die typisch jaren vijftig was: een groen plastic blad met een chromen rand en een bijpassende servethouder. De flessen ketchup en mosterd stonden al klaar. Hij bekeek de verbleekte menukaart en bestelde bij een rijzige serveerster met hoogopgestoken rood haar. Daarna spreidde hij de kranten uit op de tafel.

Hij las de laatste berichten over de moord op de tweeling Springer en begon daarna aan zijn Amerikaanse Super Ontbijt, dat bestond uit twee eieren, vijf worstjes, een paar toastjes en muesli. Koffie werd telkens bijgeschonken, maar hij moest wel om ijswater vragen.

Het ontbijt was eerder voedzaam dan verfijnd.

Zodra hij klaar was met eten sloeg hij de kranten dicht, maar zijn oog viel op een advertentie en hij begon te lezen. Het was reclame voor een kringloopwinkel, en het logo dat erbij afgedrukt was, kwam hem akelig bekend voor: een kruis en de letter A.

Dat was hetzelfde logo als op het parkeervignet dat hij op de Impala had gezien bij San Juan Capistrano. Het symbool voor St. Augustinus.

Hij staarde even naar de advertentie en vroeg daarna aan de serveerster of er wifi-internet beschikbaar was. Ze keek hem aan alsof hij gestoord was. Bentz rekende vlug af en liep snel naar een cafetaria waarvan hij wist dat daar gratis internet was.

Nadat hij een kop koffie besteld had, al had hij daar geen behoefte aan, ging hij zitten en zette zijn laptop aan.

Begeleid door zachte jazzmuziek, geluiden van het espressoapparaat en het sissen van de melkstomer maakte hij verbinding met internet en speurde naar een vermelding van een ziekenhuis met de naam St. Augustine's in de omgeving van LA. Voor het eerst kreeg hij een sprankje hoop dat hij kon achterhalen wie zijn kwelgeest was.

Hij vond een parochie in West-LA, twee scholen en nog enkele instituten, maar daar was geen kliniek bij.

Dat een van de scholen gelegen was aan Figueroa Street en de andere in Culver City vond hij bedenkelijk. Jennifer had met hem in Culver City gewoond, en volgens haar vriendin Shana McIntyre had ze stiekem ontmoetingen met James in een motel in de buurt van de universiteitscampus. En dat was ook dezelfde brede weg waar hij gemeend had Jennifer te zien bij een bushalte.

Was dat zo? Had hij haar gezien? Peinzend klikte hij met zijn balpen.

Er waren te veel verbanden. Te veel toevalligheden. Te veel mogelijkheden.

Verbeten zocht hij verder op internet, tot hij bij een melding kwam dat St. Augustine's Hospital vijf jaar geleden gesloten was. Bingo! Hij staarde even naar het scherm, noteerde het adres en liep daarna naar buiten.

Bentz had verschillende bestemmingen in zijn agenda. Eerst

wilde hij naar het gesloten ziekenhuis rijden om poolshoogte te nemen. Daarna wilde hij Fortuna Esperanzo opzoeken in Venice, in de galerie waar ze werkte. En daarna zou hij naar de Hoover Middle School rijden, waar Tally White als onderwijzeres werkte. Hij herinnerde zich dat Tally bevriend was geraakt met Jennifer toen haar dochter Melody in dezelfde klas zat als Kristi.

Hij tikte het adres in zijn TomTom en koerste naar de snelweg, waar het verkeer was vastgelopen. Het was erg druk op de 10, midden op de dag, maar toen hij voorbij de plaats van een verkeersongeluk was kon hij sneller rijden.

In oostelijke richting rijdend keek hij vaak in de spiegels, op zijn hoede of hij gevolgd werd door een zilverkleurige Chevrolet.

Hij verstuurde een sms-bericht naar Montoya, zich ervan bewust dat hij aangehouden kon worden omdat hij niet handsfree belde. Aan Montoya vroeg hij of het op de een of andere manier mogelijk was de personeelsdossiers in te zien van het aartsbisdom of welke instelling dan ook die het werven of ontslag van personeel regelde. Er moesten toch archieven van het personeelsbestand zijn. Wel moest er veel doorzocht worden, maar uiteindelijk was de periode beperkt tot enkele jaren.

Hij meldde dat de Impala zeven of acht jaar oud was en dat het ziekenhuis vijf jaar geleden gesloten was. Dus als de auto nieuw gekocht was, dan was de periode waarin het parkeervignet gegeven werd toch betrekkelijk kort.

Dat was een meevaller.

Hij gaf ook het kenteken door en hoopte maar dat er een verband was. Als Montoya de politiecomputers met de opgeslagen bestanden doorzocht, dan werd er mogelijk een aanwijzing gevonden om het mysterie op te lossen.

Bentz besefte dat hij weinig houvast had, maar dit was wel een begin. Saai werk, maar wel te overzien. Zijn mobiel rinkelde. Op het scherm zag hij dat het Montoya was. Bentz grinnikte.

'Heb je al antwoorden voor mij?'

'Voor jou wel, Bentz. Al moet je niet denken dat ik niets beters te doen heb.'

'Kijk alleen wat je wel kunt doen.'

'Wat aardig, verder nog iets?' vroeg Montoya spottend.

'Nog niet.' Bentz wilde niets zeggen over zijn duik, de vorige avond in de Santa Monica Bay. Nog niet.

'Nou, als het zover is, dan hoor ik het wel, ja?'

Bentz hing op, juist voordat hij de snelweg verliet en de weg zocht naar het oude ziekenhuis. Het was geen groot complex, en het gebouw waar vroeger St. Augustine's Hospital gevestigd was werd nu omheind door hekken met borden VERBODEN TOEGANG.

Prima.

Bentz negeerde de borden en klom over een hek. Hij sprong op de grond, en een pijnscheut trok door zijn heup. Dat herinnerde hem eraan dat hij nog steeds niet honderd procent fit was. Maar hij liep meteen door, naar het verlaten ziekenhuis.

De buitenmuren waren niet meer dan een geraamte. Een beetje hinkend liep hij door de bouwval en vond een ingang. Binnen was het hele interieur gesloopt. De vloeren kraakten onder zijn schoenen en hij zag sporen van vleermuizen die zich bij de dakbalken schuilhielden. Een deel van de leidingen was nog intact: roestige buizen liepen langs de pilaren en balken. Kennelijk was er ooit een renovatie begonnen, maar het werk was gestaakt. Door de ingestorte economie?

Weer buiten bleef hij staan bij een groot bord waarop aangekondigd stond dat hier een winkelcentrum werd gebouwd. Maar de geplande opleveringsdatum was al verstreken en het was wel duidelijk dat de projectontwikkelaar zich had teruggetrokken. Dit waren dus de treurige restanten van St. Augustine's Hospital, een naargeestige ruïne.

Met zijn mobieltje nam hij enkele foto's van het vervallen gebouw en de omgeving. Hij stuurde de foto's als mms-bericht naar Montoya.

Hij wilde dat Hayes hem zou helpen. Het was veel efficiënter met de politie hier samen te werken dan afhankelijk te zijn van Montoya in New Orleans. Voorlopig kon hij niet op steun rekenen.

Nog niet.

Bentz deed zijn telefoon weer in zijn zak en keerde terug naar zijn auto. Zijn been was pijnlijk toen hij instapte en wegreed van de troosteloze bouwplaats.

Hoofdstuk 19

Olivia voelde zich niet zwanger. Haar lichaam was niet veranderd, althans niet uiterlijk. Ze had geen last van misselijkheid, ze was ook niet moe en zonder de uitslag van de test zou ze niet eens weten dat ze in verwachting was. Ze had wel drie verschillende zwangerschapstests gedaan, en elke test was van een andere fabrikant. Alle resultaten waren positief: ja, ze was echt zwanger. Dat had ze al geweten toen de eerste strip helderblauw kleurde. Maar ze wilde het helemaal zeker weten. Of beter gezegd, in haar geval wilde ze elke onzekerheid uitsluiten.

Het enige verschil dat Olivia voelde was de omvang van haar geheim. Dat ze het niet aan Bentz verteld had knaagde aan haar. Ze hield niet van geheimen of verrassingen. Daarom had ze besloten een week vrij te nemen en naar Californië te vliegen.

Rick was pas een paar dagen weg, maar Olivia wist dat hij voorlopig niet terug zou komen. Het leek wel of hij wegliep. Van haar. Alsof hij vluchtte uit hun relatie.

O, daar had hij een verklaring voor. Hij had opeens die obsessie met zijn eerste vrouw, en hij joeg op spoken in Californië. En daar was ook een gruwelijke dubbele moord gepleegd, een moord bijna identiek aan de moord op de Caldwell-tweeling. Bentz had er nooit een goed gevoel bij gehad dat hij uit Californië vertrokken was terwijl die zaak nog niet opgelost was, en dat was hem ook nadrukkelijk verweten. Olivia kende haar echtgenoot goed genoeg om te beseffen dat hij nu een kans zag deze nieuwe misdaad op te lossen, een kans om de dader te grijpen en voorgoed achter de tralies te krijgen. Al zou de politie van Los Angeles de bemoeienis van Bentz niet bepaald waarderen.

Maar ook leek hij zich van haar te verwijderen, en het werd tijd om erachter te komen wat de reden was. Bentz had zich vreemd gedragen, al sinds hij uit zijn coma ontwaakt was, en ze had dat nooit met hem besproken. Eerst was ze opgelucht dat hij nog leefde, en terwijl hij herstelde had ze zich beheerst, want ze besefte dat hij niet alleen pijn leed maar ook een doel in zijn leven was kwijtgeraakt. Ze was bemoedigend en tolerant, en ze probeerde hem zoveel mogelijk te steunen.

Nu had ze er genoeg van.

Het werd tijd dat hij de waarheid hoorde.

Olivia was verliefd geworden op de man die achter uiterlijke afstandelijkheid verborgen was, en ze wilde hem weer vinden.

Wat Rick nodig had, bedacht ze, was een flinke optater, om weer terug te keren in de realiteit.

En dat was waarmee Olivia hem wilde raken: met de waarheid.

Ze parkeerde haar auto en liep naar The Third Eye. Lopend door de winkelstraat passeerde ze een babywinkel en ze bleef even staan om de etalage te bekijken. Er waren allerlei schattige maxi-cosi's en slaapzakjes te zien, vaak gedecoreerd met afbeeldingen van dieren. Eén slabbetje was geborduurd met een grijnzende babykrokodil.

Haar eigen spiegelbeeld weerkaatste in de etalageruit: ze werd ook moeder! Dat moest haar echtgenoot toch weten. Waar wachtte ze nog op?

Waarom was ze dan toch bang?

Ze legde haar hand op haar platte buik en stapte de winkel binnen. In een opwelling kocht ze het slabbetje met de krokodil.

Dit was het eerste wat ze voor de kleine Bentz kocht, afgezien van de vele zwangerschapstests. Pas over enkele weken had ze weer een consult bij haar arts. Dat maakte niet uit. Ze wilde niet langer wachten en Bentz vertellen dat hij weer vader werd.

En hij kon daar maar beter erg blij om zijn.

***

In Venice waren nog maar enkele originele grachten. De meeste waterwegen, gegraven in 1905, waren gedempt toen er steeds meer auto's kwamen. Maar de kanalen die nog intact waren en het kleine zandstrand gaven toch de sfeer van een kustplaats, en op deze zonnige warme dag was het erg druk. Het zomerse weer had fietsers en skaters naar buiten gelokt, en ook veel straatartiesten die Bentz deden denken aan de muzikanten op de pleinen van New

Orleans. Evenals in zijn stad heerste hier een carnavaleske sfeer, een stemming dat 'alles kan'.

De kunstgalerie waar Fortuna Esperanzo werkte was maar enkele huizenblokken van het strand verwijderd, ingeklemd tussen een souvenirwinkel waar van alles verkocht werd, van T-shirts tot camera's, en een authentiek Mexicaans restaurant met een terras vol tafeltjes. In twaalf jaar was er weinig veranderd.

Bentz parkeerde zijn huurauto onder een afdak, keek naar zijn wandelstok, maar liet die op de vloer van de auto liggen, en stak de brede straat over. De zilte geur van de oceaan zweefde rond hem en herinnerde hem aan zijn duik in Santa Monica Bay, de vorige avond. Toen hij Jennifer kwijtgeraakt was. Alweer.

Hij liep onder een luifel door de galerie in, waar overal abstracte en moderne beelden stonden uitgestald. Er was niemand te zien. Bentz beklom een brede houten trap die naar de bovenverdieping leidde. Daar waren schilderijen, mozaïekwerk en wandkleden te zien.

In een hoek stond Fortuna Esperanzo op een ladder, ze verving een gloeilamp in een armatuur die op een groot schilderij zonder lijst was gericht. Het was een abstract werk: wilde zwarte strepen dwars over een rood en oranje achtergrond. De titel was kort: *Rage*.

'Fraai,' merkte Bentz sarcastisch op.

Geschrokken liet Fortuna de gloeilamp vallen, in scherven op de vloer. 'Ach, shit!' Vanaf de ladder keek ze woedend naar Bentz. Haar kleine donkere ogen werden omlijst door geëpileerde dunne wenkbrauwen.

Haar roze lippen trokken misprijzend samen. 'Ik had verwacht dat je de hint wel begreep, toen ik je niet terugbelde.' Ze kwam langzaam de ladder af, zorgvuldig de scherven op de vloer vermijdend. 'Wat kom jij hier doen?'

'Ik wilde je even spreken.'

'Het zal wel.' Ze keek hem ongelovig aan. Fortuna was broodmager, gekleed in een rok en sweater. 'Moet ik geloven dat jij na twaalf jaar of langer zomaar opeens langskomt om te kletsen? Maak het nou. Waar is mijn bezem?' Ze liep naar een kast en pakte een stoffer en blik. 'Dus je wilt praten?' mompelde ze, de scherven opvegend. 'Waarover?'

'Jennifer.'

'O jezus, en waarom?' Ze bleef met een ruk staan en keek naar

Bentz, alsof hij net van Jupiter kwam. 'Wat heeft dat voor zin? Die arme vrouw.'

Beneden kwam een klant de galerie in. Bentz zag haar door de open balustrade. Het was een vrouw met zilvergrijs haar en een rode leesbril op de punt van haar neus. Ze keek permanent fronsend, en ze was gekleed in een witte driekwartbroek en een mouwloze blouse. Ze slenterde langs de kunstvoorwerpen en bleef staan voor een glazen mozaïek, dat Bentz wel het lelijkste voorbeeld van moderne kunst vond dat hij ooit gezien had.

Allemachtig, was dit serieus? Een afgrijselijk ding, met op het prijskaartje een bedrag dat Bentz nog niet in een week verdiende.

Fortuna leunde over de balustrade en riep opgewekt: 'Hallo, mevrouw Fielding! Ik kom zo naar beneden.' Ze liet stoffer en blik achter bij de trap en keek naar Bentz. 'Ik heb je helemaal niets te zeggen.'

'Ik wacht wel even.'

Fortuna rolde veelbetekenend met haar ogen en ging snel de brede trap af. Beneden gaf ze uitleg aan de chagrijnig kijkende mevrouw Fielding over het gekleurde glaswerk, dat Afrikaanse dieren moest voorstellen. Lelijke leeuwen, gazellen en olifanten meende Bentz erin te herkennen. Misschien had de kunstenaar wel iets heel anders bedoeld.

Bentz begon de scherven bij elkaar te vegen en legde stoffer en blik daarna terug in de werkkast. Hij vond een andere gloeilamp, die hij in de fitting schroefde zodat het zwart en rode schilderij weer verlicht werd. Even later kwam Fortuna weer boven.

'Denk maar niet dat je op mijn gevoel werkt, alleen maar omdat je hier voor schoonmaker speelt.'

'Graag gedaan, hoor.'

'Ik had dat zelf ook wel kunnen doen.' Ze keek zoekend naar de vloer en vond een glasscherf die Bentz niet opgeveegd had. Ze raapte de scherf op en vouwde haar armen voor haar borst. 'Vertel mij nu maar wat je precies wilt weten.'

'Hoe Jennifer er geestelijk aan toe was, kort voor haar dood.'

'Is dat een grap? Ik zou het niet weten.'

'Jij was een van haar beste vriendinnen.'

'Wat maakt dat nu nog uit?'

'Iemand heeft mij opgebeld, en die persoon beweerde dat ze Jennifer is.'

'Nou en? Iemand vindt het kennelijk leuk om jou te pesten.'

Bentz haalde kopieën van de foto's tevoorschijn en Fortuna keek er vluchtig naar. 'Dit kreeg ik toegestuurd.'

'Ja, en? Die vrouw lijkt inderdaad op Jennifer. Maar wat dan nog? Je gaat me toch niet vertellen dat jij echt gelooft dat ze nog leeft? Dat is belachelijk.' Fortuna lachte vreugdeloos.

'Dat heb ik niet gezegd.'

'Maar wie ligt er dan in haar graf?' Ze schudde haar hoofd. 'Dit is krankzinnig. Iemand neemt jou echt in de maling. En weet je wie dat grappig zou vinden? Jennifer. Je krijgt je verdiende loon.'

Meer dan jij beseft, dacht Bentz, maar hij zei het niet hardop. 'Ik dacht dat jij je misschien iets herinnerde, dat ze zich anders gedroeg of iets zei, in de week voor haar dood.'

'Ik zou het niet weten,' zei Fortuna met een zucht. Ze streek met haar roodgelakte nagels door haar haren. 'Ze deed alles wat ze normaal ook deed, geloof ik. Je weet wel, naar de kapper en zo. Ik was er op de dag waarop ze had gewinkeld en een bezoek aan haar astrologe had gebracht.'

Bentz voelde de spieren in zijn schouders verkrampen. 'Astrologe?'

'Ja, je weet wel, een zekere Phyllis-en-nog-wat.' Fortuna keek hem vragend aan. 'Wist je dat niet?'

'Dat mijn ex-vrouw naar een medium ging? Nee.'

'Ik zei astrologe. Dat is wel een verschil.'

Bentz wist al genoeg. De oma van Olivia had haar hele leven tarotkaarten gelegd. 'Ook goed: Phyllis de astrologe, die naar de dierenriem kijkt. Wassende maan en retrograde, dat soort dingen.'

'Volgens mij komt er wel meer bij kijken, maar persoonlijk boeit het me niet.'

'Jennifer wel?'

'Zeker weten. Volgens mij ging ze daar minstens één keer per maand naartoe. Soms twee keer.'

'En hoelang deed ze dat al?'

'Al jaren. Sinds haar studie, dacht ik.' Fortuna knikte terwijl ze probeerde zich meer te herinneren. 'Ja, ik weet nog dat ze zoiets zei.'

Bentz was stomverbaasd. Tijdens de jaren dat hij haar gekend had en ze alle geheimen samen deelden, had Jennifer nooit gezegd dat ze wel eens advies vroeg aan een astroloog. Niet dat het erg belangrijk was, maar hij vroeg zich wel af welke andere geheimen Jennifer voor hem verborgen hield. 'En wat kwam ze bij dr. Phyllis te weten?'

'O, hemel, dat weet ik niet meer,' zei Fortuna, maar opeens knipte ze met haar vingers. 'Wacht eens, ik herinner me dat Jennifer ooit vertelde dat ze volgens Phyllis maar één kind zou baren en...' Haar stem stierf weg.

'Nou?' drong Bentz aan.

'Ik weet niet of die astrologe er iets mee te maken had, maar om de een of andere reden dacht Jennifer altijd dat ze jong zou sterven.'

'Wat?' Bentz voelde zijn hart overslaan. Jennifer had zoiets nooit tegen hem gezegd.

'Ja, ze maakte van die mistroostige gebaren, zo van: "Ach, ik weet dat ik niet zal meemaken dat Kristi afstudeert." Of: "Ik weet dat ik nooit naar Europa zal reizen. Die tijd krijg ik niet." En eens zei ze – ik krijg kippenvel als ik daaraan terugdenk: "Weet je, ik ben blij dat ik nooit oud zal worden." Fortuna zweeg en ze keek weg van Bentz. 'Hemel, daar heb ik al heel lang niet meer aan gedacht.' Ze schraapte haar keel. 'Verder kan ik je echt niets vertellen.' Ze liep de trap af, en op dat moment kwamen twee mannen, allebei ongeveer dertig jaar oud, beneden de galerie binnen.

Meteen verscheen een innemende glimlach op haar gezicht: Fortuna werd weer verkoopster. Ze kon beter acteren dan de beste filmsterren in Hollywood.

Teleurgesteld dat Fortuna niet meer kon vertellen volgde Bentz haar naar beneden en hij liet een visitekaartje met zijn mobiele nummer achter bij de kassa. Daarna verliet hij de galerie.

Buiten scheen de zon fel. Voorbijgangers liepen over het trottoir en bekeken de etalages. Bij het aangrenzende restaurant zaten enkele gasten aan tafeltjes buiten. De drankjes en pittige Mexicaanse gerechten werden beschaduwd door grote parasols. Twee lachende tieners op skates botsten bijna tegen een slanke dame die haar grote hond uitliet. Ze schoten roekeloos voorbij, en de hond probeerde ze na te jagen.

Bentz schoot te hulp, maar de slanke vrouw herstelde zich en wist de hond in bedwang te houden.

Het leven ging verder.

Behalve voor Jennifer.

Er klopte iets helemaal niet.

Bentz drukte op de afstandsbediening van de portiervergrendeling toen hij de straat overstak. Hij piekerde over wat hij gehoord had, en over de dingen die hij nooit geweten had. Dingen die belangrijk waren voor Jennifer. Haar vriendinnen schenen haar veel beter te kennen dan hij haar ooit gekend had. Misschien begrepen ze haar wel beter dan zij zichzelf.

Maakte het wat uit? Dat Jennifer haar bezoeken aan een sterrenwichelaar stilgehouden had? Niets wat Bentz nu over haar ontdekte verraste hem nog, maar onwillekeurig vroeg hij zich af welke geheimen hij nog meer zou onthullen. Hij stapte in de warme Ford. In gedachten verzonken, en nog steeds gehinderd door de nachtmerrie waaruit hij was wakker geschrokken, manoeuvreerde hij de auto uit de parkeerplaats en keerde op straat. Hij besefte dat Jennifer waarschijnlijk nog veel meer voor hem verborgen had gehouden. Dat ze had opgebiecht wie de biologische vader van Kristi was, betekende nog niet dat ze over andere facetten van haar leven eerlijk was. De harde waarheid was dat hij zijn eerste vrouw nooit echt gekend had.

Hoofdstuk 20

'Dat lukt hem nooit, het lichaam van zijn vrouw laten opgraven.' Bledsoe barstte in lachen uit bij de gedachte aan de ridicule situatie. 'Bentz is echt krankjorum geworden.'

'Hij kan een verzoek indienen, als partner,' merkte Jonas Hayes op, terwijl hij zich weer een kop koffie inschonk. Waarom hij opkwam voor de man die hem dwong laat op de avond naar Santa Monica te rijden om daar zaken te regelen, begreep Hayes zelf niet. Hij moest wel veel last hebben van zelfhaat.

'Ex-partner,' verbeterde Bledsoe, om Hayes nog meer op de kast te jagen.

Hayes had altijd gemeend dat Bentz het zwaar te verduren had gekregen, al die jaren geleden, omdat hij de zaak-Caldwell niet had opgelost en een jongeman had neergeschoten toen hij zijn collega verdedigde. Ja, hij had heel wat trammelant veroorzaakt binnen de afdeling. Maar die fouten waren toch niet ernstig genoeg om hem tot zondebok te maken voor alles wat verkeerd gelopen was, twaalf jaar geleden bij het onderzoek naar een moordzaak.

Hayes staarde naar zijn inktzwarte koffie. 'Als hij bewijst dat het niet zijn ex-vrouw is in dat graf...'

'Ze ligt daar wel, godallemachtig! Hij heeft haar zelf geïdentificeerd. Waarom speel jij opeens advocaat van de duivel?' Bledsoe zat achter zijn bureau, met daarop de *Los Angeles Times* uitgespreid. Hij wees naar de kan in Hayes' handen. 'Is er nog koffie?'

'Nee, leeg.'

'Shit.'

'Je kunt toch nieuwe koffie zetten?' opperde Martinez, en ze liep naar de pantry om haar kopje om te spoelen.

'Je meent het.' Bledsoe snoof verachtelijk bij de gedachte.

'Heb jij wel eens koffiegezet?' vroeg Martinez bits.

'Eh, ja, in 1997,' antwoordde Bledsoe gniffelend.

Paula Sweet, een rechercheur die soms werkte bij de K-9-divisie, kwam binnen. 'Ja, dat herinner ik me.' Paula was halverwege de dertig, ze was twee keer gescheiden, scheen tevreden met haar bestaan als alleenstaande, en het was bekend dat ze zwerfhonden en -katten opving. Ze keek naar Martinez. 'Geloof me, Bledsoe moet je echt geen koffie laten zetten.'

'Zeg! Zo slecht was die koffie niet!'

Paula keek hem meewarig aan. 'Dat had je gedacht! Staat er een kruiswoordpuzzel in de krant?' Ze bladerde al, op zoek naar de puzzelpagina.

Bledsoe haalde zijn schouders op en richtte zich weer tot Hayes. 'Misschien is een opgraving niet eens een slecht idee. We halen die kist boven de grond, nemen wat DNA-monsters en dan kunnen we met zekerheid verklaren dat het lijk echt zijn ex-vrouw is. Dan kan Bentz weer terugkruipen onder de steen waar hij vandaan kwam.'

'Als zij daar ligt,' zei Hayes.

'Je gaat mij niet vertellen dat je die onzin gelooft,' snoof Bledsoe verachtelijk. 'Natuurlijk ligt ze daar begraven. Ik zei toch dat Bentz haar zélf geïdentificeerd heeft?' Hij schoof zijn stoel achteruit. 'Eens een slechte diender, altijd een slechte diender.'

'Gevonden,' zei Paula en ze nam het krantenkatern mee van Bledsoes bureau.

Bledsoe keek stuurs omdat niemand het meteen met hem eens was wat zijn beoordeling van Bentz als politieman betreft.

Martinez begon de lege koffiekan om te spoelen, en Bledsoe verdween uit de kamer. 'Ik moet weg, ik heb werk te doen.' Zijn bureaublad bleef rommelig achter.

'Opgeruimd staat netjes,' fluisterde Paula, met een samenzweerdersblik op Martinez, die openlijk grinnikte.

Hayes wreef over zijn nek. Hij voelde de spanning die in de lucht hing.

Het was al laat op de dag. Iedereen van de afdeling Moordzaken maakte overuren. De zenuwen van de rechercheurs waren gespannen, en hun humeur werd tot het uiterste op de proef gesteld. Want de harde waarheid was dat er geen enkele vordering werd gemaakt in het onderzoek naar de moord op de Springer-tweeling.

Het misdrijf was nog maar kortgeleden ontdekt, maar er was nog geen enkel aanknopingspunt om nader te onderzoeken. Niemand had iets gezien, gehoord of iets opmerkelijks gemeld. Gesprekken met vrienden, familie en buren leverden niets op. Er was geen enkele aanwijzing. De journalisten zetten de voorlichters onder druk, en de oude zaak van de Caldwell-tweeling verscheen weer op de voorpagina's.

Alle aandacht voor de zaak-Springer veranderde niets aan het feit dat dit een van de vele nog onopgeloste moordzaken was. Sommige al wat ouder, sommige recent. Er was bij huiselijk geweld de vorige avond, toen Hayes in Santa Monica was om Rick Bentz te overreden naar huis te gaan, een dode gevallen. De voornaamste verdachte was de man, en het slachtoffer de vrouw met wie hij drie jaar getrouwd was. En in het mortuarium lag het lijk van een negentienjarige knaap die in de vroege ochtend vijf kogels in zijn borst had gekregen.

Dit was nog maar het topje van de ijsberg.

De rechercheurs kregen met het uur meer werk.

Hayes liep terug naar zijn bureau, keek naar de klok en kreunde binnensmonds. Hij zou vanavond niet vroeg thuis zijn, en waarschijnlijk moest hij zijn plannen met Corrine uitstellen.

Ze zou er uiteraard begrip voor hebben, maar ze zou het ook vervelend vinden.

Hij liet zich in zijn bureaustoel zakken en bekeek de foto's van de plaats delict waar de tweeling Springer gevonden was, zoekend naar een nieuwe aanwijzing. Hij bladerde door de verklaringen van personen die de meisjes goed gekend hadden, en van de mensen die hen het laatst in leven hadden gezien. Trisha Lamont was kamergenoot van Elaine Springer en had haar voor het laatst gezien na het laatste gezamenlijke college. Trisha dacht dat Elaine meteen naar huis was gegaan, en er was geen reden om daaraan te twijfelen.

Hayes herlas de verklaring van Cody Wyatt, die volgens Trisha het vriendje van Elaine was. Maar Wyatt had haar op de dag dat ze ontvoerd werd niet meer gezien sinds vroeg in de ochtend, toen ze samen een kop koffie dronken in de kantine.

Felicia Katz, die de lijken had aangetroffen, werd niet verdacht: kennelijk had ze alleen de pech dat ze een bergruimte naast die van de slachtoffers had.

Dan was er Phillip Armes, die zijn hond uitliet in het park bij Lucille Springers flat. Hij beweerde dat hij een grote man had zien oversteken naar het gebouw waar Lucille woonde. Maar de afstand was tamelijk groot, het was donker, en Phillip Armes was bijna tachtig jaar en brildragend. Niet bepaald een goede getuige. De buren van Lucille hadden niets gezien of gehoord, maar strepen op het bordes konden wel bij een aanval veroorzaakt zijn.

Het was alleen zeker dat Elaine en Lucille die avond sms-berichten hadden uitgewisseld. Omstreeks het tijdstip dat Phillip Armes gezien zou hebben dat Lucille gevolgd werd door een man, was ze druk bezig met sms'en naar haar tweelingzus. Beide mobieltjes waren aangetroffen bij de lichamen, de teksten stonden nog in het geheugen en dat klopte ook met de bestanden van de telefoonmaatschappij.

De schoft die Elaine ontvoerd had, stuurde een foto van haar naar Lucille, waarop ze vastgebonden en doodsbang was.

Twaalf jaar eerder had de Caldwell-tweeling nog geen mobiele telefoon. Dat was een verschil met de recente moordzaak, maar verklaarbaar door de moderne techniek. Het was zo ongeveer het enige verschil tussen beide zaken, al was de Caldwell-tweeling achtergelaten in een verlaten loods en werden de meisjes Springer gevonden in een bergruimte.

Hayes bekeek de rapporten, hij tikte met het potloodgum tegen zijn lippen, zich maar vaag bewust van het komen en gaan van collega's.

Hij merkte dat Dawn Rankin bij zijn bureau kwam staan. Ze hield haar tasje in de hand, en een sweater hing over haar arm, alsof ze wilde vertrekken na deze werkdag.

'Raad eens wie mij opbelde?' vroeg ze ernstig.

'Geen idee.'

'Donovan Caldwell. Je weet wel, de broer van de slachtoffers.'

'O?'

Ze had zijn interesse gewekt en ze glimlachte, zodat het spleetje tussen haar voortanden zichtbaar werd. 'Hij beklaagde zich dat we te weinig gedaan hadden. En nu waren er weer twee onschuldige slachtoffers te betreuren, alleen omdat wij niets deden, en bla bla bla.'

'Twaalf jaar later?'

'Ja,' knikte Dawn.

'Net als Bentz.'

'Wat?'

'Rick Bentz duikt ook op, en de moordenaar slaat weer toe. Wat heeft dat toch te betekenen?'

'Het zijn twee heel verschillende dingen.'
'Mogelijk, ja.'
Ze beet peinzend op haar lip. 'Ik weet het niet. Bledsoe zei al: "Alleen als je in toeval gelooft." Zelf denk ik eerder dat er wel een verband is.' Dawn liep fronsend weg. Hayes keek haar na en herinnerde zich dat Dawn nog een appeltje te schillen had met Bentz, net zoals Bledsoe en enkele anderen. Was zijn eigen vertrouwen in Bentz onterecht?

Zelfs Russ Trinidad, de vroegere collega van Bentz, wilde niets met hem te maken hebben. 'Ik zeg dit niet graag,' had Trinidad eerder die dag aan Hayes toevertrouwd, 'maar dat Bentz hier opduikt is slecht nieuws. Ik heb je al gezegd dat ik bijna met pensioen ga, dus ik wil niet betrokken raken bij dit zaakje. Bentz wil zijn exvrouw laten opgraven? Prima, maar laat mij erbuiten.'

Misschien had Bledsoe wel gelijk, bedacht Hayes, het potlood op zijn bureau gooiend. Het was misschien maar beter als Bentz het lichaam van Jennifer liet opgraven, DNA-tests uitvoeren en dan kon deze zaak eens en voor altijd afgesloten worden.

Als Jennifer Bentz wel in dat graf lag, dan was dat duidelijk. En als ze daar niet lag?

Hayes besefte dat dan de hel zou losbarsten.

De school was een langwerpig, laag bakstenen gebouw, met twee rijen majestueuze palmen langs de oprit. Er waren twee vlaggenmasten, een met de Amerikaanse nationale driekleur en een met de vlag van Californië, met een grizzlybeer op de voorgrond.

Bentz reed langzaam langs de hoofdingang van de school en het busperron waar scholieren konden in- en uitstappen. Een eindje verder was een parkeerterrein met de waarschuwing: ALLEEN PERSONEEL.

Hij negeerde het bord, parkeerde de auto en zette de motor uit. Hij bleef achter het stuur zitten. Hij kon een lange vleugel van het schoolgebouw overzien. Hij verlangde hevig naar een sigaret, misschien omdat hij de vorige avond weer gerookt had, of misschien omdat hij nu bij een school was en hij zelf als twaalfjarige knaap hoestend en kuchend zijn eerste trekjes had genomen.

De school was al uit, en op het voorplein waren er nog maar weinig scholieren te zien, met rugzakjes en skateboards.

Bentz veronderstelde dat de meeste leerkrachten en het andere personeel nog in het gebouw waren om de lessen voor de volgende dag voor te bereiden, correctiewerk te doen of wat onderwijzers verder ook deden.

In groepjes van twee of drie en soms alleen kwam het personeel naar buiten. Ze praatten met elkaar, er werd gelachen en met sleutelbossen gerammeld. Sommigen zetten hun zonnebril op. Er werd onderzoekend naar Bentz gekeken, en misschien werden in gedachten zijn uiterlijk en het kenteken van zijn auto wel genoteerd: een man alleen die verdacht rondhangt bij een school.

Een nuffige vrouw, gekleed in een rode rok, een wit shirt en daarover een blauwe bloes maakte aanstalten hem aan te spreken. Zelfs haar sandalen hadden de vaderlandse kleuren rood, wit en blauw. Maar in plaats van iets te zeggen keek ze hem ijzig aan, zoals men naar een pedofiel kijkt. Daarna stapte ze in haar groene Honda en reed met brullende motor weg. Ze deed het oordopje van haar mobiel in en Bentz dacht dat ze 112 al belde, zodat de politie spoedig hier zou komen om hem te ondervragen of te arresteren.

Voordat de dienders arriveerden zag Bentz dat Tally White door de glazen deuren naar buiten kwam. Ze liep naast een andere leerkracht en ze waren druk in gesprek. Tally was lang en ze was in de loop der jaren niet veel dikker geworden. Ze was altijd wat mager geweest, zoals hardlopers dat zijn, maar nu waren haar rondingen wat duidelijker onder haar perzikkleurige broek en bijpassende jasje. In haar bruine haar dat vanachteren korter was geknipt dan opzij, zaten al wat grijze strepen.

Haar collega was kleiner van stuk: een wat hoekige vrouw met een grote zonnebril die de helft van haar gezicht bedekte. Wilde krullen werden amper in bedwang gehouden door een haarband die haar voorhoofd vrijhield. De twee leraressen lachten en praatten terwijl ze met hun zware tassen naar de auto's liepen.

'Actie,' mompelde Bentz, en hij stapte uit zijn auto. 'Hallo, Tally.'

Ze keek opzij en zodra ze Bentz herkende struikelde ze bijna.

'Ach, nee. Rick?' Ze wist het niet zeker en keek onderzoekend naar hem, alsof ze een bril nodig had. 'Rick Bentz?'

'Leuk je hier te zien.'

'Maar waarom ben jij... Ik bedoel, ik weet dat je me gebeld hebt, en ik had ook terug moeten bellen, maar ik wist niet dat je hier in Californië was.'

Ze keek nerveus om zich heen, alsof ze een vluchtroute zocht, of misschien omdat ze bang was dat iemand zag dat ze met hem praatte. Ze herstelde zich en zei: 'Goh, ik had nooit gedacht dat ik jou ooit nog zou zien.'

'Ik wil met je praten,' zei Bentz. 'Over Jennifer.'

Tally leek te verbleken onder haar gebruinde huid en ze keek weer om zich heen. 'Hier?'

'Ik kan je uitnodigen voor een kop koffie. Of liever een glas wijn?'

'Eh... nee.' Opeens besefte ze weer dat haar collega naast haar stond. 'Sherilou,' zei Tally met een gebaar naar Rick, 'dit is Rick Bentz, hij is een oude... Hij was getrouwd met een vriendin van mij.' Ze stelde Sherilou aan Rick voor, en voegde eraan toe dat zij ook Engels doceerde.

Sherilou gaf Bentz een hand. 'Aangenaam,' zei ze, al was dat duidelijk niet oprecht. Haar ogen keken argwanend en haar handdruk was slap. Onzeker.

'Ik moet gaan,' zei Sherilou, met een gemaakte glimlach naar Rick.

Bentz zag de zon weerkaatsen op de motorkap van Tally's Volkswagen.

'Tot morgen,' zei Tally, terwijl Sherilou wegliep en haar boekentas in de kofferbak van haar blauwe Prius deed, voordat ze in de auto stapte. Tally keek haar na, en keerde zich weer naar Bentz. Ze keek hem vragend aan. 'Hoe gaat het met Kristi?' vroeg ze. 'Zij en Melody hebben geen contact meer.'

'Prima. Ze gaat dit jaar trouwen.'

'Dat zal ik tegen Melody zeggen. Zij is ook getrouwd, ze heeft een peuter van drie jaar en verwacht haar tweede kind.' Tally pakte haar portemonnee en toonde trots foto's van een meisje met vlechtjes en een wit knuffelkonijn.

'Schattig,' zei Bentz, en hij meende het.

'Ja, wie had ooit gedacht dat ik nog eens oma zou worden?' Tally deed de portemonnee weer in haar tas. 'Dat is wel gek, maar ik vind het prachtig.' Haar ogen straalden.

'Dat wil ik best geloven.'

Tally hoorde de vreugdeloze ondertoon in Bentz' stem en ze slaakte een diepe zucht. 'Nou, vertel op: wat wil je van mij weten en waarom?' Terwijl ze haar boekentas in de Volkswagen deed legde Bentz het uit. De zon zakte naar de horizon en nog enkele kinderen kwamen de school uit. Bentz vertelde alles, behalve dat hij meende zijn ex-vrouw werkelijk te hebben gezien. Dat detail hield hij voor zich.

Tally luisterde aandachtig. Ze was verbaasd toen hij haar de kopieën toonde van de foto's en de overlijdensakte die hij toegestuurd had gekregen.

'Hoe is het mogelijk,' zei ze ongelovig en hoofdschuddend. Tally bekeek de foto van Jennifer toen ze in haar auto stapte aandachtig. 'Dat... dat kan Jennifer toch niet zijn?' zei ze weifelend en Bentz aankijkend. 'Dat weten we allebei. Wij waren erbij... bij de begrafenis. Ze lag toch in die kist.' De foto in haar hand beefde. Tally stond bij het geopende portier van haar auto. 'Dat is toch onmogelijk.' Maar haar stem klonk onzeker en fluisterend. Ze schraapte haar keel, rechtte haar rug en herstelde zich. 'Die vrouw op de foto... Ze is een dubbelgangster.'

'Kennelijk.'

'Maar dat is Jen niet.' Het klonk niet overtuigend. 'Iemand speelt een spelletje met jou, dat is wel duidelijk. Ik zou niet weten wat ik je kan vertellen.' Ze keek weer naar de foto en huiverde.

'Vertel over de laatste weken van Jennifers leven, en wat je toen opmerkelijk vond. Anders dan gewoon. Misschien heeft ze je iets in vertrouwen gezegd?'

'O, god, dit is allemaal zo onwezenlijk. Vind je ook niet?'

'Ja, ik weet het. Maar is er iets wat jij je kunt herinneren van Jennifer, iets wat ik niet weet? In de laatste week voor haar dood?'

'Ach, het is allemaal zo lang geleden...' Tally maakte de zin niet af, en Bentz dacht even dat ze geen antwoord wilde geven. Maar na een korte stilte zei ze: 'Jennifer was altijd grillig, dat weet jij ook. De ene dag wilde ze dit, en de volgende dag weer iets anders. Ik weet niet of ze wel gelukkig was.'

'Zoiets verwachtte ik wel.'

'Toen de kinderen nog naar school gingen was het niet gemakkelijk, om het zacht uit te drukken.'

'Heeft ze toen iets opvallends gezegd?'

Tally keek naar haar sandalen, diep in gedachten en fronsend. 'Ik zei al dat het allemaal lang geleden is. Jennifer had het moeilijk... ik denk omdat ze een minnaar had.' Ze keek op naar Bentz, op haar wangen een blos, maar hij knikte haar alleen bemoedigend toe.

'James,' zei hij.

'Dat weet ik niet zeker. Ze heeft zijn naam nooit genoemd. Maar ik denk dat hij het was.'

'Mijn broer, de priester.'

Tally likte nerveus langs haar lippen en keek opzij. Ze wilde kennelijk niet meer zeggen, en daarom spoorde Bentz haar aan. 'Ik weet dat James de biologische vader van Kristi is.' Zelfs na al die jaren kostte het hem moeite de woorden uit te spreken. Het verraad was zo heftig, van zijn broer en van zijn echtgenote. 'Ik weet dat ze elkaar ontmoetten in San Juan Capistrano. Daar was een hotel.'

'Ja, die missiepost Saint Miguel. En ook ergens in Santa Monica.'

Shana had eerder de pier genoemd en Bentz voelde een steek bij de herinnering dat Jennifer zo vaak had voorgesteld een dagje naar het strand te gaan. Ze waren met Kristi naar het pretpark bij de pier gegaan, ze hadden gegeten in de restaurants, kijkend naar de ondergaande zon.

'Ze genoot van het strand,' zei hij.

'Ja, zeg dat wel.' Tally's wenkbrauwen schoten even omhoog. 'Jennifer was geen type om met een politieman getrouwd te zijn. Ze was gefrustreerd. Ik denk dat ze haar ambities als kunstenares heeft opgegeven om Kristi op te voeden. Niet dat ze een slechte moeder was...'

Nee, nee..., de vrome Jennifer.

Tally vertelde verder. 'Ze was dol op Kristi, dat weet ik. Maar ze vond het afschuwelijk dat ze niet jouw dochter was, Rick. Dat heeft ze heel vaak gezegd. Schuldgevoel knaagde aan haar.'

'Dat was anders geen reden om haar gedrag te veranderen.'

'Nee,' beaamde Tally met een zucht. Twee meisjes renden voorbij. 'Dag, juf White!'

'Hallo Brin en Marcy!' Tally glimlachte naar de meisjes en keek toen weer naar Bentz. 'Nee, ze voelde zich wel schuldig, maar niet genoeg om haar leven te veranderen. Misschien was daarvoor niets sterk genoeg. Ze hield van jou, maar ze was bezeten van James, hoe onverstandig ook.'

Bentz luisterde, zonder iets te zeggen.

'Het spijt me, maar veel meer weet ik niet te zeggen. Jij kent haar even goed als ik.'

'Ik heb het gevoel dat ik haar helemaal niet kende.' En dat was het understatement van het jaar.

'Dan verschil jij niet van de anderen.' Ze raakte zijn arm aan, maar bedacht zich en trok haar hand snel terug. Met een zucht voegde ze eraan toe: 'Dit heeft niets met jou te maken, dat weet ik. Maar Jennifer heeft me ooit verteld dat ze met jou getrouwd is om weg te komen bij een andere man.'

'James?' vroeg Bentz.

Tally schudde haar hoofd. 'Iemand die ze voor jou had leren kennen.'

'Alan Gray?' Bentz vroeg zich af waarom die naam telkens weer boven kwam drijven.

'Ik weet het niet meer...' Ze aarzelde en leunde met haar schouder tegen haar auto. 'Wacht, ik denk dat je gelijk hebt: dat was zijn naam. Jennifer had een keer te veel martini's op en toen vertelde ze dat ze met jou was getrouwd omdat die Alan wrede trekjes had. Hij was obsessief en had haar wel eens met handboeien vastgemaakt aan het bed, omdat hij haar niet wilde laten gaan. Later heeft hij zijn excuses gemaakt, maar Jennifer heeft het hem nooit vergeven.'

Bentz verroerde zich niet. Woede kwam in hem opzetten. Hij werd woedend op Gray. En op zijn vervloekte ex-vrouw.

Jennifer had dit nooit aan hem opgebiecht.

Was dit de waarheid? Of een snel verzonnen leugentje om te rechtvaardigen dat ze een miljonair had ingeruild voor een politieman?

Hij wist het niet. Een poging doen om Jennifer te begrijpen was zoiets als op drijfzand lopen: je had geen zekerheid.

'Ze zei dat ze hem – Alan – ervan verdacht dat hij nog bij andere zaken betrokken was dan alleen onroerend goed. Illegale zaken, al zou ik niet weten wat. Met Jennifer wist je het nooit. Maar ze deed er wel heel gewichtig over en ze bezwoer me dat ik het geheim moest houden.'

Bentz was geërgerd omdat hij dit nooit geweten had. 'En jij vond het niet nodig om daar iets over te zeggen toen Jennifer overleden was?'

Tally keek hem aan, met een bezorgde trek op haar gezicht. 'Nee. Waarom zou ik?' Na een korte stilte sprak ze verder. 'Het was toch zelfmoord? Dat dacht iedereen. En er was ook een afscheidsbriefje.' Ze keek opeens gespannen, alsof ze besefte dat ze al te veel had gezegd. 'Hoor eens, ik zou niet weten wat het nu nog voor verschil maakt. En trouwens, ik moet nu echt weg. Ik weet verder niets, en ik kan je ook niet helpen.'

Bentz dacht hetzelfde, al had hij toch weer iets meer gehoord.

'Bedankt,' zei hij en haalde een visitekaartje uit zijn portefeuille. Op de achterkant noteerde hij zijn mobiele nummer. 'Bel me als je nog iets te binnen schiet,' zei hij, het kaartje gevend. Tally verkreukelde het bijna in haar vuist.

'Doe ik,' beloofde ze, maar ze wisten allebei dat het niet zou gebeuren.

Tally White wilde niets met hem te maken hebben, en ook niet met de herinnering aan zijn dode ex-vrouw.

Hij deed een stap achteruit toen Tally achter het stuur ging zitten, het portier dichttrok en het contactsleuteltje in het slot stak. Even later gaf Tally veel gas en ze reed snel weg van het parkeerterrein, om de afstand tussen haar en Bentz snel groter te maken.

Dat was niet nieuw.

Dat effect had Bentz wel vaker op andere mensen.

Hoofdstuk 21

Ik sta alleen in de lift.

Langzaam met een hard knarsend geluid gaat de cabine omhoog. Als ik bij de tweede verdieping kom, wacht niemand mij op.

Mooi.

De muffe gang is ook verlaten.

Perfect.

Snel, met geluidloze stappen loop ik door de gang naar mijn eigen kamer, de raamloze ruimte waar ik helemaal alleen ben. De plek die niemand kent, en die niemand met mij in verband zou brengen. De wanden en de vloer zijn van zachtboard en een enkele gloeilamp verspreidt hard licht.

Ik sluit de deur.

Op slot.

Ik controleer of de deur goed afgesloten is.

Dan adem ik uit en kijk om me heen. Veel mensen zouden deze ruimte een cel noemen. Maar hier, alleen, ben ik vrij. Meestal heb ik een hekel aan alleen-zijn, maar hier niet. Dit is de enige plek waar ik me veilig voel. Hier heb ik eindelijk rust.

Eerder ben ik eens naar deze stille plek gegaan en ik heb een manshoge spiegel aan de wand gehangen – zodat ik gezelschap had. Tegenover de spiegel stapelde ik plastic dozen met kleding en make-up op. Ik schroefde ook een stang aan de wand, zodat ik plastic kledingzakken met mooie kleren kon ophangen: de jurken, jasjes en broeken die ik voor speciale doelen had. Ik heb hier zelfs een computer, een laptop die ik kan gebruiken als ik op het grote kussen met tijgerprint zit. In een hoek staat een stoel, en er is een lamp op batterijen. Al het comfort van thuis.

Er is een kleine boekenkast die ik zelf in elkaar heb gezet. De enige boeken zijn fotoalbums en plakboeken die ik al jaren bewaar.

Nadat ik het deurslot nog een keer gecontroleerd heb pak ik

mijn iPod en doe de oordopjes in. Vandaag wil ik naar R.E.M. luisteren en de muziek door mijn lijf voelen gaan. Meeneuriënd pak ik de grote albums uit de boekenkast en ik ga op de stoel zitten. Sommige foto's en artikelen zijn vergeeld in de loop van de tijd, maar alles is keurig geordend. Foto's van Bentz. Artikelen over hem. Zijn hele bestaan als politieman is vastgelegd.

Er is een foto van rechercheur Bentz, staande achter het gele afzettingslint, pratend met twee andere agenten. Op de achtergrond is het huis te zien waar het slachtoffer werd gevonden. Maar ik heb geen belangstelling voor de kleine bungalow met de bloeiende blauweregen bij de voordeur. En ik kijk ook niet naar de bloedsporen op het bordes.

Nee.

Ik richt me op Bentz.

Die stoere klootzak.

Op deze foto is zijn gezicht en profil te zien. Zijn gelaatstrekken zijn mannelijk, zijn onderkaak is vastberaden, zijn dunne lippen vormen een streep. Altijd de geharde politieman.

'Schoft,' fluister ik.

Ik zie een andere foto van hem, in het Ferris-reuzenrad. Kristi zit naast hem. Ze is zeven jaar oud op deze foto, en Bentz grijnst hier breed – een zeldzaamheid dat hij vrolijk is afgebeeld.

De foto, niet erg duidelijk, is ongeveer twintig jaar oud. Ik strijk met mijn vinger over het papier, zoals ik al honderden keren heb gedaan.

Twintig jaar!

Twintig lange jaren.

Het kind is een volwassen vrouw.

Het is waar, besef ik weemoedig, de tijd vliegt.

Maar nu niet meer. De tijd zal stilstaan.

Deze albumbladen van doorzichtig plastic zijn gevuld met zijn leven.

Oude trouwfoto's van zijn eerste huwelijk, verbleekt en flets, de kleding van het bruidspaar duidelijk uit een heel andere periode.

Terwijl de muziek in mijn hoofd klinkt, blader ik snel verder door de jaren, steeds sneller, tot ik bij het heden ben. De recentste foto's zijn scherp en duidelijk, van zijn nieuwe vrouw Olivia.

Nieuwe vrouw.

Nieuw leven.

Dat zullen we nog eens zien.

Een foto van die bitch, ze kijkt recht in de lens, valt me op. Olivia kijkt sereen met een vage glimlach, alsof ze een geheim kent, alsof ze mijn gedachten kan lezen.

Wat een domme gans!

En dan te bedenken dat Bentz echt gelooft dat hij gelukkig is met een vrouw aan wie nogal wat steekjes los zijn.

Een medium?

Zo ja, dan moet ze zich nu zorgen maken.

Ernstig zorgen.

Maar ze is natuurlijk een bedriegster.

Geloven zij en Bentz in die 'visioenen'?

Nou, wat dacht je hiervan, Olivia? Let eens op wat er met je gebeurt, wil je? Wat dacht je ervan twee meter onder de grond te liggen? Nou?

Rick Bentz zal je niet kunnen redden.

En hij zal begrijpen wat echt geestelijke nood is.

Ik kijk woedend naar de vrouw die mij aanstaart. Zo eigenwijs. Zo tevreden met zichzelf. Alsof ze werkelijk gelooft dat ze in de toekomst kan kijken.

'Geen sprake van,' fluister ik. 'Dat nooit.' Maar haar lippen blijven naar me glimlachen en ik herinner me dat ze ooit in het verleden het rare talent had in een visioen te zien dat ergens een moord gepleegd werd.

Hoe zal ze zich voelen als ze de moord op haarzelf ziet, vraag ik me af.

De gedachte is opwindend, ik voel een siddering door mijn lichaam, niet zozeer omdat zij pijn zal lijden, maar omdat Bentz dan gekweld wordt.

Hij zal moeten leven met de marteling, de ziekmakende kwelling van het besef dat door zijn toedoen de vrouw van wie hij houdt afgrijselijke angst en pijn zal voelen.

Maar ik kan niet op de dingen vooruitlopen.

Alles valt op zijn plaats, maar mijn missie is nog lang niet afgelopen. Nog onafgemaakt.

Er zijn mensen die uit de weg geruimd moeten worden, mensen die nuttig zijn geweest door informatie over Jennifer aan Bentz door te spelen, mensen die haar goed gekend hebben en nu geen waarde meer hebben. Ik haal diep adem.

Om mezelf geconcentreerd te houden zoek ik in mijn zak en haal mijn Pomeroy 2550 tevoorschijn, een handig multifunctioneel stuk gereedschap dat zijn scherpe messen verbergt in een plastic huls. Het uiterlijk is zo ontworpen dat het een manicureset lijkt, maar het kan een dodelijk wapen worden door een kleine hendel te bewegen. Het ding bestaat uit een kurkentrekker, een schroevendraaier, een nagelknipper, een schaartje en een klein mesje, zo scherp als een scalpel.

Mijn favoriete gereedschap.

Het scheermesdunne lemmet is perfect.

Grinnikend bij dit nieuwe ritueel om mijn vastberadenheid te vergroten, neurie ik 'Losing My Religion', als ik het mes langzaam langs de binnenkant van mijn pols trek.

Een scherpe steek.

Ik adem met een sissend geluid in, en raak de tekst van de song kwijt. Maar de pijn is bitterzoet en ik vind de melodie terug.

Aandachtig kijkend zie ik het bloed opwellen. Mijn bloed vloeit over mijn huid.

Plechtig en bijna als gehypnotiseerd laat ik de dikke druppels op de foto van Olivia vallen.

Ze glimlacht naar mij, door een bijna ondoorzichtige rode laag.

Onwetend.

Niet bang.

Ik smeer het bloed over het plastic dat haar portret beschermt en toch lacht ze.

Arme, domme bitch.

'Vertel me niet dat je alweer een gunst wilt vragen,' zei Montoya toen Bentz hem vanuit de auto belde. Het verkeer liep vast op de autowegen in Los Angeles. Bentz had het raampje op een kier, maar sloot het en zette de airco hoger.

'Je bent nu toch niet aan het werk.'

'Ik was van plan naar huis te gaan, wat tijd met mijn vrouw door te brengen en uit te rusten. Dit is jouw pakkie-an, Bentz, niet het mijne.' Ondanks zijn bezwaren klonk de stem van Montoya niet onvriendelijk.

'Oké, ik begrijp het. Maar ik kan wel wat hulp gebruiken.'

'Wat dan?'

'Nog wat naspeuringen op internet en in de politiearchieven.'

'Mooi zo.'

'Ik zoek de achternaam van een astrologe: ik weet niet of ze nog actief is, ook niet of ze nog leeft. Ik weet alleen haar voornaam: Phyllis.'

'Dus geen achternaam. En verder?'

'Ze werkte in de omgeving van Los Angeles. En kun je ook uitzoeken of Alan Gray nog in zaken is? Hij is projectontwikkelaar in Zuid-Californië. Dat was hij in elk geval vijfentwintig jaar geleden.'

'Alan Gray?' herhaalde Montoya. 'Ken ik die ergens van?'

'Waarschijnlijk heb ik zijn naam al eens genoemd. Hij is behoorlijk welgesteld, multimiljonair, en hij had een huis in Malibu, dacht ik. En een appartement in New York en een villa in Italië. Als ik me goed herinner was hij ook eigenaar van een jacht dat in Marina del Rey lag afgemeerd. Hij had een relatie met Jennifer voordat wij elkaar leerden kennen. Ik wil weten of hij nog leeft.'

'Je vraagt me niet al te veel.'

'Alleen wat ik echt nodig heb,' zei Bentz en hij hing op.

Het was laat in de middag en de zon stond laag aan de hemel. De hitte van de dag hing boven het wegdek. Bentz besloot iets te eten in Oscar's, een restaurant waar hij vroeger regelmatig met Jennifer kwam. Hij had behoefte aan een rustige omgeving waar hij meer sporen uit het verleden kon vinden, en kon proberen alles wat hij wist over Jennifer bij elkaar te voegen. Die informatie leek elke dag te veranderen, alsof Jennifer werkelijk een kameleon was geweest. Bentz hoopte het oude beeld dat hij van haar had samen te voegen met de nieuwe feiten, om een idee te krijgen wie deze vrouw echt was. Ze leek nu steeds meer een vreemde voor hem.

Zelfs na haar dood was Jennifer Nichols Bentz een groot raadsel.

Shana McIntyre had heel erg de pest in. Ze liep naar haar inloopkast en rukte de haarband van haar hoofd.

Ze had nooit met Bentz moeten praten. Ze had hem niets moeten toevertrouwen en helemaal niets over Jennifer moeten vertellen. Jennifer was dood. Ze was met haar auto tegen een boom gereden, en toen had ze gelukkig rust.

In de grote garderobekast, grenzend aan de badkamer, trok Shana haar tennisrok en mouwloze T-shirt uit, en ze ging naakt voor de grote wandspiegel staan. Ze zag er niet slecht uit voor een vrouw die al eind veertig was, oordeelde ze, al moest ze de komende jaren denken aan een facelift en verfraaiing van haar boezem. Ze duwde haar borsten op, om te beoordelen of ze een andere cupmaat nodig had. Van B naar C. Dat zou leuk zijn. Daarna trok ze de huid bij haar kin en mond strak. De rimpels waren nog niet erg diep, maar haar huid begon toch te verslappen, en dat zou alleen maar erger worden. Jennifer Bentz hoefde zich nooit meer druk te maken over lachrimpels, kraaienpootjes en cellulitis. Doodgaan op jonge leeftijd was akelig, maar had ook wel iets aantrekkelijks.

Shana geloofde dat Jennifer dood was: al twaalf jaar. Degene die de foto's naar Bentz had gestuurd moest hem voor de gek houden.

Waarom vond Shana het dan toch nodig een spelletje te spelen met Bentz? Ze had weliswaar ook twijfels over het dodelijke ongeluk, maar het was onmogelijk dat Jennifer nu nog leefde.

Omdat je hem aantrekkelijk vindt, fluisterde een innerlijke stem beschuldigend, al zou ze het nooit toegeven. Een smeris? Welnee. Maar toch, Bentz was altijd onmiskenbaar sexy geweest, en hij was dat nog steeds. Shana was de laatste tijd op seksgebied een beetje verwaarloosd. Leland was vroeger een vurige minnaar, maar naarmate hij ouder werd en door wat problemen met zijn gezondheid was zijn interesse in seks veel minder.

Het had geen zin hem te overreden naar een arts te gaan en te informeren naar viagra. Zoiets opperen beschouwde hij al als een belediging voor zijn mannelijkheid.

Welke mannelijkheid? dacht Shana gemeen, want eerlijk gezegd verloor ze haar belangstelling voor de man die ze ooit ten koste van alles wilde trouwen. Zij had hem immers verleid om weg te gaan bij Isabella, zijn eerste vrouw?

En Rick Bentz, zelfs met zijn slepende manier van lopen, straalde viriliteit uit. Hij was de oorzaak dat haar gedachten naar duistere paden dwaalden die ze niet durfde te volgen. Jennifer had wel eens toespelingen gemaakt dat Rick een geweldige minnaar was. Ze was niet vreemdgegaan omdat ze naar seks verlangde, maar omdat ze verboden seks spannend vond. Met een priester nog wel. De halfbroer van haar man.

Shana vond toen wel dat Jennifer in die periode geestelijk nogal instabiel was.

Wat was dat lang geleden...

Het speelde lange tijd voordat de eerste grijze strepen in haar haren verschenen, en de tekenen dat haar eens zo stevige lijf op sommige plaatsen uitzakte.

Vreselijk om oud te worden... Oudér, verbeterde ze zichzelf. Ze was nog geen vijftig en ze kende heel wat vrouwen die al in de zestig waren en er geweldig uitzagen. Al moesten ze daar wel wat voor doen.

Shana bekeek zichzelf weer kritisch en vermande zich. Telkens weer kreeg ze te horen dat ze heel mooi was, dat ze een fantastische uitstraling had, en tot nu toe had nog niemand daaraan toegevoegd 'voor jouw leeftijd', wat het compliment toch minder maakte.

Ze trok een badjas aan, hoewel dat niet echt nodig was. De werkster was een tijd geleden vertrokken, de tuinman zou pas over enkele dagen komen en Leland was de stad uit om een belangrijke klant in Palm Springs te ontmoeten.

Shana haastte zich de marmeren traptreden af en liep door de serre naar de tuin, waar Dirk hard blafte naar de chihuahua's van de buren. De kleine hondjes keften terug achter de heg. 'Koest!' beval Shana en ze trok Dirk mee naar binnen. Ze sloot hem op in de waskamer.

Ze had behoefte om even alleen te zijn, ze wilde geen hoofdpijn krijgen van Lelands hond. De laatste tijd bracht ze meer tijd door met de hond dan met haar echtgenoot.

Ze keek naar de koelkast en dacht aan de chocolademousse die erin stond. Het was een ritueel dat ze zichzelf gunde. Elke week kocht ze een ander decadent dessert en liet het op de derde plank van de koelkast staan. Ze gunde zich één hap van de heerlijkheid en liet de rest langzaam uitdrogen en verkleuren. Allerlei desserts stonden op ooghoogte, tot ze de volgende zaterdag weggegooid werden.

Het was haar ritueel van onthouding en beheersing.

Vandaag opende ze de koelkastdeur niet eens. Ze ging weer naar buiten en liep over de patio naar het zwembad. De schemering was ingevallen, de verlichting bij het zwembad brandde en het blauwe water was glad en uitnodigend.

Ze liet de badjas vallen en schopte haar slippers uit bij de rand van het zwembad. Afdalend over de met mozaïek betegelde treden gleed ze in het warme water en ze ontspande zich toen het waterpeil langs haar kuiten en haar heupen tot haar borst steeg.

Ze was zich vaag bewust dat die vervelende kleine chihuahua's eindelijk gestopt waren met keffen en ze begon aan haar avondritueel: met langzame slagen zwemmen. Vrije slag naar de andere kant, schoolslag terug en dan twee baantjes borstcrawl. Dat was een serie. Ze zou vijf series doen, en pas daarna gunde ze zichzelf een drankje. Want naast de chocolademousse stond een karaf met koele, al gemixte martini's.

Dat was een andere test voor haar wilskracht: eerst baantjes in het zwembad trekken, en dan een glas inschenken, met precies drie olijven. Ze zoog het piment uit elke olijf. Ach, Jennifer was ook altijd dol op martini's.

Een zwemslag, nog een, dan uitademen. Zwemmen en ademen. Omkeren.

Ze zwom terug en veranderde van ritme toen ze overging op schoolslag. Het werd donker, de maan stond hoog aan de hemel. De gedempte buitenverlichting wierp kleine poelen van licht bij de tuinpaden. Meer licht was op de palmen gericht, en de hoge vensters van het huis werden vanbinnen verlicht.

Het was een riante woonomgeving.

Zelfs al voelde ze zich hier eenzaam.

Zwemslag, nog een keer. En weer.

Ze ging op in de routine en telde in gedachten de baantjes, al wist ze intuïtief hoever ze met haar zelfopgelegde oefenschema was.

Ze kon de martini al bijna proeven toen ze haar laatste baantje in het zwembad trok. Ze liep de treden op en het water droop van haar af. Ze was bijna bij haar badjas, toen ze opeens iets hoorde.

Een voetstap?

Aan de andere kant van de heg zette het koor van keffende chihuahua's weer in. Dirk, nog opgesloten in de waskamer, antwoordde met dreigend grommen.

'Fijn zo,' mompelde Shana. Ze wilde het huis binnengaan en vroeg zich af wat de hond bezielde: als hij binnen was reageerde hij nooit op het gekef van de hondjes bij de buren. Ze haatte die kleine mormels en bedacht dat ze Dirk eens moest loslaten om jacht op ze te maken.

Vanuit haar ooghoeken zag ze iets bewegen.

Wat?

Iets donkers.

Een schim in de zijtuin.

Of toch niet?

Ze kreeg meteen kippenvel en voelde angst opkomen.

Ze tuurde naar de zijkant van het huis en hield zichzelf voor dat er niets vreemds was, en dat ze zich nergens zorgen over hoefde te maken. En toch...

Vlak achter een cirkel van licht zag ze weer iets bewegen, laag tussen de struiken.

Met bonzend hart tuurde ze in de duisternis, zichzelf verwijtend dat ze een bangerik was, zo'n angstig vrouwtje waaraan ze een hekel had, en toen zag ze het weer. Iets of iemand kroop dichterbij.

Iets was hier duidelijk niet in orde.

'Wat heeft dat...'

Razendsnel sprong een donkere gestalte naar voren, de voetstappen weerklonken op het cement.

Shana begon te krijsen toen de aanvaller met glanzende donkere ogen op haar afsprong.

De belager haalde uit en trof Shana met een harde vuistslag, zodat ze achterover in het zwembad tuimelde. Shana's hoofd raakte de rand van het zwembad. Pijn explodeerde achter haar ogen. Ze raakte bijna bewusteloos, maar probeerde bij kennis te blijven en zich te verzetten.

De maniak was boven haar in het water. Gehandschoende handen sloten zich om haar keel. Duwden haar onder water. Ze zag een woedend gezicht door het gordijn van water. De gelaatstrekken waren verwrongen van haat. O, god, ze moest dit monster herkennen, maar ze kon niet meer nadenken. En niet meer ademen.

Lieve Heer, help me. Alsjeblieft, help me toch, die gek wil mij vermoorden!

Ze worstelde en probeerde zich om te draaien in het water, zodat de aanvaller onder haar kwam. Shana was gespierd en een geoefend zwemster. Maar haar krachten namen al af en ze kon zich niet verweren tegen de vastberaden aanval.

Nee! Jezus, nee!!

Ze hoestte en probeerde haar verstand niet te verliezen, probeerde dit te overleven.

Maar ze verloor terrein. Haar kracht verdween, al probeerde ze de stalen greep van de handen om haar keel los te krijgen. Vertwijfeld probeerde ze ergens met haar voeten te schoppen. *Trappen, Shana! Geef een schop! Of bijt. Doe iets. Wat dan ook!*

Het water werd zwaar.

De aanvaller was behendig en snel, ook in het water.

Haar longen en haar neus brandden. Haar keel leek in brand te staan. Ze probeerde weer te hoesten, maar kon geen lucht uit haar longen persen. Haar longen gierden.

O, hemel... Nee, nee!

Alles werd zwart en wervelde boven haar. De sterren en de maan tolden rond haar hoofd. *Ik ga dood,* besefte ze, opeens berustend. Haar armen bewogen traag, haar benen schopten niet meer.

Ze dreef op haar rug, omhoogstarend. Voor alles helemaal zwart werd zag ze een glimp van de persoon die haar probeerde te vermoorden.

Waarom? vroeg ze zich af. *Waarom ik?*

In de verte hoorde ze een stem. 'Rico!' riep de buurman naar de honden. 'Daisy! Little Bit! Allemaal koest!'

Maar de chihuahua's waren door het dolle heen en bleven schel keffen en janken, terwijl de nacht viel over Shana. Ze vocht nog even om lucht, maar toen maakte de duisternis een einde aan haar kwelling.

Hoofdstuk 22

Het was een warme dag, ondanks de zeebries van de Grote Oceaan. Bentz was terug in Santa Monica, hij wandelde over de pier en bleef staan op de plek waar hij 'Jennifer' in het water had zien springen. Hij kreeg een rilling toen hij naar beneden keek, zich voorstellend dat hij haar schimmige gestalte in de inktzwarte diepte zou zien, haar huid bleekblauw, de aderen zichtbaar, haar rode jurk zwevend om haar lichaam.

Hij knipperde met zijn ogen. Natuurlijk was ze daar niet. Het water was helder en schitterde in het zonlicht.

Zijn mobiel ging.

Op het scherm zag hij dat Jonas Hayes hem via zijn privénummer belde.

'Met Bentz,' zei hij, uitkijkend over de zee en zich bewust van de pijn in zijn been. Die was heviger geworden na zijn middernachtelijke zwempartij. De ouderdom kreeg vat op hem, al wilde hij dat niet toegeven. Alleen Olivia vond hem nog jeugdig genoeg om weer vader te worden. Als ze hem nu kon zien, hinkend op de pier, en zich geestverschijningen inbeeldend in het water...

'We moeten praten.' De stem van Hayes klonk afgemeten en zakelijk. Hij was duidelijk niet toeschietelijker geworden sinds hun laatste gesprek.

'Wanneer?' vroeg Bentz, kijkend naar de schaduw onder de pier, waar een hengelaar zijn lijn uitwierp op de plek waar Jennifer onder water verdwenen moest zijn. Voor zover hij wist had de kustwacht geen lijk geborgen van een dode vrouw in een rode jurk, en daarom ging hij ervan uit dat degene die zich voordeed als zijn ex-vrouw nog in leven was. Klaar om hem weer te belagen.

Zoals ze ook in zijn onrustige dromen deed.

Nadat hij wat gesurft had op internet, zoekend naar informatie over Alan Gray, had hij Olivia gebeld en daarna een tijdje televisiegekeken. Hij was weggedommeld terwijl de televisie nog aanstond en in zijn onrustige slaap zag hij losse beelden van zijn ex-vrouw... Jennifer die haar handen naar hem uitstrekte boven haar doorweekte jurk. Jennifer achter het stuur van een zilvergrijze auto met smoezelige kentekenplaten.

Omdat hij wilde zien hoe het mogelijk was dat een vrouw van de hoge pier kon springen en dan spoorloos verdwijnen, was hij weer teruggekeerd naar Santa Monica, op zoek naar antwoorden.

De hemel was onbewolkt en de zon scheen zo fel dat hij zijn zonnebril moest opzetten tegen het schelle licht. Een zachte bries ritselde door de palmbladeren bij het strand. Hij keek op zijn nieuwe horloge – het oude horloge werkte niet meer na zijn zwempartij. 'Hoe laat zullen we afspreken?'

'Nu meteen zou wel goed schikken,' zei Hayes. 'Over een halfuur, veertig minuten, bedoel ik. Kun je mij ergens ontmoeten in de buurt van het Center? Ik ben nu op het bureau.'

'Tuurlijk.' Bentz wist wat Hayes met 'Center' bedoelde: Parker Center, het hoofdbureau van het LAPD, waar ook de afdeling Moordzaken was gevestigd. Bentz begreep alleen niet waarom Hayes zo'n ommezwaai maakte, want de laatste keer dat hij met hem sprak leek Hayes niets liever te willen dan Bentz meteen te dirigeren naar de eerste Boeing 737 richting New Orleans. Maar te oordelen naar de beroepsmatige en bijna afstandelijke ondertoon in Hayes' stem vermoedde Bentz dat het geen gezellige lunchafspraak werd. Hayes belde hem niet om hun verstandhouding te verbeteren.

'Wat denk je van Thai Blossom, op Broadway? Dat is niet ver en ze serveren goed eten. Nou, redelijk.'

'Ik weet die tent te vinden. Wat is er aan de hand?' vroeg Bentz.

'Dat vertel ik wel als we daar zijn.' Hayes hing op en Bentz kreeg een akelig gevoel.

Het was niets voor Hayes om zo geheimzinnig en kortaf te doen. Er moest echt iets aan de hand zijn. En dat was zeker niet gunstig. Bentz draaide zich om en gebruikmakend van zijn wandelstok liep hij naar zijn auto. Hij voelde nog steeds de gevolgen van zijn nachtelijke duik in zee. Zijn been was pijnlijker, al had hij 's ochtends een dubbele dosis ibuprofen genomen, weggespoeld met een grote kop koffie.

Al dat wandelen en over het strand sjouwen was ook niet gunstig. Maar hij wilde de onderkant van de pier bij daglicht bekijken, in de hoop te ontdekken hoe de vrouw ongezien weggekomen was: met een ladder, een touw, of steigerplanken. Toen hij onder de pier was keek hij omhoog en zag alleen het gewelf van het bouwwerk, en pijlers met een laag creosoot en teer. Geen vluchtweg.

Bij daglicht zag Santa Monica Bay er heel anders uit. De vorige nacht leek de hele omgeving spookachtig, met achter de mistflarden de wazige lichtjes van het pretpark, net fel genoeg om te weerspiegelen in het water. Deze ochtend was het uitzicht heel anders. Er hing nu een carnavaleske sfeer, helemaal niet sinister. Het was druk in het pretpark, kreten van het publiek in de attracties en andere geluiden waren hoorbaar. Er liepen veel badgasten, er reden fietsers en veel mensen slenterden langs de etalages. Mannen visten vanaf de pier, gezinnen kuierden over het strand en kinderen speelden met zand. Niets was bedreigend of duister.

Het leek wel alsof hij de hele situatie gedroomd had. Hij deed twee keer navraag bij het bedrijf dat de webcams bediende, en er bleek een storing in de opnames te zijn. 'Geef me nog een dag de tijd,' zei een technicus tegen Bentz, die niet wist of er echt een technisch probleem was of dat het alleen met officiële toestemming mogelijk was de beelden te bekijken. Hij betwijfelde of hij de opnamen ooit te zien kreeg.

Bentz keek nog een laatste keer naar de zee.

Hoe kon een vrouw in het water springen en spoorloos verdwijnen?

Misschien wist Hayes een antwoord op die vraag.

Even later stapte Bentz in de warme auto. Nadat hij de auto gekeerd had trapte hij het gaspedaal flink in. Er was weinig verkeer in de stad. Bentz werd niet gevolgd, en hij zag ook geen glimp van Jennifer.

Terwijl hij verder reed bedacht hij dat Hayes misschien over de oude Caldwell-zaak met hem wilde spreken, om te controleren of er iets was wat niet in de dossiers vermeld stond. Misschien hoopte Hayes dat Bentz nog een detail wist dat de sleutel was om de dader te ontmaskeren en daardoor ook de recente moord op de tweeling Springer op te lossen.

Hij dacht aan de ouders, die door een hel van verdriet moesten gaan. Enkele keren in zijn eigen leven was hij zijn dochter bijna kwijtgeraakt en de herinnering daaraan stond in zijn geheugen gegrift. En nu wilde Olivia ook een kind. Natuurlijk wilde ze een kind. Dat kon hij haar niet kwalijk nemen: ze was veel jonger dan hij en ze was nog niet eerder moeder geworden.

Misschien...

Als hij wat hier allemaal gebeurde eerst maar doorstond.

Hij arriveerde vijf minuten voor het afgesproken tijdstip bij het restaurant, maar Hayes zat binnen al te wachten aan een tafel gedekt met een plastic kleed. Tussen de tafels waren namaakbamboe kamerschermen geplaatst. In het restaurant rook het naar jasmijn, thee, gember en kerrie. In de keuken klonken rammelende pannen en Aziatische stemmen.

Hayes keek op van zijn kopje dampende thee. Hij glimlachte niet, maar knikte alleen toen Bentz tegenover hem ging zitten en zijn wandelstok op de vloer liet zakken. Ze waren de enige bezoekers in het restaurant op dit vroege uur.

Hayes had de wandelstok gezien. 'Alles oké?' vroeg hij.

Bentz trok een schouder op en hield zijn gezicht in de plooi. De serveerster, een tengere Aziatische vrouw bracht nog een kopje thee en twee plastic menukaarten. Hayes bestelde, zonder op de kaart te kijken. Bentz zei: 'Doet u mij maar hetzelfde.'

Zodra de serveerster verdwenen was keek Bentz onderzoekend naar het sombere gezicht van Hayes. 'Er is iets gebeurd,' zei hij.

'Waar was jij gisterenavond?'

'Wat?'

Hayes reageerde niet, hij wachtte alleen af. Zijn blik was onderzoekend en bij zijn ogen en mondhoeken waren rimpels zichtbaar. Met zijn grote handen draaide hij telkens het porseleinen theekopje rond, en daarboven vormden zich geurige slierten damp.

'Ik was hier in Culver City, in mijn motel, om precies te zijn.' Wat was er in hemelsnaam aan de hand?

'En kan iemand dat bevestigen?'

'Wat?' vroeg Bentz. De richting van dit gesprek beviel hem helemaal niet. Hij wachtte even tot een bediende sojasaus op tafel had gezet en zei toen: 'Weet ik niet... Ik was omstreeks zeven uur thuis, of was het acht uur? Ik heb me niet gemeld bij de balie.' Bentz zweeg even en keek Hayes strak aan. 'Waarom vraag je dat, Hayes?'

'Jij kent Shana McIntyre toch?'

'Ze was een vriendin van Jennifer. Je weet dat ik haar ken.'

'Ben jij bij haar op bezoek geweest?'

'Ja, een paar dagen geleden. Maar hoezo? Heeft ze geklaagd dat ik haar lastigviel?'

Hayes schudde zijn hoofd. 'Het is veel ernstiger, Bentz. Shana McIntyre is gisteravond dood gevonden.'

Bentz was stomverbaasd. Hij probeerde het tot zich door te laten dringen. De serveerster kwam met dampende schotels groenten, pittig gekruid vlees en rijst. Ze zette alle gerechten op tafel en glimlachte verwachtingsvol. 'Kan ik verder nog iets brengen?'

Shana was dood? Maar hij had haar zo kortgeleden nog gezien...

'Nee, dank u,' zei Hayes.

Bentz leunde achterover en zijn eetlust was opeens verdwenen. Een akelig voorgevoel drukte als lood op zijn maag. Hij kon het niet geloven. Terwijl de serveerster met tikkende hoge hakken wegliep schoof hij zijn bord opzij en zei op fluistertoon: 'Wat zeg je me nou?' Hij probeerde nog steeds te beseffen wat Hayes gezegd had. 'Dood?'

'Vermoord,' verduidelijkte Hayes. Met zijn donkere ogen keek hij Bentz strak aan, vragend en beschuldigend.

Jennifer. Dit had te maken met Jennifer. De duistere gedachte kwam in hem op, toen hij de onuitgesproken beschuldigingen van Hayes begreep.

'Allemachtig. Je denkt toch niet dat ik het gedaan heb?' vroeg Bentz geschokt. Voor het eerst in zijn leven voelde hij zich verdachte van een misdrijf. 'Nee, wacht eens even...'

'Hoor eens,' onderbrak Hayes hem. 'Dit is een vriendendienst, ja? Dienders onder elkaar. Jouw naam is aangetroffen op haar computer. Ze hield haar agenda daar bij.'

'Ik zei toch al dat ik bij haar op bezoek was?'

'En je bent later niet teruggegaan naar haar huis?'

'Nee.' Bentz voelde zijn maag ineenkrimpen. Dit was krankzinnig. Hij kon niet geloven dat iemand die hem kende en zelfs als collega met hem had samengewerkt, hem van moord kon verdenken.

En Mario Valdez dan? Die knaap heb jij toch neergeschoten, of niet? Een ongeluk, maar hij was wel dood. Door jouw toedoen. Je bent ertoe in staat, Bentz. Dat weet iedereen hier in LA.

'Vertel mij eens waarover jullie spraken.'

'Over Jennifer, uiteraard.' Bentz hield zichzelf voor dat hij niet paranoïde moest worden. Hayes probeerde hem niet te laten bekennen. Hij deed alleen zijn werk. De serveerster leidde twee heren in donkere kostuums naar een naburig tafeltje. Bentz keek even naar het tweetal en richtte zijn blik daarna weer op Hayes.

Hayes trok een donkere wenkbrauw op. 'Is dat alles?'

'Ja.' Bentz vertelde over zijn ontmoeting met Shana, vanaf het moment dat ze de deur voor hem opende tot hij weer vertrok. Hij vertelde ook dat hij kort daarna 'Jennifer' had gezien bij een bushalte in Figueroa.

De uitdrukking op Hayes' gezicht veranderde niet. 'Geloofde Shana dat jouw ex-vrouw misschien nog in leven is?'

'Nee. Ze dacht dat Jennifer dood is, al heeft ze wel altijd getwijfeld of het inderdaad zelfmoord was.'

'Dacht ze dat Jennifer vermoord is?' De suggestie van Hayes was overduidelijk: Jennifer is vermoord, en jij bent daarbij betrokken.

'Ik begrijp waar je op doelt, maar ik zou hier niet zijn om naar de waarheid te zoeken als ik iets te maken had met Jennifers dood. En ik had ook geen motief om Shana McIntyre te vermoorden.'

Hayes was niet onder de indruk. 'Je moet toch toegeven dat het allemaal wel heel toevallig is: de Twenty-one-moordenaar slaat weer toe, en nu is Shana McIntyre ook dood. En dat binnen een week sinds jij weer terug bent in LA. Iedere rechercheur zou daar toch enig verband zien?'

Bentz gezicht verstrakte. 'Toen ik wegging bij Shana was ze in leven. Dat was een paar dagen geleden, controleer het maar. Ik ben nooit teruggegaan en ik heb haar ook niet meer gezien of met haar getelefoneerd. Dat kun je navragen bij mijn telefoonprovider.'

'Dat zullen we zeker doen.'

'Prima. Dan zul je zien dat ik gisteravond telefoneerde met mijn vrouw in New Orleans. De zendmast moet dat signaal opgepikt hebben. Allemachtig, ik hoef me toch niet te verdedigen tegenover jou of wie dan ook?'

Hayes stak afwerend zijn hand op. 'Ik dacht dat je het liever van mij hoorde.'

Bentz probeerde zijn woede te beheersen. Het had geen zin de boodschapper van deze onheilstijding verwijten te maken. 'Eens en voor altijd: ik was gisteren niet in het huis van Shana. En dat kon je al weten als je haar beveiligingssysteem had gecontroleerd.

Haar huis is een vesting, alsof ze een beroemdheid was. Denk je dat je daar ongemerkt naar binnen kunt wandelen, met al die beveiligingscamera's?'

'Dat onderzoeken we nog.'

'Doe dat vooral, want ik ben daar helemaal niet geweest. En als je toch bezig bent, trek dan ook de informatie na die ik je stuurde over die zilvergrijze auto en het kenteken. Iemand speelt een akelig spelletje met mij, Jonas, en die persoon houdt de politie hier ook voor de gek. Ik heb Shana McIntyre niet vermoord, maar iemand wil me erin luizen. Iemand heeft deze hele zaak in scène gezet. En waarschijnlijk worden we nu ook in de gaten gehouden.'

De serveerster kwam met meer thee en een vragende glimlach. Maar Hayes schudde zijn hoofd en ze liep verder om drie dames van middelbare leeftijd een tafeltje te wijzen.

'Jij bent paranoïde,' concludeerde Hayes met gedempte stem, terwijl de drie dames hun stoelen bijschoven. De woorden van Hayes waren een echo van Bentz' eigen bezorgdheid.

'Dat klopt, en daar heb ik ook een goede reden voor.'

'Ik zit hier wel als je vriend.'

'Je kent het gezegde: met zulke vrienden heb je geen vijanden nodig.'

'Ik wil je alleen maar waarschuwen.' De donkere ogen van Hayes lichtten even op en zijn lippen vormden een smalle streep. 'Heel wat mensen binnen het politiekorps zien jou graag onderuitgaan, Bentz.'

'Dat is geen nieuws.'

'Ik zei toch dat ik je wil steunen?'

'Bewijs het maar: geef me de informatie die ik je gevraagd heb. Ik ga weg.' Bentz ging staan, greep zijn wandelstok en schoof zijn bord naar Hayes. 'Dit kun je wel laten inpakken en meenemen naar huis.'

Bentz had wel een punt, bedacht Hayes grimmig. De klok tikte naar vijf uur en hij had nog een stapel paperassen op zijn bureau. De airconditioning maakte ook overuren, het koele kantoor stroomde langzaam leeg naarmate meer collega's naar huis gingen en de avondploeg zich aandiende. Voor de derde keer bekeek Hayes de verklaringen die hij had verzameld van buren en bekenden van Shana McIntyre, en hij probeerde enige samenhang te vinden in de gebeurtenissen rond haar dood. Dat was een onmogelijke taak, bedacht hij, nerveus met zijn balpen klikkend.

Hoewel hij niet genoeg bewijzen had om er een zaak van te maken, wezen alle factoren wel op één ding: iemand had Bentz hierheen gelokt en kort nadat hij uit het vliegtuig was gestapt werden er bizarre moorden gepleegd.

Had de zaak-Springer er ook mee te maken?

Hayes wist het niet. Zijn frons werd dieper en hij klikte steeds sneller met de balpen.

Misschien was hem iets ontgaan, en hij bladerde nog eens door de rapporten. De buurman aan de noordkant van McIntyres huis had honden, en die waren omstreeks halfelf in de avond door het dolle heen geraakt. Dat klopte wel met het tijdstip van overlijden. Maar uiteraard had die buurman niets ongewoons gezien. Niet verrassend, omdat de heggen en schuttingen het onmogelijk maakten in de aangrenzende tuin te kijken.

Een andere buur, drie huizen verder, had een donkere pick-uptruck zien staan, maar die auto was van het hoveniersbedrijf dat de plantsoenen in de buurt onderhield. De pick-up stond daar met motorpech en was later weggesleept. Allemaal verklaarbaar.

Hayes rekte zijn nek en draaide met zijn schouders in een poging de spanning in zijn bovenrug te verminderen. Door deze zaak en de nieuwste voogdij-eisen die zijn ex-vrouw stelde, had hij behoefte aan ontspanning. Hij maakte meestal tijd vrij om te gaan joggen of te sporten, maar de laatste tijd had hij het te druk om iets aan lichaamsbeweging te doen.

Hij bekeek de informatie die hij over de moord op McIntyre had gekregen. Om acht uur in de ochtend was er een telefoontje bij het bureau binnengekomen, nadat de dienstmeid het dode lichaam van Shana McIntyre drijvend in het zwembad had aangetroffen. Ze had meteen 112 gebeld en de dienstdoende agent had de afdeling Moordzaken gewaarschuwd.

Hayes en Bledsoe kregen de zaak toegewezen en ze arriveerden bijna tegelijk met de technische recherche op de plaats delict. Niet veel later kwam de eerste televisieploeg al voorrijden.

Shana McIntyre was niet alleen met haar hoofd tegen de rand van het zwembad geslagen, al kleefde er bloed aan de tegels naast de trap. De blauwe plekken op haar keel waren een aanwijzing dat ze eerst was aangevallen.

Later, tijdens het zoeken naar sporen in de woning, vonden ze de laptop in de studeerhoek. De roze Mac was geopend op Shana's agenda, en de naam Rick Bentz stond met hoofdletters op het scherm.

'Interessant,' had Bledsoe opgemerkt. 'Bentz is amper een week in de stad en er zijn al drie mensen vermoord. Twee slachtoffers van de Twenty-one-moordenaar, en nu staat Bentz' naam in de agenda van deze mevrouw. Nauwkeuriger kan het niet.'

Hayes was niet zo snel met zijn oordeel. 'Jij gelooft toch niet dat Bentz iets met de moord op die tweeling Springer te maken heeft?'

Bledsoe had fronsend naar Shana McIntyres computerscherm gekeken. 'Eerst niet, maar nu dit hier...' Hij krabde aan zijn kin en keek over de rand van zijn leesbril. 'Ik weet het niet. Kijk, ik heb nooit beweerd dat Bentz een moordenaar is. Maar hier klopt iets niet, Hayes. Dat weten we allebei, en het heeft op de een of andere manier te maken met het feit dat onze vriend Rick weer terug is in LA.'

Hayes was het met dat laatste punt eens.

Leland McIntyre, de echtgenoot van Shana, keerde terug uit Palm Springs, en leek oprecht geschokt. Hij had een alibi, maar een huurmoord was niet uitgesloten. McIntyre had een dure levensverzekering met een waarde van twee miljoen dollar op zijn vrouw afgesloten. En dan waren er nog ex-echtgenoten, en Isabella, de vorige mevrouw McIntyre, die volgens de buren altijd wrok koesterde jegens Shana, omdat zij haar echtgenoot had afgepikt. Er waren zoveel anderen dat er bijna een schema gemaakt moest worden om iedereen in kaart te brengen.

Maar alle kandidaten die een onaangename relatie met het slachtoffer hadden, veranderden niets aan het feit dat Rick Bentz enkele dagen eerder op bezoek was geweest bij Shana. De laatste persoon die Shana levend had gezien was de tuinman, eerder in de middag. Het laatste telefoontje met haar mobiel was naar haar man in Palm Springs. De gespreksgegevens van beide telefoons waren al gecontroleerd.

Er waren geen sporen van inbraak bij het huis, maar de moordenaar was waarschijnlijk over het hek geklauterd en om het huis gelopen. Er waren wel vier bewakingscamera's in en om het huis, maar die waren al jaren defect.

Geen aanwijzingen.

De moord op McIntyre oplossen werd moeilijk, begreep Hayes, zelfs als Bentz niet meer als verdachte werd beschouwd.

Die vervloekte Bentz. Hij veroorzaakte alleen maar problemen. En toch zou Hayes hem nog het voordeel van de twijfel gunnen en de informatie waar hij om gevraagd had opzoeken. Er was ook een kans dat daardoor deze moordzaak eerder opgelost werd.

Hayes keek weer naar de klok en besefte dat het laat zou worden. Met een beetje geluk zou hij tegen middernacht thuis zijn. Hij keek naar zijn agenda en een notitie trok zijn aandacht. Concert. O, nee: Maren zong vanavond in een kerk bij Griffith Park in Hollywood. Hayes had zijn dochter beloofd dat hij erbij zou zijn, en haar teleurstelling kon hij even slecht verdragen als de misprijzende blik van Delilah. Hij moest daar wel naartoe. Op de een of andere manier moest hij een uur vrijmaken voor zijn dochter.

Dat was, zoals Delilah hem altijd fijntjes in herinnering bracht, zijn verantwoordelijkheid.

Montoya zweette, zijn spieren waren pijnlijk na een halfuur draven op de lopende band, en daarna trainen met gewichten – een nieuw oefenschema dat hij aan zijn vrouw te danken had, omdat ze hem een lidmaatschap van een fitnessclub had gegeven voor zijn verjaardag. Ja, dat was goed tegen de stress, en ja, hij werd al atletischer, maar deze nieuwe 'gezonde' activiteit was ook moordend. En trouwens, wat was er verkeerd aan een sigaret en een biertje?

Op weg naar de kleedkamer wuifde hij naar een paar heren die hij kende. Hij nam een douche en liet het warme water over zijn lichaam stromen om zich daarna af te drogen. Hij trok zijn kaki bermuda en een poloshirt aan, en nadat hij zijn leren jack had aangetrokken liep hij naar de uitgang.

Buiten regende het.

Dikke druppels vielen op het parkeerterrein en Montoya rende naar zijn Ford Mustang terwijl hij hem met de afstandsbediening opende. Bijna weer doorweekt overwoog hij meteen naar huis te gaan, waar Abby op hem wachtte, maar hij besloot eerst langs het bureau te rijden om de informatie die hij voor Bentz had opgevraagd te bekijken. Dat wilde hij zo snel mogelijk doen, omdat hij de laatste krantenberichten had gelezen over de recente moord in LA.

Montoya vloekte hardop en zette de ruitenwissers aan. Bentz

was in moeilijkheden, dat voelde Montoya. Er stierven daar mensen die op de een of andere manier te maken hadden met zijn collega.

De straatverlichting weerkaatste op het natte wegdek en Montoya reed snel weg. Hij passeerde oranje verkeerslichten en piekerde over Bentz die ver weg in Californië was.

Bentz veroorzaakte daar ophef.

Maar dat was bepaald niet nieuw.

Hoewel Montoya de ideeën van Bentz krankzinnig vond, wezen de gebeurtenissen van de laatste dagen wel op het tegendeel. Bentz kon wel trammelant veroorzaken, maar er was iets aan de hand, iets duisters en beslist boosaardigs. Montoya kon een vliegticket naar Californië kopen en daarheen reizen. Hij had nog wel vakantiedagen. Abby zou het begrijpen, zoals altijd. Maar hij was niet uitgenodigd. De chaos in Californië was Bentz' probleem. Hij spitte in zijn eigen verleden en hij riep die demonen zelf weer op. Als Bentz hulp nodig had van zijn collega, dan zou hij daar heus wel om vragen.

En toch, als Bentz dringend hulp nodig had maar dat zelf niet besefte? Als hij al tot zijn nek in de problemen zat? Bentz was een sukkel wat vrouwen betreft.

Met gierende banden reed Montoya om een hoek en minderde daarna vaart om Abby te bellen.

'En, hoe gaat het met mijn favoriete rechercheur?' vroeg ze.

'Prima, zoals altijd,' loog hij.

'Je hebt nog altijd een bescheiden ego, begrijp ik.'

'Dat moet af en toe wel gestreeld worden.'

'Je ego, zei je?'

'Foei, ondeugende meid.'

'Daar ben jij anders dol op.'

Ze had gelijk, en dat wisten ze allebei. 'Zeg, het wordt een beetje laat,' zei Montoya, remmend voor een rood verkeerslicht bij de Superdome. Mensen met paraplu's staken haastig over door de plassen op straat.

'Laat me eens raden. Jouw werkdag is voorbij, dus nu ga je aan de slag voor Bentz.'

'Zoiets, ja.'

'Moet ik wakker blijven tot je thuiskomt?' vroeg ze met een sarcastische ondertoon.

'Dat lijkt me een goed idee.'

'Meen je dat?'

'Zeker weten.' Het verkeerslicht sprong op groen. Grinnikend verbrak Montoya de verbinding. Abby was de eerste vrouw in zijn leven die kon geven en nemen, en dat vond hij geweldig aan haar. De politieradio kraakte en de ruitenwissers zwiepten heen en weer. Montoya reed door de stad naar het bureau. Hij parkeerde op een vrije plek en zette de motor uit. Zijn kraag opslaand tegen de stortbui draafde hij het gebouw in en de trappen op.

Het was rustig op de afdeling; slechts enkele rechercheurs waren nog aan het werk, de meeste waren al naar huis. Montoya ging achter zijn bureau zitten en zette zijn computer aan. Hij zocht in zijn e-mail naar de documenten die hij had opgevraagd.

Er was antwoord op zijn verzoek, en hij hoopte maar dat Bentz daarmee geholpen was. Hij keek op de wandklok: 8.47 uur, dus nog geen zeven uur aan de westkust. Hij draaide het nummer en na drie keer overgaan nam Bentz op.

'Met Bentz.'

'Ja, dat weet ik.' Ze hadden allebei nummerherkenning. 'Hoe gaat het daar?'

'Niet best. Shana McIntyre is vermoord.'

'Dat heb ik gehoord.'

'En het LAPD is daar niet gelukkig mee.' De stem van Bentz klonk gespannen.

'Niemand is daar blij mee. Zeg, ik heb misschien wat informatie voor je. Ik stuur het wel via e-mail, maar ik dacht dat je het meteen wilde weten.'

'Vertel op.'

'Elliot, onze computernerd, is aan de slag gegaan met de informatie die jij verstrekte over dat parkeervignet, het kenteken en de beschrijving van de auto.'

'Heeft hij iets gevonden?'

'Ja, bingo. Onze technische god stuurde me dit door. Hij heeft gezocht in alle mogelijke bestanden van de overheid en particulieren om dit te vinden.'

'En wat zijn de feiten?'

Montoya keek naar zijn computerscherm. 'De zilverkleurige Chevrolet die jou achtervolgde kan heel goed de auto zijn van een medewerkster van Saint Augustine's Hospital. Haar naam was Ramona Salazar.'

'Was?'

'Ja, want dat is de pech: ze is ongeveer een jaar geleden gestorven.'

Bentz zweeg even en vroeg toen: 'En wat gebeurde er met de auto?'

'Die staat nog steeds op haar naam geregistreerd.'

'Heb je ook een adres?'

'Ja, maar dat is haar oude adres, waar ze tijdens haar leven woonde. De auto kan verkocht zijn, maar de koper heeft het kenteken kennelijk niet overgeschreven.'

'Ik vraag me af waarom niet.'

'Ik ook. Iemand kan haar identiteit gebruiken, of een familielid rijdt in de auto terwijl die nog op haar naam staat.'

'Dat zal ik uitzoeken.'

'Prima. En ik heb ook nog wat informatie over een paar astrologes met de naam Phyllis, al is het niet veel. In Long Beach woont een Phyllis Mandabi die tarotkaarten legt,' zei Montoya, kijkend naar zijn aantekeningen. 'Dan was er nog een dame in Hollywood, die ongeveer vijftien jaar geleden actief was onder de naam Phyllis Terrapin. Ze is vertrokken naar Tucson en daar getrouwd. Ze schijnt niet meer als astrologe te werken.'

'Oké.'

'Alan Gray vinden zal niet moeilijk zijn. Hij is nog altijd een belangrijk zakenman in LA. Zijn nieuwe bedrijf heet ACG Investments, en hij is de directeur.'

'Bedankt,' zei Bentz. 'Die firma ACG had ik met hem in verband gebracht, maar ik weet niet wat hij uitspookt.'

'Ik zal kijken of ik nog meer kan vinden.'

'Geweldig. Mooi werk.'

'Weet ik,' zei Montoya en met een paar muisklikken stuurde hij de informatie door naar het e-mailadres van Bentz. Hij wilde ophangen, maar zei toen: 'Zeg, Bentz?'

'Ja?'

'Wees een beetje voorzichtig.'

Hoofdstuk 23

Ze is dood!

Terwijl ik een verse karaf martini's mix, geef ik mezelf in gedachten een klopje op de schouder, omdat de slachting zo soepel verlopen was. Zonder een hapering. Ondanks die ellendig keffende hondjes.

Die bitch Shana zag het echt niet aankomen.

En haar reactie was mooi om te zien: een verbaasde blik die overging in puur afgrijzen. Onze blikken kruisten elkaar heel even, en toen tuimelde ze met een plons in het water.

Perfect!

Ik neurie tevreden en voeg een beetje droge vermouth toe, een klein scheutje maar, en dan schenk ik voor mezelf een glas in.

Bentz loopt nu te zweten, dat weet ik zeker. Hij vraagt zich af in welke val hij is gelopen, en hij zoekt naar een uitweg. Precies volgens plan. Zijn dappere stunt bij de pier, nu gevolgd door Shana's onverwachte en ach, zo ongelukkige dood.

'Sliepuit,' fluister ik.

Glimlachend zoek ik in de koelkast naar een potje olijven en laat er twee in mijn glas vallen. Fletsgroen, gevuld met piment, dansen de olijven in de heldere drank en zakken naast elkaar. Als twee kleine ogen die mij aanstaren.

'Ben je trots op mij?' vraag ik aan mijn drankje, en neem dan een slok. 'Hmmm. Heerlijk!'

Ik vis een van de olijven uit het glas en zuig het piment eruit, genietend van de smaak en de geur van gin. Ik loop naar de woonkamer en laat me in mijn favoriete fauteuil zakken.

Ik heb de berichtgeving over de dood van Shana McIntyre op video opgenomen en speel de band telkens weer af, luisterend naar het gestamel van die onnozele verslaggeefster Joanna Quince, die hakkelend haar verhaal doet.

'Domme gans,' zeg ik tegen het televisiescherm, en ik stop de andere olijf in mijn mond. Joanna probeert de naam McIntyre goed uit te spreken. 'Het is Mac-En-Tire,' zeg ik geërgerd. Ik heb de scène al drie keer bekeken. 'Shana zou het vreselijk vinden als ze kon horen dat jij het helemaal verknalt,' verwijt ik Joanna, en dat is de waarheid. Shana was zo trots dat ze Leland had afgepikt van zijn eerste echtgenote. Het was alsof ze daarin genoegdoening vond voor wat haarzelf eerder was overkomen.

Ik zet de televisie uit, en denk na over de volgende wie hetzelfde lot als Shana te wachten staat.

Dat moet snel gebeuren, voor alle duidelijkheid, besef ik.

Hoe eerder hoe beter.

Zodat iedereen begrijpt dat deze laatste sterfgevallen geen toeval zijn, en dat ze direct verband houden met Rick Bentz.

Ik weet al wie de volgende verrader is die opgeofferd wordt, en deze keer is het kinderspel. Het kan zelfs vannacht al gebeuren.

Dat is een aantrekkelijke gedachte, en het lukt zeker. Ik heb alles al zo lang voorbereid. Nog een trage slok van mijn koele martini. Maar ik zal slechts één glas drinken. Voorlopig. Later kan ik mezelf nog eens inschenken om iets te vieren.

Ik tintel inwendig, de verwachting trekt door mijn lichaam. Wat heb ik lang gewacht, maar dat was het echt waard. De oude spreuk dat wraak zoet is, is helemaal waar.

Ik drink mijn glas leeg en geniet van de laatste druppels. Proost! Als ik het glas heb neergezet ga ik aan het werk. Ik moet een telefoontje plegen voor ik vertrek, en dan... ja, dan...

De pret begint pas.

Ramona Salazar.

De naam deed geen belletje rinkelen bij Bentz. Helemaal niet.

Gebruikmakend van die ellendige wandelstok en met pijnscheuten in zijn knie liep hij van de broodjesshop naar het motel. Hij droeg zijn nieuwe schoenen, die hij had aangeschaft in een winkel in Marina del Rey. Zoals alles in dit deel van de wereld waren de schoenen krankzinnig duur. Deze zoektocht of zijn ex-vrouw nog leefde kon hem financieel aan de rand van de afgrond brengen.

Hij had in elk geval een naam als uitgangspunt. Een spoor, al was het niet veel. Hij had de middag in zijn motelkamer doorgebracht, zijn aandacht verdelend tussen het televisietoestel en zijn laptop, en hij maakte aantekeningen als er meer bekend werd over Shana McIntyre. Oude foto's van haar welgestelde echtgenoot flitsten over het scherm, en Bentz begreep waarom: de partner van een slachtoffer staat altijd boven aan de lijst met mogelijke verdachten.

Maar serieus detectivewerk vereist meer dan kijken naar journaalbeelden of met Google naar informatie over Leland McIntyre zoeken. Deze manier van speuren begon hem te frustreren. Daarom was hij opgelucht toen Montoya hem belde met de tip dat hij een ander spoor kon volgen.

Ramona Salazar.

Het werd al schemerig. De zon daalde in het westen en het geluid van de San Diego Freeway weerkaatste tegen de heuvels toen Bentz over het parkeerterrein van het motel liep. Hij hoorde geklater en gespettter van water en vermoedde dat er veel kinderen in het zwembad waren, te oordelen naar het gejoel en gelach.

Vaag besefte hij dat de auto van het bejaarde baasje van Spike niet voor het motel geparkeerd stond. Hij liep door de vestibule en opende zijn kamerdeur om naar binnen te gaan. De motelkamer was even ongezellig als altijd.

'Thuis,' zei hij sarcastisch en zette de wandelstok bij de deur. De broodjes legde hij op het bureau. Volgens Montoya was Ramona Salazar ongeveer een jaar geleden gestorven. Bentz zette zijn laptop aan en haalde de verpakking van een broodje dat hij had gekocht, kort voordat Montoya hem belde. Het broodje had de naam 'Californian', en was belegd met gerookte kalkoen, een plak kaas, avocado en tomaten. Het geheel was niet erg lekker, maar dat merkte hij nauwelijks. Hij klikte zijn e-mailbox open en las de informatie die Montoya had doorgestuurd.

Inderdaad stond de auto op naam van Ramona Salazar, en Bentz hoopte maar dat het de juiste vrouw en de juiste auto waren: zo niet, dan was hij weer terug bij af.

Hij had geen printer, maar waarschijnlijk kon hij wel iets afdrukken bij de receptie van de So-Cal Inn. Als Rebecca daar was, dan zou ze hem de ouderwetse bureaucomputer en printer wijzen en zeggen dat hij daar altijd gebruik van mocht maken. Als haar zoon Tony niet bezig was met gamen achter de rug van zijn moeder.

Bentz opende een zoekmachine en typte de naam Ramona Salazar in. Hij verzamelde alle informatie die hij kon vinden, tot en met haar overlijdensbericht.

Als hij op een verkeerd spoor zat, dan was dat pech.

Hij had in elk geval wel een spoor dat gevolgd kon worden.

Maren zong als de spreekwoordelijke leeuwerik: haar mezzosopraan klonk tot aan het dak van de kleine kerk in Hollywood. Hayes concentreerde zich op het stralende gezicht van zijn dochter in het koor van juffrouw Bettes leerlingen. Het was een afwisselend programma: een meerstemmig geestelijk lied, en daarna vlotte songs uit de jaren tachtig en negentig. Hayes herkende enkele nummers van Michael Jackson en van Elton John.

Nadat het hele koor gezamenlijk had gezongen, kwamen alle leden afzonderlijk naar voren om een solo te zingen op het kleine podium van de kerk.

Hayes was te laat naar binnen geglipt, en hij ving daarbij een misprijzende blik op van Delilah. Meteen zette hij zijn mobieltje uit. Daarna luisterde hij aandachtig en oordeelde dat zijn dochter de mooiste stem had van allemaal.

De zangers hadden allemaal les van een statige donkere dame, die op de piano of met een gitaar begeleidde. Voor Hayes duurden de afzonderlijke optredens tergend lang, al kon elke zanger wel zuiver zingen. Maar geen van hen mocht hopen voorbij de eerste ronde van de *American Idol*-wedstrijd te komen, al dachten de trotse ouders daar anders over. Met uitzondering van Maren, vanzelfsprekend. Zij was de ster van de avond. Hayes besefte dat hij hetzelfde dacht als alle andere ouders, maar zijn dochter had echt talent.

Drie jongens en vier meisjes kwamen op het toneel, voordat Maren aan de beurt was met een song van Toni Braxton. Hayes keek naar haar, zijn kleine meid, nog maar twaalf jaar oud, die met overgave stond te zingen, alsof het haar beroep was. Ze had nog een jongensachtig figuur, ze had ook een beugel, maar ze was al even mooi als haar moeder en ze had bovendien veel meer talent.

Maren bewoog mee met de muziek, haar lichtbruine huid glansde in de spotlights. Haar ontkroesde haar viel over haar rug en haar donkerbruine sprekende ogen waren onwaarschijnlijk groot in haar lieve gezicht. Ze was lang en dun, zoals haar beide ouders, en de kuiltjes in haar wangen waren eerder schattig dan sexy. Tenminste, dat hoopte Hayes.

Ze zong een bezielde versie van 'Unbreak My Heart' en het publiek reageerde enthousiast, en ze eindigden met de Whitney Houston-song 'How Will I Know?'

Hayes sprong overeind en klapte enthousiast. Na de buigingen en een kort dankwoord van juffrouw Bette bracht Hayes een boeket, dat hij bij een supermarkt had gekocht, naar het podium en gaf de bloemen aan zijn dochter. Maren was verrukt, en Delilah keek koel maar tegelijk wel verrast.

'Mooi hoor, schatje! Het was prachtig. Je bent de nieuwe Mariah Carey.'

'Ja, zeg dat wel,' mompelde een van de aanwezige moeders.

'O, papa...' Maren rolde met haar ogen, maar ze kreeg de aanstekelijke lach niet van haar gezicht. 'Ik dacht dat je aan het werk was?'

'Dat was ik ook.'

'Mama zei dat je niet zou komen.'

Hayes keek even waarschuwend naar zijn ex. 'Mama heeft zich vergist.' Hij omhelsde zijn dochter.

'Ik wilde niet dat ze weer teleurgesteld zou worden,' zei Delilah.

Hayes liet zich niet uit zijn tent lokken. Niet hier. Nu niet. 'Nou, ze is ook niet teleurgesteld. Wil je mee ergens een pizza eten?'

Hij verwachtte dat Delilah zou protesteren, omdat het al laat was of dat Maren nog huiswerk moest maken, maar in plaats daarvan stemde ze koeltjes toe. Delilah kon echt een bitch zijn, maar Hayes geloofde wel dat haar motief toch vooral was dat ze Maren wilde beschermen. Delilah was wel een verzuurde, ongelukkige en altijd ontevreden vrouw geworden, maar ze was ook nog altijd een verdomd goede moeder.

En daarvoor moest hij dankbaar zijn, bedacht Hayes.

Zodra ze buiten waren pakte hij zijn mobiel en zag dat er voicemailberichten waren. Hij wilde die beantwoorden, maar zag de veelbetekenende blik van Delilah. 'Ik moet even mijn voicemail afluisteren,' zei hij en hij liep naar zijn auto. 'Ik zie jullie bij Dino's.'

'Goed hoor,' antwoordde Delilah afgemeten en ze maande Maren in de auto te stappen.

De telefoontjes waren van Riva Martinez. Donovan Caldwell had naar het bureau gebeld en hij eiste meer informatie over de moord op de Springer-tweeling, met als argument dat hij het recht had meteen geïnformeerd te worden, zeker ook omdat de politie het onderzoek naar de moord op zijn zussen volgens hem 'grandioos had verknald'.

Hayes belde Riva terug terwijl hij onderweg was naar Dino's. 'Ik denk dat je meneer Caldwell naar de afdeling Voorlichting moet verwijzen,' opperde hij.

'Heb ik al gedaan, maar daar nam hij geen genoegen mee,' antwoordde Martinez. 'Hij weet kennelijk dat Bentz weer in de stad is. Hij heeft iets gelezen over die stunt van Bentz bij de Santa Monica Pier. Hoe dan ook, deze meneer Caldwell ruikt bloed. Hij wil met Bentz praten en met Bledsoe, of met Trinidad, en anders met wie er ook maar te maken heeft met de moord op zijn twee zussen. Als je het mij vraagt is die kerel totaal gestoord.'

'Dat hele gezin is anders wel ontwricht doordat wij de zaak verknald hebben.'

'Zeg Hayes, we hebben die zaak niet verknald, we hebben hem alleen niet opgelost. Nog niet.'

Ze had gelijk. Hayes keek op zijn horloge. 'Ik ga wel met hem praten, maar dat kan niet nu meteen.'

'Maak je niet druk. Ik kan dat mannetje wel aan. Het leek me alleen beter jou meteen te informeren.'

'Bedankt.' Hayes hing op en probeerde alles even van zich af te zetten. Hij had nu dringender zaken om zich druk over te maken. Pizza met salami of met worst? En hoe moest hij de komende uren ongedeerd door het verbale mijnenveld met Delilah komen?

Bentz zat op een dood spoor.

Ramona Salazar, wie dat ook mocht zijn, betekende niets voor hem en hij kon ook geen verband tussen deze vrouw en Jennifer leggen. Hij strekte zich uit op het doorgezakte motelbed, wees met de afstandsbediening naar de televisie en keek naar een nieuwszender. Weer werden beelden vertoond van Shana's huis, de ambulance achter het hek op de oprit, het zwembad vanuit de lucht gezien en foto's van het echtpaar McIntyre in gelukkiger tijden. Bentz zakte weg in de matras en voelde zich opeens schuldig. Als hij niet naar Los Angeles was gekomen, zou ze dan nog in leven zijn? Of was dit een willekeurige moord?

Dat laatste geloofde hij geen seconde.

Hij telefoneerde naar zijn dochter en liet een bericht achter. Kristi belde binnen vijf minuten terug.

'Hallo, papa, hoe gaat het?' vroeg ze.

Bentz moest onwillekeurig glimlachen als hij aan haar gezicht dacht: Kristi was even knap als haar moeder. Hij rolde van het bed en liep naar het raam. 'Ik scharrel hier een beetje rond.' Hij keek door de luxaflex naar het parkeerterrein. De duisternis was ingevallen en de grote neonletters van de So-Cal Inn brandden fel boven het asfalt.

'Dus je bent nog steeds in LA, ja toch? Je werkt aan een oude zaak waar mama niets mee te maken heeft?' Hij hoorde het sarcasme in haar stem. 'Weet je, papa, ik vind het echt raar dat je mij niet in vertrouwen neemt. Dat bevalt me helemaal niet.'

Bentz wist geen uitvlucht te bedenken. Kristi was veel te schrander en hij wilde niet proberen haar om de tuin te leiden. 'Oké, je hebt gelijk. Ik doe onderzoek naar haar dood.' Hij pakte de afstandsbediening en zette het geluid uit. De basketbalspelers sprongen geluidloos over het scherm.

'Waarom doe je dit?' vroeg Kristi.

'Omdat ik er niet zeker van ben dat jouw moeder zelfmoord heeft gepleegd. Ik denk dat ze misschien is vermoord.'

Het bleef even stil. Kristi, die altijd zo gevat reageerde en vaak zijn zinnen onderbrak, was nu ongebruikelijk stil. 'En waarom denk je dat?'

'Dat is een lang verhaal.'

'Vijf minuten lang, of vijf uur?' De televisie flikkerde zonder geluid. 'Kom nou, pa, vertel op.'

'Oké, ik denk dat je er wel recht op hebt meer te weten. Eerlijk gezegd ben ik er niet zeker van dat jouw moeder wel in dat graf ligt.'

'Wat? Meen je dat serieus?' Er klonk iets van paniek door in haar stem. 'Nu maak je me echt bang.'

Bentz was niet verbaasd. Om die reden had hij zijn dochter niet eerder in vertrouwen genomen.

'Grote god, ze ligt niet in haar graf? Wat is er in hemelsnaam aan de hand?'

Bentz vertelde het hele verhaal. Hij begon met de foto's en de overlijdensakte die hij ontvangen had, en vertelde ook over zijn 'visioenen' van Jennifer of van degene die zich als haar voordeed. Hij eindigde met vertellen over zijn sprong van de pier in zee en de moord op Shana McIntyre. 'Daarmee ben ik dus bezig, hier in Californië.'

'Dit is toch niet te geloven,' zei Kristi, duidelijk van streek. 'Mama leeft niet meer, dat weet je toch? Ik dacht dat je hallucineerde door de medicijnen. Als ze nog leeft, dan zou ze toch contact met ons opnemen? In elk geval met mij. Als jij denkt dat je haar geest hebt gezien... Ach, dat is niets voor jou, maar ik heb ook dingen gezien die ik niet kan verklaren. Ik zie nog steeds zwart-witportretten van mensen, en die sterven niet lang daarna. Dat is best griezelig. En Olivia heeft ook eens door de ogen van een moordenaar gekeken... Maar als jij zo'n visioen had van mama, dan betekent het nog niet dat ze echt leeft.' Kristi haalde diep adem en Bentz zag in gedachten voor zich hoe ze haar haren uit haar gezicht streek. 'Ik kan dit niet geloven.'

'Ik probeer alleen een verklaring te vinden. Kennelijk wil iemand dat ik hier in LA ben. En die persoon heeft mij hierheen gelokt.'

'Waarom?'

'Daar probeer ik nu juist achter te komen.'

'Nou, het bevalt me helemaal niet.'

Bentz snoof. 'Dan zijn wij het eens.'

'Je doet dit toch niet alleen? Heb je wel hulp van andere mensen?'

Bentz had zich nooit eerder in zijn leven zo eenzaam gevoeld, maar dat wilde hij niet toegeven. Hij had al genoeg pijnlijke feiten aan Kristi verteld. Haar nog bezorgder maken was zinloos. 'Ja hoor: Montoya in New Orleans en ik heb nog altijd vrienden bij de politie in LA.' Bentz ging op de rand van het bed zitten. Hij negeerde de televisie en het feit dat hij een hekel aan deze omgeving kreeg. De vier wanden van de motelkamer kwamen op hem af en hij miste zijn dochter. Hij miste zijn vrouw.

'Wie dan? Wie zijn jouw vrienden daar?' wilde Kristi weten. Ze was oud genoeg om zich te herinneren waar ze in LA hadden gewoond, en ze wist ook dat hij op een onprettige manier bij de politie was vertrokken.

'Jonas Hayes, om te beginnen. Weet je nog wie dat is?'

'Nee.'

'Hij helpt me bij mijn onderzoek.'

'Ik weet niet of ik dat kan geloven. Ik neem aan dat Olivia daar ook van weet?'

Bentz streek over zijn nek. 'Hmm.'

'Dus ik als dochter hoor dat als laatste?'

'Zo moet je dat niet opvatten.'

'Nou, dat doe ik wel.' Kristi was woedend. Bentz kon er weinig aan veranderen.

'Belde je mij daarom op?' vroeg Kristi op hoge toon. 'Gaat het over die zaak?'

Hij voelde haar boosheid, ondanks de grote afstand. 'Ik dacht dat jij misschien nog weet of jouw moeder ooit de naam Ramona Salazar heeft genoemd?'

'Ramona wie? Salazar?' herhaalde ze. 'Nee, ik ken geen Ramona's.'

'En zegt de naam Phyllis je iets?'

'Dat is die astrologe.'

'Wist je van haar bestaan?' Bentz voelde zijn spieren verstijven.

'Ja, natuurlijk. Ik heb haar zelf een keer gebeld voor advies, maar mama sprong bijna tegen het plafond. Ze dacht dat jij het nooit goed zou vinden, en daarom ben ik nooit bij die Phyllis geweest. Mama zei "dat het ons kleine geheimpje was" of zoiets. Je weet hoe ze was.'

Kennelijk niet.

'Goh, ik was haar helemaal vergeten.'

Bentz kon zich wel voor zijn kop slaan. Natuurlijk wist Kristi dingen over Jennifer die hij niet wist. Montoya had de naam Phyllis Terrapin genoemd. 'En, was ze echt onder de invloed van die astrologe?' vroeg hij.

'Het stelde weinig voor. Gewoon iets wat mama deed, zoals ze haar kapsel en nagels verzorgde. Ik heb die Phyllis maar een paar keer gezien, als ik werd opgehaald.' Kristi lachte. 'Ik noemde haar stiekem de "Turtle" vanwege haar naam en omdat ze wel op een schildpad leek: ze had een korte nek, en ze droeg een bril met grote glazen. Mama vond dat niet grappig. Vreemd, want ze had wel veel gevoel voor humor, maar niet als het om astrologie ging.'

Bentz vroeg zich af hoeveel andere geheimen moeder en dochter gedeeld hadden, geheimen waar hij niets van wist.

Ze spraken nog even met elkaar, maar Kristi kon verder niet veel over Phyllis vertellen. 'Ik bel je over een paar dagen,' beloofde Bentz, voordat het gesprek afgelopen was. 'Phyllis de Schildpad,' mompelde hij voor zich uit. Waarschijnlijk leverde het niets op, maar hij zou toch navraag doen.

Hij ging staan, rekte zich uit, en zag de restanten van zijn Californische broodje op het bureau. De verlepte sla en zompige tomaten deed hij terug in het witte zakje en dat gooide hij in de afvalbak. Daarna ging hij weer op de bureaustoel zitten, legde zijn laptop op schoot en steunde met zijn voeten op de rand van het bed. Zo kon hij het laatste televisienieuws volgen en tegelijk verder zoeken op internet.

Hij had juist de naam van Phyllis ingetypt toen zijn mobieltje ging. Op het scherm was te lezen dat hij gebeld werd door L. Newell. Lorraine? De stiefzus van Jennifer?

Hij nam snel op. 'Met Bentz.'

'O, hallo, met Lorraine.' Haar stem klonk gespannen, alsof ze haar adem inhield. Wat had dit te betekenen? 'Ik... ik dacht dat je dit moet weten... O, jezus...'

'Wat is er?' vroeg Bentz, meteen alert en hij voelde een akelige rilling over zijn huid kruipen.

'Ik heb haar gezien... Ik zag Jennifer...'

Bentz liet zijn voeten op de vloer zakken. Hij zette de laptop op het bureau. 'Wat?'

'Ik zeg je dat ik haar heb gezien...'

'Ja, dat heb ik gehoord, maar waar dan? En wanneer?' Hij kon zijn oren niet geloven. Zijn hart bonsde in zijn keel. Adrenaline gierde door zijn aderen. Hij klemde de telefoon vast alsof het een reddingsboei was.

'Een paar minuten geleden. Hier, bij mij in de straat. In Torrance.' Lorraines stem haperde en ze leek doodsbang. 'Ik zag haar in... in een grijze auto...'

Werkelijk? Bentz greep met zijn vrije hand al naar zijn sleutelbos en portefeuille.

'Ze verwachtte kennelijk niet dat ik uit het raam keek.'

'Heeft ze jou gezien?'

'Dat denk ik niet.'

'Wacht eens even: jij zag een vrouw die op Jennifer lijkt in een grijze auto?' Bentz keek door de luxaflex naar het donkere parkeerterrein, alleen verlicht door de neonreclame. Er klopte iets niet.

'Ja!'

'Maar hoe kon je haar dan zien?'

'Eh... in het licht van een straatlantaarn. Die auto stopte bij een lantaarnpaal en ze keek recht naar mijn huis, naar mij.'

'Is ze daar nog steeds?'

'Weet ik niet. Ze reed een paar minuten geleden langzaam voorbij. Ik ben bang. Ze is toch dood, Rick? Iedereen weet toch dat ze dood is?' Lorraines stem klonk hees van paniek. 'Ik wist niet wat ik moest doen, daarom belde ik jou.'

'Ik ben binnen een halfuur bij je. Blijf binnen.'

Hij schakelde zijn mobiel uit en deed zijn schouderholster om, daarna trok hij zijn nieuwe jasje en schoenen aan. De batterij van zijn mobiele telefoon moest opgeladen worden, maar hij stopte het toestel en zijn politiebadge in zijn zak. De pijn in zijn been negerend draafde hij de kamer uit en naar het parkeerterrein. Zodra hij in de auto zat draaide hij het contactsleuteltje om en reed met piepende banden weg.

Iemand anders had Jennifer gezien, of de vrouw die op haar leek. Eindelijk.

Bentz reed door een zijstraat naar de 405 en hij belde het nummer van Jonas Hayes. Hij sprak een voicemailbericht in, om te melden wat er gebeurd was.

Even later reed hij over de snelweg, telkens van rijbaan wisselend om sneller op te schieten en de maximumsnelheid negerend. Het was een heldere avond en er waren sterren zichtbaar boven de lichtjes van de stad. Hij zag de maan en de navigatielichten van vliegtuigen, maar zijn gedachten waren nog bij het telefoongesprek met Lorraine.

Was het echt mogelijk?

Liet 'Jennifer' zich zien? En nog wel bij Lorraines huis?

Of was Lorraines fantasie op hol geslagen?

Had ze visioenen?

Net als jij? Die gedachte kwam in hem op, terwijl de snelheidsmeter al 200 aanwees.

Bentz manoeuvreerde om een glanzend rode BMW en een akelige gedachte kwam in hem op. Shana was dood. Zou 'Jennifer' op zoek zijn naar een volgend slachtoffer? De gedachte deed hem huiveren. Was de vrouw die hij zocht misschien een moordenares? Zijn maag kromp ineen en hij trapte het gaspedaal nog dieper in. Hij haalde een tankwagen in en op dat moment werd hij voorbijgeraasd door een motorrijder die minstens 250 reed, en misschien wel harder. De idioot.

De minuten verstreken en Bentz wilde dat zijn mobieltje ging. Hij wilde met Hayes praten, of met iemand van het bureau. Nog net op tijd zag hij de afrit van de snelweg en hij zwenkte roekeloos langs een Honda. Hij merkte het amper.

Bentz kon geen risico nemen met Lorraines leven. Hij wist niet wat deze 'Jennifer' in haar schild voerde, maar hij had het akelige voorgevoel dat het weinig goeds was. Op de afrit minderde hij vaart en hij sprak weer een bericht in op de voicemail van Hayes met het verzoek meteen terug te bellen.

Bentz wilde een bevestiging dat hij niet krankzinnig was geworden. Dat hij niet alleen maar fantaseerde over een dode vrouw. Wat Lorraine had gezien kon hem daarbij helpen. Hoe dan ook zou de politie weten dat Lorraine ook bang was en misschien zelfs wel werd bedreigd door een vrouw die sprekend op Jennifer Bentz leek.

'Klootzak,' schold Bentz toen hij aansloot in de wachtende rij voor een verkeerslicht. Een kleine man met een overjas, een camouflagebroek en een hoed met een lange veer duwde een karretje voor de auto's langs. Bentz wist dat kostbare tijd verloren ging.

Eindelijk was de man met het karretje voorbij, het verkeerslicht sprong op groen en de rij auto's kwam weer in beweging. Bentz liet de motor razen. Zijn hart bonsde heftig bij het vooruitzicht dat hij tegenover Jennifer zou staan.

Lorraine Newell wist dat haar lot bezegeld was.

Bevend zag ze hoe de vrouw die de telefoon tegen haar oor gedrukt hield en een pistool tegen haar hoofd de hoorn weer teruglegde. De gordijnen waren dichtgetrokken. Ze waren alleen. En ze had tegen Rick Bentz gelogen: ze had hem gesmeekt hierheen te komen. Ze had hem moeten waarschuwen, hem de waarheid vertellen, maar ze was bang, doodsbang. Hoe dan ook zou deze heks haar vermoorden.

Ze keek sidderend naar de vrouw die het pistool op haar gericht hield, met de loop op enkele centimeters van haar voorhoofd.

'Hij komt,' fluisterde Lorraine en ze deed het bijna in haar broek. Hoe had ze zo dom kunnen zijn om open te doen voor deze vrouw die haar telefoon wilde gebruiken? Ze had alleen behulpzaam willen zijn. Maar zodra ze haar telefoon had gegeven aan de vrouw bij de voordeur die beweerde dat ze dringend een takelwagen moest bellen, en dat de batterij van haar eigen mobiel leeg was, veranderde ze in een demon. Ze smeet de deur ruw tegen Lorraines gezicht en trok een zwart pistool uit haar jaszak. Ze porde de loop diep in Lorraines ribben.

Eenmaal binnen bond ze Lorraines handen vast op haar rug, hield de telefoon bij haar oor en ze dwong Lorraine een tekst voor te lezen.

En dat had ze ook gedaan.

De hemel zou haar vergeven dat ze alles wilde doen om haar leven te redden. Maar het was tevergeefs, en dat besefte Lorraine.

'Je... je kunt mij er toch buiten laten?' smeekte Lorraine vertwijfeld. Zweet droop langs haar rug en ze beefde van angst. 'Ik zal er met niemand over praten. Dat beloof ik. Als Bentz hier is, dan... dan zeg ik wel dat het een grap was.'

'Dat is het ook,' zei de vrouw raadselachtig.

'Alsjeblieft...'

'Kop dicht!'

Kon ze maar wegvluchten. Dat pistool wegtrappen. Maar het was al te laat. Lorraine twijfelde er niet meer aan dat de indringster haar naar het hiernamaals zou jagen.

Zonder een greintje medelijden griste de vrouw de tekst die Lorraine had voorgelezen weg. Het gezicht van de vrouw was kil en star als ijs, en ze duwde Lorraine naar voren, door de gang naar de keuken.

Daar was het donker.

O christus...

Er moest een uitweg zijn om dit te overleven.

'Lopen!' beval de vrouw, en ze porde met het harde metaal van het vuurwapen tegen Lorraines rug.

Tranen rolden over Lorraines gezicht. Haar hartslag was gejaagd en onregelmatig. Ze deed een schietgebedje en smeekte de hemel om genade.

'Doe het niet, alsjeblieft,' fluisterde ze, sidderend van angst. Ze wilde niet sterven. Niet nu, niet op deze manier. Ze was nog te jong en ze had te veel om voor te leven. 'Alsjeblieft,' smeekte ze en de wanhoop klonk door in haar stem. 'Ik zal er met niemand over praten. Dat zweer ik! Geloof me toch!'

'Stil maar.' De vrouw streek met de koele loop van het pistool over de ruggengraat van Lorraine, van haar bekken tot haar achterhoofd.

Daar hield het wapen stil.

Ach, jezus...

In die afschuwelijke seconde besefte Lorraine dat het afgelopen was.

Ze kon niets doen of zeggen om deze gestoorde misdadigster op andere gedachten te brengen.

Ze sloot haar ogen, op het moment dat het wapen afgevuurd werd.

Hoofdstuk 24

Er klopte iets niet.

Helemaal niet. Bentz voelde het in de lucht, in de stille nacht. Toen hij voor het huis van Lorraine parkeerde was de straat verlaten – geen zilvergrijze Chevrolet te zien. Er brandden enkele lampen in het drie etages tellende huis, maar de gordijnen waren gesloten. Lorraine had toch gezegd dat ze Jennifer van achter het raam had gezien? Erger nog, toen hij dichterbij kwam zag hij dat de voordeur op een kier stond.

Had ze de deur voor hem opengelaten?

Onmogelijk. Toen hij met haar telefoneerde was Lorraine doodsbang. Elke spier in zijn lijf spande zich. 'Lorraine!' riep hij, tegelijkertijd langzaam en zonder geluid zijn wapen uit de schouderholster trekkend. 'Lorraine? Ik ben het, Rick Bentz.'

Stilte.

Behoedzaam omdat hij gevaar voelde, duwde hij de deur wat verder open met zijn wapen. Omdat hij niets hoorde glipte hij snel naar binnen. In de woonkamer brandde licht en hij verstijfde toen hij iets zag bewegen, tot hij besefte dat het zijn eigen reflectie was in de spiegelwand aan de andere kant van de kamer. De kamer was verlaten, er lag een boek opengeslagen op de versleten groene bank.

'Lorraine?' Hij luisterde scherp maar er kwam geen antwoord.

Geluidloos sloop hij door de gang naar de achterkant van het huis. Bentz passeerde de eetkamer, waar een stapel post op tafel lag. Toen hij de donkere keuken naderde rook hij iets.

De onmiskenbare geur van bloed.

Zijn maag kromp ineen.

Hij vermande zich en stapte de keuken in. Hij zag vaag twee voeten, één zonder slipper, op de grond bij een kast. Hij deed een stap dichterbij. Ze lag met haar gezicht naar de vloer gekeerd. Haar achterhoofd was besmeurd met bloed.

Lorraine.

Hij proefde de bittere smaak van gal. Bentz deed het licht aan en controleerde snel of er nog iemand in de keuken was, voordat hij naast Lorraine knielde. Maar hij wist al dat ze dood was. Hij voelde haar pols.

Niets.

'Godallemachtig!' Dit was zijn schuld. 'Sukkel.' Hij griste zijn mobieltje uit zijn zak en belde 112. Zodra er verbinding was noemde hij zijn naam en gaf het adres door.

Wie had dit op zijn geweten?

Ongetwijfeld dezelfde dader die Shana McIntyre had vermoord. Het verband was overduidelijk: Rick Bentz.

En Bentz begreep dat hij de oorzaak was. Die 'Jennifer' had zich met opzet vertoond aan Lorraine, die meteen met Bentz zou bellen. En kort nadat Lorraine had gemeld dat ze 'Jennifer' had gezien, werd ze in koelen bloede vermoord. De dader kon nu nog in de buurt zijn en toekijken.

De gestoorde heks.

Hoewel Bentz het gevoel had dat er niemand in het huis was, en dat de moordenares allang verdwenen was, wist hij het niet zeker. Hij doorzocht de andere kamers in de woning. Voorzichtig bewegend probeerde hij niets aan te raken om vingerafdrukken of andere sporen niet te verstoren. Hij zocht in alle ruimten en keek bij het terras aan de achterkant. Maar de dader was al weg. Bentz belde ook naar Hayes en liet zijn derde voicemail achter binnen een uur. Daarna keerde hij terug naar de woonkamer. Een schel gekrijs weergalmde door de kamer. Bentz dook meteen weg achter de deur en tuurde even later in de woonkamer. Hij zag een grijze kat wegspringen van de bank naar een grote fauteuil met geruite kussens. De kat blies naar hem en keek met glinsterende ogen dreigend in zijn richting.

Bentz' omhooggeschoten hartslag werd weer rustiger. Hij was vergeten dat Lorraine altijd katten als huisdier had, want toen hij op bezoek was lieten de poezen zich niet zien.

Nog natrillend van de schrik en hevig verlangend naar een sigaret wachtte hij bij de voordeur. Zijn been klopte pijnlijk en hij probeerde kalm te blijven door zich op de nachtelijke geluiden te concentreren. Boven het zoemen van insecten en het blaffen van een hond verder weg hoorde hij loeiende sirenes dichterbij komen. Mooi. Hij streek zijn haar uit zijn gezicht en zag dat een van de buren achter een raam stond en argwanend naar hem keek.

De show gaat beginnen, dacht hij, terwijl een jogger langs kwam rennen. Bentz volgde de slanke vrouw – of was het een man? – in donkere kleding en met een baseballpetje op. Geen reflecterende strepen op de kleren. Ze keek even in zijn richting, maar de afstand was te groot om haar gezicht goed te zien.

Toch was er iets wat hem bekend voorkwam.

Wat? De gedachte drong met een schok tot hem door. *Bekend? Ben je helemaal gek? Je weet niet eens of daar een man of een vrouw loopt. Denk toch na, want er kan nog iemand omgebracht worden van de mensen met wie je gesproken hebt. Je zult heel wat lastige vragen moeten beantwoorden.*

Bentz keek de joggende vrouw na. Ze sloeg een zijstraat in. 'Hee!' riep hij, maar de afstand was al te groot. Hij kon haar lopend nooit inhalen en hij kon ook niet met zijn auto wegrijden. Niet nadat hij de politie al gewaarschuwd had, en die zou hier binnen dertig seconden met loeiende sirenes arriveren.

Vergeet die jogger voorlopig.

Bentz luisterde niet meer naar de stem in zijn hoofd. Nog steeds smachtend naar een sigaret, of een flinke borrel, of eigenlijk allebei, liep hij naar de stoeprand.

Waarom had Lorraine hem opgebeld?

Had ze Jennifer werkelijk gezien?

Of was dit allemaal een list? Bentz staarde naar de donkere straat waar de jogger verdwenen was. Op dat moment werden de eerste zwaailichten zichtbaar en een politieauto kwam met gillende banden aanrijden.

Wie had Lorraine vermoord?

Jennifer?

Bentz besefte dat de moord op Lorraine alles te maken had met de dood van Shana McIntyre. Beide vrouwen waren gedood omdat ze bekenden van zijn ex-vrouw waren. Beide vrouwen waren vanwege hem vermoord. Omdat hij met hen had gepraat. Schuldgevoel perste de adem uit zijn longen. Als hij niet had opgebeld naar Shana en Lorraine, als hij niet bij hen aan de deur was geweest, zouden ze dan nu nog leven?

Bentz deed een stap naar voren toen de politieauto knarsend tot stilstand kwam voor het huis. Twee agenten sprongen uit de auto en kwamen naar hem toe.

'Heet u Bentz?' vroeg de chauffeur, een jonge kerel met zijn wapen al in de aanslag. De agent keek hem argwanend en bars aan.

'Jawel. Ik ben ook politieman – in New Orleans. Ik draag mijn dienstwapen in een schouderholster, en in mijn portefeuille zit mijn badge.'

'Wat is hier gebeurd?' vroeg de ander, een agente die haar pistool recht op Bentz' borst gericht hield.

'Schietpartij. Kennelijk moord,' zei Bentz en het klonk routineus. Zo koel en afstandelijk, dacht Bentz, al kende je haar. 'Ze belde mij op... Ze was bang voor iets wat ze eerder gezien had. Ik ben meteen hierheen gekomen, maar toen bleek ze al dood.'

'Is het slachtoffer binnen?'

'Ja, in de keuken, aan de achterkant van de woning. Verder is er niemand, alleen een poes.'

'Ik ga kijken,' zei de agente. Een tweede sirene loeide door de nacht en kwam snel dichterbij.

Aan de overkant van de doodlopende straat kwam een buurman, gekleed in een strak trainingspak, naar zijn voortuin om te zien wat er aan de hand was. De agent hield Bentz nog steeds onder schot.

'Verroer je niet,' commandeerde de agent. De loop van zijn pistool bleef strak op Bentz gericht. 'Probeer niet eens adem te halen, voordat we meer weten.'

Olivia schakelde de televisie uit, ze lag languit op de bank in de woonkamer en floot de hond. Ze was langer dan gewoonlijk opgebleven, voor de herhaling van een oude film die ze twintig jaar geleden al eens had gezien.

Ze ging naar boven om haar nachtpon aan te trekken, en in de badkamerspiegel zag ze nog geen enkele aanwijzing dat ze in verwachting was. Ze wilde juist in bed stappen, in stilte wensend dat Bentz thuis was, toen de telefoon rinkelde. 'Als je van de duvel spreekt...' zei ze tegen Hairy S, die klaarstond om op het bed te springen. 'Alleen lieden die aan de westkust zijn durven na middernacht nog op te bellen, ja toch?'

Maar op het scherm van de telefoon verscheen niet het nummer van Bentz, de beller was anoniem. Ze verstrakte en zei: 'Hallo?'

Eerst hoorde Olivia niemand antwoorden en ze voelde meteen ongerustheid, zoals altijd als Bentz aan een riskante zaak werkte. 'Hallo?'

'Hij werkt zichzelf in de nesten,' klonk een scherpe vrouwenstem.

Olivia voelde een akelige tinteling door haar huid trekken. Ze kon eerst geen woord uitbrengen.

'Er sterven daar mensen,' zei de onbekende stem.

'Wat is dit? Wie bent u?' Olivia voelde dat haar hartslag versnelde en haar handpalmen werden klam. Ze besefte dat dit dezelfde griezelige vrouwenstem was die haar een paar dagen eerder had gebeld.

'Er is nog een moord gepleegd.' De stem klonk zacht en sissend.

'Nee!' Olivia's maag kromp ineen. Rick? Was Rick iets overkomen? Wat wilde deze vrouw zeggen? Nee... nee...

De vrouw doelde zeker op Shana McIntyre. Ja toch?

'Met wie spreek ik?' Olivia's angst ging over in woede.

'Doe maar een gok,' opperde de hese stem. 'Of vraag het anders aan RJ. Hij weet het wel.'

'Wie moet ik dat vragen?'

Olivia hoorde alleen een schampere holle lach.

Jennifer. Bentz' eerste liefde.

'Waarom doet u dit?'

Klik.

De lijn was dood. Olivia beefde, niet van angst maar van woede. Ze werd witheet van kwaadheid, een blinde razernij. De gedachte dat iemand het waagde een spelletje met haar man te spelen, en dan ook nog probeerde haar in haar eigen huis te intimideren. 'Jij ellendige gek,' zei ze woest, wensend dat haar kwelgeest tegenover haar stond. Ze smeet de hoorn op de haak.

Ze wilde meteen naar Rick bellen, maar ze bedacht zich. De vrouw die haar gebeld had verwachtte dat ze huilend wilde praten met RJ, zoals Jennifer hem vroeger noemde. De vrouw aan de telefoon wilde dat Olivia de rol van het angstige vrouwtje speelde.

Dat nooit.

Olivia gunde haar dat plezier niet.

Voorlopig zou ze afwachten. Maar morgenochtend wilde ze bij de telefoonmaatschappij navraag doen wie haar gebeld had. Als het laffe mens het waagde nog een keer te bellen, dan zou Olivia van zich af bijten.

Om te kalmeren ging ze naar beneden en ze controleerde alle deursloten en ramen. Een beetje overdreven, maar daardoor voelde ze zich wel veiliger. Gerustgesteld dat alles in orde was beklom ze de trap weer naar de slaapkamer die ze met Rick deelde.

Ze had er een hekel aan, maar voor het eerst sinds lange tijd deed Olivia het slaapkamerraam dicht. Dat gaf haar een gevoel alsof ze een nederlaag leed en het was ook frustrerend, maar ze vergrendelde het raam voor alle zekerheid. Nu was er geen verkoelende bries meer in de kamer, ze hoorde het ritselen van de bladeren niet meer, geen geuren van de magnolia zweefden naar binnen. En ze hoorde ook het rustgevende getjirp van de krekels en kwakende kikkers niet meer.

Geërgerd dat ze haar gewone routine moest veranderen vanwege een of andere krankzinnige stapte ze in bed en klopte op de matras. Hairy S hoefde geen tweede uitnodiging en sprong meteen op het bed om naast Olivia te gaan liggen. 'Braaf,' zei ze en krabde over zijn harige kop. De hond bromde voldaan, maar Olivia kon er zelfs niet om glimlachen. Ze was te gespannen en te boos. Ze overwoog even om toch naar Californië te vliegen en Bentz over haar zwangerschap te vertellen.

Dat ze van hem gescheiden was viel haar steeds zwaarder.

Ze had genoeg van de geheimen.

Misschien moest ze morgen maar vertrekken. Of anders binnen enkele dagen...

Ze verschoof haar kussen en nam zich voor de volgende ochtend meteen via internet een ticket te boeken. Ze wilde naar LA vliegen en bij haar echtgenoot zijn. Of hij dat nu wilde of niet. Daar gaat het toch om in een huwelijk? Bij elkaar zijn. Contact met elkaar. Vertrouwen. O, god, ze raakte hem kwijt. Dat voelde ze al, eenzaam in de donkere slaapkamer.

Maar niet zonder slag of stoot. Ze wilde het niet zo snel opgeven.

Ze sloot haar ogen en wilde alleen maar slapen. Ze doezelde weg, maar toen rinkelde de telefoon weer.

Ze vermande zich, ze was al voorbereid op onheilspellende woorden, en ze griste de hoorn van de haak. 'Ja, en?' zei ze bits.

'En ik hou ook van jou,' antwoordde Bentz.

Olivia ontspande zich meteen en ze kreeg een brok in haar keel toen ze zijn vertrouwde zware stem hoorde. Ze miste hem zo vreselijk. 'Hee,' fluisterde ze, en de tranen brandden in haar ogen. Tranen? Dat moesten de hormonen zijn. Maar het was zo heerlijk om zijn stem te horen. Ze schraapte haar keel en ging rechtop in bed zitten. 'Wat is er allemaal aan de hand?' vroeg ze.

'Het is niet best.'

Olivia verstijfde.
'Ik zit vast in het politiebureau van Torrance.'
'Torrance?'
'Ja. Ik wilde het je zelf vertellen.'
'Wat is er dan?'
'Ach, Livvie, het is alleen maar ellende.' Ze hoorde de matheid in zijn stem. 'Ik kreeg een telefoontje van Lorraine, de stiefzus van Jennifer. Ze beweerde dat ze Jennifer bij haar huis had gezien. Ik reed meteen naar haar toe, en vond Lorraine dood. Ze is vermoord.'
'Ach, nee toch,' fluisterde Olivia. Ze hield de telefoon met haar ene hand vast en frommelde nerveus aan de lakens met haar andere hand. Dit kon toch niet waar zijn... Onmogelijk... 'Jennifer?' vroeg ze, maar de waarheid drong al tot haar door. Jennifer Bentz, echt of fantasie, een geest of een mens, zat achter deze slachting.
'Wie zal het zeggen?' verzuchtte Bentz. Hij vertelde over de gebeurtenissen in de vorige nacht, en Olivia luisterde. Ze voelde zich ijskoud en het was alsof een bankschroef om haar borst werd geklemd. Hoewel ze niet langer visioenen had van moorden gezien door de ogen van de slachtoffers, voelde ze wel de verdovende angst door haar lichaam, denkend aan de dode vrouwen en aan de kwellingen die zij hadden ondergaan.
Bentz vertelde dat zijn vriend Jonas Hayes uit LA was gekomen. Hij toonde begrip toen Bentz zich beklaagde dat zijn dienstwapen was afgenomen en dat hij een verhoor moest ondergaan. Voor de eerste keer in zijn leven werd Bentz ondervraagd aan de andere kant van de doorkijkspiegel.
De politie in Torrance geloofde zijn verklaring wel, maar er bleven toch veel vragen omdat Bentz zowel Shana als Lorraine kortgeleden had bezocht, en nu waren beide vrouwen vermoord. Het was duidelijk dat Bentz daarom toch ook verdacht was.
Olivia voelde zich misselijk worden.
'... en het duurde urenlang,' vervolgde Bentz met nauwelijks ingehouden woede, 'om dat hele Jennifer-verhaal uit te leggen, en dat iemand mij kennelijk naar LA wilde lokken. Dat was kennelijk de moordenaar, die daarna in actie was gekomen. Om kort te gaan, ik word gezien als degene die de dader nodig had om toe te slaan.'
'Wacht even. Wil jij beweren dat Jennifer of wie zich als haar

voordoet, mensen vermoordt en de indruk wil wekken dat jij daarbij betrokken bent?'

'Zo is dat.'

'Mijn hemel, Bentz, dat is niet alleen vergezocht, het is gewoon belachelijk!'

'En er zou ook enorm veel planning en geluk voor nodig zijn.' Bentz zweeg even en dacht na. 'Hoor eens, ik zei al dat ik dit zelf aan je wilde vertellen, liever dan dat je het van een ander of via het nieuws hoort. Zodra de media Shana en Lorraine in verband met mij en Jennifer brengen wordt het echt heel vervelend.' Hij aarzelde en Olivia zag in gedachten hoe hij met zijn hand door zijn haar streek, met gefronste wenkbrauwen en een vastberaden trek op zijn gezicht.

'Ik ben blij dat je me belt. Ik maakte me zorgen.'

'Reageerde je daarom zo, toen je opnam?'

'Hè? Wat bedoel je? Wat zei ik dan?' vroeg Olivia.

'Dat je de pest in had. Wat bedoelde je daarmee?'

Olivia had het niet willen zeggen, om hem niet ongerust te maken, maar nu hij ernaar vroeg besloot ze het toch te vertellen. 'Nou, jij was niet de eerste die mij vannacht opbelde.'

'Nee?'

Eigenlijk wilde ze liegen, want het laatste wat hij kon gebruiken was nog meer stress. Maar ze voelde zich al zo schuldig dat ze haar zwangerschap geheim had gehouden. 'Een of andere hijger belde me eerder vanavond.'

'Wie?' Zijn stem klonk afgemeten.

'Weet ik niet.'

'Dezelfde vrouw die eerder belde?'

'Dat denk ik wel. Geen nummerherkenning en ze noemde haar naam niet.'

'Verdomme, Livvie, je kunt daar niet blijven. Niet alleen.'

'Maar dit is ons huis. En trouwens, Hairy S...'

'Daar heb je niets aan. Ik kom naar huis, nu meteen... Of morgen. Na alles wat er al gebeurd is, nu er doden zijn gevallen, wil ik niet dat je alleen bent.'

'Maar dat gebeurt allemaal in Californië, en dat is toch 2500 kilometer ver weg?'

'Met het vliegtuig ben je er zo.'

'Maar jij bent in LA. Dus blijft ze ook daar.'

'Hmm.' Bentz dacht een ogenblik na. Olivia strekte haar arm naar het lichtknopje en deed het nachtlampje aan. De hond kroop onder de dekens vandaan en stak zijn vochtige neus omhoog.

Bentz vroeg: 'En wat zei die vrouw aan de telefoon?'

'Ze zei "dat hij zichzelf in problemen bracht". Ik denk dat ze jou bedoelde, omdat ze je RJ noemde. En daarna zei ze dat er nog een moord was gepleegd. Ik denk dat ze op Shana doelde.'

'Niet waarschijnlijk. Ze was kennelijk trots op wat ze Lorraine heeft aangedaan. Verdomme, ik begrijp werkelijk niet waar ze mee bezig is.'

'Niemand begrijpt het, behalve jij. Want jij lijkt op een hond die een toegeworpen bot achternajaagt.'

'Hoe laat werd je gebeld?'

'Na middernacht, misschien was het kwart voor een. Ik was nog op om naar een film te kijken. Wacht even.' Ze drukte een paar toetsen in op het telefoontoestel, en las de tijd van het gesprek op het scherm. 'Ja, dat was om acht minuten voor één. Ik wilde juist gaan slapen. Het was maar een kort telefoontje van 28 seconden. Ik wil morgenochtend bij de telefoonmaatschappij navraag doen naar het nummer van de opbeller.'

'Goed idee, maar ik denk dat je echt weg moet uit huis.'

'Het is midden in de nacht. Ik heb alles goed afgesloten en de ramen extra gecontroleerd. En trouwens, de moordenaar is in Californië, dus jij moet je meer zorgen maken dan ik.'

'Er ligt een pistool in onze slaapkamer. In die afgesloten kast.'

'Dat weet ik.'

'Pak dat wapen en hou het bij de hand.'

'Rick...' protesteerde Olivia. Dit werd krankzinnig. 'Ik weet niet eens hoe je met dat ding moet schieten.'

'Dat is gemakkelijk: eerst richten en dan de trekker overhalen.'

'Nadat ik het wapen eerst geladen heb en de veiligheidspal eraf gehaald?'

'Jij weet best hoe je een pistool moet gebruiken.'

'Maar...'

'Doe wat ik je gezegd heb, tot ik thuiskom.'

'En wanneer kom je naar huis?'

'Heel gauw,' beloofde hij en het klonk overtuigend.

'Oké, mij best. We hebben genoeg om over te praten.'

'Ja.' Hij aarzelde even. 'Wees voorzichtig, Livvie. Ik hou van je.'

Olivia voelde tranen in haar ogen prikken. 'Ik hou ook van jou. Wees voorzichtig.'

Ze legde de hoorn neer en staarde naar het plafond. Misschien had ze hem moeten smeken te stoppen met die ellendige zoektocht en meteen naar huis te komen. Maar dat was nu toch onmogelijk, omdat hij gepraat had met de vrouwen die nu vermoord waren. Hij moest wel daar blijven. Als hij weer thuis was zou ze hem over de baby vertellen. Niet eerder. Ze wist dat hij het eerste vliegtuig naar huis zou nemen als ze iets over haar zwangerschap had gezegd. Maar dan zou hij ook altijd spijt hebben dat hij niet in staat was geweest erachter te komen wat er met Jennifer gebeurd was.

Ze deed het licht uit.

Olivia wilde dat deze akelige periode voorbij was. Voorgoed. Ze wilde niet dat Bentz ooit spijt zou hebben en denken dat hij iemand in de steek liet die hem juist nodig had. En dat hij een deel van zichzelf en zijn dromen had achtergelaten in het zonnige Californië.

Ze had hem nodig: helemaal voor haar, of anders helemaal niet. Ze nam geen genoegen met een tweede plaats na zijn ex-vrouw.

Jennifer.

'Jij loeder,' fluisterde Olivia zacht voor zich uit in de donkere kamer. Wat had de eerste vrouw van Bentz toch met deze hele zaak te maken?

Ze rolde zich op haar zij en staarde door het raam naar de inktzwarte nachtelijke hemel boven Louisiana.

Bentz moest dit afmaken. De geest van Jennifer voorgoed tot rust laten komen.

Voordat er nog iemand vermoord werd.

Voordat Olivia hem voorgoed kwijtraakte.

Hoofdstuk 25

'Ik heb dit allemaal al verteld aan de politie in Torrance,' zei Bentz, terwijl hij Hayes terugbracht naar Parker Center, waar Hayes zijn eigen auto had staan.

Het was bijna drie uur in de nacht. Bentz was doodmoe. Hij reed over Sepulveda, en dan naar de oprit van snelweg 110 in noordelijke richting. Ondanks het nachtelijke uur was het druk op de weg. De rode achterlichten bewogen over de glooiende rijstroken voor hen.

Hayes was met Riva Martinez gekomen. Ze grapte dat Hayes wel het slechtste moment had gekozen om zijn mobiel uit te zetten. 'Beter laat dan nooit,' had Bentz tegen zijn collega's bij de politie van Los Angeles gezegd, dankbaar dat ze hem wilden bijstaan. Als ze niet gekomen waren zou Bentz waarschijnlijk nog op een harde kruk zitten, in die benauwde verhoorkamer van het bureau in Torrance.

Ze hadden hem gelukkig geen handboeien omgedaan. Nadat hij zijn dienstwapen aan de agenten had afgegeven werd Bentz staande gehouden en hij zag dat er afzettingen werden gemaakt. De buren die nieuwsgierig dichterbij kwamen werden ook ondervraagd.

Het grauwe asfalt kreeg opeens een surrealistische sfeer, door de naderende buurtbewoners: in het schijnsel van de straatverlichting stonden de mensen in badjas of joggingkleding op slippers met elkaar te praten. Hoofdschuddend en sigaretten opstekend keek iedereen naar de auto's van de hulpdiensten. Sommige omstanders riepen ongevraagd naar de politie wat ze ervan dachten.

Bentz had enkele opmerkingen over Lorraine opgevangen.

'Een heel aardige vrouw,' merkte een oudere dame op.

'Ze is een goede buur,' vond haar buurman. Bentz noemde hem in gedachten de Uil, omdat hij een bril met grote ronde glazen had, een ringbaardje en een peinzende uitdrukking op zijn gezicht. 'Ik kan gewoon niet geloven dat iemand bij haar heeft ingebroken.

Dit is een fijne, veilige buurt.' De Uil zweeg even toen een brancard met daarop een zwarte bodybag voorbijkwam. 'Het wás een veilige buurt.'

Een andere vrouw deed ook een duit in het zakje. 'Ik weet niet veel over haar. Ze was gescheiden, dacht ik.' De vrouw had wit opgestoken haar en een even witte ochtendjas. Ze stelde zichzelf voor als Gilda Mills en ze vertelde dat ze al zevenentwintig jaar in deze buurt woonde. Nerveus keek ze naar Lorraines huis, alsof de duivel daar woonde. 'Maar dat weet ik niet zeker,' voegde ze eraan toe. Gilda hield haar magere vingers tegen haar wang gedrukt en vertelde verder: 'Geen kinderen, daar zei ze nooit iets over. Ze had wel een halfzus. Nee, ik geloof een stiefzus die gestorven is. Zelfmoord, of zo... Ik weet het niet meer.' Gilda deinsde achteruit, alsof ze bang was dat iets kwaadaardigs uit de voortuin zou opdoemen.

Bentz kreunde inwendig toen een auto van een nieuwszender naderde. Gelukkig waren Hayes en Martinez wat verder weg gaan staan. Een slanke jeugdige verslaggever rook kennelijk nieuws toen hij agenten van het LAPD buiten hun werkgebied zag. Bentz zag hoe de verslaggever tevergeefs probeerde een verklaring los te krijgen van Hayes en tegelijk besefte hij dat hij te moe en geschokt was om het grappig te vinden.

Even later was Bentz naar het politiebureau in Torrance gebracht, waar hij drie uur lang vragen moest beantwoorden en wachten in de verhoorkamer. Een rechercheur had uitgelegd dat ze een antecedentenonderzoek moesten doen, om te controleren of hij inderdaad een politieman in New Orleans was, en of hij toestemming had een vuurwapen te dragen. Hoewel de agenten hem serieus en met respect bejegenden, beviel het Bentz helemaal niet dat hij toch als verdachte werd beschouwd.

Uren later kwam een rechercheur zeggen dat Bentz vrij was om te gaan. Dat werd tijd ook, dacht Bentz, terwijl hij zijn dienstwapen weer in de holster deed en tekende voor ontvangst. Toen Bentz eindelijk weer in zijn auto stapte, met Hayes naast hem, was het al twee uur in de nacht geweest.

'Doe mij een lol en vertel het nog een keer,' zei Hayes. Bentz bestuurde de auto over de snelweg door de donkere nacht. Hij draaide het raampje op een kier, zodat de frisse nachtlucht de auto in stroomde. Zo bleef hij helder.

'Vertel wat er vanavond precies gebeurd is. Eerst de feiten, en dan jouw mening over de zaak.'

'Eerst kreeg ik een telefoontje van Lorraine Newell, de stiefzus van Jennifer.' Bentz had helemaal geen zin alles nog een keer te vertellen, maar omdat Hayes bereid was hem aan te horen moest hij het verhaal nog een keer herhalen.

Voor zich uit kijkend door de voorruit, waarop veel insecten te pletter waren gevlogen, deed Bentz verslag van de gebeurtenissen, vanaf het moment dat hij gebeld werd door Lorraine, tot het gruwelijke moment dat hij haar dood had aangetroffen op de keukenvloer. Hij vertelde ook dat Olivia twee keer een raar telefoontje had gekregen sinds hij hier was. 'De beller is een vrouw, en ze maakte toespelingen op mij,' zei Bentz. 'Want ze noemt mij RJ, zoals Jennifer dat altijd deed. Kennelijk om Olivia op stang te jagen.'

'En gebeurt dat ook?'

'Niet bepaald. Ze vindt het wel irritant.'

'Dan is ze niet kinderachtig.'

'Inderdaad,' beaamde Bentz. 'Maar ik maak me wel zorgen. Ik ga Montoya bellen en vragen of hij een oogje in het zeil wil houden tot ik weer thuis ben.'

'Waarschijnlijk wil ze helemaal geen toezicht.'

'Dat maakt niet uit.' Bentz kon niet veel doen, al leek dit ook te weinig. Hij zou het zichzelf nooit vergeven als Olivia in deze ellende werd meegesleept. Hij wilde niet dat zijn vrouw in gevaar kwam. Turend naar de borden langs de snelweg sorteerde Bentz voor naar de juiste rijstrook.

'Dus jij zag een jogger?' Hayes staarde uit het raampje naar de lichtjes van het centrum van Los Angeles, waar de wolkenkrabbers hoog oprezen naar de blauwzwarte hemel. 'Dezelfde kerel als op de avond dat je van die pier sprong?'

'De ene was een man, de andere een vrouw.'

'Weet je dat zeker? Je zei dat ze allebei slank en gespierd waren. Allebei droegen ze een petje, en hun haar was niet te zien.'

Dat was waar. En zelf had hij zich ook afgevraagd of hij een man en een vrouw had gezien.

'Het is allebei mogelijk, denk ik.'

'Ik heb de videobeelden van de webcam op de Santa Monica Pier.'

Bentz reed naar de afrit en hij keek even opzij naar Hayes. 'Heb jij die? En ik kreeg ze niet, terwijl ik ze wel had opgevraagd?'

'Het bedrijf dat die camera's beheert wilde de beelden alleen afstaan aan de lokale politie, en zo kwam ik eraan.'

'En? Is er iets op te zien?' vroeg Bentz snel.

'Geen vrouw in een rode jurk, en ook niet in de uren voor en na jouw sprong in zee. Geen vrouw die voldoet aan het signalement van Jennifer, maar alle andere figuren waren er wel. De oude baas die zijn sigaar rookt, dat innig zoenende stelletje en een jogger. Die liep niet alleen voorbij, maar bleef ook staan kijken naar de pier toen jij over dat plankier rende. Daar hebben we niet veel aan. Ik zag niets opvallends, tot jij over een jogger begon.'

'Het kan toeval zijn.'

'Dat kan, maar er klopt iets niet.'

'Dat is nog zacht uitgedrukt.'

'Oké, er klopt iets helemaal niet. En ik geloof niet zo erg in toeval.'

'Ik ook niet.'

'Kennelijk heeft het allemaal met jou en met jouw eerste vrouw te maken. Maar waarom nu? Waarom zou iemand twaalf lange jaren wachten voordat hij je gaat opjagen?'

'Wist ik dat maar.' Bentz remde af voor een rood verkeerslicht aan het einde van de afrit.

'Ik wil alle informatie die jij hebt. Echt alles,' zei Hayes.

'Die kun je krijgen.'

'En ik wil dat jij naar de achtergrond verdwijnt.'

'Ik weet niet of me dat lukt.'

'Hoor eens, denk toch na. De politie beschouwt jou als een mogelijke verdachte, en dat is ook niet zo vreemd. Het onderzoek kun je niet belemmeren, Bentz. Dat weet jij ook. Geen enkele rechercheur werkt aan een zaak waarbij hij zelf verdacht is. En Bledsoe ziet jou graag spartelen.'

'Bledsoe laat iedereen graag spartelen. Dus waarom mij niet?'

'Dat kan zijn, maar iedereen is het erover eens dat jouw komst naar LA wel die moorden tot gevolg had. We moeten alles onderzoeken.'

'Het wordt tijd ook,' zei Bentz. Met hulp van de politie kon hij misschien eindelijk antwoord op zijn vragen krijgen. Hopelijk voordat weer iemand werd vermoord.

'Dus jij sprak met Shana McIntyre en met Lorraine Newell, sinds je weer hier bent. Verder nog iemand?'

Bentz knikte. 'Ik heb ook gepraat met Tally White, een oude vriendin van Jennifer. Tally's dochter Melody is even oud als Kristi. Ik heb ook gesproken met Fortuna Esperanzo, die bevriend was met Jennifer. Ze werkten allebei in een galerie in Venice. Fortuna werkt daar nog steeds.'

'En dat is alles?'

'Ja,' beaamde Bentz, zich verzettend tegen een akelig voorgevoel. 'Ik heb meer informatie over hen in mijn motel. We kunnen daar langsrijden, dan geef ik je alles.'

'Goed idee.'

Bentz veranderde van rijstrook, om via de 405 naar Culver City te rijden. Ondanks zijn moeheid zat zijn bloed vol adrenaline, en hij wist al dat hij toch niet zou kunnen slapen. Hij zou ook niet op de achtergrond blijven, maar doorgaan met zijn speurtocht, zonder de plaatselijke politie daarbij te hinderen. Hij wilde de recherche steeds een stap voorblijven en dat leek moeilijk: Hayes en andere vrienden bij de politie in New Orleans waren wel bereid dossiers op te vragen en informatie voor hem na te trekken.

Hayes kon wel zeggen dat Bentz zich koest moest houden, maar dat was hij niet van plan. Niet nu de zaak in een stroomversnelling kwam en er bruut levens werden beëindigd, allemaal vanwege Rick Bentz.

Twee vrouwen waren vermoord, en nu werd zijn eigen vrouw bedreigd. Zijn vingers klemden zich vaster om het stuur. Bentz besefte dat hij eigenlijk doodsbang was, en de enige manier om die angst te bestrijden was het vinden van de oorzaak.

Hij moest de moordenaar opsporen.

Maar nu speelde hij het spel mee. Hij reed de straat naar de So-Cal Inn in. De lichten van het motel wierpen een gloed over de geparkeerde auto's voor het gebouw. Bentz keek speurend langs de auto's en zag dat alle vaste motelgasten kennelijk thuis waren. Hij zette de motor uit. 'Het ziet ernaar uit dat je een nieuwe moordzaak gaat onderzoeken,' zei Bentz en hij deed de autosleutels in zijn zak. 'Waarmee ga je beginnen?'

Hayes keek Bentz stuurs aan. 'Ik zeg het niet graag, maar ik denk dat je wel gelijk hebt: we moeten eerst het graf van je ex-vrouw openen en kijken wie er in die kist ligt.'

Fortuna Esperanzo leed aan slapeloosheid. De slaap wilde maar niet komen. Haar geest kwam niet tot rust en de gedachten maalden maar door. Zelfs op haar gerieflijke matras, aangepast aan haar wensen, met het kalmerende ruisen van een miniatuurwaterval, en met de dikke gordijnen gesloten zodat er geen streep zonlicht naar binnen drong, kon ze toch nooit goed slapen. Deze avond had ze het opgegeven, na een paar rusteloze uren en ze slikte de slaappillen die haar arts had voorgeschreven. Eindelijk doezelde ze weg, zodat ze haar eigen snurkgeluiden niet meer hoorde. Maar ze voelde wel dat Princess Kitty, haar kat, op het bed naast haar ging liggen.

Slaperig rolde Fortuna zich op haar zij, zonder op de klok te kijken, en niet gehinderd door de snorharen van de witte angorakat. Princess Kitty was schichtig van aard, al sinds Fortuna haar zwervend op straat in Venice had aangetroffen, met een vuile witte vacht en sterk vermagerd. Dat was al eenentwintig jaar geleden, maar de kat was nog vitaal en even nerveus als vroeger.

Opeens begon Princess Kitty te blazen.

Wat gebeurde er? Fortuna werd uit haar slaap gewekt.

De kat gromde en blies weer.

'Sst,' zei Fortuna, terwijl ze moeizaam een oog opende. Ze zag de kat van het bed springen. Wat mankeerde Princess? 'Ik laat je niet naar buiten.'

Ze bespeurde opeens een vage zoetige geur en meteen kreeg ze kippenvel.

'Kitty?' vroeg ze met bevende stem terwijl de angst haar om het hart sloeg.

Die akelige geur! Wat was dat? Gas! O, lieve heer, was ergens in huis een gaslek?

Was er iemand bij haar in de kamer? Nee toch... Ze spande zich in en tuurde om zich heen, maar ze had haar contactlenzen niet in en het was aardedonker in de kamer. Ze kon niets onderscheiden in de inktzwarte duisternis.

Bewoog er iets bij de kast?

De haartjes op haar armen gingen overeind staan. Ze tastte naar haar mobiele telefoon, aan de oplader op het nachtkastje.

Op dat moment voelde ze iets bewegen, zonder het te zien. Iets sprong over de betegelde vloer naar het bed.

Fortuna wilde krijsen. Ze probeerde zich te bewegen.

Maar ze werd vastgehouden op het bed, een gestalte in het zwart hield haar op de matras en een doek met die akelige geur werd op haar gezicht gedrukt. Ze hapte naar adem, en zoog meer damp in haar longen.

Ether!

In paniek probeerde ze zich met armen en benen te bevrijden van de zware gestalte die haar in bedwang hield. Haar hart bonsde razendsnel en ze werd overweldigd door doodsangst. Ze moest zich verzetten, maar de hand op haar gezicht was genadeloos en de bedwelmende etherdampen stroomden bij elke hap naar adem in haar longen. Bijna krankzinnig van angst haalde ze diep adem. Haar gedachten tolden, haar armen en benen werden zwaar...

Ze mocht nu niet bewusteloos raken. Nee!

Ze probeerde opzij te rollen, weg van de houdgreep waarmee haar belager haar vasthield. Tevergeefs. De gestalte, sterk en lenig, was onverzettelijk en bleef de doek tegen haar gezicht drukken.

De etherdamp brandde afschuwelijk in haar luchtpijp en longen, haar keel leek te verschroeien.

Waarom? Fortuna wilde het uitschreeuwen. *Waarom doe je mij dit aan?* Maar ze besefte dat deze overval te maken had met het bezoek van Rick Bentz en de vragen die hij over Jennifer had gesteld. Van Jennifer kwam nooit iets goeds, zelfs al was ze jarenlang dood.

Vermoedelijk dood.

Fortuna wist dat ze Bentz niet in vertrouwen had moeten nemen. Sommige geheimen kunnen beter geheim blijven. *Dwaas!* Fortuna's armen bewogen trager. Haar benen werden loodzwaar. En duisternis kwam opzetten in haar bewustzijn.

Beweeg! Vecht! Niet opgeven! waarschuwde haar brein, maar haar spieren weigerden te gehoorzamen. Ze kon haar armen amper bewegen. Ze kon alleen met moeite haar ogen openhouden, terwijl ze overmand werd door totale doodsangst.

'Welterusten, bitch,' fluisterde haar belager.

Fortuna voelde een injectienaald in haar arm prikken. *O, jezus, alsjeblieft... Nee...*

Maar het was al te laat.

Fortuna voelde haar lichaam wegzinken in de matras en de aanvaller slaakte een zucht. Een zucht van voldoening. Fortuna veronderstelde dat de aanvaller glimlachte, al kon ze niets zien. Haar oogleden waren zo zwaar... Zo zwaar...

Langzaam dwarrelden fragmenten van gedachten door haar hoofd, terwijl ze omhoogstaarde naar de duisternis, in een poging iets te zien van de persoon die haar tegen de matras gedrukt hield.

Maar het was te donker. Te moeilijk om wakker te blijven. Ze moest slapen. Fortuna bezweek voor dat allesoverheersende verlangen en ze sloot haar ogen. De gestalte gleed van het bed.

Fortuna probeerde zich te bewegen.

Ze kon het niet.

Zelfs niet toen ze voelde dat haar dunne nachthemd over haar hoofd werd getrokken. *O, god, ik word verkracht,* dacht ze vaag en het kon haar niets schelen. Haar polsslag vertraagde. Het verdovende middel werd meegevoerd door haar aderen. De gebeden uit haar jeugd kwamen weer boven. Gebeden die ze al twintig jaar niet meer opgezegd had.

Onze Vader die in de hemelen zijt, Uw naam zij geprezen...

Opeens besefte ze dat ze aangekleed werd. Alsof God haar gebed al verhoord had.

Achter haar oogleden schemerde rood en ze begreep dat er nu licht in de kamer was. Een kledingstuk werd over haar hoofd getrokken en haar armen in de mouwen gestoken.

Waarom?

Dit is krankzinnig.

Of hallucineerde ze, onder invloed van de drug die in haar bloedbaan was gespoten?

Ze voelde een sprankje hoop in haar hart. Misschien zou ze toch niet sterven. Weer vocht ze om wakker te blijven. Misschien wilde deze belager haar geen kwaad doen. Ze voelde dat ze van het bed werd getild en door het huis gedragen. Dit moest wel een engel van genade zijn.

Ja, dat was het.

Ze werd toch niet aangekleed als het de bedoeling was haar te doden? En als haar vermoorden het doel was, dan zou ze toch al dood zijn?

Het lot kan erger zijn dan een snelle dood, waarschuwde een innerlijke stem. De gedachte verdween weer.

Een ogenblik later zonk ze weg onder een welkome deken van bewusteloosheid.

Hoofdstuk 26

Bentz werd wakker met een bittere smaak in zijn mond en de vurige wens naar huis te gaan. Wat deed hij hier in Los Angeles, terwijl Olivia bedreigd werd in New Orleans?

Hij had maar een paar uur geslapen en in het vroege daglicht leek zijn goedkope motelkamer nog ongezelliger en ongastvrijer dan ooit. Waarom was hij hier nog steeds om te jagen op een bedriegster, terwijl zijn vrouw hem thuis nodig had?

In bed liggend tastte Bentz naar zijn mobiel op het nachtkastje en belde Jonas Hayes. Hij werd doorgeschakeld naar zijn voicemail en Bentz liet een bericht achter dat hij naar New Orleans zou vertrekken. Hij stapte uit bed en wist dat het een verstandig besluit was.

Hij liep naar de douche en ging onder de warme waterstraal staan, zijn scheergerei negerend. Hij voelde zich nu beter en sloeg een grote handdoek om zijn middel voordat hij zijn kleren in een koffer propte. Hij wist dat vertrekken uit LA geen goede indruk zou maken. Het maakte hem juist meer verdacht, als hij nu halsoverkop naar het vliegveld ging, zo kort nadat het lichaam van Lorraine was gevonden.

Niets aan te doen.

Hij had het grootste deel van de nacht en de vroege ochtend doorgebracht met uitleg geven over zijn aantekeningen in de kamer van Hayes in het Center. Nu had de politie het onderzoek naar Jennifers dood officieel op zich genomen. Jonas had alles laten kopiëren, ook de foto's, de lijst met kennissen van Jennifer, de kentekens, adressen en de uitgewerkte telefonische contacten. Bentz had verslag gedaan van alles wat er gebeurd was sinds hij een week eerder in LA geland was.

'Jij veroorzaakt wel gevaarlijke deining,' merkte Bledsoe op toen hij binnenkwam voor de ochtenddienst. 'Iedereen die met jou praat gaat kort daarna dood.'

'Wat je zegt, Bledsoe,' had Bentz geantwoord. 'Denk jij echt dat ik zo stom ben om eerst Lorraine te vermoorden en dan de politie te waarschuwen?'

'Ik denk alleen dat jij een spoor van ellende achterlaat, meer niet,' zei Bledsoe terugkrabbelend.

Dawn Rankin was op het bureau verschenen toen Bentz juist naar buiten ging. Ze glimlachte koel, haar ogen deden niet mee. Dat was te verwachten: zij en Bentz hadden ooit een liefdesrelatie gehad, die nogal stroef was beëindigd.

Heel erg stroef.

Ze hadden een stormachtige, hartstochtelijke verhouding, maar daar kwam een einde aan door Jennifer. Dawn had het Bentz nooit vergeven, en daar maakte ze geen geheim van. Dat ze naar hem glimlachte was al heel wat.

Bentz gaf aan Hayes ook de naam van Jennifers tandarts, voor het geval dat er werkelijk toestemming kwam haar lichaam op te graven. Eindelijk werden er vorderingen gemaakt. Terwijl Bentz met een handdoek zijn natte haar droogde, vroeg hij zich af of de röntgenfoto's van Jennifers gebit overeenkwamen met de stoffelijke resten in het graf. Hoe dan ook zou er dan minstens één vraag beantwoord worden.

Bentz had Montoya gebeld en gevraagd of hij wilde controleren of alles in orde was met Olivia tot hij zelf weer terug was. Daarna had Bentz gebeld met Melinda Jaskiel, zijn bazin, om politiebewaking voor zijn huis te vragen.

Olivia zou uiteraard woedend zijn; ze vond dat ze dit zelf wel aankon, maar de zaak werd toch steeds gevaarlijker en de gedachte dat ze alleen thuis was beviel hem niet. Ook al waren de recente moorden op duizenden kilometers afstand gepleegd. Voordat hij vroeg in de ochtend in slaap viel vond Bentz dat hij genoeg voorzorgsmaatregelen had genomen om Olivia te beschermen.

Maar een paar uur later besefte hij dat hij naar huis moest, om er zeker van te zijn dat Olivia veilig was. Later kon hij weer terugkeren naar Californië, maar eerst wilde hij zich persoonlijk ervan overtuigen dat ze veilig was. Wie kon weten wat die psychopathische moordenaar voor plannen had? Olivia was ook al telefonisch lastiggevallen...

Bentz wilde geen risico nemen.

Hij zou naar huis vliegen om zijn vrouw te zien. De liefde met haar bedrijven. Zichzelf geruststellen. Hij dacht zelfs vluchtig aan haar kinderwens en in gedachten begon hij weer te rekenen. Allemachtig, hij zou al zestig zijn als hun kind eindexamen deed op de middelbare school.

Nou en? Je kunt over tien, vijftien jaar met pensioen en genieten van je opgroeiende kind. Dat is toch niet zo vervelend?

Nee. Maar in werkelijkheid kon hij zich amper voorstellen dat hij gepensioneerd was, laat staan dat hij weer opnieuw zou beginnen met een baby.

Hij was klaar met het inpakken van zijn bagage, deed de schouderholster en zijn pistool in de kledingtas en borg zijn laptop in de koffer. Het laatste voorwerp was die ellendige wandelstok. Hij wilde het ding in de afvalbak gooien, maar nam de stok toch mee. Na een vluchtige blik op het interieur van de sjofele motelkamer sloot hij de deur achter zich.

Hij checkte uit bij de receptie en reed naar het vliegveld van Los Angeles. Het was druk onderweg en af en toe liep het verkeer vast. Ondanks de smog brandde de zon door de voorruit.

Nu Bentz besloten had terug te keren voelde hij zich gespannen en hij verlangde ernaar zo snel mogelijk thuis te zijn. Zijn irritatie werd deels veroorzaakt door slaapgebrek, vermoedde hij, en door het besef dat de twee vrouwen waarschijnlijk vermoord waren alleen omdat hij naar Los Angeles was gekomen. Maar hij had vooral haast omdat hij zo snel mogelijk wilde zien dat Olivia veilig was.

De minuten verstreken traag in de file, en eindelijk zag hij de verkeerstoren van het vliegveld opdoemen. 'Het werd tijd ook,' mompelde hij voor zich uit.

Bentz leverde de auto in bij het verhuurbedrijf en liep met zijn bagage naar de vertrekhal om een ticket te kopen. In de grote hal krioelde het van de reizigers en er waren lange rijen voor de balies. *Eigen schuld, had je maar online een ticket moeten kopen,* dacht hij.

Bentz hield zichzelf voor dat hij kalm en geduldig moest blijven. Hij zou met het eerstvolgende vliegtuig reizen: de enige dagelijkse vlucht zonder tussenlanding was al vertrokken. Hij koos de luchtvaartmaatschappij waarmee hij naar de westkust was gereisd, omdat de rij daar korter leek. Maar natuurlijk ging het ook daar tergend langzaam. Voetje voor voetje schuifelde Bentz naar voren, achter een vrouw in een strakke spijkerbroek en een kort jasje.

Haar mobieltje leek wel aan haar oor gelijmd en bij haar voeten stond een hippe tas. Af en toe duwde ze met de punt van haar schoen de tas wat naar voren. Uit die tas klonk dan protest: een kort gekef. De vrouw boog zich over de tas en zei: 'Rustig maar, Sherman.'

Sherman dacht er anders over en begon luider te keffen. Door het gaas in de bovenkant van de tas zag Bentz een hondje wild rondjes draaien, terwijl zijn bazin verder telefoneerde. Grote kans dat hij de pech had deze vrouw met haar hond als passagier naast hem te krijgen tijdens de hele reis naar New Orleans. Het maakte niet veel uit, als hij maar op weg naar huis was.

De vrouw voor hem was bij de balie en deed haar telefoon uit. 'Wij hebben een probleem,' begon ze op beschuldigende toon. 'Dit ticket klopt helemaal niet. Als ik in Cincinnati moet overstappen, dan ben ik nooit op tijd in Savannah voor het diner van mijn nicht. Ik wil graag een directe vlucht.'

'Er zijn geen directe vluchten naar Savannah, maar ik zal kijken wat ik voor u kan doen,' zei de grondstewardess en ze begon driftig te typen.

Bentz verplaatste zijn gewicht van zijn ene been op het andere en keek naar de drukte in de vertrekhal: groepjes mensen, grote rugzakken, koffers op wieltjes en reistassen. Een tiener zeulde een gitaarkoffer mee, en drie heren hadden golftassen bij zich. Bij de deuren duwde een grondstewardess een passagier in een rolstoel langs een vrouw die bij de monitor met vertrektijden stond. Ze moest wat omhoogkijken om de monitor af te lezen. Een mooie vrouw, en een bekend voorkomen...

Bentz verstarde.

Die vrouw was het evenbeeld van Jennifer.

Denk toch niet zo raar!

Maar ze stond daar, kijkend naar de monitor door haar zonnebril.

Onmogelijk. Dit kan niet.

'Nee, daar heb ik ook niets aan,' hoorde Bentz voor zich. De vrouw met het hondje bij de balie klaagde over een andere reismogelijkheid, terwijl Bentz probeerde zijn kalmte te bewaren.

Hij hield zichzelf voor dat zijn fantasie op hol was geslagen en haar verschijning opriep omdat hij uit LA vertrok. De zongebruinde vrouw bij de monitor, met haar glanzende haar in een paardenstaart keek hem even aan en had een vage glimlach om haar lippen. Daarna draaide ze zich om en liep met kordate passen weg.

Ze droeg een witte bermuda, een roze nauwsluitend mouwloos T-shirt en glimmende slippers aan haar voeten.

Ze kan een toeriste zijn, op weg naar Disneyland. Of iemand die familie komt afhalen. Gewoon een vrouw die op een vertraagde vlucht wacht.

Of iemand die zich voordoet als Jennifer. Zijn lang geleden gestorven ex-vrouw.

Bentz vloekte zachtjes en verliet de rij voor de balie om de vrouw te volgen. Hij mocht haar nu niet uit het oog verliezen, deze bedriegster die een spelletje met hem speelde. En zeker niet nu ze te maken had met de moord op Shana McIntyre en Lorraine Newell. Misschien ook wel met de Springer-tweeling.

De vrouw keek over haar schouder en Bentz' hart sloeg over. De vrouw leek inderdaad als twee druppels water op Jennifer.

Hij liet zijn wandelstok achter bij een vuilnisbak en liep sneller om haar bij te houden. Ze liep met grote passen en verdween tussen de andere reizigers. Steeds sneller trok hij zijn reiskoffer op wieltjes met daarbovenop de laptop mee. De vrouw voor hem liep naar de uitgang van de vertrekhal.

Hij wilde zijn bagage achterlaten, maar dat kon niet; zijn dienstwapen zat in de bagage en hij kon het risico niet nemen dat achter te laten.

Ze glipte tussen een groep Aziatische toeristen door en ging verder in de richting van een andere vertrekhal.

'O nee, ik raak jou niet kwijt,' bromde Bentz haar scherp in het oog houdend. Adrenaline joeg door zijn lichaam en hij baande zich een weg tussen een groepje gothic tieners en een dikke vrouw met tijgerprintkoffers.

Wat deed deze 'Jennifer' hier?

Ze haalt haar hengel in, jij sukkel. Het is helemaal niet toevallig dat ze hier op het vliegveld is. Dat heeft ze zo gepland.

Maar hoe kon ze weten dat hij hier zou komen? Wat was dit voor krankzinnig kat-en-muisspel? Het lokaas. Het plagen. Hem nooit te dichtbij laten komen. Altijd buiten bereik blijven.

Moord, Bentz. Ze is ondanks haar mooie ogen een moordenares.

De vrouw was bij de deuren, maar Bentz kwam hijgend van inspanning steeds dichterbij. Hij hield zijn ogen strak op haar gericht. Zonder iets te zeggen passeerde hij een beveiligingsbeambte. Hij wilde geen aandacht trekken, dan was er een risico dat hij tegengehouden en ondervraagd werd, terwijl 'Jennifer' spoorloos verdween.

Dat nooit.

Deze keer zou hij haar te pakken krijgen. Wat de gevolgen ook waren.

Zijn slechte been begon weer te protesteren, maar hij klemde zijn kaken op elkaar. Zodra de deur achter haar dichtzwaaide duwde hij die weer open en met zijn bagage stond hij buiten op het betonnen voetgangersplatform.

Waar was die vrouw toch? Bentz keek langs de rokers, de vermoeide reizigers die op bankjes zaten, en de mensen die wachtten op een taxi. Beveiligingspersoneel gebaarde dat de auto's moesten doorrijden, in een poging het verkeer in beweging te houden.

Toen zag Bentz haar; ze liep schuin over het terrein voor kort parkeren. Uit de schaduw kwam ze in het felle zonlicht. Bentz haastte zich in die richting, bijna struikelend toen zijn koffer even bleef haken bij de stoeprand.

'Hé!' riep hij, maar de vrouw liep door, tussen de auto's in de brandende zon, zonder om te kijken. 'Hé, Jennifer!'

Ze versnelde haar pas en zocht in haar handtas. Even later glansden sleutels in haar hand. Bentz keek snel langs de geparkeerde auto's en hij zag opeens de zilvergrijze Chevrolet Impala met het verbleekte parkeervignet.

De pijn in zijn been negerend draafde hij naar de auto. 'Stop!' beval hij.

De vrouw stak een sleutel in het slot.

Bentz liet zijn bagage naast de Impala vallen en met een snoekduik griste hij de sleutels uit haar hand. 'Dat gaat niet door.' Hijgend staarde hij haar aan. Zweetdruppels parelden op zijn wenkbrauwen.

Wie was deze vrouw, deze jongere versie van zijn ex-vrouw? Ze stond hier in vlees en bloed, niet als een bovenaardse geestverschijning.

Ze probeerde zich langs hem te wringen, maar hij hield haar tegen in de smalle ruimte tussen haar auto en een daarnaast geparkeerde bestelbus. 'Wie ben jij in godsnaam?' De geur van haar parfum, jasmijn, hing in de lucht en bracht hem in verwarring. Maar hij liet zich niet meeslepen door herinneringen, hij wilde hier en nu een einde maken aan dit schimmenspel.

Ze keerde haar knappe gezicht naar hem toe en hij voelde zich inwendig smelten. Ze leek zo sprekend op zijn ex-vrouw dat ze een eeneiige tweelingzus kon zijn. Alleen was ze veel jonger.

'Ik wil mijn sleutels terug,' zei ze kordaat en zonder angst.

'Nog niet, dame.' Bentz greep haar arm en hield die stevig vast, alsof hij de waarheid uit haar wilde schudden.

'Wat is het probleem?' vroeg ze.

'Dat ben jij.'

'Ik?' Haar ogen vernauwden zich en met een grimas trok ze haar arm los uit zijn greep.

Even vreesde Bentz dat hij zich vergiste en dat ze helemaal niet wist dat ze zo sprekend op Jennifer leek. Maar ze reed wel in dezelfde auto die hij bij San Juan Capistrano had gezien en later op de snelweg. Deze vrouw had hem geschaduwd.

'Geef mijn sleutels terug,' zei ze gebiedend. Op dat moment passeerde een man die naar zijn auto liep. Hij droeg zijn jasje over zijn schouder en keek argwanend naar hen.

Bentz besefte dat het leek alsof hij de vrouw lastigviel en liet haar arm los, maar zonder een stap achteruit te doen. 'Jij gaat nergens naartoe.' Hij stopte de autosleuteltjes in zijn broekzak.

'Moet ik de politie bellen?' vroeg de vrouw en de man die op enige afstand langsliep bleef staan om te kijken.

'Goed idee,' zei Bentz en hij haalde zijn politiebadge tevoorschijn. 'Ik ben de politie.'

De toekijkende man scheen gerustgesteld en hij liep weer verder.

'Maar dat wist je al, nietwaar?' zei Bentz.

Haar glanzende lippen vormden een pruilmond.

'Zeg, als deze badge niet overtuigend is, dan kunnen we ook met iemand van de politie in LA gaan praten. Mij best. Er wordt overal naar jou gezocht.'

'Dus u weet al wie ik ben?' vroeg de vrouw en ze trok een wenkbrauw op tot boven de rand van haar zonnebril.

'Ik weet dat je een of ander misselijk spelletje met mij speelt.'

'Is dat zo?'

'Je hebt mij gevolgd en je probeert mij te laten geloven dat je mijn gestorven ex-vrouw bent.'

'U praat als een geestelijk gestoorde. Geef me die sleutels terug.'

'Geen sprake van.'

Hij schoof haar zonnebril omhoog en keek in twee ogen die even groen en helder waren als die van Jennifer. En toch was er iets vreemds, er klopte iets niet.

Bentz voelde zijn hart bonken en wel duizend vragen spookten door zijn hoofd. Wie was deze vrouw? Waarom deed ze dit? Waar kwam ze vandaan? 'Twee vrouwen zijn vermoord, door jouw toedoen.'

Even lichtten haar ogen op en ze deinsde achteruit. 'Wat? Dood? Welnee.'

'Shana McIntyre werd vermoord in haar zwembad. Daar weet je toch van?'

Ze leek oprecht geschokt. 'Denkt u dat ik... O, jezus, nee. Daar heb ik niets mee te maken.'

'Lorraine Newell? Weet je nog wie dat is?'

Ze keek hem niet-begrijpend aan, alsof ze de naam nooit eerder had gehoord.

'Zij is ook dood. Kreeg gisteravond een kogel door haar hoofd. Kort nadat ze mij over jou gebeld had. Ze zag je gisteren, vlak voordat je haar vermoordde.'

De vrouw leek nerveus te worden. 'Ik weet daar helemaal niets van.'

Het lichte trillen van haar onderlip was overtuigend, maar Bentz had al eerder haar acteertalent gezien. 'Jij en ik moeten maar eens naar de stad gaan.'

'Wat?'

'Daar zijn enkele mensen die met je willen praten. Rechercheurs die een aantal vragen hebben.'

Ze sloot even haar ogen. 'Hoor eens, RJ, ik...'

'Waarom noem je mij RJ?'

Haar glimlach vervaagde en even werd ze weer Jennifer. 'Omdat ik jou altijd zo noemde, weet je dat niet meer?'

Hij trapte er bijna in. Bijna.'Probeer je mij nog steeds te laten geloven dat jij haar bent?' vroeg hij, verbluft dat ze het spel volhield. 'Waarom doe je dit? Waarom achtervolg je mij? Wat wil je toch? En waarom kwam je naar mijn huis?' Hoewel Bentz meestal zwijgzaam was en liever een verdachte liet praten, kon hij zich niet langer beheersen en de vragen die hem al zo lang kwelden rolden over zijn lippen.

'Bij jouw huis?'

'Ja, mijn eigen huis, in een buitenwijk van New Orleans.'

'Wat?'
'En in het ziekenhuis... Jij was daar ook, in de deuropening, toen ik uit mijn coma ontwaakte. En later weer, bij de pier van Santa Monica. En ook bij dat oude hotel in San Juan Capistrano.'
Ze bleef zwijgen. Een vlucht duiven streek fladderend neer op het asfalt voor haar auto. Bentz zag vanuit zijn ooghoeken dat de duiven iets van de grond pikten en weer opvlogen toen een auto passeerde.
Omdat ze geen antwoord gaf balde hij machteloos zijn vuisten. 'Jij hebt mij opgebeld, mijn vrouw lastiggevallen en je bent een verdachte in twee moordzaken. Dat is duidelijk. En daarom rijden we nu naar het politiebureau.' Hij zocht in zijn broekzak naar de sleuteltjes van de Impala. 'Stap in, ik rij wel.'
'Wacht even.'
'Is dat een probleem, *Jennifer?*'
'Ik... eh...' Ze keek weg over de daken van de auto's met het fel weerkaatsende zonlicht op de voorruiten. Op de achtergrond liepen reizigers de vertrekhal in en uit.
Kon hij haar vertrouwen? *Absoluut niet.* Maar er waren ook zoveel vragen...
'Oké, we moeten praten.'
'Zeg dat.' Hij hield de autosleutels stevig in zijn hand. Zijn hart bonkte als een grote trom en gedachten tolden zenuwslopend door zijn hoofd. Allemachtig, ze leek zo sprekend op Jennifer. Dezelfde geur ook, en dezelfde manier van lopen. 'Begin maar.'
Een opstijgend straalvliegtuig vloog met donderend geraas over hen heen. Het gebulder van de motoren stierf snel weer weg in de blauwe hemel.
'Niet hier.'
'Dit is een prima plek. Maar het politiebureau is nog beter.'
'Ik ga liever naar een plek die meer... privé is.'
'Is dat een grap?'
'Wat dacht je van Point Fermin?' stelde ze voor, en ze trok haar mondhoek guitig op.
Zoals vroeger.
'Waarom juist daar?' vroeg Bentz, maar hij wist het antwoord al. Met Jennifer maakte hij geregeld autoritjes langs de oude vuurtoren. Zo vaak hadden ze er een lome middag doorgebracht, wandelend over de gazons in de schaduw en zoekend naar beschutte plekjes tussen de bloeiende struiken.

'Omdat die plek bijzonder is voor ons, RJ. Ja toch?' Haar glimlach werd breder. 'Je herinnert je toch de keren dat we daarheen reden langs de kust? De picknicks, de zon, en het vrijen.'

Dat was waar, maar hoe kon zij dat weten? Hoe kon zij de intiemste details van zijn leven kennen?

Hij kneep zo hard in de sleutelbos dat de scherpe tandjes in zijn handpalm sneden. Nu hij eindelijk tegenover deze vrouw stond had hij meer vragen dan antwoorden.

Maar dat zou veranderen. Vanaf nu.

'Dus Bentz verdwijnt weer,' zei Bledsoe, naast Hayes lopend naar het trappenhuis van het politiebureau. 'Dat bevalt me helemaal niet.'

'Het beviel je ook niet dat hij hierheen kwam. Zie maar onder ogen dat niets jou gelukkig maakt, Bledsoe.'

'Die kerel is een hufter, en wat mij betreft was hij nooit komen opdagen. Maar dat was al voor die moorden. Nu kan hij beter hier blijven.' Ze kwamen op de begane grond van het gebouw en Hayes duwde de deur naar buiten open. De middagwarmte contrasteerde sterk met de koele airconditioning in Parker Center. Bledsoe sjorde zijn broek omhoog. Daarna schudde hij een sigaret uit een pakje en bood Hayes er een aan, maar die weigerde.

'Ik ben gestopt met roken, weet je nog? Toen ik met Delilah trouwde.'

'Dat is toch verleden tijd? Corrine vindt het vast niet erg.'

Hayes reageerde niet. Om de een of andere reden leek Bledsoe jaloers op zijn relatie met Corrine. Waarom wist Hayes niet, maar de raadselachtige kanten van Bledsoe konden maar beter niet onderzocht worden.

Bledsoe stak een sigaret op en ze liepen naar het parkeerterrein. 'Ik begrijp Bentz niet. Hij komt hierheen met een bizar verhaal over geestverschijningen, hij scharrelt rond en dan worden er mensen vermoord. En als hij wordt aangetroffen op de plek waar een moord is gepleegd besluit hij de benen te nemen. Snap jij dat?' Bledsoe inhaleerde diep. 'Of is het alleen maar verdacht?'

'Ik denk niet dat hij het land uit vlucht.'

'Nee, maar wel uit LA. Je gaf geen antwoord op mijn vraag.'

'Ik weet geen antwoord.'

Bledsoe was bij zijn cabriolet, een wat oudere BMW. De kap was neergelaten, en het zwartleren interieur blakerde in de zon.

'Heb jij die aantekeningen van Bentz nog bekeken?' vroeg Hayes.

'Ja,' bromde Bledsoe. 'Ik heb gelezen wat hij te weten is gekomen van McIntyre en Newell. Ik kreeg de indruk dat beide vrouwen geen hoge dunk van hem hadden. Onze vriend Bentz is niet bepaald populair, maar er is volgens mij bij hem wel meer dan één schroefje los, als je begrijpt wat ik bedoel.'

'Verder nog iets?'

'Dezelfde informatie die hij al eerder heeft gegeven. Die foto's, een overlijdensakte met daarop een krabbel, aantekeningen over een zilvergrijze Chevrolet met een oud parkeervignet van St. Augustine's Hospital en vragen over Ramona Salazar, een andere dode vrouw.' Bledsoe zoog weer aan zijn sigaret en blies een rookwolk uit. 'Volgens mij een heleboel nonsens. Helaas is er geen verband tussen zijn aanwezigheid hier in de stad en de moord op de Springer-tweeling. Ik heb dat tenminste nog niet gevonden.' Bledsoe trapte zijn Marlboro-peuk uit op het asfalt en haalde een zonnebril uit zijn binnenzak. Hij zette de bril op. 'Wat ik wil weten is dit: als Bentz niet de moordenaar is, wie dan wel? De meid die hem achternazit, overal in de stad?'

'Dat zou kunnen.'

'Bentz heeft alleen nuttige informatie verschaft over het kenteken en de registratie van die geheimzinnige auto: een zilvergrijze Impala, die op naam staat van Ramona Salazar.'

'Die auto wil ik graag vinden,' zei Hayes.

'En ik wil de bestuurster graag vinden,' vulde Bledsoe aan. 'Aangezien de eigenares dood is. Dan weten we meer over Bentz' mysterieuze dame. Bentz beweerde dat Lorraine Newell hem gisteren belde om te melden dat ze de vrouw die zich voordoet als Jennifer gezien had. We trekken de telefoongesprekken na, maar Bentz is slim genoeg om dat te weten. Hoe kon de moordenaar daar rekening mee houden?'

'Misschien was de moordenaar daar al en was het een valstrik, opgezet voor Bentz.'

'Dus Newell naar Bentz laten bellen en haar dan vermoorden?'

'Bentz beweert dat iemand een sluw spel met hem speelt.'

'Een spel? Echt niet. Hij wordt gesloopt.'

Hayes was het met Bledsoe eens. Hij maakte zijn stropdas wat losser en keek naar het passerende verkeer. 'Je weet dat wij hem laten schaduwen?'

'Daar hebben we veel aan: hij gaat naar het vliegveld en levert zijn huurauto in,' zei Bledsoe hoofdschuddend. 'Over verspilling van belastinggeld gesproken. We kunnen onze mensen terugroepen.' Bledsoe opende het portier van zijn auto en stapte in. 'Weet je, Hayes, dit lijkt nergens op. Niets past bij elkaar. Ik sprak met Alan Gray, die staat ook op Bentz' lijst. De man is deze week in Las Vegas, en hij kon zich Jennifer Nichols Bentz amper herinneren.'

Hij keek op naar Hayes. 'Maar een kerel zoals hij, met zoveel geld heeft waarschijnlijk meer vrouwen dan hij aankan.'

'Misschien.'

'Je kunt van hem niet verwachten dat hij zich elke meid herinnert.' Bledsoe startte de motor van zijn BMW. 'Was ik maar zo'n geluksvogel.'

'Meestal betekent meer vrouwen ook meer problemen.'

Maar Bledsoe hoorde de wijze woorden niet. Hij manoeuvreerde zijn auto al achteruit.

Hayes opende met de afstandsbediening zijn 4Runner en stapte in. Hij vouwde het zonnescherm op en gooide het op de achterbank, startte de motor en zette de airco aan. Hij had al gebeld naar Fortuna Esperanzo, en een bericht achtergelaten op haar voicemail. Daarna had hij voor later in de middag een afspraak gemaakt met Tally White.

Later zou hij teruggaan naar Culver City, naar het kerkhof. Alle documenten waren in orde en de tandarts van Jennifer Bentz stuurde haar gebitsdossier op. Het zag ernaar uit dat Bentz eindelijk zijn zin kreeg en dat het lichaam van zijn ex-vrouw werd opgegraven.

De hemel mocht weten wat er dan gevonden werd.

Hoofdstuk 27

Door het raam zag Olivia een politieauto langzaam over de weg een eind voor haar huis rijden. De weg was amper zichtbaar door de bomen, maar ze kon toch zien dat het een surveillanceauto van de politie in New Orleans was.

Geweldig. Dus Bentz had beveiliging geregeld. En zelf zocht hij naar zijn ex-vrouw in Californië.

Ze had hem toch duidelijk gemaakt dat ze alles onder controle had? Ze greep de telefoon en belde zijn nummer, maar zoals ze al verwachtte nam hij niet op. Typisch Bentz, als hij aan een zaak werkte was hij altijd moeilijk bereikbaar. Dat kon ze wel begrijpen. Maar zijn obsessie met die spookachtige Jennifer baarde haar wel zorgen.

Toch had hij kennelijk om een gunst gevraagd bij zijn collega's, die haar huis nu meer in de gaten hielden. Bentz was iemand die nogal secuur was als het om veiligheid ging. Dat paste ook wel bij zijn werk. Hij had vaak gezien welke fatale gevolgen de slechte eigenschappen en wreedheid van de mens kunnen hebben.

Olivia zuchtte en haar verontwaardiging werd minder hevig.

Misschien was extra bewaking niet eens zo'n slecht idee.

Ze had immers een paar verontrustende telefoontjes gekregen.

Ze schonk zichzelf een kop thee in en liep naar de studeerhoek om de computer aan te zetten. Ze had al gekeken naar de goedkoopste tickets naar Los Angeles en een prima aanbieding gevonden. Het vliegtuig vertrok vanmiddag en ze zou om 19.00 uur in LA arriveren. Op tijd om Bentz mee uit eten te nemen en hem het nieuws te vertellen dat hij weer vader zou worden.

Ze klikte een website aan en vond de reservering die ze al gemaakt had. Met een paar muisklikken bevestigde ze haar ticket. En even later had ze het ticket uitgeprint. Ze had nog vier uur de tijd om in te pakken en naar het vliegveld te gaan, en dan zou ze vertrekken naar LA.

Olivia had aan Tawilda, die wist waar de reservesleutel verstopt was, gevraagd om een paar dagen voor Hairy S en Chia te zorgen. Het enige probleem was nog dat ze Bentz moest laten weten dat ze naar hem toe kwam, en dat was lastig. Ze had geprobeerd hem 's ochtends te bereiken, maar tevergeefs. Hij had niet geantwoord en toen ze naar zijn motel belde hoorde ze van de receptioniste dat Bentz vertrokken was.

Waarom?

Ging hij naar een ander motel?

Of had hij een vlucht naar een andere stad geboekt?

Ze wilde niet helemaal naar Los Angeles reizen om daar te horen dat hij naar Seattle, naar Boston, of naar Timboektoe was vertrokken. Dat hij uitgecheckt had bij zijn motel maakte haar ongerust.

Ze probeerde hem nog een keer te bellen, maar ze werd meteen doorgeschakeld naar zijn voicemail.

Het werd tijd dat ze elkaar zagen. Voordat hij nog meer in problemen raakte.

'O, Rick,' verzuchtte Olivia en ze droeg haar koud geworden kop thee naar de veranda. De hond volgde haar op de voet. Tussen de katoenplanten en de cipressen dreven mistflarden. Een spotvogel zong en de aanwakkerende wind deed de bladeren ritselen. Windvlagen speelden ook met haar haren.

Ze vond het heerlijk hier, net als haar echtgenoot.

Dus het werd tijd om te stoppen met die spokenjacht en hij moest maar eens naar huis komen.

Voordat er weer een onschuldige vrouw werd vermoord.

Montoya kon zijn ogen niet geloven. Hij staarde naar de monitor van zijn computer en fluisterde: 'Hebbes.'

'Hoezo, hebbes?' vroeg Brinkman, die met een lege koffiebeker naar de keukenhoek liep. Hij bleef staan bij Montoya's bureau. Zijn belangstelling was gewekt.

'O, niets.' Montoya wilde de enige rechercheur die hij verafschuwde niet in vertrouwen nemen, zijn collega Brinkman, met zijn dikke brillenglazen en een krans haar om zijn sproetige schedel. De man deed zijn werk, maar hij was een vervelende betweter. Zo iemand die overal een antwoord op heeft. Montoya kon hem niet uitstaan. 'Iets persoonlijks.'

'Ja, ja. Waarschijnlijk heeft het ook te maken met Bentz, die zichzelf in de nesten werkt in LA.' Brinkmans wenkbrauwen schoten omhoog tot boven de rand van zijn bril. 'Of dacht jij dat ik daar niets van weet? Iedereen heeft het erover.' Hij snoof op zijn ergerlijke manier en liep verder naar de keuken.

Montoya keek hem na en kalmeerde weer toen hij naar zijn computerscherm keek. Daar stond het antwoord op de puzzel, of in elk geval het begin van een antwoord. Hopelijk kon deze dunne draad, als er voorzichtig aan werd getrokken, het hele mysterie ontrafelen.

Na dagenlang vruchteloos speuren met de informatie die Bentz had verzameld, was er eindelijk een doorbraak. Uit oude rechtbankdossiers bleek dat Ramona Salazar een broer Carlos had.

Carlos Salazar... Nu moest Montoya die kerel opsporen. Hij zocht het adres van Salazar tevergeefs in de dossiers, en daarna begon hij in adressenbestanden te zoeken. Na vijf telefoontjes met mensen die zeiden dat hij verkeerd verbonden was, had hij eindelijk beet.

'Ja, met Carlos'. Een man met een Spaans accent nam op.

'Kent u een zekere Ramona Maria Salazar?'

'Ja, ik ben de broer van Ramona, god hebbe haar ziel,' antwoordde Carlos zonder aarzeling. 'En wie wil dat weten?'

Montoya kwam bijna overeind uit zijn bureaustoel. Hij maakte zich bekend en sprak even Spaans, om de man te verzekeren dat hij echt een politieambtenaar in New Orleans was. Hij vertelde aan Salazar dat hij werkte aan een zaak in Los Angeles, en dat het ging om een Chevrolet Impala, vierdeurs, bouwjaar 1999, zilvergrijs. Montoya noemde ook het kenteken, en hij vroeg: 'Ik wil graag weten of u die auto geërfd hebt van uw zus?'

'Ja, inderdaad.'

'En hebt u die auto nu nog in bezit?'

'O, nee. Die heb ik verkocht aan mijn achterneef Sebastian. De auto was voor zijn vrouw.'

'En heeft zij de auto nog steeds?'

'Dat denk ik wel.' Salazar klonk weifelend, alsof hij bij nader inzien liever geen informatie aan een onbekende beller doorgaf.

'Staat de auto nog steeds op naam van uw zus?'

'Ik... ik ben niet zo goed met paperassen. Ik dacht dat Sebastian dat wel zou regelen, maar hij heeft het erg druk...' Carlos' stem klonk nog onzekerder en hij zweeg, alsof hij besefte dat hij een fout had gemaakt en verder geen antwoord meer wilde geven.

'Dat is het probleem niet. Ik probeer alleen die auto te vinden. We denken dat die bij een misdrijf is gebruikt.'

'Dios,' fluisterde Carlos, en hij begon in rap Spaans te praten tegen iemand anders. De woorden klonken gesmoord, maar Montoya begreep wel dat de ander bezorgd was. Een vrouwenstem antwoordde, maar Montoya kon niet verstaan wat er gezegd werd.

Even later kwam Carlos weer aan de lijn. 'Ik denk dat Yolanda de auto nog heeft.'

'Is dat haar naam? Yolanda?' Montoya maakte snel een notitie.

'Ja, ja, de vrouw van Sebastian.'

'Wonen zij bij u in de buurt?'

'Nee... Ze hebben een huis in Encino. Hoor eens, als er problemen zijn, dan moet u met hen praten. Ik heb een verkoopbewijs van die auto, en ik heb niets verkeerds gedaan.'

'Dat is in orde,' stelde Montoya hem gerust. 'Geef me hun adres en telefoonnummer.'

Carlos protesteerde. 'Ik geloof niet dat ik verder met u wil praten.'

'Is uw achterneef een bekende van de politie?'

'Nee hoor, het zijn nette mensen. Laat ze met rust. Die auto is legaal verkocht, en ik zal regelen dat het kenteken wordt overgeschreven.' Carlos hing op voordat Montoya nog iets kon vragen.

Toch was het een begin. Montoya probeerde Bentz te bellen met de nieuwe informatie, maar hij kreeg de voicemail. Hij liet een kort bericht achter en voegde eraan toe dat hij verder ging speuren. Montoya voelde adrenaline in zijn aderen, zoals altijd wanneer hij vorderingen maakte in een lastig onderzoek. De waarheid kwam al dichterbij.

Zijn volgende karwei was Yolanda Salazar opsporen.

Zou zij de vrouw zijn die Bentz overal achtervolgde en zich voordeed als zijn ex-vrouw?

Als dat echt zo was, dan was het spel bijna uit.

Je moet opbellen, hield Bentz zichzelf voor, terwijl hij onderzoekend keek naar de vrouw die sprekend op Jennifer leek. Hij had de politie al tien minuten geleden moeten bellen, zodra hij haar voor het eerst gezien had. Laat de politie haar maar arresteren en het raadsel oplossen.

Maar hij wilde haar niet loslaten voordat hij antwoorden had. Antwoorden die zij hem moest geven.

'Als je de waarheid wilt weten, dan zal ik die vertellen onderweg naar Point Fermin,' zei ze, haar armen over elkaar. 'Als wij onder vier ogen met elkaar gesproken hebben, dan zal ik met je naar het politiebureau gaan. Maar als je nu de politie waarschuwt, dan zwijg ik en zul je de waarheid nooit horen.'

Het voorstel stond Bentz niet aan. Hij vertrouwde haar niet. 'Dat denk ik niet.' Hij haalde zijn mobieltje uit zijn zak. 'Ik ga nu de politie bellen. Een vriend van mij werkt bij de afdeling Moordzaken en hij wil met je praten.'

'Hij kan praten tot hij een ons weegt, maar ik zeg niets. Niet bellen, RJ, anders zul je het nooit weten.' Ze spitste haar lippen, precies zoals Jennifer dat deed, en wees naar de telefoon. 'Je zult de waarheid nooit te weten komen, en dat zal knagen.'

God, ze wist hoe ze hem moest bespelen.

Maar dat had ze aldoor gedaan.

Met tegenzin ging hij akkoord. Uiteindelijk had hij een pistool. Ze kon niet vluchten. Maar ondanks dat besef hoorde hij een innerlijk stemmetje dat hem voor een onnozele sukkel uitmaakte.

'Ik rij wel,' zei hij, terwijl hij de auto openmaakte. Hij haalde zijn schouderholster en dienstwapen uit zijn tas en deed de holster om. Daarna gooide hij zijn bagage in de kofferbak. Hij ging achter het stuur van haar auto zitten en probeerde niet te denken aan wat er allemaal verkeerd kon gaan. Dit was niet de juiste manier om een verdachte te vervoeren, maar hij was nu geen politieman in functie. Hij was gewoon een burger die in een surrealistische nachtmerrie verzeild raakte.

Ze keek strak naar het pistool en tuitte haar volle lippen. 'Mooi.' Het klonk sarcastisch, maar ze leek niet bang voor het wapen. Bentz kreeg eerder de indruk dat ze zelfverzekerd naast hem zat, alsof ze precies wist wat ze wilde, terwijl ze wegreden van het vliegveld.

En dat maakte het allemaal nog erger; probeerde ze hem ergens in een val te lokken?

Hij moest heel alert blijven. Op alles voorbereid.

Maar dit was ook heel bizar. Haar profiel was precies gelijk aan dat van Jennifer – een rechte neus, diepliggende ogen, hoge jukbeenderen en een spitse kin. Ze had ook hetzelfde postuur, al leek ze eerder vijfendertig dan vijfenveertig. Bentz durfde te wedden dat ze nooit plastische chirurgie had laten doen.

Voor de duizendste keer vroeg hij zich af of dit hele scenario gepland was, een sluw bedachte list om hem in de auto te lokken en naar Point Fermin te rijden. Hij was niet bang, maar vooral nieuwsgierig. En ook wel bezorgd. Maar hij vreesde niet voor zijn leven, en dat kon wel eens dom zijn.

Hij kende de route nog goed, omdat hij hier zo vaak met Jennifer had gereden. Hij vermeed de snelweg en volgde de secundaire wegen naar het schiereiland Palos Verdes, dat hoog boven de zee oprees.

Naast hem draaide ze het raampje open en ze maakte haar paardenstaart los. De wind speelde door haar losse haren. 'Weet je de vuurtoren nog?' vroeg ze, hem veelbetekenend aankijkend.

Zijn keel werd kurkdroog toen hij zich herinnerde hoe Jennifer haar bloes had uitgetrokken bij het oude gebouw met de opvallende koepel en het rode dak. De schemering was al ingevallen en het park was bijna verlaten. Ze had gelachen om zijn reactie en was op blote voeten weggerend tussen de bomen. Toen hij haar had ingehaald hijgde hij van inspanning en verwachting. Daar, in de schaduw van een grote boom hadden ze de liefde bedreven, kort nadat de zon achter de horizon van de oceaan was verdwenen.

'Ja, dat dacht ik wel,' zei ze met een schalkse lach.

Hoe kon zij deze dingen weten? vroeg Bentz zich af, terwijl hij de Chevrolet bestuurde over de kronkelende weg, steil omhoog naar de kliffen. In het westen was de uitgestrekte oceaan. Naar het oosten verrezen grote landhuizen met zwembaden op de hellingen van de heuvels.

Ze liet het raampje open en de lichte zeebries trok door de warme auto.

De oceaan strekte zich eindeloos ver naar het westen uit. Zonlicht weerkaatste op de golven die naar de kust rolden en eindigden op het strand in de diepte. Aan de horizon waren enkele schepen te zien.

'En wie ben jij nu echt?' vroeg hij. Onbewust drukte hij met zijn elleboog tegen zijn ribben, en voelde zijn dienstwapen.

Ze keek hem triomfantelijk aan.

'Jij bent Jennifer niet,' zei Bentz.

Een van haar donkere wenkbrauwen ging omhoog, als een zwijgende ontkenning. 'Denk jij dat dan?'

'Ze is dood. Ze wordt binnenkort opgegraven.'

Ze haalde haar schouders op. 'Dan zul je het weten,' zei ze met een stem die van zijn ex-vrouw kon zijn.

Wat zal ik weten? Dat jij een bedriegster bent? Hij wilde het bits aan haar vragen, maar de zilte zeelucht en een vleug van haar parfum deden hem aarzelen en herinneringen aan een tijd die hij wilde vergeten kwamen boven.

'Vertel op dan,' drong hij aan, in een poging zich te concentreren. 'Wie heeft Shana McIntyre en Lorraine Newell vermoord?'

'Weet ik niet.'

'Dat zal wel.'

'Ik meen het,' hield ze vol.

'Wil jij beweren dat hun dood niets te maken heeft met jouw... verschijning?'

'Ik weet het niet.'

'Wat weet je dan wel?'

'Dat dit ingewikkelder wordt dan ik eerst dacht. En gevaarlijker.'

'Vertel mij iets wat ik nog niet weet.'

Bentz zag dat ze slikte en haar vingers om de veiligheidsgordel klemde. Ze werd duidelijk nerveus. Mooi zo. Bentz hield zijn handen aan het stuur, vastbesloten haar nog meer onder druk te zetten.

'Hoe goed kende jij Ramona Salazar?' vroeg hij.

'Wie?'

'De laatstbekende eigenares van deze auto. Hoe ken je haar? En hoe ben je aan deze auto gekomen?'

'Dat was een cadeau.'

'Van wie?'

'Een vriend.'

Bentz knipte geërgerd met zijn vingers. 'Hou alsjeblieft op. Geen spelletjes meer. Ik ben alleen akkoord gegaan met hierheen rijden als je mij de waarheid vertelt. Ik wil weten wat er allemaal aan de hand is, en nu draaien we in raadselachtige kringetjes rond. Ach, laat ook maar.' Hij haalde zijn mobieltje uit zijn zak en toetste het nummer van Hayes.

'Nee, niet doen!' riep ze.

'Te laat.'

Ze trok een grimas en schudde haar hoofd. 'Wie bel je?'

'Wat denk je?'

'De politie.'

'Bingo.'

'Dat moet je niet doen.'

'O, nee?' Hij drukte het toestel tegen zijn oor.

Hayes nam op.

'Met Bentz. Ik heb de dame.'

'Wat?' vroeg Hayes. 'Wie?'

'Jennifer. We rijden in haar auto langs de kust. Naar Point Fermin.'

'Waarom ga je daar in hemelsnaam naartoe?'

'Kom ook daarheen.'

'Wacht even, wat heeft dit te betekenen? Wat gebeurt er allemaal?'

Maar Bentz had de verbinding al verbroken en glimlachte kil naar de vrouw naast hem. 'Je kunt maar beter een sluitend verhaal hebben, Jennifer. Want je zult heel wat moeten uitleggen.'

Hoofdstuk 28

'Wacht even!' zei Hayes en hij drukte het oordopje van zijn mobiele telefoon steviger in zijn oor. Hij was op weg naar Tally White om haar te ondervragen toen het telefoontje van Bentz kwam. 'Je wilt mij ontmoeten bij Point Fermin? Op het schiereiland?' Maar Bentz had al opgehangen. Hayes probeerde meteen terug te bellen, maar er werd niet opgenomen.

'Hufter!' Hayes vroeg zich af waarom hij Bentz nog wilde helpen. Bledsoe had gelijk, die man was een ongeleid projectiel.

Hayes keerde abrupt zijn auto, wat driftig getoeter van een vrouw in een goudkleurige Mercedes tot gevolg had en een jongeman achter het stuur van een bestelauto stak verwijtend zijn middelvinger naar hem op.

Hayes volgde de route naar de snelweg, in zuidelijke richting naar Point Fermin.

Wat voerde Bentz in zijn schild? Zonder nadere uitleg had hij een plek voor de ontmoeting doorgegeven en terloops opgemerkt dat Jennifer bij hem in de auto zat. Dat was echt onmogelijk.

En dat zou over enkele uren ook bewezen zijn, als haar stoffelijke resten waren opgegraven.

Maar misschien had Bentz niet vrijuit kunnen praten, bedacht Hayes, een oranje verkeerslicht passerend voor de oprit naar de snelweg. Hayes belde om versterking te vragen, al wist hij niet zeker of dat nodig was.

'Martinez?'

'Zeg, ik heb misschien assistentie nodig. Ik weet het nog niet zeker.' Hayes bracht Martinez op de hoogte en zijn collega floot veelbetekenend.

'Jezus, Maria en Jozef. Ik begin te geloven dat Bledsoe toch gelijk heeft. Bentz is knettergek geworden.'

'Dat denk ik ook. Dit wordt weer een malle spokenjacht.'
'Precies wat ik leuk vind.'

Olivia zocht haar stoel in het vliegtuig en zat even later ingeklemd tussen een dikke man en een vrouw met een drukke peuter op schoot. Het kleine meisje, een donkerharig schatje met grote ogen en twee vlechtjes, keek strak naar Olivia terwijl haar moeder in een tas zocht. De dikke man keek uit het raampje. Onder hen klonk het doffe geluid van koffers die in het vrachtruim werden geladen.

Olivia probeerde Bentz te bellen en ze liet een berichtje achter dat ze onderweg naar Los Angeles was. Daarna zette ze haar mobiele telefoon uit. Geen reden om zich zorgen te maken; hij nam niet op, maar dat gebeurde wel vaker.

Ze had een bericht gestuurd naar het motel en naar Jonas Hayes, de rechercheur bij de politie in LA die met Bentz bevriend was. Ze had ook opgebeld naar Montoya om hem te vertellen wat haar plannen waren, voor het geval Bentz hem zou spreken voordat ze aan de westkust gearriveerd was. Een paar minuten later werd het vliegtuig achteruitgereden, weg van de terminal. Het kleine meisje naast Olivia begon te huilen en de dikke man hield zijn iPod klaar om het apparaat meteen in te pluggen als dat toegestaan was.

Olivia leunde achterover en ze sloot haar ogen. Ze voelde dat de peuter haar aanraakte. Ze glimlachte bij het vooruitzicht dat ze binnen twee jaar ook een moeder was die probeerde haar kind stil te krijgen en de aandacht vast te houden.

Een meisje?

Een jongen?

Dat maakte niet uit.

Over enkele uren zou ze Bentz zien en hem het nieuws vertellen. Met een glimlach bedacht ze dat ze amper zo lang kon wachten. Ja, hij zou wel even verbaasd zijn, misschien zelfs geschrokken, maar dat ging voorbij. Uiteindelijk zou hij het geweldig vinden. En ja, als ze elkaar zagen, dan zou hij haar vertellen wat er werkelijk gebeurd was met zijn ex-vrouw. Misschien voelde Olivia dan wel een steek van jaloezie, al was dat belachelijk, omdat hij een volle week van zijn leven had besteed aan de periode dat hij een hartstochtelijke relatie met zijn eerste vrouw had.

Eindelijk zouden ze weer samen zijn.

En dan afwachten.

De dikke man naast haar transpireerde, en de peuter draaide onrustig op schoot bij haar moeder. De gezagvoerder kondigde vertraging aan: er was een technisch probleem dat verholpen moest worden. Dat zou twintig minuten, hoogstens een halfuur duren.

Olivia pakte een boek en sloeg het open. Ze was gespannen, ze wilde dat deze reis al voorbij was. Nu ze besloten had naar Los Angeles te vliegen om haar echtgenoot weer te zien, viel het wachten haar pas echt zwaar.

Zo erg is het niet, hield ze zichzelf voor. *Dit is geen slecht voorteken of zoiets. Ontspan je, een paar minuten extra wachten maakt geen verschil. Je zult spoedig weer bij Bentz zijn.*

En dat vooruitzicht maakte het draaglijk dat ze enkele uren moest doorstaan op haar benauwde plek in het vliegtuig.

'Hoe gaat het met Kristi?' vroeg de vrouw die op Jennifer leek.

Laat mijn dochter erbuiten, wilde Bentz snauwen, en zijn handen klemden zich vaster om het stuur. De motor van de Chevrolet jankte toen de auto over de steile weg omhoogreed naar de kliffen boven de oceaan. 'Ik vind het niet nodig over haar te praten,' zei hij koel.

'Maar ik mis haar zo...'

'Dat is echt onzin!' zei Bentz snauwend. Zijn stem klonk dreigend. 'Doe niet alsof je haar moeder bent.' Hij voelde walging. 'Laat mijn dochter erbuiten, en vertel eerst maar eens waarom je mij steeds achtervolgde. Wat heeft dat voor zin? Wie ben je, en wat wil je van mij?'

Ze leek niet onder de indruk van zijn uitbarsting, geen zweetdruppels op haar voorhoofd, en ze klemde de armleuning niet steviger vast. Ze trok een mondhoek op, precies zoals Jennifer dat kon doen en verzuchtte: 'Ach, RJ, doe toch normaal.'

Hij was woedend. Zijn bloed kookte. Deze bedriegster had hem beloofd antwoord te geven op zijn vragen, en hij wilde daar niet langer op wachten. 'Ik ben er klaar mee,' zei hij op besliste toon. 'Hoor je mij? Het is afgelopen.'

'Oké, oké... Ik begrijp het. Jij wilt antwoorden. Eh... stop daar even. Daar kunnen we naar beneden gaan, naar het strand, bij Devil's Caldron, je weet wel.'

Allemachtig, hoe kon ze dat weten? Bentz herinnerde zich dat ze een keer onderweg naar Point Fermin waren en dat Jennifer hem verleid had door hem te strelen in de auto. Verhit en gretig had hij de auto meteen geparkeerd.

En nu keek deze vrouw hem ondeugend aan alsof ze precies wist wat hij dacht. Grote god, ze leek zo griezelig veel op Jennifer dat hij onwillekeurig rilde.

'Daar...' Ze wees naar een bord bij een bocht in de weg. Met klamme handen aan het stuur en bonzend hart reed Bentz naar het uitzichtpunt hoog boven de oceaan.

Er stond slechts één andere auto, een witte Datsun. Op het dak was een surfboard vastgebonden. Bentz parkeerde de Impala naast de Datsun en zette de motor uit.

Stof dwarrelde boven de motorkap en met een snelle beweging griste Bentz de handtas van zijn passagier van de vloer voor haar stoel.

'Hé!' protesteerde ze.

'Ik wil alleen je rijbewijs even zien, Jennifer.' Hij doorzocht de tas en pakte een mapje. Hij keek erin, maar de map was leeg. Geen identiteitsbewijs, zelfs geen creditcard. 'Wat heeft dit te betekenen?'

Ze lachte. Plagerig trok ze een wenkbrauw op. 'Kom nou, RJ, jij moet toch weten dat een dode vrouw geen identiteitsbewijs bij zich heeft?'

'Verdomme,' vloekte Bentz. Hij gooide de handtas naar haar. Hij boog zich opzij en opende het handschoenenkastje voor haar. Daar moest het kentekenbewijs van de auto opgeborgen zijn. En misschien had ze haar rijbewijs daar ook verstopt.

Maar het kastje was leeg, er brandde een klein lampje in de plastic ruimte.

'Geef het toch op,' zei ze. 'Je vindt toch niet wat je zoekt.' Ze lachte sensueel en ondeugend. 'Je zult het niet vinden, want je wilt de waarheid niet onder ogen zien. Je wilt niet geloven dat ik Jennifer ben.'

'Ik geloof niet in spoken.' Met een woest gebaar deed hij het handschoenenkastje dicht. 'En ik val niet op bedriegsters.'

'Twaalf jaar geleden anders wel.'

In de diepte klonk het geluid van de branding en Bentz kreeg een wee gevoel.

'Ik heb mijn eigen dood in scène gezet, RJ. Ik schreef een afscheidsbriefje, alles wat erbij hoort. Mijn leven liep verkeerd, en ik wilde... Ik moest een uitweg vinden.'

Bentz kon haar niet geloven. Hij wilde haar niet geloven. 'En wie zat er dan in die auto?' vroeg hij snel. 'Wie droeg jouw ringen? En wie ligt er dan in jouw grafkist? Wil je beweren dat je een andere vrouw hebt gevonden die sprekend op je lijkt en dat je haar in jouw auto liet verongelukken?' Hij schudde zijn hoofd. 'Dat verhaal is te bizar voor woorden.' Hij geloofde geen woord van haar uitleg.

'Maar ik ben Jennifer,' zei ze, en haar stem leek sprekend op die van zijn ex-vrouw. 'En ik kan het ook bewijzen.'

'Nee, die is goed!' zei Bentz hoofdschuddend. 'En hoe dan?'

'Jij en ik bedreven de liefde voor het eerst op het strand in Santa Monica.'

Bentz verstarde toen hij dit hoorde.

'Daarom wilde ik daar uit de auto stappen. Ik dacht dat je het wel zou begrijpen. Je dacht waarschijnlijk dat het iets met James te maken had, maar het was vanwege ons.'

De temperatuur in de auto leek wel tien graden te stijgen. Niemand wist van die eerste keer, lang voordat ze met elkaar getrouwd waren.

'Je moet het onder ogen zien, RJ,' fluisterde ze. 'Ik ben terug.'

'Wat?' reageerde hij afwezig. Ze klikte haar veiligheidsgordel los en boog zich naar hem toe. Haar lippen aarzelden even voor ze hem kuste. Gretig en met een jeugdig verlangen greep ze zijn hoofd stevig vast.

Beelden schoten door zijn hoofd. Wild. Exotisch. Sexy. In gedachten zag hij de brutale glimlach van Jennifer, haar zachte warme huid, de welving van haar hals. Met die herinneringen keerde ook de pijn terug. De wrede manier waarop ze hem bedrogen en vernederd had met haar minnaars...

God, wat had hij veel van haar gehouden.

En haar gehaat.

Maar deze vrouw kon Jennifer niet zijn.

Met dat besef verkilden zijn erotische fantasieën.

Wat moest hij denken? Wie was deze dubbelgangster?

In een flits dacht hij aan Olivia, de vrouw die zijn bloed weer vurig deed stromen. Hij zag Olivia voor zich, een gezicht met blonde krullen, sexy roze lippen, en lichtbruine ogen die tot in zijn ziel konden kijken. Een vluchtige streling met haar vinger kon hem...

Met afgrijzen duwde hij de vrouw van zich weg.

'Is er iets mis?' vroeg ze.

'Alles.'

Ze glimlachte. 'Je hebt helemaal gelijk.'

Ze opende het portier aan haar kant en stapte snel uit de auto.

'Verdomme,' zei Bentz en hij maakte snel zijn gordel los. Hij sprong zo snel hij kon uit de auto.

'Wacht!' schreeuwde hij.

Maar ze rende al weg en verdween over een kronkelend pad.

Bentz zette de achtervolging in. Pijnscheuten trokken door zijn been, wanneer zijn schoenzolen weggleden over het zanderige pad.

'Wacht!' riep hij nog eens.

Hij draafde achter haar aan, maar ze verdween over de rand van het klif. Haar voetstappen wierpen stof op.

Bentz zat haar op de hielen, maar hij gleed uit in de eerste bocht; zijn nieuwe schoenen hadden geen grip op het steil aflopende pad.

Hij herstelde zijn evenwicht, maar voelde iets knappen in zijn knie. Pijn explodeerde in zijn been.

Ondanks de verzengende pijn rende hij door. Knarsetandend bleef hij haar achtervolgen, half rennend, half glijdend langs de helling. Het lukte hem om haar in het oog te houden. Hij zag haar koperkleurige haar dansen in het zonlicht.

'Blijf staan!' riep hij tegen de wind in, maar ze negeerde hem en bleef de steile helling afdalen over het verraderlijk bochtige pad.

Zichzelf vervloekend om zijn eigen onnozelheid hinkte hij verder. Hij wist dat hij achteropraakte, maar eenmaal op het strand kon hij haar weer inhalen. De strook strand onder aan het klif had de vorm van een smalle sikkel, aan de ene kant begrensd door woest brekende golven, en aan de andere kant rees de rotswand steil omhoog. De enige toegang tot dit kleine strand was via het smalle wandelpad.

Als ze beneden was kon ze nergens heen. Er was geen uitweg. Ze zat in de val en hij zou haar vastgrijpen en naar het dichtstbijzijnde politiebureau brengen.

De pijn in zijn been negerend strompelde hij naar beneden. Hij raakte het zicht op haar bijna kwijt. 'Wat bezielt jou toch?' vroeg hij zich hardop af, vastbesloten haar in te halen.

Hij zag een glimp van haar bij een scherpe bocht in het pad. De afgrond achter die bocht was zo steil dat er voor de veiligheid een balustrade was gemaakt. Vanaf die plek keken toeristen naar het spectaculaire uitzicht over de woest brekende golven van Devil's Caldron.

De afstand werd kleiner en hij zag dat ze bij het uitkijkpunt was. Hijgend probeerde hij nog sneller vooruit te komen.

Ze bleef staan, wachtend bij de balustrade. Even dacht hij dat ze op hem wachtte. Maar met afgrijzen zag hij dat ze haar ene been over de balustrade zwaaide.

O, jezus, wat bezielde haar?

Maar hij wist het al.

Godallemachtig, hij wist het.

'Nee!'

Zijn hart stokte in zijn keel toen ze op de reling klauterde en hoog boven het kolkende water van Devil's Caldron balanceerde.

O, nee, niet doen... Bentz kwam glibberend tot stilstand en keek vol ongeloof toe. 'Niet doen!'

Ze keek over haar schouder en blies hem een kushand toe. Daarna keerde ze zich weer naar de oceaan en hief haar armen boven haar hoofd, als een ballerina. Even later sprong ze in de diepte. Bentz dwong zichzelf te kijken hoe de kleine gestalte in de diepte stortte en uit het zicht verdween, vallend in de woeste golven, ver, heel ver in de diepte.

Hoofdstuk 29

Het was alsof hij Jennifer weer zag sterven. Bentz staarde naar het schuimende zeewater en hij voelde zich misselijk. Hij zocht steun bij de balustrade. Zijn hart bonsde en zijn geest tolde. Waarom was ze gesprongen? Waarom?

Hij speurde in de diepte langs de vloedlijn en over de zee, in de hoop een spoor van haar te zien, roze of witte stof, drijvend op de golven zo ver onder hem.

Nee, in hemelsnaam...

'Hé!' hoorde hij een stem roepen ergens in de verte. 'Hé daar!'

Knipperend met zijn ogen in een poging scherper te zien keerde Bentz zich om en hij zag iemand rennend de helling afdalen. Nee, het waren twee mensen. Een langharige jongeman en een meisje dat hem volgde.

'Ik zag haar springen, jezus, ze sprong echt!' zei de jongeman en zijn gezicht was roodaangelopen van het rennen. Zijn ogen waren groot van schrik. 'Is alles goed met haar?'

'Dat is onmogelijk,' zei het meisje. 'Ze is zeker twintig meter in de diepte gestort.'

'Ik denk meer, misschien wel veertig meter.' De jongeman keek bezorgd over de balustrade en even later zag hij het pistool van Bentz. 'O, eh...' Hij zweeg abrupt en stak zijn handen omhoog.

'Ik ben politieman,' zei Bentz en hij haalde zijn badge tevoorschijn. Dat had hij honderden keren gedaan, misschien wel duizenden keren. Maar deze keer leek het onwerkelijk, alsof hij een toeschouwer was. 'Mijn naam is Rick Bentz, van de politie in New Orleans.' Zijn stem leek van ver te komen. Hij keek weer naar de branding in de diepte. Ze moest weer aan de oppervlakte komen. Bentz speurde langs de brekende golven, de rotsige kust en het smalle strand.

Niets.

De jongeman zei: 'O, dus u achtervolgde haar. Was ze een misdadigster?' Hij leek zelf niet overtuigd.

'U komt uit New Orleans?' vroeg het meisje en ze ging achter haar vriend staan. Ze keek argwanend over zijn schouder naar Bentz.

Jullie moesten eens weten, dacht Bentz vermoeid en hij zocht naar zijn mobieltje, terwijl hij naar de golven bleef kijken. *Waar ben je toch? Kom op!* Bentz wenste dat ze weer boven water zou komen, dat ze nog leefde, deze vrouw die hij al eens had begraven.

'Hier is geen bereik,' zei de jongen, kijkend naar Bentz' mobieltje. 'U moet naar boven gaan om verbinding te maken met een zendmast.'

Bentz knikte, maar hij kon zijn blik niet afwenden van de zee en de brekende golven die zilte damp deden opwaaien.

Nergens was een teken van de drenkeling.

Zoals die avond in de baai van Santa Monica was 'Jennifer' weer verdwenen. Bentz vloekte tussen zijn opeengeklemde kaken en hij wendde zich naar de jongen en het meisje. Hij probeerde nuchter na te denken.

'Hoe heet jij?'

'Travis.'

'Oké, Travis. Jij klimt met mijn telefoon naar boven en je belt 112.' Hij drukte het mobieltje in de hand van de jongeman. 'Meld wat er gebeurd is, dat een vrouw van de rotsen in Devil's Caldron is gesprongen, en als ze willen dat je aan de lijn blijft, dan doe je dat. Zo niet, dan moet je in het snelkeuzemenu 9 intoetsen. Dan krijg je rechercheur Jonas Hayes aan de lijn, een vriend van mij die bij de politie in LA werkt. Vertel hem wat er gebeurd is en dat ik niet naar Point Fermin kan komen. En zeg ook dat er zo snel mogelijk een reddingsteam hierheen moet komen.'

Travis knikte, duidelijk opgelucht dat hij iets te doen kreeg en kon helpen.

'Maar waar gaat u dan heen?' vroeg het meisje aan Bentz.

Hij knikte naar de woelige zee in de diepte. Hij wist dat het zinloos was, maar toch wilde hij een poging wagen haar te vinden. Ze kon niet zomaar verdwenen zijn. Onmogelijk.

Montoya's inspanningen werden eindelijk beloond. Hij had zoveel tijd doorgebracht met zoeken op internet en telefoneren dat zijn schouders verstijfd raakten. Maar het had wat opgeleverd. Hij keek uit het raam en zag dat het al donker was geworden. De meeste collega's die overdag dienst hadden waren al naar huis.

Maar de lange uren zoeken naar informatie hadden resultaat, bedacht hij, zijn nekspieren rekkend.

Eerder op de dag had hij enkele vrouwen met de naam Yolanda Salazar getraceerd in Encino.

Hij had die namen nader onderzocht en zich geconcentreerd op één vrouw. Zoals Carlos hem aan de telefoon al had verteld was deze Yolanda getrouwd met Sebastian, een achterneef van Carlos. Montoya verzamelde alle informatie die hij over haar kon vinden: ze had geen strafblad, ze studeerde accountancy en ze verdiende wat bij als kapster.

Maar wat de aandacht van Montoya trok was haar meisjesnaam. Volgens haar trouwakte was ze geboren als Yolanda Filipa Valdez.

Valdez? Montoya's hart sloeg over. Hij leunde achterover in zijn stoel en klikte met de balpen die hij in zijn hand hield. Een kopie van haar rijbewijs verscheen op zijn computerscherm.

Ze was aantrekkelijk, tweeëndertig jaar oud, volgens haar rijbewijs. Een brave burger.

Er was niets verdachts aan haar gegevens.

Alleen had ze verzuimd de auto over te schrijven op haar naam, en dat was niet zo ernstig. Maar er was nog een stukje van de puzzel en dat maakte het verzuim om de auto over te schrijven interessant.

Yolanda was de oudere zus van Mario Valdez, de knaap die Bentz, toen hij nog bij de politie in Los Angeles werkte per ongeluk had doodgeschoten.

Montoya klikte weer met zijn balpen, en hij belde nog een keer tevergeefs naar Bentz en Hayes.

Even overwoog Montoya zelf naar Californië te vliegen om daar te helpen, maar hij zag er bij nader inzien van af. Bentz was volwassen en hij moest zijn eigen zaakjes regelen, ook al werden er mensen in zijn directe omgeving vermoord. Bentz kon zich wel redden.

En als hij toch hulp nodig had, dan zou hij wel bellen.

Montoya staarde naar de portretfoto van Yolanda Valdez Salazar. 'Wat heb jij met deze zaak te maken?' vroeg hij hardop aan de foto op het scherm. Leek ze genoeg op de ex-vrouw van Bentz om zich als Jennifer voor te doen? Had ze iets te maken met de dood van Shana McIntyre en Lorraine Newell? En de tweeling die vermoord was? Was deze Yolanda de kwade genius achter de dubbele moord die wat de omstandigheden betreft identiek was aan een dubbele moord die twaalf jaar eerder was gepleegd? Ze moest ongeveer twintig jaar zijn geweest toen haar broer Mario gedood werd en die eerste dubbele moord werd gepleegd. Dus ze was toen nog jonger dan de slachtoffers.

'Nee,' concludeerde Montoya. Hij leunde nog verder achterover in zijn stoel en fronste peinzend. Dit was te onwaarschijnlijk.

Het portret van Yolanda op het computerscherm keek hem onverschillig aan. Een moordenares? Het brein achter de verschijning van Jennifer Bentz?

Zo ja, dan had ze enkele keren naar New Orleans moeten reizen, om daar te 'verschijnen'. Montoya wilde zijn collega's bij de politie in LA helpen door haar uitgaven met een creditcard na te trekken. Hij kon navragen of ze het afgelopen jaar vliegtickets naar de westkust had gekocht. En alle feiten die hij verzamelde over deze vrouw kon hij e-mailen naar Jonas Hayes in Los Angeles.

Montoya glimlachte bij de gedachte dat hij beet had en bezig was het geheim van haar sluwe plan te ontrafelen. 'Het is afgelopen,' zei hij tegen de foto op het scherm. 'Je probeerde de verkeerde man te beduvelen.'

'En wat is hier dan verdomme gebeurd?' vroeg Hayes, zijn stem verheffend om verstaanbaar te zijn boven het geluid van de branding, de wind en de rotors van de kustwachthelikopter die in de lucht hing.

'Wist ik dat maar,' verzuchtte Bentz. Hij voelde zich afgemat en kon het nog steeds niet geloven. Ze stonden op het strand, de middagzon scheen warm en een groep reddingswerkers zocht in het water van Devil's Caldron. De kustwacht werkte nauw samen met de politiediensten.

'Je zei toch dat die vrouw in zee sprong vanaf dat uitkijkpunt?' Hayes wees omhoog naar de rotswand, ongeveer dertig meter boven het woelige water.

'Ja,' beaamde Bentz. Hij keek ook naar het platform, dat met balken ondersteund werd.

'Niemand kan zo'n sprong overleven.'

Bentz wilde protesteren en geloven dat de vrouw nog leefde, dat haar sprong in zee niet dodelijk was.

Hij had al verslag gedaan van zijn gesprekken met de vrouw, maar uiteraard moest hij een officiële verklaring afleggen. Hayes had aan Bentz gevraagd wat het doel van de rit naar Point Fermin was. En hij had ook gevraagd waarom Bentz zo onnozel was geweest om bij haar in de auto te stappen.

Een goede vraag.

Bentz had teruggedacht aan alles wat er de laatste uren was gebeurd, en alles telkens weer in zijn herinnering beleefd. Maar hij wist het antwoord niet, waarom de vrouw hem eerst had uitgedaagd en meegelokt, om dan opeens in zee te springen. Bentz had de laatste twee uur langs de rotskust en op het strand gezocht naar de vrouw die bezwoer dat ze Jennifer was. Hij had gehoopt dat ze de sprong overleefd had. Maar er werd geen spoor van haar gevonden.

'En waar is haar lichaam dan?' vroeg Hayes, uitkijkend over de zee. 'We zullen duikers moeten oproepen, als de kustwacht niets vindt.'

Bentz bukte zich en pakte een handvol zand. Hij dacht dat het onmogelijk was dat de vrouw zonder een spoor achter te laten kon verdwijnen. Hoe was het mogelijk dat ze zich kon onttrekken aan alle wetten van forensisch onderzoek?

'Hier kunnen we verder niets meer doen.' zei Hayes hoofdschuddend. 'Kom mee, we gaan.'

Terwijl ze naar het steile voetpad liepen kon Hayes zich niet bedwingen om Bentz de les te lezen. 'Dus jij stapte met haar in de auto, om een eindje te rijden? Wel allemachtig, Bentz, ik denk dat je geluk hebt gehad, ze had je ook mee kunnen sleuren in haar val. Ik begrijp alleen niet dat die vrouw jou overal achtervolgt en dan opeens verdwijnt. En waarom zou dat spook ook nog in het water willen springen?'

'Ze is geen spook,' zei Bentz, toen ze aan de steile klim naar boven begonnen. 'En ik weet ook niet wat haar bezielt.' Hij hinkte tijdens de klim en zijn knie en dijbeen brandden van pijn. Het was duidelijk dat hij zichzelf weer geforceerd had.

'Als we boven zijn, dan moet ik je dienstwapen in bewaring nemen,' zei Hayes. 'Om te controleren of ermee geschoten is.'

'Ik heb niet geschoten.'

'Toch moet ik het in beslag nemen.'

'Ja, ik weet het.'

Het duurde bijna een kwartier om naar boven te klimmen. Bentz zweette. Zijn been klopte pijnlijk. Hij keek naar de zilvergrijze auto waarin Jennifer had gereden, en die volgens haar een cadeau was. Alles was raadselachtig en in nevelen gehuld. De politie had al een lint om de auto aangebracht, en een takelwagen was onderweg om de Chevrolet naar de politiegarage te brengen voor een grondig onderzoek.

Bentz hoorde zijn mobiele telefoon piepen. Hij zag dat er nieuwe sms-berichten waren, vooral van Olivia. In het laatste bericht meldde ze dat ze in het vliegtuig naar Los Angeles zat.

'Verdomme.'

'Slecht nieuws?'

'Olivia is onderweg hierheen. Haar vliegtuig landt over een paar uur. Ik moet haar ophalen van het vliegveld.'

'Ik denk niet dat wij over een paar uur al klaar zijn.' zei Hayes. 'Er moet veel uitgezocht worden, en ik wist al dat ze zou komen. Ze heeft me gebeld, omdat ze jou niet kon bereiken. We sturen iemand naar het vliegveld om haar op te pikken. Dan zien jullie elkaar wel in het Center, als je wilt. En daarna breng ik je naar een autoverhuurbedrijf.'

'Maar Olivia kan toch zelf een auto huren?'

Hayes wuifde dat voorstel weg. 'Nee, het is al geregeld dat ze wordt opgehaald. En ik heb haar een berichtje gestuurd. Je kunt haar zelf bellen om het uit te leggen.'

Bentz begon het nummer in te toetsen, maar op dat moment werd er geschreeuwd op het strand in de diepte. Bentz en Hayes draaiden zich om en zagen dat de helikopter van de kustwacht op een bepaalde plek boven een duiker in zee bleef hangen. Bentz voelde zijn maag ineenkrimpen.

Hayes keek strak naar de korf die langzaam werd neergelaten uit de helikopter. Zijn gezicht verstrakte en hij zei: 'Zo te zien hebben ze Jennifer gevonden.'

Sherry Petrocelli nam de telefoon op en ze bevestigde dat ze Rick Bentz' vrouw zou ophalen van het vliegveld van Los Angeles. Ze had geen dienst, maar Jonas Hayes had nog wel een gunst van haar tegoed, al gaf ze geen zier om Rick Bentz. Ze kende hem niet, maar ze had wel geruchten over hem gehoord. En sinds hij weer in Los Angeles was, had dat alleen maar ellende tot gevolg.

Sherry wilde graag overgeplaatst worden naar de afdeling Zware Delicten, en Jonas kon haar daarbij helpen. Haar vriendin en collega Paula Sweet had haar verzekerd dat Jonas de sleutel tot het paradijs had, want hij werd gerespecteerd bij die afdeling en zijn aanbevelingen zouden zeker helpen om overgeplaatst te worden. Ze kende Corrine O'Donnell, en die ging wel eens uit met Jonas. Corrine had ook gezegd dat Hayes kon helpen. Dus als de vrouw van Bentz afhalen van het vliegveld een manier was om dichter bij de afdeling Moordzaken te komen, dan was dat prima.

Maar eerst zou ze gaan eten. Het vliegtuig van Olivia had vertraging en daarom leek het Sherry een goed idee eerst af te spreken met haar vriendin in het Italiaanse restaurant Bruno, niet ver van het vliegveld.

Ze namen als voorgerecht calamares, en daarna bestelde Sherry spaghetti met oestersaus. Tijdens de maaltijd ging ze even naar buiten om een paar keer te telefoneren met de babysitter, en te informeren naar de vertraging van Olivia's vlucht. Ze nam zelfs geen slokje wijn, maar dronk alleen mineraalwater om geen risico te nemen. Als dit een stap op haar carrièreladder was, dan mocht er niets verkeerd gaan.

Daarom vond ze het echt heel vervelend dat ze opeens misselijk werd.

Dat kwam niet door de oestersaus of de gefrituurde inktvis. Ze was nog nooit eerder misselijk geworden van visgerechten.

Maar haar maag begon op te spelen en ze voelde zich ook duizelig worden.

'Zeg, ik voel me opeens beroerd,' zei ze, en nam nog een slok mineraalwater, in de hoop dat haar maag tot rust zou komen.

'Laten we naar buiten gaan,' zei haar vriendin, snel het restje van haar martini opdrinkend. 'Ik betaal vandaag.' Ze glimlachte naar Sherry en legde geld op het tafeltje. 'Maar de volgende keer krijg jij de rekening.'

'Oké,' zei Sherry. Toen ze ging staan leken haar benen slap en haar hoofd tolde. Alsof ze dronken was. En dat was onmogelijk. Ze kreeg nog heviger buikpijn. Ze liep zonder hulp het restaurant uit, maar toen ze bij haar auto was besefte ze dat ze geen auto kon besturen. 'O, jee, ik kan echt niet rijden,' zei ze geërgerd.

'Ik kan je wel naar huis brengen.'

'Maar ik moet binnen een uur iemand ophalen op het vliegveld.'

'Wil je dat ik het doe?'

'O, god, nee.' Ze stonden buiten, maar de frisse zeelucht hielp ook niet. Die zilte geur, de vislucht, ze werd er nog misselijker van en haar knieën knikten.

'Zal ik je naar het vliegveld rijden?'

Eerst vond Sherry het een vreemd voorstel. 'Zou je dat willen doen?'

'Waarom niet?'

'Ik weet niet of ik wel in staat ben daar naar binnen te gaan om die vrouw op te halen.'

'Maak je geen zorgen, dat regel ik wel.'

Sherry transpireerde en protesteerde niet. Ze liet zich op de passagiersstoel zakken, zo ziek dat ze bedremmeld zei: 'Misschien kun je me beter naar huis brengen.' Even overwoog ze zelfs zich naar een ziekenhuis te laten brengen, maar dat leek wat overdreven.

'Ik breng je naar huis zodra we de vrouw van Bentz hebben opgepikt.' Voor het eerst hoorde Sherry een ondertoon van afkeer in de stem van haar vriendin. Ze reden weg van het parkeerterrein, niet in de richting van het vliegveld, maar naar het noorden, weg van de stad.

'Hé, wat doe je nou?' vroeg Sherry. Ze zag de ijskoude uitdrukking op het gezicht van de vrouw naast haar achter het stuur. O, mijn god, dit is een valstrik! Sherry zocht in haar zakken naar haar mobiele telefoon, maar het was al te laat. Ze kon niet helder nadenken en haar reflexen werden trager. 'Jij hebt een drug in mijn mineraalwater gedaan.' O, shit, het hele interieur van de auto tolde rond.

'Meer dan één, Sherry,' zei de vriendin met een kalme, bijna serene glimlach. Haar handen klemden het stuur zo stevig vast dat haar knokkels wit werden. De schemering viel en alles werd donker.

In die seconde voelde Sherry Petrocelli een ijzige kou als een poolwind door haar lijf trekken. Haar dienstwapen was veilig opgeborgen in haar huis, maar zelfs al had ze hier een pistool gehad, dan had ze het toch niet kunnen pakken of ermee schieten. Ze was al te ver heen, ze kon niet meer reageren.

Als ze een einde aan deze waanzin kon maken, dan zou ze dat doen. Maar het was te laat.

Doodsbenauwd en bang dacht ze aan haar zeven jaar oude zoontje Hank, aan haar man Jerry, van wie ze al vijftien jaar van haar tweeëndertigjarige leven hield. Jerry en Sherry, ze vonden hun rijmende namen zo grappig. Wie zou zich over hen ontfermen als zij er niet meer was? Wie zou haar zoontje opvoeden?

'Alsjeblieft,' zei ze opeens wanhopig, maar het was veel te laat. Haar geest dwaalde weg van de werkelijkheid.

'Hoezo, alsjeblieft?' vroeg de vriendin en ze begon schamper te lachen. 'Welterusten, Sherry,' zei ze voldaan.

Sherry voelde een traan over haar wang rollen. *O, Jerry, ik vind dit zo vreselijk...*

Een seconde later klopte Sherry Petrocelli's hart niet meer.

Hoofdstuk 30

Toen het vliegtuig de landingsbaan van LAX, het vliegveld van Los Angeles, raakte wilde Olivia zo snel mogelijk uitstappen. De vlucht was bijna twee uur vertraagd, waardoor iedereen aan boord nerveus werd. Er moest eerst een belangrijke thermometer in de cockpit gerepareerd worden. Tijdens de vlucht was er veel turbulentie. Terwijl de minuten verstreken werd Olivia steeds ongeruster.

Wat moest ze doen als Bentz al vertrokken was uit Los Angeles?

En als hij iets te maken had met de persoon die zich voordeed als Jennifer?

Wat zou er gebeuren als nog een bekende van zijn ex-vrouw werd vermoord?

Ze haalde haar reistas uit het bergvak boven de stoelen en schuifelde achter de moeder en haar peuter door het smalle gangpad van de Boeing 737. Bij de uitgang van het toestel was ook oponthoud, maar toen ze bij de gate kwam had ze haar mobieltje gepakt en aangezet. Ze zag op het scherm de lijst ingekomen berichten, ook een van Bentz. Hij was de laatste beller en zijn bericht bevestigde dat Hayes haar zou laten ophalen en naar het politiebureau brengen. Ze moest bij de bagageafhandeling uitkijken naar een politieagent die haar daar opwachtte.

Een beetje vreemd, dacht ze, en ze probeerde niet in paniek te raken. Niemand had haar verteld waarom ze door een politieagent geëscorteerd zou worden, in plaats van zelf een auto huren of een taxi nemen. En Bentz wist toch haar vluchtnummer en aankomsttijd? Waarom kwam hij haar niet afhalen? Waarom moesten ze elkaar op het politiebureau ontmoeten?

Omdat er problemen zijn. Grote problemen.

Ze probeerde naar Bentz' mobiel te bellen, om hem woedend verwijten te maken, maar hij nam niet op. Ze belde naar Hayes en werd meteen doorverbonden met zijn voicemail.

Handig, altijd bereikbaar met een mobiele telefoon. Geërgerd deed ze haar telefoon weer in haar tas en ze volgde de borden naar de bagageafhandeling. Er klopte iets niet en als ze het verzoek niet van Bentz zelf had gehoord zou ze een auto hebben gehuurd.

En dan? Waar moest ze heen? Hij was toch al vertrokken uit de So-Cal Inn? Waarschijnlijk zou ik hem toch op het politiebureau ontmoeten. Ik mag blij zijn dat hij nog in LA is. En hem spoedig zie. Binnen een uur, waarschijnlijk.

Haar telefoon ging over en ze zag het nummer van Bentz oplichten. Goddank.

'Hallo.'

'Wat fijn om je stem te horen. Ik was al ongerust.'

Olivia's hart kromp ineen. 'Ja, dat weet ik.' Ze voelde tranen achter haar ogen branden en ze kreeg een brok in haar keel. 'Mijn vliegtuig had vertraging, er was een technisch probleem en de reparatie duurde een paar uur. Maar ik ben er.'

'Mooi.'

Ze kon hem amper verstaan door de herrie in de hal; aankondigingen van vertrekkende vluchten, snerpende wielen van reiskoffers en het opgewonden geroezemoes van passagiers.

'Waarom moeten wij elkaar ontmoeten op het politiebureau? Ik dacht dat je mij zou afhalen?'

'Ja, dat wilde ik ook, maar ik moet een verklaring afleggen. Een paar misverstanden ophelderen.'

'O, hemel, er is weer iemand dood,' concludeerde Olivia meteen. Ze bleef met een ruk staan, zodat een vrouw achter haar bijna met haar bagagekar tegen haar aan botste.

'Sorry,' zei de vrouw, om Olivia heen manoeuvrerend. Olivia liep naar de zijkant van de grote hal en bleef staan bij een T-shirtboetiek. 'Heb ik gelijk?' vroeg ze, met angstig kloppend hart. 'Is er weer iemand dood?'

'Dat denk ik wel. De vrouw die zich voordeed als Jennifer.' Bentz' stem klonk vermoeid en afwezig. 'Het is een lang verhaal, maar ik zag haar van een dertig meter hoog uitkijkplatform in zee springen.'

'Ze sprong in zee?'

'Ze rende weg van mij.'

'O, jezus,' fluisterde Olivia. De kakofonie van geluiden in de aankomsthal veranderde in het ruisen van de zee, en in gedachten zag ze hoe een vrouw haar dood tegemoet sprong in het water, diep beneden.

'Enkele uren later heeft de kustwacht een lichaam geborgen.'

Olivia leunde tegen de muur en ze sloot even haar ogen. 'Dus ze is dood? De vrouw die jou steeds achtervolgde?' Olivia kon het amper geloven.

'Ja, dat denk ik wel. Ik ga de dode identificeren, al heb ik haar slechts één keer van dichtbij ontmoet. Ik weet niet eens wat haar echte naam is.'

'Maar je hebt haar gesproken?'

'Ja.'

'Ik bedoel dat je tegenover haar stond, en niet via de telefoon?'

'Eerder op de dag heb ik haar ontmoet,' verduidelijkte Bentz. 'Ze beweerde dat ze mij de waarheid zou vertellen, maar... Sorry, ik moet gaan.'

'Nee, wacht! Dus je hebt die "Jennifer" ontmoet?'

'Ja. Hoor eens, Livvie, ik vertel je later het hele verhaal. Als ik dat lichaam geïdentificeerd heb, dan moet ik waarschijnlijk nog meer vragen beantwoorden bij de afdeling Zware Delicten in Parker Center. Daarom spreken we daar af. Het is niet ver van het mortuarium. Ik kom zo snel mogelijk naar je toe.'

Iemand anders belde haar, met een telefoonnummer dat ze niet herkende. Ze negeerde het wisselgesprek en zag in de hal een echtpaar met hun bagage en kinderen die Mickey Mouse-oren op hun hoofd hadden naar de volgende hal lopen.

'Een politieagente haalt jou op,' zei Bentz. 'Ze heet Sherry Petrocelli, en ze is bevriend met Hayes. Zij zal je naar Parker Center brengen. Daar is de afdeling Zware Delicten van het LAPD gevestigd.'

'Dat weet ik toch.'

'Mooi. Hayes heeft jouw mobiele nummer aan Petrocelli gegeven, dus ze zal je wel bellen.'

'Volgens mij probeerde ze dat zojuist.'

'Oké. Tot gauw.'

'Ik kan amper wachten. Ik hou van je.'

'Je moest eens weten.'

Die ellendige tranen prikten weer in haar ogen en haar keel was verstikt van emotie. Olivia fluisterde: 'Misschien is het nu eindelijk voorbij.'

Het bleef even stil aan de andere kant van de lijn. 'Ik weet niet of dit ooit voorbij is.' Na die woorden hing Bentz op.

'Rick...' Maar het was te laat. Ze stond daar met de telefoon in haar hand en voelde zich een onbeholpen dwaas. Ze barstte bijna in huilen uit.

Dat mocht niet gebeuren. Haar emoties en hormonen moest ze onder controle houden. Ze kon niet goed functioneren als ze zo emotioneel was en bijna in tranen. Ze was een volwassen vrouw, en ze zou moeder worden. Ze vermande zich en liep verder.

Sinds ze voet op Californische bodem had gezet voelde ze nu een hernieuwde vastbeslotenheid om dit te doorstaan. Ze hield zichzelf voor dat dit een uitdaging was, al wist ze niet precies hoe.

Kom maar op, dacht ze, en ze deed de telefoon in haar tas. Ze zette haar zonnebril op. *Ik ben er klaar voor.*

Toe nou, neem die telefoon op.

Ik zie de reizigers naar de bagageafhandeling lopen en elkaar verdringen bij de lopende band, zoekend naar hun koffers. De mensen letten niet op mij, ze roepen hun kinderen tot de orde en houden hun laptops stevig tegen zich aan geklemd, wachtend tot de bagage traag dichterbij komt.

Waar is ze?

Even raak ik bijna in paniek. Misschien heeft ze het vliegtuig gemist. Of ik kreeg de verkeerde informatie.

Of nog erger: ik ben verdacht en ze wachten mij op. Omdat Sherry Petrocelli niet naar het bureau heeft gebeld om zich te melden. Mijn hart slaat over bij de gedachte dat ik gearresteerd kan worden nog voordat ik klaar ben, voordat ik mijn taak heb volbracht: Rick Bentz totaal vernietigen.

Maar een snelle blik om mij heen stelt me gerust dat er geen rechercheurs in burger surveilleren of zich achter een opengeslagen krant verschuilen. Deze zakenreizigers en gezinnen zijn geen undercoveragenten.

Nee, er dreigt geen gevaar in deze ruimte.

Ik haal diep adem. Ik moet kalm blijven. Een serieuze indruk maken. Ze moet geloven dat ik Petrocelli ben. Met die gedachte dwing ik mezelf te glimlachen, al voelt dat vals en onoprecht. Toch moet het.

Het is heel belangrijk dat Olivia Bentz mij vertrouwt, en echt gelooft dat ik haar naar haar geliefde echtgenoot breng.

Die gedachte doet me bijna braken.

Ik tuur naar de ingang van de bagageafhandeling en kijk naar de gezichten van de reizigers, zoekend naar de vrouw die voor altijd in mijn gedachten gebrand is.

In hemelsnaam, waar is ze? Ik begin heen en weer te lopen en blijf weer staan. Ik wil geen aandacht trekken. Ik heb de beveiligingscamera's zoveel mogelijk vermeden, mijn rug naar de lens gekeerd en mijn gezicht bedekt. De pruik en de bril zijn ook nuttig, maar ik kan niet te veel risico nemen.

Mijn handpalmen worden klam van het zweet.

Waar blijft ze toch?

Ik heb haar gebeld met de mobiele telefoon van Petrocelli en een bericht achtergelaten.

Mijn mobiel gaat.

Eindelijk!

Ik druk snel op de knop en dwing me de naam te zeggen. 'Brigadier Petrocelli?'

'Hallo, met Olivia Bentz. Ik geloof dat u mij probeerde te bellen. Mijn man zei dat u mij van het vliegveld komt ophalen, ergens bij de bagageafhandeling?' De stem klinkt vermoeid.

Perfect.

Mijn zenuwen kalmeren een beetje. 'Dat klopt,' zeg ik.

'Ik sta nu bij de bagagecarrousel van United.' Ik kijk op en zie haar staan: ze draagt een zonnebril en haar haren zijn naar achteren gekamd. Ze draagt een handtas en een weekendtas.

Ze heeft zo min mogelijk bagage meegenomen.

Slimme meid.

We glimlachen allebei en stoppen onze mobieltjes weg.

'Olivia Bentz?' roep ik wuivend. 'Hoe was uw vlucht?'

Ze haalt haar schouders op. 'Vertraging.'

'Ik ben Sherry, een collega van Jonas Hayes. Hij heeft me gevraagd u op te pikken.'

'Dat heb ik gehoord.'

Ze kijkt naar mijn uniform en ik vraag: 'U weet dat ik bij de politie van LA werk?' Ze knikt beleefd als ik de portefeuille van Petrocelli open en de badge toon. Met mijn pruik lijk ik genoeg op Sherry om haar gerust te stellen.

'Heel aardig dat u mij komt ophalen, brigadier Petrocelli.' Zo beleefd, zo welgemanierd.

'Noem mij maar Sherry. Mijn auto staat dichtbij,' zeg ik tegen Olivia Bentz en we lopen samen naar buiten, waar de politieauto geparkeerd staat. Ik open het achterportier.

'Zet uw bagage maar op de achterbank,' zeg ik en ze legt haar handtas daar ook neer. In dat tasje moet haar mobiele telefoon zitten, vermoed ik. Als ze naar voren loopt, zie ik haar telefoon in een zijvak van de handtas. Ik zet mijn politiepet af en als ik die op de achterbank leg pak ik snel de telefoon en schakel het apparaat uit. Olivia stapt voor in de auto.

Perfect.

Argeloos aarzelt ze geen moment en ik krijg een tevreden gevoel. Wat heb ik lang gewacht op dit moment. Maar ik moet nu niet overmoedig worden. Nog niet. Ik heb niet veel tijd, en daarom ga ik snel achter het stuur zitten. Hoe eerder ik weg ben van het vliegveld met al die beveiligingscamera's en overal bewakingspersoneel, des te beter. Ik mag het nu niet bederven. Niet nu ik zo dicht bij mijn doel ben. Zo heel dichtbij.

'Hoe ver is het rijden naar het Center?' vraagt ze, terwijl ze haar veiligheidsgordel vastmaakt.

'Niet ver.' Ik glimlach innemend naar haar. 'Het spitsuur is al voorbij, dus we zijn er over een halfuur.'

'Mooi.'

'Bent u ooit eerder in Los Angeles geweest?' vraag ik.

'Een keer, lang geleden. Ik was net twintig. Ik woonde in Arizona, in Tucson. En vandaar ging ik een paar keer naar San Diego. En ik ben toen ook een keer doorgereden naar Los Angeles. Maar zoals ik al zei, dat is lang geleden.'

Perfect. Dus ze heeft niet echt gevoel voor richting in deze omgeving. Want ze gaat helemaal niet naar Parker Center.

Alleen weet ze dat nog niet.

Hoelang waren ze al in de kille verhoorkamer? Bentz ging verzitten op de houten stoel en het leek wel een eeuwigheid geleden sinds hij Olivia aan de telefoon gesproken had.

De beker koffie die voor hem stond was koud geworden, maar dat interesseerde Bentz niet. Hayes, die het gesprek leidde, was de kamer uitgegaan om te kijken of Olivia al gearriveerd was. Bentz veronderstelde dat ze in de hal geduldig zat te wachten. Het was niet eerlijk dat ze bij deze zaak betrokken werd, maar hij was wel blij dat ze gekomen was. Hij wilde haar dolgraag weer zien. Haar aanraken.

Bentz ging staan en rekte zich uit. Hij werd duf in deze benauwde verhoorkamer, die identiek was aan elke verhoorkamer op elk politiebureau. Een camera in een hoek van het plafond had het hele gesprek vastgelegd. Bentz had om een advocaat kunnen vragen, of hardnekkig kunnen zwijgen, maar hij had niets te verbergen.

Dat wist hij zeker.

Hij voelde dat Hayes hetzelfde dacht. Zijn verslag van de gebeurtenissen bij Devil's Caldron was bevestigd door Travis en zijn vriendin. Dit verhoor was een formaliteit, om te voorkomen dat Hayes fouten zou maken.

Bentz keek naar zijn spiegelbeeld aan de muur. Hij vroeg zich af wie achter de spiegel stonden. Andrew Bledsoe en Riva Martinez waren daar vermoedelijk, wachtend tot hij iets verkeerds zei. Misschien was de officier van justitie er ook, met enkele rechercheurs. En misschien ook Dawn Rankin.

Het was belachelijk, maar Bentz kende de procedure. Laat Rick Bentz maar over gloeiende kolen lopen. Bewijs dat hij ooit een goede rechercheur was die in de fout ging. Dom genoeg om in Los Angeles op te duiken en daar mensen te vermoorden die zijn exvrouw hadden gekend.

Ook al had hij alles eerder met Hayes besproken, dit was een officieel verhoor 'voor het dossier'. Daarom werden er vragen op hem afgevuurd over zijn huwelijk met Jennifer, haar overspel, de echtscheiding, dat ze daarna weer waren gaan samenwonen om de relatie te herstellen, en dat ze hem in die periode weer bedrogen had. En in die periode was ze omgekomen bij dat auto-ongeluk. Bentz begreep dat het noodzakelijk was om die duistere periode in zijn leven te bespreken, maar dat maakte het niet gemakkelijker.

Daarna begon Hayes over de verschijningen en visioenen en Bentz had verteld hoe hij haar had gezien in die ziekenhuiskamer in Louisiana. Dat hij ervan overtuigd was dat de vrouw die telkens verscheen een persoon van vlees en bloed was en zich voordeed als Jennifer. En dat hij met die bedriegster in de auto was gestapt en langs de kust had gereden. Ze waren gestopt bij Devil's Caldron, bij het uitzichtpunt boven de zee, waar de vrouw over de balustrade was gesprongen en in zee verdronken.

'Nou, morgen zullen we meer antwoorden hebben over jouw

spook. Of over je ex-vrouw,' had Hayes gezegd. Het was hem gelukt alle formaliteiten te bekorten en toestemming te krijgen om de volgende ochtend het graf van Jennifer te openen. Dat was een stap in de goede richting.

Bentz werd ondervraagd over Shana McIntyre en Lorraine Newell. Hayes begon ook over de Caldwell-tweeling en hij vroeg wat Bentz wist over de dubbele moord die zoveel leek op de zaak-Springer. 'We hebben dit al eerder besproken,' zei Bentz, wetend dat Olivia op hem wachtte. Hij was moe, hongerig en hij kon niet meer dan de waarheid vertellen.

'Hoor eens, ik kan mijn verhaal wel duizend keer vertellen, maar wat er gebeurd is verandert daardoor niet,' zei Bentz. Ik heb niets te maken met de moord op Shana en Lorraine. En ik heb geen idee waarom die tweeling vermoord is. Het lijkt een imitatie van de Twenty-one-moordenaar. Dat ze vermoord zijn kort nadat ik naar Los Angeles kwam... Ik geef toe dat het op een of ander verband wijst. Ben ik de aanleiding waardoor die misdaden zijn gepleegd? Ik hoop het niet, maar ik heb geen verklaring. Het is wel heel toevallig, en ik geloof niet zo in toeval.'

Bentz keek op toen de deur geopend werd en Hayes binnenkwam. 'Is Olivia hier?' vroeg Bentz.

'Nog niet,' antwoordde Hayes.

Bentz kreeg het opeens ijskoud. 'Wat bedoel je? Ze zou toch hier moeten zijn? Geef me mijn mobiel terug.'

'Procedures, dat weet je toch?' Hayes stak afwerend zijn handen op. 'Je krijgt die telefoon terug zodra we hier klaar zijn. Martinez probeert Petrocelli nu te traceren.' Aan de andere kant van de tafel leek Hayes, met zijn stropdas wat losser, even vermoeid als Bentz. 'Ik moet nog wat feiten op schrift hebben voor het dossier.'

Bentz streek met zijn hand door zijn haar. 'En wat mag dat zijn?'

'Daar bij Devil's Caldron, wist het slachtoffer dat jij gewapend was?'

'Ze heeft mijn pistool gezien. Ze maakte er een opmerking over, toen we nog in de auto zaten.'

'Dus jij joeg haar achterna met een pistool?'

'Ja, maar ik heb het wapen niet uit de holster gehaald. Ze wist ook dat ik haar nooit onder schot zou nemen.'

'Hoe kon ze dat weten?'

Goede vraag. 'Omdat ze mij kent. Ze weet dingen over mij die alleen Jennifer weet.' Bentz trok een grimas en hij moest erkennen: 'Het lijkt wel of elke keer als ik iets te horen kreeg over Jennifer wat ik nog niet wist de vriendin die dat vertelde kort daarna dood was. Bijna alsof... Ik weet dat het bizar klinkt, maar alsof ze geen nut meer hadden en afgedankt konden worden.' Hij keek hoofdschuddend naar Hayes. 'Het is allemaal behoorlijk luguber. Alsof ze mij steeds een stap voor was. Ze scheen mijn volgende stap al te kennen, nog voordat ik die gezet had. Verdomme, Hayes, ze wist dat ik naar het vliegveld zou gaan.' Zodra hij de woorden had uitgesproken schoot een huiveringwekkende gedachte door hem heen. 'O, god,' fluisterde hij. 'Olivia.'

'Wat?'

Bentz geest werkte razendsnel, aangedreven door adrenaline en een gruwelijke angst. Als 'Jennifer' wist waar hij was, dan kon ze Olivia's gangen ook nagaan. 'Mijn vrouw. Ik heb toch verteld dat ze bedreigende telefoontjes kreeg? Stel je voor dat die psychopaat ook op haar loert?'

'Maar die Jennifer, of wie het ook is, is nu toch dood? Je hebt zelf gezien dat ze in zee sprong.'

'Weet ik.' Maar Bentz kon het onheilspellende gevoel niet verdrijven.

'We hebben het daar al over gehad,' bracht Hayes hem in herinnering. 'Petrocelli haalt haar op van het vliegveld.'

'Maar waar zijn ze nu dan?' Bentz voelde ongerustheid door zijn hele lichaam trekken en in zijn oren bonken. Hij keek snel op zijn horloge. 'Ze hadden allang hier moeten zijn.'

'Misschien besloot Olivia een hotelkamer te nemen, in plaats van hier op het bureau wachten?' opperde Hayes.

'Dat zou ze nooit doen.' Olivia verlangde er vurig naar hem te zien. Dat had hij aan haar stem gehoord.

Hayes leunde achterover in zijn stoel en sloeg zijn stropdas over zijn schouder. 'Hoor eens, jij zag die Jennifer in zee springen bij Devil's Caldron, ja toch? Dus dreigt er geen gevaar voor je vrouw.'

Bentz was daar niet zo zeker van. Niets leek meer zeker. Alles wat hij geloofde was gaan wankelen of ondersteboven gekanteld. Hij wreef met zijn hand over de stoppels op zijn kin en probeerde helder te denken. Door logisch redeneren de waarheid vinden tussen het weefsel van leugens. 'Laten we dit verhoor afsluiten.'

'Wij zijn klaar.' Hayes kwam overeind en trok zijn das recht.

'Maar jij moet eerst de dode vrouw die we uit zee gehaald hebben bij Devil's Caldron identificeren. Het mortuarium is dichtbij.' Hayes deed de deur van de verhoorkamer open en knikte naar de wachtruimte. 'Martinez zal je helpen met je in bewaring genomen persoonlijke bezittingen en dan kunnen we gaan.'

Terwijl Hayes naar zijn eigen kamer liep, werd Bentz door Riva Martinez naar de balie geleid.

'Zeg, mijn vrouw is nog steeds niet gearriveerd, of wel?' vroeg Bentz en hij probeerde joviaal te klinken. 'Je weet wel, Olivia Bentz.'

'Nee, ze is er nog niet. Ik heb gebeld naar Petrocelli maar ik kreeg geen gehoor.' Riva Martinez glimlachte naar de beambte achter de balie en begon de formulieren in te vullen. Toen ze hem zijn dienstwapen overhandigde keek ze naar Bentz met een blik die graniet kon splijten.

Bentz deed de holster om zijn schouder, zich afvragend wat hij gedaan had om Riva Martinez in het harnas te jagen. Misschien was het alleen dat ze sinds zijn komst naar LA dubbel zoveel werk te doen kreeg.

'Maar ze zouden hier nu toch moeten zijn,' zei Bentz, en zijn bezorgdheid werd groter. 'Zo ver is het vliegveld niet.'

Met een schouderophalen gaf ze hem een bakje met daarin zijn mobiele telefoon, zijn portefeuille en huissleutels. 'Waarschijnlijk zit het verkeer vast. Vorige week was er een ongeluk op de 405, en daardoor kwam ik drie kwartier te laat op het bureau.'

Ze knikte naar de formulieren. 'Hier ondertekenen, als bewijs dat je al jouw bezittingen weer teruggekregen hebt.' Nadat Bentz zijn handtekening had gezet gaf ze hem een kopie van het ontvangstbewijs. Daarna draaide ze zich om en liep met snelle passen weg.

Bentz keek haar na, en het akelige gevoel in zijn maag werd heviger. Er was iets helemaal verkeerd.

Terwijl hij terugliep naar de wachtruimte zette hij zijn mobiele telefoon aan. Geen sms-berichten van Olivia. Hij vloekte en tikte haar nummer in. 'Toe nou,' fluisterde hij voor zich uit, terwijl agenten in uniform en rechercheurs voorbijliepen. De oproep werd doorgeschakeld naar de voicemail van Olivia, en hij vroeg of ze zo snel mogelijk wilde terugbellen.

Dit was niets voor Olivia.

Rustig. Ze is in gezelschap van een politieagente. Er is alleen oponthoud. Misschien een probleem met haar bagage. Of ze zijn on-

derweg gestopt om iets te eten. Misschien is de batterij van haar mobiel leeg... Toch kon hij het gevoel dat er iets helemaal mis was niet van zich afschudden. Hij belde naar Montoya, die bijna meteen opnam.

'Montoya?'

'Ik kreeg je bericht,' zei Bentz.

'Ja, ik heb net met Hayes gesproken. Ik heb hem informatie over de eigenaar van die Chrevolet gestuurd. Een zekere Yolanda Salazar. Een familielied heeft die auto tegen contante betaling aan haar verkocht. Zij heeft het kenteken nooit overgeschreven, maar dat is minder belangrijk. Wat wel heel opmerkelijk is: ze heet voluit Yolanda Valdez Salazar. Ze is de oudere zus van Mario.'

'Wat? Is dit een geintje? De zus van Mario Valdez?' herhaalde Bentz verbluft. Maar de ernst van Montoya maakte al duidelijk dat dit geen grap was. In gedachten was hij meteen weer terug in die donkere steeg, iemand die een pistool op Trinidad richtte...

Een zilveren glans van maanlicht op de donkere loop van het wapen.

Paniek trok door zijn lichaam.

'Politie! Laat vallen!' waarschuwde hij.

Maar het wapen bleef gericht.

Hij gaat schieten! Hij schiet Trinidad neer!

Dat besef bonkte in zijn hoofd en Bentz haalde de trekker over.

En de belager viel op de grond...

Nu, twaalf jaar later, stond dat fatale moment nog altijd in Bentz' geheugen gegrift. De opluchting dat hij het leven van zijn collega had gered verdween onmiddellijk toen hij vol afschuw zag dat de schutter nog maar een kind was, een jongen met een speelgoedpistool. Het was een nachtmerrie die Bentz nooit zou vergeten. 'Wel allemachtig,' zei Bentz, half tegen Montoya.

'Ze woont in Encino,' vervolgde Montoya. 'Ik heb alle informatie via e-mail en fax doorgestuurd naar Jonas Hayes. Die moet dat inmiddels wel ontvangen hebben.'

'Bedankt.'

Yolanda Valdez. Bentz verbrak de verbinding en zag dat Hayes nog steeds telefoneerde. Hij ijsbeerde door de gang en probeerde zich die oudere zus voor de geest te halen. Er waren drie kinderen in dat gezin, toch? Mario was de jongste en Yolanda was veel ouder, misschien wel twintig, toen het schietincident gebeurde. En er was nog een broer... Hoe heette hij ook alweer? Franco? Of Frederico? Of... nee, wacht... Fernando. Dat was de naam. Maar Bentz kon zich niet herinneren dat Yolanda op Jennifer leek. Het klopte niet.

Salazar? Was ze al eerder getrouwd? De naam was toch anders. Hij probeerde op de naam te komen, maar dat lukte niet. En nu heette ze Salazar? Bentz probeerde verbanden te leggen, maar er klopte iets niet.

Hij belde weer naar Montoya. Zodra zijn collega opnam vertelde Bentz over zijn twijfels. 'Ik dacht dat ze met iemand anders getrouwd was. Niet met een Salazar. Volgens mij was de naam eerder Engels... Johns of zo. Kun je het nog een keer controleren?'

'Ik heb over haar alleen de achternaam Valdez en Salazar gevonden. Maar ik zal verder zoeken.'

'Bedankt.'

Bentz schakelde zijn telefoon uit.

Hij liep langs twee agenten die met elkaar in de gang stonden te praten en trof Hayes aan achter zijn bureau met paperassen uitgespreid voor zich. Montoya's e-mail was uitgeprint. 'Kijk eens,' zei Hayes en hij toonde de portretfoto van Yolanda Salazars rijbewijs. 'Denk je dat zij jouw Jennifer is?'

'Absoluut niet.' Bentz wreef hoofdschuddend over zijn stoppelige kin. 'Ik zou niet weten hoe deze vrouw iets te maken heeft met de Jennifer die mij achtervolgde.'

'We moeten dieper graven, maar nu worden we verwacht in het mortuarium.' Hij wees naar de documenten op zijn bureau. 'Neem die mee. We moeten die opgeviste vrouw identificeren.'

Bentz probeerde de informatie die Montoya had gestuurd te lezen terwijl hij Hayes volgde over het parkeerterrein, beschenen door het fletse, blauwige schijnsel van de beveiligingslampen. 'Heeft iemand iets gehoord van Petrocelli?' vroeg Bentz toen ze bij de 4Runner van Hayes kwamen.

'Nog niet.'

'Dit bevalt me niets,' zei Bentz en hij stapte in de auto.

Hayes toetste met zijn ene hand een nummer in zijn mobiel en startte met zijn andere hand de motor. 'Zeg, Sherry, Hayes hier. Waar blijven jullie? Bel me even op mijn mobiel.' Hayes legde zijn telefoon weg. 'Ik snap het niet. Ze neemt niet op.'

Bentz keek hem verwijtend aan. 'Zij is toch de topper van het LAPD?'

'Ze is er heus wel als we terugkomen.'

'Dat is haar geraden. Met mijn vrouw.' Bentz keek strak voor zich uit en Jonas reed de auto van het parkeerterrein af. Olivia. Waar was ze in hemelsnaam?

Veilig. In gezelschap van een ervaren politieagente. Ontspan je.

Bentz probeerde haar weer te bellen, maar hij werd meteen doorgeschakeld naar haar voicemail. *Verdomme, Olivia, waar ben je nou?*

Een knagende angst kwam steeds sterker opzetten, maar hij moest proberen kalm te blijven.

In het mortuarium, terwijl Jonas Hayes de patholoog vroeg het lijk gereed te maken voor de identificatie, beende Bentz heen en weer en probeerde zich te vermannen. Hij voelde zich nooit op zijn gemak in de nabijheid van dode lichamen, en werd altijd een beetje misselijk als hij daarmee geconfronteerd werd, een eigenschap die hij probeerde te verbergen voor zijn collega's. Als andere politiemensen zijn afkeer hadden opgemerkt, dan zou hij daar al jarenlang mee zijn geplaagd. Maar hij had dit vaak genoeg meegemaakt om te weten hoe het in zijn werk ging. Nu duwde een assistent een brancard afgedekt met een laken naar de schouwplaats, en werd het label aan de grote teen gecontroleerd om zeker te zijn dat dit het juiste lijk was.

'Ben je er klaar voor?' vroeg Hayes.

Bentz vermande zich. 'Ja.' Dat was een leugen, uiteraard. De laatste keer dat hij Jennifer had gezien was ze zo vitaal, zo schalks en uitdagend. Ze rende voor hem uit als een gazelle. Zo levend. En nu, korte tijd later, was ze gereduceerd tot een dode onder een laken, liggend op een gekoelde plaat.

'Ik weet haar echte naam niet,' zei hij tegen Hayes.

'Dat maakt niet uit. Zeg mij alleen of dit dezelfde vrouw is.'

Bentz knikte en Hayes wenkte dat de assistent het laken moest wegtrekken.

Langzaam werd het gelaat van de dode vrouw zichtbaar. Ze lag star op haar rug. Roerloos en haar huid was blauwig.

Bentz kreeg de bittere smaak van gal in zijn mond. Hij keek vol ongeloof naar de dode.

Jennifer lag niet op de snijtafel.

Hij staarde ongelovig naar het dode gezicht van Fortuna Esperanzo.

Hoofdstuk 31

'Dat is Jennifer niet,' zei Bentz. De woorden kwamen moeizaam over zijn lippen. Zijn bezorgdheid en verwarring werden steeds heviger. Wat had dit te betekenen? Fortuna? Dood?

Hayes keek met een ruk op naar Bentz. 'Wat zeg je?'

'Dit is niet de vrouw die in zee sprong. Dit is Fortuna Esperanzo, ze werkte met Jennifer in een kunstgalerie in Venice.'

'Deze vrouw?' Hayes wees naar de dode. 'Ze heet Esperanzo?'

'Ja.' Bentz leunde tegen de wand en sloot even zijn ogen. Maar toen hij weer om zich heen keek bevond hij zich nog steeds in dezelfde nachtmerrie.

Hayes wreef vermoeid en gefrustreerd over zijn voorhoofd. 'Geen wonder dat ik haar niet kon bereiken.'

'Weet je heel zeker dat dit de vrouw is die uit zee werd opgevist?' vroeg Bentz.

'Ja. Ze ruikt nog naar de zee,' zei de medewerkster van het mortuarium. 'De doodsoorzaak is nog niet bekend. Dat weten we na de autopsie.'

Bentz streek met zijn vingers door zijn haar. 'Hoe was ze gekleed?' vroeg hij. 'Zijn haar kleren hier ergens?'

'Even kijken...' Ze keek naar haar aantekeningen. 'Ze droeg een roze T-shirt, mouwloos. Een witte bermuda, witte slip en een huidkleurige beha. Geen schoenen, geen sieraden.'

'Godallemachtig,' vloekte Bentz.

'Wat?'

'Dan was ze precies hetzelfde gekleed als de vrouw die voor mij in zee sprong. Ik bedoel, wat dat ondergoed betreft weet ik het niet, maar ze had ook een roze T-shirt en een witte bermuda aan. Iemand moet dat geweten hebben: de moordenaar. Hij of zij wist dat al.'

'Dus je denkt niet dat Jennifer de moordenares is?'

'Hoe kan ze dat zijn?'

'Wie is anders de dader?'

'Ik weet het echt niet.' Bentz voelde een golf van misselijkheid opkomen en wendde zich af. 'Laten we met Yolanda Salazar gaan praten, om te horen wat zij weet. Misschien weet zij wat de relatie was tussen Fortuna Esperanzo en de vrouw die in zee sprong.' Hij liep al naar de uitgang van het mortuarium, beheerst door een ijzig koude angst. Olivia... Waar was ze toch? Tegen Hayes zei hij: 'Maar eerst moeten we terug naar het Center, want ik wil mijn vrouw zien.'

Terwijl ik op het dek van mijn boot sta, met onder mij de kostbare lading, huiver ik ongewild van opwinding. Tot nu toe verloopt het goed. Alles gaat perfect.

Toen we wegreden van het vliegveld keek Livvie naar de borden langs de weg. Dat was wel reden tot zorg. Stel dat ze beter de weg wist in deze stad dan ze had gezegd, wat dan? Dan dwong ze mij eerder in actie te komen. Ik kon het risico niet nemen dat ze argwaan kreeg en wilde telefoneren. En het verrassingselement mocht niet verloren gaan.

Zodra het vliegveld achter ons lag minderde ik vaart voor een oranje verkeerslicht. 'Ach, kun je mij een tissue geven?' vroeg ik aan haar. Het verkeerslicht sprong op rood en ik stopte. 'In het handschoenenkastje?' vroeg ze.

Ze maakte het kastje open en zocht tussen de wegenkaarten en andere spullen, zonder op te merken dat ik mijn vertrouwde kleine Pomeroy Taser 2550 tevoorschijn haalde. Met een druk op de knop vergrendelde ik alle portieren. 'Ja, gevonden,' zei Olivia, nog steeds voorovergebogen.

Met een snelle beweging drukte ik de elektroden in haar nek en haalde de trekker over. Haar mond viel open en haar ogen puilden uit de kassen. Haar lichaam schokte heftig en ze hapte naar adem. Haar ogen werden groot van angst.

Nu werd het echt spannend. Ik moest dit allemaal doen terwijl ik achter het stuur zat. In mijn handtas zocht ik naar de strook tape en drukte die op haar mond. Daarna klikte ik Sherry's handboeien vast om Olivia's polsen. Ik moest snel werken, zodat ze niet de kans kreeg zich te verzetten. Daarom boeide ik haar handen niet op haar rug maar op haar schoot.

Op dat moment begon een automobilist in een Porsche achter mij boos te toeteren, en ik besefte dat het verkeerslicht alweer groen was.

'Kalmeer, idioot,' mompelde ik, nog druk bezig. Ik had mijn handen vol. Olivia staarde mij verbijsterd aan. Haar mond bewoog heftig achter de strook tape.

Nog steeds driftig toeterend reed de Porsche om mijn auto heen. De bestuurder riep verwensingen en de auto stoof met rokende banden weg.

Zodra Olivia – ik bedoel 'Livvie' – geboeid was gaf ik flink gas en reed naar de jachthaven. Omdat het vliegtuig zoveel vertraging had was er veel tijd verloren gegaan. Mensen zouden haar opbellen. Ik moest haar nog een stroomstoot toedienen om haar kalm te houden. Daarna droeg ik haar aan boord van de boot, en dat was niet gemakkelijk. Ze woog veel meer dan ik verwacht had.

Nu ik op het dek sta, en Olivia is opgesloten in het ruim, kan ik wat geruster ademhalen. Ik vraag me af of Rick Bentz enig idee heeft dat zijn lieve vrouwtje hem nu niet zal ontmoeten. Ze zal hem trouwens nooit meer zien.

'Net goed,' mompel ik en ik hoop vurig dat hij al flink zenuwachtig is.

Olivia belde niet terug.

Bentz hield zichzelf voor dat hij niet in paniek moest raken. Hayes maakte zich wel zorgen. Hij had vanuit de auto naar Bledsoe getelefoneerd en gevraagd agenten naar Venice te sturen om het huis van Fortuna Esperanzo te doorzoeken. Ook bij de kunstgalerie waar ze werkte zou gecontroleerd worden, zodra de zaak openging. Hij had ook naar Tally White gebeld, die doodsbang werd toen ze hoorde wat er gebeurd was. Tally was zo geschrokken door het patroon in de gepleegde moorden dat ze meteen een vliegticket boekte om naar haar zus in Portland te gaan.

Bentz liep haastig het Center in en zag Riva Martinez, die nog achter haar bureau aan het werk was. 'Bledsoe en Trinidad gaan naar Venice,' zei ze tegen Hayes, terwijl ze haar rode haar in een knot draaide die ze met een haarkam vastmaakte.

'Collega's in uniform hebben het huis al afgezet.'

'Dus het is officieel een plaats delict?'

Bentz gezicht verstrakte. Drie vrouwen waren vermoord sinds hij in Los Angeles was gearriveerd, en dan telde hij de Springer-tweeling niet mee.

En nu... Olivia?

De angst knaagde overal.

Maar hij moest zich vermannen en niet toegeven aan zijn angst.

'Is mijn vrouw nog altijd niet gekomen?' vroeg hij.

Martinez haalde haar schouders op, maar in haar ogen was toch iets van bezorgdheid te lezen. 'Ik heb naar Petrocelli gebeld, maar ze neemt niet op.' Martinez fronste haar wenkbrauwen en staarde naar haar computerscherm, waar een foto van Shana McIntyres lichaam te zien was.

Bentz wendde zijn blik af. Het was al erg genoeg dat hij de dode vrouw gezien had, maar de gedachte dat zijn vrouw nu misschien ook in handen was van de maniak die Shana, Lorraine en Fortuna vermoord had was ondraaglijk.

'Een paar uur geleden heb ik Petrocelli gesproken,' zei Hayes, kijkend op zijn horloge. 'Was het vier uur geleden? Ze wist al dat het vliegtuig van Olivia vertraagd was, maar ze zei dat ze zeker op tijd zou zijn om haar af te halen.'

'Het duurt veel te lang,' zei Martinez. Ze pakte haar jasje, dat over de leuning van haar stoel hing. 'Ik heb al een oproep naar alle wagens gedaan om naar de auto van Petrocelli uit te kijken. Uit voorzorg leek me dat verstandig.'

'Goed idee,' vond Hayes.

Bentz besefte dat de tijd verstreek; kostbare seconden die het verschil konden betekenen tussen leven en dood voor Olivia. 'We moeten haar vinden.'

'Dat lukt ook,' stelde Hayes hem gerust.

Maar Bentz was niet tevreden. Hij voelde zich rusteloos en wilde iets doen. Alles was beter dan hier afwachten. Als Olivia door hem in gevaar was, door de mislukte speurtocht naar Jennifer...

Hij belde zijn dochter en voelde zijn knieën knikken toen hij Kristi's stem hoorde. 'Hallo, papa, ben je weer thuis?'

'Nog niet.' *O, god, Kristi, was dat maar waar. Thuis in Louisiana, met Olivia.*

'Ben je nog steeds op spokenjacht?'

'Zo ongeveer.' Bentz zei niets over Olivia, omdat hij Kristi niet ongerust wilde maken. Eigenlijk had hij Kristi alleen gebeld om zichzelf gerust te stellen: dat ze veilig was, en dat hij niet zijn hele gezin in gevaar had gebracht.

Alleen Olivia.

Christus, de gedachte alleen al dat ze nu in handen van een moordenaar kon zijn... Bentz werd verteerd door angst, maar hij was toch in staat het telefoongesprek met zijn dochter rustig af te maken. Daarna belde hij de luchtvaartmaatschappij. Hij werd doorverbonden met een medewerker en na wat heen en weer praten over de reden van zijn vraag kreeg hij te horen dat Olivia inderdaad aan boord van het vliegtuig was geweest en dat het toestel al uren geleden geland was. Meer informatie kon de maatschappij niet geven.

Olivia was dus vermist geraakt onderweg van het vliegveld naar het politiebureau.

'Op het vliegveld zijn overal bewakingscamera's,' zei Bentz tegen de politiemensen. 'Er hangen camera's bij de bagageafhandeling en bij de uitgang. Ik wil die opnamen zien.'

'We zullen de tapes opvragen als we Petrocelli niet snel kunnen traceren,' beloofde Hayes.

Bentz wist niet of hij nog langer wachten wel kon verdragen. Het beviel hem helemaal niet, en hij had al een akelig voorgevoel. Hij had al te vaak meegemaakt dat iemand die hij liefhad in gevaar verkeerde. Dit was niet de eerste keer dat hij erg bezorgd was over Olivia. Haar mocht niets overkomen.

En hij wilde ook niet langer wachten. 'Kom mee,' zei hij tegen Hayes. 'We moeten praten met die Yolanda Salazar.'

'Ik ben je al een stap voor. Er wordt gewerkt aan een arrestatiebevel. Maar jij praat met niemand, want dit is onze zaak, en jij bent alleen bezig met een persoonlijke actie.'

'Ja, reken maar! Mijn vrouw wordt vermist!'

'Ik heb het nu over de schietpartij, Bentz. Het korps heeft destijds een schikking getroffen met de familie Valdez, en het lijkt me niet verstandig dat jij daar nu weer op de stoep staat. Ze hoeven niet te weten dat jij hierbij betrokken bent. Eerst moet er meer duidelijkheid zijn. Voorlopig blijf jij alleen toeschouwer. Je kent de regels van het spel, en daar moet jij je aan houden.'

'Het zijn jouw spelregels.'

'Hoor eens, ik ben blij dat je erbij bent, maar dit valt wel onder mijn bevoegdheid. Het is mijn zaak, en je hebt gelijk, het zijn mijn regels.' Hayes keek strak naar Bentz. 'En? Ga je mee of niet?'

'Ik wil het spektakel voor geen goud missen,' zei Bentz sarcastisch.

Hij deed zijn uiterste best om kalm te blijven en niet aan het ergste scenario te denken, maar hij was heel erg bezorgd toen hij achter in de 4Runner van Hayes stapte. Hayes en Martinez gingen voor in de auto zitten.

Bentz keek naar het scherm van zijn telefoon. Geen gemiste oproep. Geen sms. Niets. Hij probeerde een logische verklaring te vinden voor alles wat er deze middag gebeurd was, maar tevergeefs. 'Zijn er nog vingerafdrukken of andere sporen gevonden in die zilvergrijze Chevrolet?' vroeg hij.

'Dat weten we nog niet,' antwoordde Martinez.

Hoe was het mogelijk dat Fortuna Esperanzo zo dicht bij Devil's Caldron in de oceaan gevonden werd? In gedachten zag hij Jennifer weer springen. En nog eens, en nog eens. Ze sprong van de balustrade, tuimelde naar beneden en verdween uit het zicht. Hoe was dat mogelijk?

Hij probeerde te beredeneren hoe dat mysterie opgehelderd kon worden, al was het maar om afleiding te vinden van de vraag die voortdurend in zijn hoofd bonkte.

Waar is Olivia?

Uitgeput als ze was, kon Olivia zich amper bewegen.

En ze was doodsbang, liggend in de donkere, bedompte ruimte, ergens in het ruim van een kleine boot.

Die krankzinnige Petrocelli, of hoe de vrouw ook mocht heten, wilde haar vermoorden. Omdat ze met Rick getrouwd was. En daarom waren die andere vrouwen ook dood. Omdat ze haar echtgenoot kenden.

Nee. Dat klopte niet. Al die dode vrouwen hadden Jennifer gekend. En Olivia had haar nooit ontmoet.

Toch werden ze gedood. Vermoord. En dat is ook jouw lot, als je niet kunt ontsnappen.

Olivia voelde dat haar armen en benen krachteloos waren. Haar hoofd tolde. Ze was wakker, haar ogen waren wijdopen, maar haar lichaam weigerde te gehoorzamen aan haar wil. Het was alsof haar brein afgesneden was van haar spieren. Alsof zenuwimpulsen niet doorgegeven werden.

O jezus, hoe had ze zo dom kunnen zijn om argeloos met die vrouw mee te gaan. Waarom had ze haar identiteitskaart niet aandachtiger bekeken? Deze krankzinnige vrouw kon nooit een echte politieagent van het LAPD zijn.

Hoe weet jij dat? Agenten kunnen ook gek worden, en misschien is Petrocelli wel geestelijk gestoord.

Dat maakte niet uit. De vrouw die haar ontvoerd had, was levensgevaarlijk.

Eerder, toen Olivia ruw uit de auto werd getrokken en een slaapzak over haar hoofd kreeg, had ze een donkere straat gezien, met oprijzende gebouwen en had ze zeelucht geroken. Ze hoorde haar ontvoerster zuchten en kreunen toen ze Olivia naar een soort kar droeg. Een kar met minstens één knarsend wiel.

Maar ze was niet in staat zich te bewegen of zich te verzetten. Haar spieren weigerden te gehoorzamen. De stroomstoot met de Taser had haar murw gemaakt. Ze dacht aan de baby in haar buik... O, god, had het kindje de stroomstoot overleefd? Wat vreselijk...

De kar hotste en schudde over een ruw pad. Ze hoorde de vrouw hijgen van inspanning en ook het geluid van een opstijgend vliegtuig. In de verte klonk de misthoorn op een schip.

Olivia probeerde na te denken, haar verwarde gedachten op een rij te krijgen, en te begrijpen waar ze ongeveer was. Maar het was te donker, te benauwd in de dikke slaapzak. Ze kon amper ademhalen.

Denk na, Olivia. Niet opgeven. Je bent wel vaker in een benauwde omgeving geweest en als het effect van de stroomstoot afneemt, dan kun je je handen gebruiken, want die zijn niet op je rug geboeid. Je moet volhouden, laat je niet verlammen door angst. Denk aan de baby, denk aan Rick. Je moet doorvechten. Je moet ontsnappen.

De kar reed over gladder terrein en het hobbelen werd minder. Olivia voelde dat ze werd opgetild en op iets hards werd gelegd. De slaapzak zat nog steeds over haar hoofd. Ze werd naar beneden gesleept. Met al haar wilskracht probeerde ze haar buik te beschermen met haar krachteloze armen. Ze moest haar baby beschermen...

'Jij mag wel wat kilo's gewicht kwijtraken,' zei haar beul mopperend.

Onder aan een trap werd Olivia nog wat verder gesleept en op de vloer gelegd. Door de stof van de dikke slaapzak rook ze een zure vieze lucht. Urine?

'Welkom thuis,' zei de vrouwenstem spottend. Ze hijgde nog van inspanning.

Olivia hoorde metalig gerinkel. Sleutels? Ze luisterde ingespannen en probeerde zich los te worstelen uit de slaapzak. Haar polsen waren nog steeds vastgebonden, en haar mond was dichtgeplakt met tape. Moeizaam ademend wist ze haar handen naar boven te krijgen, en ze voelde de trekker van de ritssluiting. Telkens gleden haar vingers weg, haar spieren wilden niet gehoorzamen en langzaam raakte ze in paniek.

Doorgaan. Hou vol. Die verlammende stroomstoot is bijna uitgewerkt.

Eindelijk, met al haar wilskracht en met opeengeklemde kaken, lukte het haar de rits open te trekken.

De vrouw lachte schamper toen ze zag dat Olivia vergeefse pogingen deed om te ontsnappen.

Olivia gaf zich niet zonder strijd gewonnen.

Ze bleef sjorren aan de rits tot een vlaag naar urine stinkende lucht in haar neus drong. De slaapzak was opengeritst en Olivia zag dat ze in het ruim van een boot lag. Een lamp verspreidde een geel schijnsel en Olivia zag dat ze in een kooi gevangenzat. De tralies reikten van de vloer tot het plafond. Het was een kooi voor dieren, te oordelen naar de geur en resten stro op de vloer. Een lege emmer stond in een hoek en daarnaast een kan water. Olivia rilde van afschuw.

Een traliedeur was de enige toegang tot de kooi. Olivia zag dat de vrouw die haar ontvoerd had een sleutel in het slot stak en omdraaide.

Klik.

De vrouw zette haar blonde pruik af. 'Maak het je gemakkelijk, want je zult hier voorlopig blijven,' zei ze.

Mooi. Olivia wilde liever alleen zijn om een ontsnappingsplan te bedenken.

De ontvoerster leek haar gedachten te lezen. 'O, je kunt je uitsloven en die tape van je mond halen om zo hard mogelijk te schreeuwen, maar dat heeft geen zin. Niemand zal je ooit horen.'

Ze glimlachte bijna welwillend, en Olivia wilde het uitschreeuwen van angst.

Hoelang zou die krankzinnige vrouw haar gevangenhouden? Een dag? Twee dagen? Een week? Voor altijd?

En wat dan? Dit was duidelijk meer dan een ontvoering. Olivia besefte de wrede waarheid: deze meedogenloze ontvoerster wilde haar vermoorden. Met haar baby. Het was alleen nog een kwestie van tijd.

'Ik vraag me af wat jouw echtgenoot nu doet, Olivia. Als hij in de gaten heeft dat jij verdwenen bent.' De vrouw scheen heel voldaan met die gedachte.

Olivia wilde haar aanvliegen, maar ze dwong zichzelf te onderhandelen met deze maniak.

'O, ik begrijp het al,' zei de vrouw. 'Jij denkt dat hij een held is. Hij heeft naam gemaakt in New Orleans, als toprechercheur, nietwaar? Hij nam iedereen in de maling. Echt, iedereen.' Ze raakte opgewonden, en haar ogen gloeiden van haat. 'Ik wil jouw droomwereld niet verstoren, dat je zo gelukkig met jouw held was, maar de waarheid is wel dat Rick Bentz een klootzak is. Een afgedankte smeris, en niet eens een goede. Hij heeft een jongen doodgeschoten, heeft hij dat wel verteld?' Haar wenkbrauwen schoten omhoog en ze leek ervan te genieten om te schelden op Bentz voor haar machteloze toehoorster.

'Jouw echtgenoot is een mislukkeling, Olivia. En jij? Het was mazzel dat je hem trouwde. Weet je waarom? Omdat jouw man zo'n enorme loser is, zul jij ervoor boeten. Jij, en de anderen.'

Ze keek op haar horloge en vloekte, kennelijk geschrokken. Ze keek om zich heen in het ruim van de boot en vond een jerrycan met benzine tussen de rommel. 'Een kleine verrassing die ik hier verstopt had.'

Olivia's vrees veranderde in pure doodsangst.

Dat geschifte wijf wilde de boot in brand steken!

En zij zat hier opgesloten.

'Nee,' bracht Olivia uit, achter de tape over haar mond. 'Nee!' Ze bracht haar geboeide handen naar haar mond en pulkte aan de tape totdat het haar lukte een hoek van de tape los te trekken, al scheurde ze huid van haar wangen en lippen mee. 'Nee!' gilde ze nog eens, maar de vrouw tegenover haar negeerde de smeekbede en klom snel over de trap naar boven. Haar voetstappen klonken metalig op de ijzeren treden.

O, god, o, god!

'Doe dit niet!' schreeuwde Olivia.

Boven aan de trap aarzelde de vrouw even. Had ze de smeekbeden van Olivia gehoord? Liet ze zich vermurwen?

'Alsjeblieft!' krijste Olivia wanhopig.

Toen hoorde ze de krankzinnige vrouw sissend zeggen: 'Stik maar!'

Pure doodsangst gierde door haar aderen. Olivia schreeuwde en rukte aan de tralies, in een vertwijfelde poging het hek te openen. Maar haar handen hadden geen kracht, ze was nog half verlamd door de elektrische schok. 'Nee! Alsjeblieft!'

Met een klik ging het licht uit.

De kooi en het ruim van de boot waren opeens pikdonker.

Een deur viel in het slot.

Tranen rolden over haar wangen.

Olivia wachtte op het geluid van de benzine die naar beneden stroomde, en dan de afgrijselijke steekvlam wanneer een brandende lucifer werd gegooid en een verzengende vuurzee ontstond.

Maar er was alleen stilte.

Hoofdstuk 32

Hayes verwachtte dat het een lange nacht zou worden, toen hij naar Encino reed. Bentz en Martinez staarden naar het voorbijglijdende landschap. Hayes belde naar Corrine, om de plannen voor de avond af te zeggen. Corrine wist dat hij tot laat in de avond moest werken en ze had voorgesteld dat hij naar haar huis zou komen. Dat deden ze wel vaker, maar nu had hij geen idee hoe laat hij kon komen.

'Dus je moet alweer overwerken?' Hij hoorde de irritatie in haar stem, en hoopte dat de anderen het niet zouden horen. 'Ik vrees dat we een andere keer moeten afspreken. Alweer.'

Corrine was teleurgesteld, maar daar kon hij niets aan doen. Hij was onderweg naar Encino, met twee andere rechercheurs in de auto.

Hayes telefoneerde niet graag als collega's in de buurt waren. Martinez en Bentz bleven discreet, maar toch was het ongemakkelijk. En vooral omdat Corrine in het verleden iets met Bentz had gehad.

Zo is het nu eenmaal, dacht Hayes en hij stuurde de auto naar de afslag van Encino. 'Laten we hopen dat Yolanda en Sebastian Salazar thuis zijn,' zei hij. Een paar straten achter Ventura Boulevard waren de huizen tamelijk klein: lage woningen die na de oorlog gebouwd waren, maar met grote tuinen. De gazons begonnen al bruin te kleuren.

De Salazars woonden op een hoek, en de voorgevel van hun huis leek asgrauw in het blauwige schijnsel van de straatlantaarns. De tuin was omheind met gaas en er was een bord met grote letters: PAS OP VOOR DE HOND.

'Geweldig,' zei Martinez, voor in de auto. 'Ik heb een hekel aan honden.'

Hayes keek haar schuin aan. 'Hoe kun je nu een hekel aan honden hebben?'

'Ik ben als kind gebeten. Daarna plastische chirurgie en veel fysiotherapie om de schade te herstellen. Harriet, de dashond van de buren was de dader. Wat een akelig klein monster.'

'Je kunt niet alle honden vergelijken met die Harriet.'

'Nou, volgens mij wel,' zei Martinez, terwijl Hayes de motor uitzette.

'Je weet toch dat honden je angst kunnen ruiken, Martinez,' zei Bentz. 'Als je bang voor een hond bent, dan moet je uit de buurt blijven.'

'Maar al te graag,' antwoordde Martinez. 'Ik hou liever afstand.'

Voordat ze de portieren van de Toyota openden begon de hond achter het tuinhek woest te blaffen en te grommen. Het was een groot dier, zwart en bruin, met enorme kaken en blikkerende tanden. Een bastaardrottweiler, schatte Hayes.

'O, kijk eens wat een schatje.' Martinez' hand verstarde om de portierhendel. 'Laten we hem maar Fluffy noemen.'

Hayes zag in het spiegeltje dat Bentz al uit de auto stapte.

'Hé, jij blijft in de auto,' zei Hayes tegen hem. Hij kon niet toestaan dat Bentz hier politiewerk deed. Bentz was adviseur in deze zaak, meer niet. Hoewel Hayes niet dezelfde mening had als Andrew Bledsoe en Dawn Rankin, die hadden gesuggereerd dat Bentz op de een of andere manier betrokken was bij de moorden, mocht Bentz toch geen recherchewerk voor het LAPD doen. Bentz stond niet langer op de loonlijst, dus kon het onderzoek serieus in gevaar komen. Bentz zou hier niet moeten zijn, maar Hayes wilde hem toch een kans geven. Tot nu toe was hij de enige geweest die resultaat had geboekt in deze zaak.

Hayes keek even naar de tuin, waar de hond zo hard blafte dat doden erdoor gewekt konden worden. Achter het huis klonk een stem: 'Rufus! Koest jij!'

Rufus negeerde het bevel. De grote hond raakte nog meer door het dolle heen en draafde rondjes in de tuin, onophoudelijk blaffend. De kale cirkels in het gras achter het tuinhek maakten duidelijk dat dit routine was.

'Nou, het verrassingselement is wel mislukt,' merkte Hayes op.

Martinez keek naar het tuinhek. 'Laten we maar hopen dat het hek goed dichtzit.'

Toen ze bij de voordeur kwamen flitste een lamp aan en de traptreden baadden in een vaalgele gloed. De deur werd geopend door een slanke vrouw met donker haar tot op haar schouders. Ze was gekleed in een witte trui en een oranje broek. Ze keek argwanend naar de bezoekers.

Hayes herkende Yolanda Salazar van de informatie die Montoya hem gestuurd had. De foto op haar rijbewijs was niet flatterend, want in werkelijkheid was ze veel aantrekkelijker, ondanks haar kennelijk slechte humeur.

'Wat wilt u?' vroeg ze kortaf.

'Ik ben rechercheur Hayes, en dit is mijn collega Marinez, van het LAPD.' Ze toonden allebei hun politiebadge. 'Bent u Yolanda Salazar?'

Ze aarzelde even en knikte toen bijna onmerkbaar. 'Waarom komt u hier?'

'We willen u een paar vragen stellen.'

'Waarover?' Haar boosheid maakte plaats voor bezorgdheid. 'Fernando? Is er iets met mijn broer? O, *dios*, zeg me dat hij niet gewond is of in de problemen zit.' Onwillekeurig sloeg ze haastig een kruis voor haar borst.

'Nee, iets heel anders,' stelde Hayes haar gerust. 'We moeten u vragen stellen over een auto die uw eigendom is, een zilvergrijze Chevrolet Impala, bouwjaar 1999. Het kenteken staat op uw naam.'

'Hé, is er iets?' Een man kwam naar de voordeur. Hij was veel groter dan Yolanda, heel gespierd en zijn strakke T-shirt spande om zijn brede schouders. Zijn spijkerbroek gleed bijna van zijn slanke heupen. 'Wat is hier aan de hand?'

'Ze zijn van de politie,' zei ze, een angstige blik op haar echtgenoot werpend.

'Bent u Sebastian Salazar?' vroeg Martinez.

'Klopt,' antwoordde de man met een zwaar accent.

'Wij zijn hier om enkele vragen aan uw vrouw te stellen over een auto die op haar naam geregistreerd staat.'

Sebastian keerde zich naar zijn vrouw en zei iets in rap Spaans. Hayes kon het niet verstaan, maar hij dacht dat Martinez wel begreep wat er gezegd werd.

'Mogen we binnenkomen?' vroeg Martinez.

De man en de vrouw keken elkaar even aan, en Sebastian mompelde nog iets in het Spaans voordat hij de deur verder opende. 'Kom verder,' zei hij. Zijn witte tanden lichtten op onder een grote snor. 'Ga zitten.' Hij gebaarde naar de stoelen.

Yolanda stond nog bij de deur en ze keek nieuwsgierig naar buiten. 'Komt die meneer niet binnen?'

Hayes keek over zijn schouder en moest een verwensing inslikken. Bentz was uit de auto gestapt en hij stond in het gele licht bij de afrastering. Hij mompelde iets tegen Rufus, die eindelijk niet meer blafte.

'Nee, hij blijft liever buiten,' zei Hayes en hij probeerde de aandacht van Yolanda Salazar te trekken. 'Neem me niet kwalijk dat ik u lastigval, maar...'

'Wacht even.' Yolanda's ogen waren koude zwarte kiezelstenen en op haar gezicht verscheen een kwade frons. 'Sebastian!' Ze wenkte haar man naar de deur en er volgde een woordenstroom in het Spaans. '*Bastardo!*' zei ze ziedend.

Gealarmeerd liep Sebastian door de deuropening en hij tuurde naar de man in de tuin.

Hayes zag het knarsetandend gebeuren.

Yolanda draaide zich om naar Hayes en Martinez. 'Wegwezen! Mijn huis uit! Brengen jullie die moordenaar hierheen? Die *hombre* heeft mijn broer doodgeschoten!' Ze wees beschuldigend naar de tuin. 'Dat is de smeris die Mario neerschoot, een jochie van twaalf jaar! En hij was onschuldig!' Haar bovenlip krulde van afgrijzen. 'En nu opdonderen.' Hayes zag met afgrijzen dat Yolanda naar buiten stormde.

Bentz liep heen en weer langs de afrastering in de tuin. Hij telefoneerde. '... Volgens mij heet ze Judd. Yolanda Judd,' zei hij tegen Montoya. Op dat moment kwam Yolanda naar buiten stormen. Op blote voeten rende ze door de tuin naar Bentz. 'Kindermoordenaar!' schold ze. 'Wat kom jij hier doen?'

Hayes en Martinez kwamen achter Yolanda aan, en achter hen volgde haar echtgenoot.

'Ik bel je terug,' zei Bentz tegen Montoya en deed zijn mobiel uit.

'Kun je ons niet met rust laten? Is het niet erg genoeg dat je mijn kleine broertje hebt doodgeschoten en het leven van mijn moeder hebt geruïneerd?' tierde ze toen Bentz zich naar haar omdraaide.

Ze spuwde in zijn gezicht.

Bentz balde zijn handen tot vuisten. Hij kon zich amper beheersen.

'Ga weg!' schreeuwde Hayes. Hij gebaarde dat Bentz naar de auto moest gaan en instappen, een zwakke poging om de emoties tot bedaren te brengen. 'Mevrouw Valdez, we moeten u echt vragen stellen over uw auto,' drong Hayes nog eens aan bij Yolanda.

'En waarom is hij dan hier?' Ze priemde met haar wijsvinger naar Bentz, die zijn gezicht afveegde.

In elk geval niet om jouw scheldkanonnade aan te horen, wilde Bentz zeggen.

'Weet u waar uw auto nu staat?' vroeg Hayes en hij ging tussen Yolanda en Bentz staan.

'Bij Fernando. O, *dios*, waar is Fernando?' Haar woede veranderde in oprechte bezorgdheid.

'Dat weet ik niet. Maar we hebben uw auto.'

'Waar dan?' vroeg ze verbaasd.

'Bij de technische recherche. We zoeken naar bewijsmateriaal.'

'Wat voor bewijsmateriaal?'

'Het is mogelijk dat er een verband is met drie moordzaken.'

'Wat?' Ze keek even naar Bentz, maar haar vijandigheid leek wat minder. 'Moordzaken?'

'Inderdaad. Wie bestuurt die auto meestal?'

'Ik...'

Hayes keek naar de oprit waar een pick-uptruck met een huif naast een glanzende Lexus geparkeerd stond. 'Wie rijdt met die auto's?'

'De Nissan is van mij,' zei Sebastian, 'en Yolanda rijdt met de Lexus. We gebruiken de Chevrolet als derde auto. Gekocht van Carlos omdat het een voordelige aankoop was. De laatste tijd leent Fernando die auto.'

'Woont hij hier?' vroeg Martinez.

Yolanda keek misprijzend, maar Sebastian knikte en antwoordde: 'De meeste tijd wel.'

'En heeft hij nog een andere auto?' Martinez had een notitieblok in haar hand en maakte aantekeningen.

'Zijn Blazer staat bij de garage. Er moet een nieuwe versnellingsbak in. Hij heeft nog niet besloten of de auto dat waard is.'

'Waar is Fernando nu?' vroeg Martinez, en ze keek schuin naar de hond, die op zijn achterpoten stond en aan het metalen hek snuffelde.

'Weet ik niet.' Yolanda keek nerveus naar de straat, alsof ze verwachtte dat haar broer elk moment kon komen.

'Is hij aan het werk?' vroeg Martinez.

'Nee, naar school,' zei Sebastian en hij sloeg zijn gespierde arm om Yolanda's schouders. 'Hij volgt een avondcursus. Meestal komt hij na zijn werk in restaurant The Blue Burro naar huis, maar vandaag niet. Hij belde om te zeggen dat hij meteen doorging naar school.'

'Hebt u zijn mobiele nummer?'

'Nee!' zei Yolanda snel. Ze was duidelijk bang. Maar Sebastian legde zijn hand in haar nek en kalmeerde haar terwijl hij het telefoonnummer aan Martinez gaf.

'Verdomme, Sebastian!' Yolanda duwde zijn hand kwaad weg.

Maar haar man liet zich niet van zijn stuk brengen. 'Als hij problemen heeft, dan moeten wij dat ook weten.'

Hayes koos een andere tactiek. 'Heeft Fernando een vriendin? Iemand aan wie hij die auto zou uitlenen?'

'Hij heeft geen vaste vriendin,' antwoordde ze.

Sebastian merkte op: 'Fernando kent veel meiden. Maar ik heb nooit gehoord dat hij zijn auto uitleent aan een van hen. En dat is maar goed ook, want die auto is van mijn vrouw.'

'Kent u een vrouw die Jennifer Bentz heet?' vroeg Hayes. Yolanda haalde haar schouders op en Hayes zei: 'Kom mee naar binnen, ik wil een paar foto's laten zien.'

Yolanda wierp een laatste hatelijke blik in de richting van Bentz en ging met tegenzin het huis in.

Nog steeds verhit ging Bentz op de achterbank van de Toyota zitten en hij liet het portier open zodat er frisse lucht in de auto kwam.

Hij piekerde over Yolanda en haar auto.

Ze had er eerder op deze dag niet mee gereden.

Fernando ook niet.

Maar Fernando Valdez was wel de volgende op de lijst personen die Bentz wilde ondervragen.

Ondanks de waarschuwing van Hayes belde hij naar het nummer van Fernando, maar er werd niet opgenomen.

Bentz leunde achterover en vroeg zich af of Yolanda de waarheid sprak. Dat betwijfelde hij. Hij zag een fietser met reflecterende kleding voorbijrijden en een kat in de tuin van de buren op jacht, sluipend, tussen de struiken.

Rufus was gekalmeerd en jankte zacht, steeds heen en weer lopend achter het hek.

Bentz reserveerde telefonisch een andere huurauto. Hij belde ook naar de So-Cal Inn, in de hoop dat Olivia daar was geweest om naar hem te vragen.

Maar dat was niet het geval.

Hij reserveerde een andere kamer, deze keer grenzend aan het binnenzwembad, en hij gaf Rebecca instructies dat ze hem meteen moest bellen als ze iets van zijn vrouw hoorde. De kans was klein dat hij gebeld werd, maar hij wilde met elke mogelijkheid rekening houden.

Twintig minuten later kwamen Hayes en Martinez weer naar buiten. Op dat moment ging Bentz' telefoon. Hij nam op, in de hoop het nummer van Olivia op het scherm te zien, maar hij kreeg Montoya aan de lijn.

'Met Bentz.'

'Je had gelijk,' zei Montoya. 'Ik heb wat gegevens nagetrokken van Yolanda Valdez in de regio Los Angeles, en kennelijk is ze korte tijd getrouwd geweest met een zekere Erik Judd. Die Erik was dakdekker en hij kreeg een ongeluk. Hij stortte vier verdiepingen naar beneden en overleed nog voor de scheiding formeel was.'

'Lagen ze dan in scheiding?'

'Alle formulieren waren al ingevuld.'

'Hoe weet jij dat?' vroeg Bentz, voor zich uit kijkend in de donkere nacht. Nu was geen enkel bureau van de burgerlijke stand open.

'Ach, je moet weten wat je doet, wie je belt en hoe je met internet moet omgaan. Dan zijn die gegevens wel te vinden.'

'Als jij dat zegt.'

'Dat doe ik inderdaad. En het interessante is: die Erik had een levensverzekering van 500.000 dollar afgesloten. Een half miljoen. En de begunstigde was niemand anders dan de vrouw die spoedig zijn ex zou zijn.'

'Was er iets verdachts aan dat ongeluk?'

'De verzekeringsmaatschappij deed niet moeilijk. Volgens mijn informatie is Yolanda de eigenaar van het huis in Encino en heeft ze nog 80.000 dollar op haar bankrekening.' Montoya was duidelijk tevreden met zijn resultaten. 'Geen studiefinanciering voor deze dame.'

'Bedankt,' zei Bentz. 'Doe me een plezier en probeer zoveel mogelijk informatie over die broer te vinden. Hij heet Fernando Valdez. Hij gebruikt de auto waar Jennifer in reed. Hij woont kennelijk bij zijn zus en zwager, maar is nu spoorloos.'

'Ik ga zoeken.'

'Dank je.'

'Ik heb wel een glas bier van je tegoed. Nee, wacht eens, je staat nu voor een half krat in het krijt.'

'Dat krijg je zeker. Heb je nog iets van Olivia gehooord?'

'Nee. Hoezo? Is ze niet bij jou?'

'Nee. Ze is wel geland in Los Angeles, en we hebben elkaar gesproken via de telefoon. Ze zou op het vliegveld politieagente Petrocelli ontmoeten, maar sindsdien is ze onvindbaar.'

'Weet je zeker dat ze aan boord van dat vliegtuig was? Als jullie telefonisch contact hebben gehad, dan kan ze overal geweest zijn.'

'Ja, want ik heb navraag gedaan bij de luchtvaartmaatschappij.'

'Maar wat is er dan gebeurd?'

'Geen idee,' moest Bentz bekennen. 'Maar ik zal haar vinden.'

'Uiteraard vind je haar weer,' beaamde Montoya, al klonk er een bezorgde ondertoon in zijn stem, een echo van Bentz' eigen bezorgdheid.

Ik moet snel werken en raak een beetje opgefokt. Dat voel ik, en het bevalt me niet. Ik wil graag dat alles tot in de kleinste details uitgewerkt is. Daarom heeft het ook twaalf jaar geduurd voordat dit plan uitgevoerd kan worden. Twaalf lange kwellende jaren.

Nu mag ik het niet verpesten, denk ik, terwijl ik mijn kleren uittrek in een hut aan boord en mijn spiegelbeeld zie in de smalle spiegel. Ik ben in vorm, beter dan iemand zou verwachten en daar ben ik trots op. Het heeft jaren gekost om een uiterlijk te krijgen zoals ik dat wil.

Zoals bij veel dingen in mijn leven was er veel kracht, geduld, timing en doorzettingsvermogen vereist. Ik ben niet voor niets gestopt met roken.

Soms is het helaas nodig risico's te nemen en snel te reageren. Dat is zenuwslopend, besef ik als ik mijn haar onder een baseballpet stop. En na zulke riskante momenten moet ik mijn evenwicht hervinden, me weer concentreren op mijn einddoel.

Ik trek mijn joggingbroek aan en sluit de rits van mijn jack. Dan sluip ik van boord. Er is niemand in de buurt op dit uur, dus ik kan onopgemerkt in de auto stappen.

Op de achterbank ligt Sherry al klaar voor vertrek. Haar kleding, politiebadge en tasje liggen naast haar. 'Het is daar heel stil,' zeg ik tegen haar.

Af en toe in de spiegel kijkend, rustig ademend, rijd ik naar de doodlopende straat die bijna twee kilometer verwijderd is van het restaurant waar ik Sherry eerder ontmoet heb. Het is jammer dat ze opgeofferd moet worden.

Ik parkeer in een steeg en veeg alle plekken schoon waar ik misschien vingerafdrukken heb achtergelaten, toen ik wegreed van het restaurant. Ik leg de latex handschoenen op de achterbank, besprenkel alles met benzine en strijk een lucifer af.

Hissssss!

De kleine vlam flakkert op en ik gooi de brandende lucifer door het open raampje op de handschoenen. De achterbank vat vlam en even later brandt de hele auto.

Perfect, denk ik en ik begin te rennen. Maar dan zie ik een motorrijder achter me naderen.

Verdomme. Mijn polsslag vliegt omhoog. Zweet parelt op mijn voorhoofd en mijn handen worden klam. Stel dat hij mij bij de auto heeft gezien? En als hij een signalement van mij kan geven? Wat als...

Kalmeer! Hij heeft je niet gezien. Hij ziet misschien een brandende auto, maar dat wilde je toch? Gewoon blijven rennen.

Aangespoord door mijn eigen woorden blijf ik in mijn eigen tempo joggen, door stille achterafstraten.

Ik ben bijna bij het restaurant als ik sirenes hoor loeien. Brandweerauto's. Politie. Waarschijnlijk ook een ambulance. Ik zie mijn auto, geparkeerd op enkele huizenblokken afstand van het restaurant. De auto staat daar al uren geduldig te wachten.

Ik rijd naar huis, zonder problemen. Nadat ik mijn joggingkleren heb uitgetrokken en in de wasmachine gedaan, neem ik een lange hete douche en ik gun mezelf tijd om na te denken over Bentz en hoe hij nu in martelende onzekerheid leeft: misselijk van bezorgdheid over zijn kleine vrouw.

'Amuseer jij je een beetje, RJ?' en ik lach hardop in de badkamer, die gevuld is met stoomwolken. Terwijl ik mijn haar en lichaam was, denk ik aan mijn volgende zet, het plan voor morgen. Bentz zal nog een hartverzakking krijgen. Olivia zal sterven... O, zeker, denk ik, de geur van zeep opsnuivend. Maar voordat ze haar lot ondergaat wil ik dat Bentz het nog zwaar te verduren krijgt.

Ik schrob mijn voeten en laat het warme water over mijn lichaam stromen. Ik was alle sporen weg. Dan stap ik uit de douchecabine en droog me af, denkend aan Olivia, wegkwijnend in het ruim van de boot, doodsbang en waarschijnlijk schreeuwt ze zo hard ze kan om hulp. Tevergeefs.

Ik heb haar toch gezegd dat schreeuwen zinloos is? Ik pak mijn badjas van de haak en knoop de ceintuur vast.

Nu is het tijd voor het nieuws. Ik loop naar de woonkamer en open onderweg de koelkast om een koele karaf martini te pakken. Ik laat twee olijven in mijn glas vallen en giet de koele mixdrank erbij. Dan ga ik in de woonkamer zitten en zet de televisie aan. Er moet wel een nieuwsbericht uitgezonden worden over een brandende auto bij Marina del Rey. Ik sla mijn benen over elkaar en wacht tot ik een bekend gezicht op het scherm zie verschijnen.

Donovan Caldwell, die zeurpiet, wordt geïnterviewd over de recente dubbele moord op de Springer-tweeling. Caldwell zit met de interviewster in de studio en op de achtergrond worden grote foto's van beide tweelingen geprojecteerd: vier meisjes, allemaal met grote ogen. De foto's zijn duidelijk bedoeld om de kijkers te ontroeren.

De interviewster, een jonge vrouw met donker haar en een bezorgde uitdrukking op haar gezicht, vraagt: 'Denkt u dat de moordenaar van uw zussen ook verantwoordelijk is voor deze dubbele moord?'

'Daar ben ik van overtuigd,' antwoordt Caldwell fel en hij gebaart heftig met zijn wijsvinger.

Hij is een kleine, magere man, gekleed in een poloshirt en kaki broek. Een klein verzorgd sikje bedekt zijn kin. Maar hij is hier niet om indruk te maken met zijn uiterlijk. Nee, hij is alleen opgewonden en kwaad. 'Ik zeg dat als het LAPD zijn werk goed had gedaan en de moordenaar van mijn zussen had gearresteerd, deze twee meisjes nog in leven zouden zijn.'

De camera zoomt in op de slachtoffers, aantrekkelijke meisjes met een levenslustige glimlach.

Ik neem nog een slok koele martini en zap met de afstandsbediening naar een andere zender. Uiteraard is de moord op de tweeling nieuws, maar het is al oud nieuws. En zeker de moord op de Caldwell-tweeling. Die is al twaalf jaar dood. De verongelijkte broer irriteert mij mateloos. Hij eist de aandacht alleen maar op.

En die opmerking over het falen van de politie; hij weet niet waar hij over praat.

Ik staar naar de televisie en neem weer een slok.

Ik wacht op het belangrijke nieuws.

Waar blijft de journalist met een verslag over de uitgebrande auto bij Marina del Rey?

Alleen dat verhaal is voor mij de moeite waard.

Hoofdstuk 33

'We moeten Fernando vinden,' zei Bentz tegen Hayes. Ze reden terug naar het Center, om eerst Martinez daar af te zetten en dan verder te gaan naar het verhuurbedrijf waar Bentz zijn auto zou ophalen. 'Ik heb geprobeerd hem te bellen, maar kreeg geen gehoor.'

'Ik heb toch gezegd dat jij je er niet mee moet bemoeien,' zei Hayes geërgerd. 'Dit is mijn zaak.'

'En het is *míjn* vrouw,' protesteerde Bentz, hij was ook gespannen en erg ongerust.

'Weet ik,' zuchtte Hayes. Hij maakte zijn stropdas wat losser. 'We zullen Yolanda laten schaduwen en haar huis in de gaten houden om te zien of Fernando komt opdagen.'

'Ik zal navraag doen bij zijn werk en zijn avondschool,' zei Martinez. 'We moeten nagaan wat hij vandaag precies deed,' voegde ze eraan toe. Hayes' telefoon ging en hij nam op.

Achter in de auto probeerde Bentz alle puzzelstukjes aan elkaar te passen. Hij was eerst naar Los Angeles gelokt om te zoeken naar zijn eerste vrouw, maar nu was Olivia er ook bij betrokken. Daar was hij van overtuigd. En Olivia vinden had nu de hoogste prioriteit. Maar omdat hij geen enkel spoor kon volgen leek het hem beter mee te werken aan deze zaak, en de persoon op te sporen die kennelijk een vendetta tegen hem voerde.

Als hij zijn emoties kon uitschakelen en met de koele blik van een politieman keek naar wat er gebeurde, dan zag hij zichzelf staan in het oog van een moorddadige orkaan. De persoon die deze bedacht had, het meesterbrein van de hele operatie, had het op Bentz gemunt.

Bij het onderzoek was er geen aanleiding gevonden voor de moord op Lorraine Newell en Shana McIntyre. De enige overeenkomst was dat beide vrouwen contact hadden gehad met Bentz. Hoewel het nog te vroeg was om ook een verband met de dood van

Fortuna Esperanzo te leggen, dacht Bentz er het zijne van. Fortuna was niet in zee gegaan om te zwemmen, met kleren die identiek waren aan de kleding die 'Jennifer' aanhad. Nee, ze was vermoord en de moordenaar wilde zekerheid dat Bentz zou begrijpen dat Fortuna een slachtoffer was omdat ze ook met Jennifer te maken had.

Maar als de vrouw die zo sprekend leek op zijn ex-vrouw achter dit plan zat, waarom was de ontknoping dan niet eerder gekomen, voordat ze in zee sprong? Waarom zou ze haar leven riskeren? En hoe kon ze op het vliegveld zijn, op hetzelfde moment dat Fortuna in zee werd gedumpt?

Alles wat gebeurd was moest zorgvuldig gepland zijn. Met veel geduld. En langetermijnplanning.

Iemand die een grote persoonlijke wrok tegen Bentz koesterde moest dit spel met hem spelen, na jarenlang werken aan het perfecte scenario. Bentz sloot iedereen die hij achter de tralies had gekregen uit. De meeste kerels die ontsnapt waren of weer vrijgelaten werden, zouden juist zo hard mogelijk wegrennen in de andere richting. Als ze zich op Bentz wilden wreken, dan zouden ze hem snel vermoorden. Nee, degene die achter deze reeks van gruwelijke gebeurtenissen zat genoot ervan dat Bentz telkens weer in het lokaas Jennifer hapte.

En dat besef deed zijn bloed stollen. *Yolanda Salazar?*

Haatte zij hem zo hevig dat ze na al die jaren nog wraak wilde nemen? Dat leek niet waarschijnlijk. Ze leek eerder impulsief, zoals ze naar hem gespuwd had. Ze was kwaad op hem, maar deze reactie had Bentz niet van haar verwacht.

Als Yolanda het niet was, wie dan wel?

En als het iemand is die nauw betrokken is bij de Caldwell-tweeling?

Misschien was dit het oeroude 'oog om oog'.

Bentz bleef piekeren over het feit dat de dader zoveel intieme details wist over zijn ex-vrouw en zijn relatie met haar.

En nu... Nu was Olivia spoorloos verdwenen. Iemand had het lef gehad haar thuis op te bellen en onder druk te zetten, tot ze zich gedwongen voelde naar Los Angeles te vliegen. Daar was zelfvertrouwen voor nodig. En kennis. En puur geluk. Hoe kon de moordenaar weten dat Olivia inderdaad in het vliegtuig zou stappen?

Omdat degene die dit bedacht heeft alles over jou weet, over je leven, en over je vrouw. Verdomme, Bentz, dit is allemaal jouw fout. Alleen jij was fout.

Afwezig wreef hij over zijn been, dat nog pijnlijk was sinds de achtervolging bij Devil's Caldron. Hij voelde zich een dwaas; die vrouw achtervolgen langs de steile helling. Achter een ongrijpbare waarheid aan jagen, terwijl zijn vrouw zich gedwongen voelde naar Californië te vliegen om bij hem te zijn, bij haar altijd afwezige echtgenoot. Had ze niet gezegd dat ze moesten praten? Had hij niet gevoeld dat er een verwijdering tussen hen was ontstaan?

Schuldgevoel knaagde aan zijn binnenste en al hun woordenwisselingen leken nu totaal onbelangrijk. Onnozel! Zelfs de gesprekken over kinderen. Wat hem betrof mocht Olivia zoveel kinderen krijgen als ze maar wilde.

Als dat nog kon.

Hayes verbrak de verbinding. 'We gaan nog niet terug naar het Center,' zei hij.

'Wat is er dan?' wilde Martinez weten.

Hayes fronste en keek uit naar de volgende afrit. 'Iemand heeft Sherry Petrocelli's auto in brand gestoken.'

'O, nee.' Martinez drukte haar handen tegen haar gezicht.

'En het is nog erger. Er is een lichaam op de achterbank van die auto gevonden.'

'Wat? Nee!' schreeuwde Bentz en hij kwam zo snel overeind dat zijn veiligheidsgordel met een klap strak stond. Woede, angst en een wee gevoel trokken door zijn lichaam en hij dacht alleen aan Olivia: zo mooi, zo geestig en zo intelligent. *O, hemel, nee, alsjeblieft niet!* De adem stokte in zijn keel. 'Ik zweer je, Hayes, als er iets met Olivia gebeurd is, als zij in die auto zat...' Hij kon zijn zin niet afmaken, hij kon niet meer denken. Hayes trapte het gaspedaal diep in en negeerde elke snelheidsbeperking, op weg naar Marina del Rey, waar de autobrand gerapporteerd was.

Bentz probeerde te kalmeren. *Het is Olivia niet. Ze leeft en alles is in orde. Ze is ergens anders.*

Maar ondanks die bezwerende gedachte werd hij verteerd door bezorgdheid.

De straat was afgezet door de politie. Twee brandweerwagens stonden daar met draaiende motoren. De brandslangen lagen in kronkels op het natte wegdek en smerig bluswater stroomde naar de goot. Het geblakerde karkas van de uitgebrande auto smeulde na en verspreidde een akelige stank van verschroeid rubber, gesmolten plastic en, erger nog, verkoold vlees.

Bentz sprong uit de auto zodra die stilstond. Hij negeerde de afzetting en zag een politieman.

'Wie is de dode op de achterbank?' stamelde hij vertwijfeld.

'En wie bent u?' vroeg de agent.

Bentz toonde meteen zijn politiebadge. Hayes en Martinez kwamen aanlopen en maakten zich ook bekend. De agent knikte en zei: 'Dat weten we niet. Het lichaam is al overgebracht naar het mortuarium, maar ik kan u wel zeggen dat het lastig zal worden om de identiteit te bepalen.'

Bentz was bang dat hij moest overgeven. 'Was het een vrouw?' vroeg hij.

'Waarschijnlijk wel. Ze had een identiteitsbewijs, maar dat is zwart geblakerd in de vlammenzee. Het nummer was nog leesbaar, en kennelijk is het van de eigenares van die auto, agent Sherry Petrocelli. Daarom denk ik dat we haar lichaam hebben gevonden op de achterbank.'

Bentz zakte bijna op de grond van opluchting. Hij sloot zijn ogen en balde zijn vuisten, in een poging bij zijn positieven te blijven. Hij probeerde wanhopig te geloven dat Olivia een vergelijkbaar afgrijselijke dood was bespaard.

Maar met de opluchting kwam ook het schuldbesef. Iemand was deze avond gestorven. Als het niet Sherry Petrocelli was, dan toch een vrouw die ouders had, misschien kinderen, een man en vrienden die van haar hielden. En hij besefte ook dat het slachtoffer dood was vanwege hem. Omdat hij geobsedeerd werd door zijn eerste vrouw. Zijn tunnelvisie op Jennifer had andere vrouwen het leven gekost, en zijn echtgenote in gevaar gebracht. Er was iemand die probeerde zijn leven in een hel te veranderen.

'Ik moet het zien,' zei Bentz tegen Hayes. Zijn stem klonk schor en hij klemde zijn tanden op elkaar.

'Wat?'

'Ik moet dat lichaam zien.'

'Weet je dat zeker?' Hayes was het duidelijk niet met hem eens. Hij schudde zijn hoofd.

'Ik moet het weten, Jonas, dat begrijp je toch?'

'Nee, dat begrijp ik niet. Bentz, het zal geen prettige aanblik zijn.' Nog steeds hoofdschuddend scheen Hayes te beseffen dat hij zijn koppige vriend niet zou overtuigen. 'Oké, ga met mij mee. Maar ik ben het er niet mee eens. We gaan eerst kijken, en daarna halen we jouw huurauto op, en dan kun je terug naar je motel om wat te slapen. Je ziet er belabberd uit.'

In het mortuarium waarschuwde de assistent-lijkschouwer hen: na een eerste onderzoek was gebleken dat de vingers onherkenbaar verbrand waren. Tachtig procent van het lichaam was verkoold en er waren geen zichtbare littekens of tatoeages. 'Waarschijnlijk gebruiken we gebitsgegevens om haar identiteit vast te stellen,' zei ze.

Toch wilde Bentz de dode met eigen ogen zien.

De assistent, een andere dan degene die enkele uren eerder het laken had weggetrokken van Fortuna Esperanzo's stoffelijk overschot, wachtte op een teken van Hayes.

Bentz vermande zich, en het was alsof het donderend geraas van een trein in een tunnel door zijn brein galmde. Zijn keel werd kurkdroog. Wat moest hij doen als het geblakerde lichaam onder een dun laken inderdaad Olivia was? Hij wilde wegvluchten, maar balde zijn vuisten en bleef staan.

Na een knikje van Hayes werd het laken weggetrokken.

'Ach, nee,' zei Martinez en ze wendde zich af.

Hayes knipperde met zijn ogen.

Bentz voelde zijn maag omdraaien bij de aanblik van het verbrande lichaam met witte starende ogen. Verschroeid haar omlijstte een bijna onherkenbaar gezicht. De tanden waren zichtbaar tussen de zwart verbrande lippen.

'Dat is Olivia niet,' zei Bentz, en hij moest een bittere galsmaak wegslikken. Hij wist het zeker. Hij voelde zich opgelucht en tegelijk ook schuldig. Goddank had Olivia de angst en pijn van deze dode vrouw niet moeten verduren.

'Dat is Petrocelli,' zei Hayes. 'Collega Sherry Petrocelli. Dit had ik echt niet verwacht.' Hayes was verbijsterd en met een strak gezicht gebaarde hij dat het laken weer over het zwartgeblakerde lichaam gelegd kon worden. 'Ik weet dat ze haar badge gevonden hebben, maar toch kan ik het amper geloven.' Hayes wiste zweetdruppels van zijn voorhoofd met de rug van zijn hand. 'Haar echtgenoot moet ingelicht worden. Ik denk dat ik dat maar beter zelf kan doen.'

'Ik ga wel met je mee,' bood Martinez aan. Ze wierp een laatste blik op de brancard die werd weggereden. 'Wat een afschuwelijke nachtmerrie. Ik hoop maar dat ze al dood was, toen de auto in brand werd gestoken.'

'Amen,' voegde Hayes eraan toe. Hij keek ook even naar de brancard en zei: 'Kom mee, we moeten weg. Ik breng je naar dat verhuurbedrijf, als ze nog open zijn. Daarna ga ik met Martinez het droevige nieuws aan Jerry Petrocelli brengen.' Hayes slaakte een diepe zucht. 'Wat haat ik dit.'

'We haten dit allebei,' zei Martinez.

***

Het roze licht van de dageraad scheen door een kleine patrijspoort in de romp van de boot. Olivia had het ronde raampje niet opgemerkt voor het licht werd in het smerige ruim. Ongedierte krioelde overal rond in het donker, en de boot kreunde en kraakte naargeestig op de beweging van het water. Olivia meende in de donkere nachtelijke uren te horen dat iemand aan boord stapte. Maar als dat zo was, dan kwam de bezoeker niet naar beneden om haar te bevrijden of haar te bedreigen, ondanks haar geschreeuw om hulp.

Ze had amper geslapen. Haar zenuwen bleven tot het uiterste gespannen en ze verwachtte dat de boot in brand gestoken werd, zodat ze zou stikken in giftige rook die de lucht uit haar longen dreef. Of erger nog: ze kon hier levend verbranden.

Dat mocht niet gebeuren. En toch, als ze haar ogen sloot, dan zag ze het in gedachten gebeuren... de doodsangst, de pijn. Ze zag haar huid verschroeien en verkolen, haar armen en benen werden een prooi van de gretige vlammen. Haar wenkbrauwen en haren zouden verzengen terwijl ze machteloos krijste in het holle ruim van de verlaten boot.

En niemand zou haar hulpgeroep horen.

Het visioen was zo afschrikwekkend en zo levensecht dat Olivia probeerde haar ogen open te houden. Ze keek liever naar het smerige en bedompte interieur van de boot dan naar de beelden die door haar fantasie werden gevormd.

Maar de werkelijkheid zien betekende ook dat ze met het onvermijdelijke rekening moest houden. Olivia wist dat ze moest vechten. Als het zover was zou ze de vrouw die haar hier had opgesloten aanvallen. Ook al werd ze bedreigd met een mes of een vuurwapen, ze wilde niet opgesloten als een dier haar lot afwachten.

Haar geest was weer helder, en haar armen en benen hadden weer kracht. De verdoving door de stroomstoot met de Taser was uitgewerkt.

Terwijl de zon opging probeerde ze een ontsnappingsplan te bedenken. Ze zou zich niet laten intimideren als een wapen op haar werd gericht door de vrouw die haar had opgesloten.

Wie was die gevaarlijke en gestoorde vrouw?

Wat wilde ze?

En waarom hield ze Olivia hier gevangen?

Wat waren haar plannen?

Het beloofde niet veel goeds, dat was wel zeker.

En dat was heel bedreigend.

Laat je niet verlammen. Denk na, Olivia. Probeer iets te bedenken om hier weg te komen. Je bent een slimme vrouw en er is hier gereedschap. Je moet het alleen te pakken krijgen en er gebruik van maken.

Ze keek om zich heen naar het kale interieur van de boot. Op de vloer zag ze keutels, een bewijs dat er ratten aan boord waren. Ze probeerde niet aan het ongedierte te denken. Ze vermoedde dat ze in het ruim van een kleine vrachtboot was, en dat de kooi waarin ze opgesloten zat bestemd was om dieren te verschepen. Er stond een emmer in de kooi, en een kan water.

Ze had van beide geen gebruikgemaakt.

Tot nu toe.

Dat zou spoedig veranderen.

Aan de ene scheepswand hingen een zwabber, een harpoen en reddingsvesten. Aan de andere wand waren roeiriemen opgehangen. Er was een inbouwkast, de deuren waren gesloten. Afgezien van de smalle trap naar boven was het ruim leeg.

Ze controleerde de tralies van de kooi. Die waren stevig bevestigd en het was onmogelijk ertussendoor te kruipen. Het toegangshek van de kooi was ook solide en zonder sleutel niet te openen. Ze hief haar geboeide handen omhoog en probeerde de pennen uit de scharnieren te wrikken, maar er was geen beweging in te krijgen.

Nee. Ze zat opgesloten.

En dat besef was om gek van te worden.

Olivia probeerde met haar geboeide handen de tralies te buigen, maar dat was onmogelijk. Ze probeerde een roeiriem of een harpoen te pakken, maar ook dat was onmogelijk. De dingen die ze als wapen kon gebruiken waren tergend buiten bereik.

Nee, ze moest een andere manier verzinnen om te ontsnappen. Als haar ontvoerster terugkwam – en dat verwachtte Olivia – dan moest ze haar in de kooi lokken, of op de een of andere manier de sleutels bemachtigen.

Dat zou niet gemakkelijk zijn. De vrouw die haar ontvoerd had was niet alleen slim, ze was ook sterk. Atletisch. Sterker dan ze eruitzag. Dat had Olivia wel gemerkt toen ze de boot in werd gesleurd.

Jij moet slimmer zijn. Het is niet gemakkelijk, maar je moet doen alsof je gebroken bent, haar vertrouwen winnen en dan toeslaan. Laat niet merken dat je zwanger bent. Ze zal daar misbruik van maken. Ze zal Bentz ermee chanteren. Dus geen woord over de baby.

Wie haar ontvoerster ook was, en wat ze ook wilde, die bitch had zich voorgenomen om stap voor stap wraak te nemen op Bentz.

Ze liet zich niet gemakkelijk om de tuin leiden.

Maar Olivia moest iets bedenken. Ze had geen andere keus.

Ik kan niet slapen. Ik ben te opgewonden.

Nu mag ik geen fouten maken. Eén verkeerde stap en alles is verpest. Al die planning, al dat wachten tot de wraak op Bentz compleet is. Voorzichtigheid is vandaag het parool. Ik moet me normaal gedragen, alsof er niets veranderd is.

Voor het geval iemand mij in de gaten houdt.

Nadat ik de hele nacht naar de klok heb gestaard, sta ik een halfuur eerder dan gewoonlijk op. Ik meng snel een ontbijtdrank voor mezelf en smeer een sandwich voor háár. Ik wil haar liever snel doden, dan is het gebeurd. Maar dat kan ik niet. Nog niet. Dus moet ik alles doen om haar in leven te houden.

Het lukt me zelfs om naar de fitnessclub te rijden voor een korte training, inclusief het zwoegen met gewichten en baantjes trekken in het zwembad. De andere bezoekers herkennen mij, ze groeten of maken even een praatje. Dat herinnert mij eraan hoe belangrijk het is een vast schema te volgen. Routine is alles.

Tot nu toe heb ik niets gedaan wat argwaan kan wekken.

Ik zwaai naar en praat met enkele andere vroege bezoekers die ik ken, en daarna stap ik op de weegschaal. Ik laat mijn teleurstelling duidelijk blijken als ik het resultaat zie. Maar uiteraard is mijn gewicht prima, en ik ben ook slanker dan de meeste andere vrouwen.

Wat later, al ben ik heel benieuwd hoe het met die hysterische vrouw van Bentz gaat, neem ik een douche en kleed me kalm aan, alsof ik geen haast heb en nergens naartoe moet. Maar ik kan me nauwelijks beheersen om niet naar mijn auto te rennen. Ik rijd harder dan toegestaan naar het pakhuis en haal daar een paar dingen. Ik kijk op mijn horloge, ga terug naar mijn auto en rijd zo snel als het verkeer toelaat naar de kade waar de boot ligt afgemeerd.

Er lopen mensen rond, vooral havenwerkers en vissers, maar niemand besteedt aandacht aan mij. Waarom zouden ze ook? Het is niet vreemd dat ik aan boord stap, want dat heb ik wel duizend keer eerder gedaan.

Het kost moeite, maar ik beweeg me langzaam. Ik ben heel benieuwd hoe het met 'Livvie' is. Ik heb de Taser bij me, voor het geval ze opstandig is. Maar die kans is klein.

En dat is perfect.

Ik geniet ervan dat ik macht heb over de vrouw van Bentz.

Met mijn sporttas over mijn schouder stap ik aan boord en ik kijk om me heen of alles veilig is. Dan klauter ik de trap af naar beneden. Mijn schoenen veroorzaken een metalig geluid op de treden.

Ze wacht op mij, uiteraard. Ze zit op de vloer van de kooi en zo te zien heeft ze een slechtere nacht gehad dan ik. Donkere kringen onder haar ogen. Haar haren verward. De huid om haar mond is rood, omdat ze de tape heeft weggetrokken. Haar kleren zijn gekreukt en vies. Ze is er beroerd aan toe.

En dat doet me plezier. Als haar echtgenoot haar nu eens kon zien.

Maar ondanks alles schreeuwt ze niet. Ze smeekt niet en ze huilt niet. Dat is een beetje teleurstellend. Ik wil haar geestkracht breken. Ik zou graag zien dat ze om genade vraagt. Dat is een van mijn favoriete fantasieën. Maar dat zal vandaag kennelijk niet gebeuren.

Toch kan het niet lang meer duren. Ze zal spoedig om genade smeken. Het is nog vroeg. Ze weet niet wat haar te wachten staat.

'Goedemorgen,' zeg ik vriendelijk.

'Wie ben jij?' Minachting klinkt door in haar stem. En opstandigheid.

'Ik dacht dat je wel een ontbijt wilde.'

'Waarom heb je mij hierheen gebracht?'

'Even kijken. Ik heb een sandwich. Met pindakaas. Iets anders kon ik zo gauw niet bedenken.' Terwijl ik in mijn tas zoek, zie ik haar overeind komen in de kooi.

'Laat me gaan.' Ze staat nu rechtop en kijkt me door de tralies strak aan. Ze kan zich beter beheersen dan ik verwacht had.

Ik hef mijn kin op. 'Dat gaat niet gebeuren.' Wie denkt ze wel dat ik ben?

'Ik zal geen aanklacht indienen.'

Ze meent het serieus. Ze is wanhopig. Mooi zo. Dat bevalt me veel beter.

'O, en dat moet ik zeker geloven?' zeg ik schamper. 'Na alle inspanningen om jou hier op te sluiten? Dacht jij echt dat ik je zomaar vrij zou laten? Kom nou, je weet wel beter.'

'Waarom doe je dit? Wie ben je? Je bent Sherry Petrocelli niet.'

'Bingo!' zeg ik, op een denkbeeldige knop drukkend. 'Het blondje in de kooi heeft een punt gescoord.'

'Wat wil je van mij?' dringt ze aan. Ze is koppig, net als Bentz.

'Helemaal niets,' antwoord ik. 'Niets van jou.'

'Dus het gaat om mijn man?'

'Alweer bingo. Je hebt al twee goede antwoorden. Nog een, en je mag door naar de volgende ronde.'

'Is dit leuk bedoeld? Is dit een spel?' vraagt ze, me aankijkend alsof ik gek ben, terwijl zij toch in die kooi zit.

'Een grap? Nee.' Ik voel dat de boot een beetje deint en ik ruik de ratten die hier al langer in het ruim scharrelen. 'Een spel? Misschien. Alleen ik weet de afloop, en jij helaas niet.'

'Wees eens duidelijk.'

Ze heeft lef. Wat denkt ze wel: proberen informatie van mij te krijgen? Vragen stellen, terwijl ze juist onderdanig zou moeten zijn en zou moeten smeken om genade? Ik ben hier de baas. Begrijpt ze dat niet? 'Jij hoeft niet alles te weten.'

'Ken je mijn man?'

'RJ? O, zeker.'

'Dus jij deed je voor als Jennifer?'

Ik moet onwillekeurig lachen. 'Sorry, maar je hebt verloren. Je gaat niet door naar de volgende ronde. En je krijgt ook geen troostprijs. Je blijft hier. Alleen. Dat is jouw beloning.' Ze kan er niet eens om glimlachen, die humorloze bitch. 'Hoor eens, ik heb weinig tijd. Ik ben alleen gekomen om je wat eten te brengen, en dan moet ik weg. Eens kijken.' Ik zoek omstandig in mijn tas en steek de ingepakte sandwich en een blikje Dr. Pepper door de tralies. Ik draag handschoenen, voor het geval er iets misgaat. Je kunt niet voorzichtig genoeg zijn. Ik leg het karige ontbijt in de kooi, maar ze negeert het.

Prima. Als zij zichzelf wil verhongeren, dan doet ze dat maar.

Maar ik ben er wel zeker van dat ze haar stoere houding niet zal volhouden. Ze zal meer belangstelling hebben voor het fotoalbum. Dat weet ik zeker.

Ik open het album en sla een van mijn favoriete pagina's op: de kerstfoto's. Er is een foto van Jennifer in een grote fauteuil, Rick staat naast haar, met zijn hand op haar schouder. Een kerstboom met brandende lichtjes staat achter hen, en Kristi, nog een peuter, met een brede glimlach en een rode haarband zit bij Jennifer op schoot. 'Ik weet dat het geen december is, maar ik dacht dat je deze foto wel wilde zien.'

Ik leg het album op de vloer, buiten haar bereik. Ze kijkt er misprijzend naar, en dan kan ze zich niet meer beheersen. Angst en woede verschijnen op haar gezicht, als ze naar de foto's in het opengeslagen album kijkt.

'Wat is dit?' fluistert ze zacht. Het dringt tot haar door wat ze ziet. 'Waarom heb jij dit?'

'Gewoon, om over na te denken,' zeg ik.

'Waarom?'

'Dan kun jij zelf zien dat de man met wie jij trouwde een obsessie heeft voor zijn eerste vrouw. Ik vind dat iedereen recht heeft op wat duidelijkheid, voor de dood.' Ik glimlach weer. 'Het is alleen een kwestie van tijd, weet je.'

En dan, terwijl ze nog steeds verbijsterd is, zoek ik in mijn sporttas en haal mijn digitale camera tevoorschijn. Snel richt ik de lens en maak een foto van haar verschrikte gezicht.

De foto is goed gelukt.

'Jouw man zal deze foto prachtig vinden,' verzeker ik haar als ik naar het schermpje kijk. 'Echt heel bijzonder.' Met een voldaan gevoel pak ik mijn spullen en klim snel de trap op.

Laat haar maar piekeren over haar sombere toekomst.

Die vrouw is gestoord, dacht Olivia. Kil en berekenend, en totaal krankzinnig.

En ze is geobsedeerd door Bentz.

Olivia stond in de kooi, zachtjes meedeinend met de boot, en ze werd steeds banger. Ze staarde naar het fotoalbum, dat achter de tralies op de vloer lag. Opengeslagen op de pagina met een kerstfoto van twintig jaar geleden. Het album had een leren omslag en het was dik. De pagina's waren gevuld met kiekjes en kaarten. Het werk van een bezetene met een zieke geest.

Waarom?

Wie was zij?

Waarom was ze zo gebrand op Bentz?

Dat maakte nu niet uit; belangrijker was dat Olivia kon ontsnappen. En snel ook. Ze wist niet hoe, maar ze moest hier weg want ze was ervan overtuigd dat ze anders zou sterven.

Alleen wist ze niet wanneer.

Ze zag nog iets anders op de pagina's. Rode vlekken... Bloedsporen? De foto's waren besmeurd met bloed. O, christus. Wiens bloed? Van de maniak die haar hier gevangenhield? Of van iemand anders?

Jennifers bloed.

Deze vrouw is bezeten van haar.

Onmogelijk! Jennifer is allang dood.

Olivia werd opeens misselijk. Ze wist dat ze moest overgeven. Ze wankelde door de kooi en was net op tijd bij de emmer, voordat ze kokhalsde en haar maag leegde.

Ze voelde zich zwak en ellendig.

Even dacht ze dat de misselijkheid door haar zwangerschap werd veroorzaakt. Maar toen wist ze zeker dat ze ziek werd van deze nachtmerrie.

Hoofdstuk 34

Bentz voelde zich alsof hij helemaal niet geslapen had. Het grootste deel van de nacht had hij gepiekerd over wat er met Olivia gebeurd was. Waar was ze? En leefde ze nog?

Hij had de gegevens van haar telefoongesprekken opgevraagd en gezien dat ze kort nadat hij haar gesproken had op het vliegveld nog een telefoontje kreeg. Ongetwijfeld was ze gebeld door Sherry Petrocelli. Hij belde dat nummer, voor de zekerheid en werd verbonden met de voicemail van Petrocelli.

Volgens de lijst had Olivia na het telefoontje van Petrocelli niet meer getelefoneerd. Er waren alleen twee korte meldingen: van hem en van Hayes. Bentz had de informatie doorgegeven aan Hayes en hem eraan herinnerd dat er een gps-ontvanger in het toestel van zijn vrouw zat.

Bentz was daarmee niet verder gekomen bij de telefoonmaatschappij. Hayes zou zijn invloed moeten gebruiken om meer informatie bij het bedrijf los te peuteren.

Later had Bentz het grootste deel van de nacht doorgebracht achter zijn computer, op internet speurend naar alles wat te vinden was over Yolanda Salazar en Fernando Valdez. Hij bestudeerde de foto van Fernando die Montoya had gestuurd, en hij vroeg zich af wat die man uitspookte. De meeste informatie van Yolanda en Sebastian Salazar was nagetrokken, ook de naam van het restaurant waar Fernando werkte. Sebastian had tegen Hayes gezegd dat Fernando 's middags dienst had in restaurant The Blue Burro, en Bentz wilde daar later op de dag op bezoek gaan. Bentz kreeg er genoeg van dat hij zich aan alle regels moest houden, hij wilde antwoorden op zijn vragen, en snel ook.

Voordat het te laat was. *Als het al niet te laat was*, zei een innerlijke stem spottend. Vroeg in de ochtend waste hij de slaap uit zijn ogen en nam hij een warme douche om zijn stramme spieren te ontspannen. Daarna ging hij naar buiten. Het was bewolkt, en om halfacht in de ochtend hing er al smog. Het was ook een stuk koeler buiten. Bentz bleef staan bij de receptie van het motel en keek naar de kamer waar hij bijna een week gelogeerd had. Op het parkeerterrein ontbrak de blauwe Pontiac. De oudere man en zijn hond Spike waren kennelijk vertrokken. Er stond nu een rode pick-up met krassen en deuken geparkeerd.

De tijd verstreek.

Dingen veranderden.

En Olivia was onvindbaar.

Bentz was kwaad en bezorgd tegelijk. Ze mocht niet in gevaar zijn. Olivia moest veilig zijn.

Hij schonk zichzelf een beker koffie in en liep naar buiten om te telefoneren. De koffie brandde in zijn maag terwijl hij Montoya belde. Die had ook 's nachts doorgewerkt en nog meer informatie verzameld over de familie Valdez. Kennelijk had Fernando belangstelling om toneelstukken te schrijven, en zijn zus Yolanda volgde een cursus boekhouden. Niets bijzonders.

Afgezien van de auto. De auto waarin Jennifer reed. Bentz hing op, zonder veel meer te weten dan de vorige avond.

Niets had enig logisch verband. Helemaal niets. Met een mistroostig gevoel liep Bentz naar zijn nieuwe huurauto, een witte Honda hatchback. Hij stopte bij een kleine supermarkt en kocht twee donuts, die hij onderweg naar het kerkhof opat. Zijn laatste echte maaltijd kon hij zich niet herinneren, maar die moest wel smakelijker zijn geweest dan dit karige ontbijt.

De graafmachine was al in bedrijf, mannen met scheppen stonden te wachten tot de grote machine het meeste graafwerk had gedaan, voordat zij met de hand het laatste deel van de opgraving zouden doen. De mannen stonden geleund op hun schep, ze lachten, maakten grappen en rookten, terwijl Bentz het gevoel had dat zijn wereld instortte.

De enorme machine schepte droge aarde op, en Bentz dacht terug aan de dag van de begrafenis, toen hij naast zijn diepbedroefde dochter stond en Jennifers kist langzaam in het graf werd neergelaten. Hij wist niet meer precies welke bekenden erbij waren, maar de aanwezigheid van Shana en Tally kon hij zich herinneren. Fortuna was er ook, en Jennifers stiefzus Lorraine, en ook veel familieleden en vrienden. Bentz' broer had de ceremonie geleid, met een asgrauw gezicht. Terwijl hij gebeden prevelde was een brede wolk voor de zon geschoven. James zei dat hij van Jennifer had gehouden, al wisten maar weinig aanwezigen toen dat hij op een ongepaste manier van haar hield. Zijn belofte van celibaat knelde nog minder dan zijn priesterboord. Bentz had Kristi's hand vastgegrepen en een blik gewisseld met Alan Gray, de man die bijna met Jennifer was getrouwd, voordat ze verliefd werd op Bentz en de vrouw van een politieman werd. Tijdens de begrafenis bleef Alan op de achtergrond – hij was een miljonair die hier eigenlijk niet paste. Zijn gezicht bleef effen en emotieloos, alsof hij poker speelde in Las Vegas om een hoge inzet. Bentz sloeg zijn ogen neer en Gray was al vertrokken voordat het laatste gebed was uitgesproken. Bentz vond de aanwezigheid van Gray merkwaardig, maar later was hij het vergeten.

Nu keek hij naar de graafmachine die de aarde uit het graf van zijn vrouw schepte. De laaghangende mistflarden maakten het tafereel nog surrealistischer. Bentz was er nog steeds van overtuigd dat het lichaam in de grafkist van zijn vrouw was.

Van wie anders?

En toch was hij onrustig. Gespannen. Hij vreesde het ergste. Hij begon te transpireren, ondanks de koele buitenlucht. De mannen begonnen juist met hun scheppen te graven toen Hayes arriveerde. Hij was gekleed in een bruin kostuum dat zo uit de stomerij afkomstig leek. Een donker shirt en een bijpassende stropdas. En zijn schoenen waren glanzend gepoetst. Altijd een heer.

'Geen bericht van je vrouw?' vroeg Hayes.

'Ik hoopte dat jij meer wist.'

'Daar wordt aan gewerkt.' Hayes raakte de knoop van zijn stropdas aan. 'We hebben haar telefoon getraceerd met de gps,' zei hij.

'En?'

'Maak je geen illusies. Die telefoon is kennelijk gedumpt, want we vonden het ding in het zand onder de Santa Monica Pier.

'Shit!'

'We trekken de beelden van de webcam na, maar tot nu heeft dat niets opgeleverd.'

Weer Santa Monica. Bentz begreep meteen waarom de telefoon daar achtergelaten was. Vanwege Jennifer. Omdat die pier en de stad belangrijk waren in haar leven. Hun gedeelde leven. Degene die

Olivia gekidnapt had wilde dat benadrukken. Zout in open wonden wrijven. Hem uitlachen.

'Wat een rotstreek,' gromde Bentz en hij werd woedend. 'Die Jennifer speelt een vuil spel met mij.'

'Dat is Jennifer niet,' zei Hayes en hij knikte naar het open graf.

'Ik weet het, maar je begrijpt me wel. Ik bedoel de vrouw met wie ik in de auto zat. Ze leek sprekend op Jennifer. Alleen was ze veel te jong en haar stem was anders. Toen ik zo dicht bij haar was wist ik dat ze niet mijn ex-vrouw kon zijn. Maar verdorie, ze wist zoveel over Jennifer... over ons.'

Bentz kreeg kippenvel bij de herinnering aan zijn leven met Jennifer, hoe hij haar gekust had, haar aangeraakt. Zijn maag draaide om bij die gedachte. Hij was woedend op zichzelf en probeerde helder te denken, als politieman, niet als gewezen echtgenoot. 'Oké, dus we hebben pech met die mobiele telefoon. En wat doe je verder?'

'Vooral natrekken van gegevens. Praten met mensen op het vliegveld die Olivia mogelijk in gezelschap van Petrocelli zagen bij de bagageafhandeling. We bekijken de beelden van beveiligingscamera's en we brengen de bezigheden van Sherry in kaart.'

Dat is niet genoeg, dacht Bentz. 'Heb je de FBI gebeld?'

'Dat is de verantwoordelijkheid van...'

'Dit is een ontvoering, Hayes.'

'Pas na vierentwintig uur. Niet dat onze afdeling Vermiste Personen die regel altijd hanteert.'

'Ik mag hopen van niet. Allemachtig, een politieagente is dood, en nog een aantal anderen zijn vermoord. Dus we hebben het niet alleen over een ontvoering, maar er loopt een seriemoordenaar vrij rond. Iemand die zelfs agenten vermoordt. Het lijkt me logisch dat de Feds erbij betrokken worden.'

'Die onderzoeken de moord op de Springer-tweeling al. We weten alleen niet zeker of deze incidenten met elkaar verband houden,' zei Hayes. 'Bledsoe werkt eraan.'

'Mooi is dat.' Bentz kon de gedachte niet verdragen dat het leven van Olivia afhing van Andrew Bledsoes werk. 'En die Fernando Valdez? Heb je al met hem gesproken?'

'We proberen hem op te sporen. Hij is gisteren niet teruggekeerd naar het huis van de Salazars. We hebben daar gepost.' Hij keek Bentz aan. 'Ik ben bij Jerry Petrocelli geweest. Hij is gebroken.'

'Dat wil ik geloven.' Bentz hoopte vurig dat hij niet de volgende echtgenoot zou zijn die te horen kreeg dat zijn vrouw vermoord was.

Bentz zag hoe de doodskist door zes sterke kerels naar een bestelbus werd gedragen. Het deed hem denken aan de begrafenis. De stoffige kist werd achterin gelegd. 'Nu zullen we eindelijk weten of Jennifer in die kist ligt,' zei hij, toen de achterdeuren werden gesloten.

'Dat zal niet lang meer duren,' zei Hayes. We hebben de gegevens van de tandarts al gekregen. Een deskundige zal die vergelijken met het gebit in de schedel.'

En wat dan? vroeg Bentz zich af. Er was geen ander lichaam aangespoeld op het strand, dus wist niemand wat er gebeurd was met de vrouw die hem had meegelokt en uitgedaagd, om uiteindelijk in zee te springen. Waarom zou iemand dat doen? Wie was toch de vrouw die zoveel op Jennifer leek? Waarom kwelde ze hem? En wat had ze met Olivia gedaan?

Alsof hij zijn gedachten kon lezen zei Hayes: 'We vinden haar wel.' Zijn mobieltje rinkelde. Hayes pakte het apparaat en luisterde. Hij liep weg van zijn 4Runner. De bestelbus met de doodskist reed weg. Bentz staarde naar het gat in de grond. Ooit had hij gedacht dat hij zijn vrouw daar voor eeuwig begraven had. Hij voelde een rilling langs zijn ruggengraat; het was alsof iemand hem in de gaten hield. Ongeziene ogen volgden elke beweging. Hij keek om zich heen en draaide zich om. Hij tuurde door de nevel. Een menselijke gedaante leek op te doemen, om dan weer te vervagen. Loerde iemand vanuit de struiken achter de afrastering naar hem?

Hij hield zichzelf voor dat hij visioenen kreeg, dat de opgraving hem van slag had gebracht. Maar toch liep hij naar de plek waar hij de takken zag bewegen. Toen hij dichterbij kwam wist hij zeker dat hij even ogen naar hem zag loeren. Groene ogen, zoals van Jennifer, keken door de nevelslierten naar hem.

Zijn polsslag schoot omhoog.

'Dat kan niet,' zei hij tussen zijn opeengeklemde kaken. Maar ondanks die ontkenning wilde hij toch weten wat daar was. Wat sneller lopend bleef hij strak kijken naar de plek waar hij de voyeur voor het eerst had gezien. Zijn knie en bovenbeen protesteerden maar hij negeerde de pijn. Hij sprong snel over het hek en landde op zijn goede been.

Er was niemand tussen de struiken. Nergens groene ogen die hem aanstaarden. Maar hij wist zeker dat hier iemand geweest was, kijkend en wachtend tot hij bij de opgraving aanwezig was. Iemand die ook wist waar Olivia nu was.

Bentz vloekte.

Hij liep verder naar een groepje bomen in de nevel. Daar had hij de ogen gezien, als een geestverschijning in de mist.

'Waar zit je, kreng?' Hij doorzocht de omgeving methodisch: een strook bomen, gras en struiken tussen de begraafplaats en het aangrenzende terrein.

Hij luisterde ingespannen. Er knapte geen twijgje, hij hoorde geen voetstappen. Alleen zijn eigen bonzende hart en hijgende ademhaling. In de verte waren gedempte verkeersgeluiden hoorbaar en stemmen van de mannen die bij het graf werkten.

Bentz keek teleurgesteld over het hek naar de rij bomen, maar hij zag niemand.

Er is hier niemand, hield hij zichzelf voor. *Jij bent hier alleen met je paranoia. Je hebt een fantoom bedacht met je vermoeide brein.*

Hij keek een laatste keer speurend om zich heen, maar er was niemand te zien.

Bentz klom weer over het hek, zonder aandacht te besteden aan de pijn in zijn been. Hij besloot dat het tijd werd het recht in eigen hand te nemen. Hij wist dat Hayes en het LAPD hun best deden om Olivia op te sporen, maar ze werkten volgens de regels. En Bentz had maling aan de standaardprocedure, ook al zou hij het onderzoek daardoor hinderen.

Olivia was weg.

Misschien was ze al dood.

Bentz wilde alles doen om zijn vrouw te vinden.

***

Montoya legde de telefoon neer. Hij was geen type om af te wachten als de actie ergens anders was. Bentz was in moeilijkheden, ook al zag hij spoken. En nu werd Olivia vermist. Bentz zou zijn eigen plan trekken, daar kon Montoya in New Orleans weinig aan veranderen.

Dus: Californië, ik kom eraan!

Montoya had de volgende twee dagen toch vrij, en hij had ook nog vakantiedagen, voor het geval hij meer tijd nodig had. Hij wilde niet eens wachten tot zijn dienst voorbij was en zei tegen Jaskiel dat hij wat eerder wegging.

Op weg naar huis belde hij Abby op haar werk en vertelde wat hij van plan was. Gelukkig maakte ze geen bezwaar.

'Doe maar wat je moet doen,' zei ze. 'Maar wees een beetje voorzichtig, wil je? Ik zie je liever heelhuids terug, en ik ben geen verpleegster.'

'Het komt goed,' zei hij met een grijns. Thuis pakte hij snel een reistas in en daarna sprong hij in zijn Mustang om naar het vliegveld te rijden.

Hayes keerde terug naar het bureau, en daar trof hij Bledsoe aan, die bezig was een zaak te beginnen tegen Bentz door hem van de moorden in de laatste week te beschuldigen.

'Ik zeg je,' zei Bledsoe toen Hayes hem tegenkwam bij de herentoiletten, 'als Bentz hier niet was opgedoken, dan zouden vijf mensen nu nog leven.' Hij trok zijn rits dicht en liep naar de wastafel. 'Vraag maar eens aan de nabestaanden van McIntyre, Newell, Esperanzo en de Springer-tweeling wat zij ervan denken.'

'Dat zijn geen politiemensen.'

'O, en ik vergat Donovan Caldwell, Alan Gray en Bonita Unsel nog te noemen. Ik heb met al die mensen gesproken, en allemaal denken ze dat Bentz de dader is.'

Hayes schudde zijn hoofd. 'Zij zijn ook geen politiemensen.'

'Unsel wel.'

'Maar zij koestert wrok tegen Bentz. Ze hebben ooit iets met elkaar gehad.'

'Maakt niet uit. Bentz was vroeger een rokkenjager. Hij had heel wat veroveringen hier op het bureau.' En met een scheve grijns voegde Bledsoe eraan toe: 'Zelfs jouw vriendin ging een paar keer met hem uit.'

Hayes had die opmerking wel verwacht, dat was echt iets voor Bledsoe. 'Heb jij met Alan Gray gesproken?'

Bledsoe knikte. 'Hij is weer terug in de stad. Om precies te zijn in Marina del Rey, waar zijn jacht ligt afgemeerd. En hij haat Bentz.'

'Misschien probeert hij Bentz erin te luizen,' opperde Hayes.

'Gray heeft te veel geld en macht om zich druk te maken over een kruimelaar als Bentz.'

'Maar Bentz heeft Jennifer toch afgepikt van Gray?'

'Denk je dat hem dat iets kan schelen? Alan Gray heeft zoveel vriendinnen dat Hugh Hefner er nog jaloers op zou worden.'

'Zeg dat maar niet tegen Hefner,' merkte Hayes op. 'En trouwens, die Gray is iemand die niet graag verliest. Niemand is graag verliezer.'

'Maar waarom zou hij zo lang wachten? Hoelang al? Twaalf, dertien jaar?'

'Nog langer,' zei Hayes. 'Jennifer had een relatie met Gray voordat ze met Bentz trouwde.'

'Alan Gray heeft wel wat beters te doen dan dertig jaar lang wrok koesteren. Kom nou, Hayes, wees eens reëel.'

Hayes kon de ergernis in zijn stem niet onderdrukken. 'Jij en ik weten allebei dat Bentz onschuldig is. Je hebt gewoon een hekel aan hem.' Hayes ging voor een urinoir staan. 'Hou daar toch mee op. Een goede politieman weet wel beter.'

'Maar jij kijkt ook niet nuchter naar deze zaak. Jij hebt oogkleppen op, man. We zoeken in de verkeerde richting. We zouden met een microscoop naar Bentz moeten kijken.' Bledsoe spoelde door, duwde de deur open en beende weg.

Trinidad, met een krant onder zijn arm, keek om de deur in de toiletruimte. 'Bledsoe is een hufter,' zei hij, naar de wastafel lopend om zijn handen te wassen.

'Dat is oud nieuws.'

'Maar hij is wel een goede politieman. Meestal heeft hij gelijk.'

'Hij probeert Bentz in de verdachtenbank te krijgen.'

'Nee, dat doet hij niet.' Trinidad pakte een papieren handdoek. 'Hij zegt alleen dat Bentz onder de loep genomen moet worden.' Trinidad droogde zijn handen af en gooide de prop behendig in de afvalbak. 'En dat kan geen kwaad.' Hij zweeg even. 'Bentz dacht dat hij mijn leven redde, maar hij doodde wel een kind. Die fout was begrijpelijk, maar daarom is Bentz voor mij nog geen heilige. Hij maakt net als iedereen fouten. Persoonlijk denk ik dat een of andere gek hem een loer draait, en die persoon moeten we vinden.'

Hayes was klaar met plassen. Trinidad verdween weer. Misschien hadden Trinidad en Bledsoe wel gelijk. Het was mogelijk dat Hayes met zijn pogingen Bentz te verdedigen niet scherp had opgelet, en daarom geen compleet beeld van Bentz en zijn geschiedenis had. Hij geloofde zelf dat hij in een val werd gelokt, en hij was ervan overtuigd dat het met zijn ex-vrouw te maken had. En dat maakte het ook heel persoonlijk.

Bentz klemde het stuur stevig vast en probeerde de grens tussen fantasie en werkelijkheid weer te vinden.

Had hij Jennifer gezien?

Was de gestoorde vrouw die in de oceaan was gesprongen nog in leven en daagde ze hem uit, of was het een verzinsel van zijn overactieve fantasie? Hij wist het antwoord niet, terwijl hij naar Encino reed. Hij wist alleen dat zijn laatste hoop om Olivia te vinden via de gps van haar mobiele telefoon was vervlogen.

Een bittere teleurstelling.

Hij had de kans haar zo te vinden hoog ingeschat.

Maar dat was mislukt.

Alweer.

En daarom keerde hij terug naar Encino om een ander spoor te volgen. Hij was doodmoe door gebrek aan slaap en door de knagende bezorgdheid, maar hij moest doorgaan. Tot hij Olivia had gevonden.

De middelbare school waar Yolanda Salazar en haar broer Fernando Valdez op gezeten hadden was maar een paar kilometer van hun huis verwijderd. En The Blue Burro, het restaurant waar Fernando werkte, stond precies halverwege hun huis en de school. Fernando kon lopend of met de fiets van school naar zijn werk en naar huis gaan. Hij kon ook de bus nemen, want een halte was maar enkele straten verwijderd van zijn huis, en het restaurant en de school lagen op de route. Het was ook mogelijk dat zijn familieleden gelogen hadden of informatie achterhielden: Fernando zou een van de andere auto's kunnen gebruiken of hij was meegereden met Yolanda of Sebastian.

De vraag was, al sinds Bentz uit zijn coma in het ziekenhuis ontwaakte: wie was de vrouw die hij achter het stuur van Fernando's auto had gezien? Vandaag wilde hij hoe dan ook het antwoord op die vraag weten. Hij besefte dat hij weinig te verliezen had. Hij was al een persona non grata bij het LAPD. En in New Orleans was hij niet zeker van zijn baan.

Dat kon hem ook niets schelen, want het enig belangrijke was de veiligheid van Olivia.

Hij parkeerde de auto en liep het schoolgebouw in. Hij toonde zijn politiebadge en kreeg een geschrokken jonge receptioniste zover het klassenrooster van Fernando en Yolanda aan hem te geven.

Met een plattegrond van het schoolcomplex werd duidelijk waar de twee verwanten van Mario Valdez hun lessen volgden. Bentz begreep dat Fernando voor de avondcursus in Sydney Hall zou zijn.

Mooi.

Bentz wilde hier terug zijn voordat de les begon.

Hij wilde zo snel mogelijk een paar vragen aan Fernando stellen.

Ik heb niet veel tijd. Het is al helemaal licht en de mist verdwijnt, maar ik moet het risico wel nemen.

Daarom vertrek ik van mijn werk en rijd ik snel naar huis. Ik download mijn foto van Olivia en maak een afdruk. Ik heb handschoenen aangetrokken; het zou niet verstandig zijn nu slordig te worden. Het resultaat is prachtig. Ik heb Olivia's gezicht met een grimas van afschuw perfect gefotografeerd en er is geen enkele aanwijzing waar ze gevangenzit. Alleen de tralies van de kooi zijn zichtbaar, en een doodsbange vrouw die wanhopig in de camera kijkt.

'Fase één,' zeg ik voldaan. En dan, voordat er te veel tijd verstrijkt, wis ik de afbeelding van de harde schijf. Ik doe de afdruk in een envelop. Liever dan een dag vertraging oplopen door de envelop per post te versturen, besluit ik dat het tijd is om vaart te maken. Hem flink onder druk te zetten. Hem te laten weten hoe het voelt om wanhopig te zijn en een geliefde kwijt te raken.

O ja, Rick Bentz zal heel spoedig weten hoe het is om vreselijk alleen te zijn.

Ik trek mijn joggingbroek en jack aan, stop mijn haar onder een baseballpet en trek mijn gympen aan. Daarna zet ik mijn grote zonnebril op. Het is geen echt goede vermomming, maar het kan ermee door. Ook al is de sportkleding wat te dik voor deze warme dag, mijn gestalte wordt er wel door veranderd. En ook door de sportbeha die twee maten te klein is. Tevreden krabbel ik de naam Rick Bentz op de envelop en ik stap in de auto om naar dat sjofele motel in Culver City te rijden waar hij logeert.

Als ik een keer langs de So-Cal Inn rijd, weet ik dat hij niet thuis is; zijn huurauto staat niet op het parkeerterrein.

Ik parkeer een paar blokken verder en met de envelop in mijn jack gestopt ga ik lopend naar het motel. Ik vermijd in de richting van de beveiligingscamera's te kijken en ik let op de verkeerslichten, zodat ik amper langzamer hoef te lopen als ik een straat oversteek. Even later ben ik bij het motel en loop ik schuin over het parkeerterrein naar de receptie. Ik gooi de envelop in de hal. Uit mijn ooghoeken zie ik een jongen bij de balie staan, maar hij heeft alleen aandacht voor de televisie die aan de muur is geschroefd.

Ik voel een golf van verwachtingsvolle spanning als ik snel naar de auto terugloop. Ik rijd naar een tankstation en duik in de toiletruimte om mijn werkkleding aan te trekken. In de gebarsten spiegel doe ik wat aan mijn kapsel en ik poeder mijn wangen om te verdoezelen dat mijn wangen blozen. Voor het eerst sinds jaren verlang ik naar een sigaret, alleen om mijn zenuwen te kalmeren, maar ik negeer dat gevoel.

Wat zou ik graag bij dat motel kijken om te zien of die jongen mijn envelop gevonden heeft. Maar ik beheers me. Er is geen reden om onnodige risico's te nemen.

Was ik maar een vlieg op de muur: dan kon ik zien dat Bentz de envelop opent. O, god, en dan de uitdrukking op zijn gezicht zien!

Hoofdstuk 35

Bentz was onderweg toen hij een telefoontje kreeg. Op het scherm zag hij dat er gebeld werd uit de So-Cal Inn. 'Ja, met Bentz.'

'Hallo, met Rebecca, de manager van So-Cal. U had gevraagd te bellen als er iets opmerkelijks gebeurt?'

Bentz klemde zijn handen vaster om het stuur. 'Jazeker.'

'We hebben een envelop met uw naam gevonden bij de ingang.'

'Een envelop?' herhaalde hij.

'Ja, zo'n bruine envelop. Ik dacht dat u die misschien had laten vallen toen u wegging.'

'Nee.' Hij dacht aan de laatste bruine envelop die hij ontvangen had, met daarin de foto's van Jennifer en de overlijdensakte. Hij twijfelde geen moment dat deze envelop dezelfde afzender had. 'Wacht even. Niet openmaken, ik kom meteen terug. Ik ben er over tien minuten, hoogstens een kwartier.' Bentz speurde naar een afrit van de snelweg en wisselde snel van rijstrook. Even later stond hij voor een rood verkeerslicht bij een kruising.

Weer een aantal foto's? Nog meer documenten? O, hemel, laat dit met Jennifer te maken hebben, en niet met Olivia...

Zijn maag draaide zich om en hij trommelde nerveus met zijn vingers op het stuur.

Wat nu? Wat zou er nu gebeuren?

Zodra het stoplicht op groen sprong sloeg hij links af, onder de snelweg door en hij reed naar de oprit, zo vlug mogelijk accelererend.

Hij wist zeker dat hij geen envelop of iets anders had laten vallen bij het motel.

Dus had iemand hem een verrassing bezorgd, en niet per post.

De kwade genius die dit deed werd kennelijk steeds brutaler.

Bentz kon het voorgevoel niet van zich afzetten dat dit iets te maken had met Olivia. Zou er losgeld gevraagd worden? Of erger?

Zijn hart kromp ineen bij die gedachte. Hij kon niet sneller rijden naar de afrit van Culver City. De tijd leek stil te staan en de angst leek een gat in zijn maag te branden. Maar tien minuten na het telefoontje stopte hij op het vertrouwde parkeerterrein voor het motel. Hij zette de motor uit en haastte zich naar de ingang.

Rebecca wachtte hem op.

De envelop lag op de balie. Op het bruine papier was zijn naam geschreven met dezelfde blokletters als op de envelop met daarin de foto's en de overlijdensakte van Jennifer.

'Die vond ik toen ik binnenkwam. Ik was buiten om het slot van een kamer te controleren en Tony was hier alleen. Hij heeft niet gezien wie die envelop hier achterliet.'

Teleurgesteld pakte Bentz de envelop. Rebecca bood een briefopener aan en hij sneed de envelop voorzichtig open. Bentz haalde de foto tevoorschijn.

'O, jezus,' stamelde Rebecca en ze bracht haar hand naar haar mond toen de foto van Olivia op de balie gleed.

Bentz' knieën knikten. Zijn maag draaide om. Hij staarde naar de foto van Olivia, zijn lieve Olivia, die strak in de lens keek met een doodsbang gezicht. Ze was lijkbleek en ze zat achter tralies. Haar haren waren verward, haar ogen waren bloeddoorlopen en er was een rode plek bij haar mond waar kennelijk tape was weggerukt. Al haar levenslust en energie waren verdwenen. Op haar gezicht was alleen maar pure angst te lezen.

'Verdomme!' vloekte Bentz hartgrondig. Hij voelde al zijn spieren verkrampen. Als hij de psychopaat die dit op zijn geweten had ooit zou vinden, dan zou hij die persoonlijk aan stukken scheuren.

Maar ze leeft nog, hield hij zichzelf voor. *Dat is tenminste iets.*

Bentz tastte in de envelop om te controleren of er nog een briefje was, maar dat bleek niet zo. Alleen die afgrijselijke foto.

Dit heb jij gedaan, Bentz. Ze is gevangen, misschien wordt ze gemarteld, en ze zit achter tralies. Alleen maar omdat jij zo geobsedeerd bent door de jacht op je ex-vrouw.

Hij werd verteerd door schuldgevoel en bezorgdheid.

'Wat... wat is dat?' vroeg Rebecca.

'Dit,' zei hij, en zijn stem brak bijna, 'dit is mijn vrouw.'

'Ach nee, wat vreselijk.' Rebecca likte nerveus langs haar lippen, maar ze bleef strak naar de foto kijken. 'Waar is ze? Wat is er met haar gebeurd? Dit is zeker een grap, ja toch? Een misselijke grap?'

Maar ze zag aan Bentz' gezicht dat het geen grap was. 'O, god, nee...'

Rebecca knipperde heftig met haar ogen om haar tranen te bedwingen.

'Is Tony hier?' vroeg Bentz.

'Eh... ja.' Rebecca keerde zich om en riep over haar schouder. 'Tony!'

'Weet je of Tony degene die dit achterliet gezien heeft?' vroeg Bentz, wijzend op de envelop.

'Ik dacht het niet.' Rebecca schraapte haar keel en liep naar de deur die de receptie scheidde van het kantoortje. 'Tony!' riep ze nog eens, en meer gebiedend. 'Hij is verkouden, daarom is hij niet naar school,' verduidelijkte ze.

Even later verscheen Tony, met oordopjes van zijn mp3-speler in zijn oren. Het volume stond zo hard dat Bentz de rapmuziek kon horen. Met zijn handen in zijn zakken sjokte Tony naar de receptie. Bentz deed de foto weer in de envelop. De jongen snotterde inderdaad. Kou gevat? Of had hij een of andere drug gesnoven? Coke? Het kon Bentz niets schelen.

Rebecca trok de oordopjes weg. 'Meneer Bentz wil weten of jij gezien hebt wie deze envelop hier achterliet.'

'Geen idee.' Tony keek naar de grond.

'Weet je dat zeker?' vroeg Bentz.

De jongen haalde zijn schouders op. 'Nee, maar ik dacht het niet,' zei hij.

'Dus je weet het niet zeker?' vroeg Bentz, in een poging meer te horen van Tony.

'Ik heb wel iets gehoord,' zei Tony. 'Een plof. Zeker toen ze die envelop op de vloer gooide.' Hij klonk niet overtuigend.

'Ze?' herhaalde Bentz.

'Of hij.' Tony fronste en hij leek bang om het verkeerde antwoord te geven. 'Ik weet het niet.'

'Maar je hebt wel iemand gezien?'

'Niet echt. Er kwam een hardloper voorbij. Zo'n jogger.'

'En jij dacht dat het een vrouw was?' Bentz' hart bonkte sneller. Hij wilde de woorden uit die knaap schudden. Er was een jogger gezien op de beelden van de bewakingscamera bij de Santa Monica Pier, op de avond dat Bentz achter Jennifer in het water was gesprongen. En hij dacht dat hij ook een jogger gezien had bij het huis van Lorraine Newell, op de avond dat ze vermoord werd. En nu?

'Hoor eens, hij of zij had een pet op. Ik kon het niet goed zien. Mag ik nu gaan?'

'Nee,' zei Bentz. Een trainingspak en een baseballpet, op een warme ochtend... Dat moest wel een vermomming zijn. Dat kon niet anders. Bentz besefte dat hij zich aan strohalmen vastklampte, maar hij had geen keus. Hij wilde elke aanwijzing die hem naar zijn vrouw kon brengen gebruiken. Hij moest ook kalm blijven en zijn stem effen laten klinken, al wilde hij het uitschreeuwen. 'Hoor eens, Tony, ik denk dat we naar het politiebureau moeten gaan, om daar een verklaring af te leggen.'

'Nee toch!' Tony schudde zijn hoofd, alsof het politiebureau voor hem gelijkstond aan de hel. 'Ik wil niet naar de politie. Echt niet.'

'Als het nodig is, dan gaat hij daarheen,' zei Rebecca beslist.

'Nee mama. Ik heb echt niets gezien. Ik weet niet eens zeker of er wel een jogger voorbijkwam. Ze stak de straat over.... Ik bedoel, ik geloof dat ze helemaal niet naar ons kwam.'

'Maar dat weet je niet zeker?'

Hij schudde zijn hoofd en beet op zijn lip.

'Tony kijkt vaak naar de televisie, of hij speelt computergames, als hij eigenlijk moet werken,' zei Rebecca. Maar ze scheen te beseffen dat hij nog minderjarig was en ze voegde eraan toe: 'Hij krijgt zijn zakgeld alleen als hij goed oplet bij de receptie.'

Het interesseerde Bentz niet wat de regels waren voor Tony. Hoewel hij nog steeds onder de indruk was van Olivia's foto, kreeg hij toch weer een sprankje hoop. Adrenaline stroomde weer door zijn aderen. Hier was eindelijk iets tastbaars. 'Is hier een bewakingscamera en neemt die ook op?' Rebecca knikte. 'Zijn de camera's gericht op het parkeerterrein en de voordeur?'

'Ja, en ook op de lobby. Ons bewakingssysteem is tamelijk eenvoudig, maar ik kan een kopie van de videoband maken.'

'Kun je de band nu afspelen?' vroeg Bentz snel.

'Ja, dat kan best.'

'Ik heb een kopie nodig voor de politie.'

'Geen probleem.' Rebecca zei tegen Tony dat hij de receptie in de gaten moest houden. Ze ging voor naar een kleine ruimte waar een monitor en een videorecorder stonden. Zoals Rebecca al gezegd had was de apparatuur niet erg modern maar dat kon Bentz niet schelen. Hij kon alles gebruiken, als hij Olivia daarmee kon vinden.

Rebecca ging achter het kleine bureau zitten, ze drukte op enkele knoppen en spoelde de band met zwart-witvideobeelden terug. Op de monitor was te zien hoe mensen houterig en versneld achteruitliepen, en auto's die achteruitreden. 'Daar,' zei Rebecca, toen een jogger in beeld kwam. Ze spoelde de band nog wat verder terug.

Zoals Tony vermoed had kwam de jogger schuin over het parkeerterrein aanlopen en haalde een envelop tevoorschijn, die bij de ingang op de vloer werd gegooid. Bentz keek aandachtig naar de videobeelden, maar hij kon niet zien of dit de vrouw was die sprekend op Jennifer leek. Hij was er niet eens zeker van of deze jogger een man of een vrouw was. De ruimvallende kleding verhulde het lichaam, maar er was iets opvallends aan de nek en kin: geen adamsappel, en ook geen teken van baardgroei, al was het moeilijk te zien door de matige kwaliteit van de beelden.

Toch was het iets.

'Heb je deze persoon ooit eerder gezien?' vroeg hij aan Rebecca.

'Ik denk het niet. Moeilijk te zeggen door die baseballpet en zonnebril.'

'Tony!' riep Bentz. Met een verveeld gezicht kwam de jongen naar hem toe. 'Dit was toch de persoon die jij zag?'

'Ja,' zei hij schouderophalend. 'Ik geloof van wel.'

'Is je nog iets opgevallen aan die jogger? De kleur van de kleding, of een auto in de buurt?'

'Nee, maar dat is wel die persoon. Kijk maar: ze laat iets vallen.'

'Zij?'

'Ja, volgens mij was het een vrouw. Maar ik weet het niet zeker.'

'Tony,' zei Rebecca bits. 'Dit is niet zomaar iemand. Meneer Bentz is van de politie in New Orleans, en zijn vrouw wordt vermist. Ze is ontvoerd. En er is grote kans dat die jogger daarbij betrokken is.' Ze wees naar de monitor. 'Denk daarom nog eens heel goed na.'

'Dat doe ik toch!' Tony stak zijn handen omhoog. 'Allemachtig, mama, luister je dan nooit naar mij? Ik heb toch alles gezegd wat ik weet? En daar zie je haar op video. Ik heb niet meer gezien.' Hij keek argwanend naar Bentz, alsof hij elk moment gearresteerd kon worden.

'En welke kleur had haar kleding?'

'Geen idee. Maar ik denk dat ze een vrouw was, vanwege de schoenen. Dat waren geen herenschoenen.'

Bentz keek weer naar de monitor en zag een glimp van een gymp. Hij kon niet zien of het een damesschoen was, maar de maat was wel klein. Dus een vrouwenvoet. Of de voet van een kleine man.

'Bedankt, Tony.'

'Oké hoor,' zei Tony en schouderophalend verdween hij zo snel mogelijk uit de buurt van de politieman.

Bentz keerde zich naar Rebecca. 'Je zei dat ik een kopie van die videoband kan krijgen?'

'Ja hoor, geen probleem.'

Rebecca maakte snel een kopie van de band en gaf de cassette aan Bentz. 'Veel succes. Ik hoop dat u haar gauw vindt.'

Bentz bedankte en liep snel naar zijn auto. *Voor het te laat is,* voegde hij er in gedachten aan toe.

'Ik heb het overzicht bekeken van veroordeelden met een gewelddadige verleden die onlangs voorwaardelijk vrijgekomen zijn. Ik heb gezocht naar verdachten die passen bij het profiel van de Twenty-one-moordenaar,' zei Bledsoe toen hij naar het bureau van Hayes kwam.

Hayes leunde achterover in zijn stoel. Martinez zat op de rand van zijn bureau. Ze wachtten op een telefoontje van Doug O'Leary, de forensisch tandarts wie gevraagd was de gegevens van Jennifer te vergelijken met het gebit in de grafkist.

Bledsoe vervolgde: 'Dit zijn de kerels die opgesloten zaten sinds de moord op de Caldwell-tweeling en voordat de Springer-tweeling vermoord werd. Er zijn slechts drie mannen die ongeveer aan het profiel voldoen. Dit is Freddy Baxter. Hij werd in januari vrijgelaten. Hij werd veroordeeld omdat hij met zijn auto zijn vriendin had overreden. Maar hij heeft een alibi, want hij was bij zijn broer in Las Vegas toen de meisjes Springer werden ontvoerd.' Bledsoe hield drie vingers omhoog, en nu Baxter was afgevallen boog hij zijn ringvinger.

'Dan hebben we Mickey Eldridge, die zijn oude moeder met een mes neerstak. Hij werd vrijgelaten in december, kort voor Kerstmis. Maar de moeder, die bijna was overleden door dat slagerswerk, beweert dat haar zoon veranderd is. Hij schijnt nu gelovig te zijn, of zoiets. En hij was bij haar thuis, op de bewuste avond.' Bledsoe boog zijn wijsvinger, zodat alleen zijn middelvinger nog omhoogwees.

'De laatste mafkees die in aanmerking komt is een zekere George St. Arnaux. Hij is mijn persoonlijke favoriet. Weten jullie nog? De gek die systematisch de vingers en tenen van zijn slachtoffers afsneed. Hoe denk je dat hij op vrije voeten is gekomen? Omdat een of andere advocate bezweert dat zij een getuige heeft gevonden die beweert dat de dader een blanke kerel was, geen zwarte. Daarom werd George vrijgelaten, al zullen de belastingbetalers voor een nieuw proces moeten dokken, vrees ik. Maar George beweert dat hij een alibi heeft omdat hij bij zijn advocaat was, of iets dergelijks. Ik vermoed dat daar iets niet klopt, als je begrijpt wat ik bedoel.'

'Niet iedereen is zo achterdochtig als jij,' merkte Martinez op. 'Je zei dat hij bij zijn advocaat was?'

'Ja, en ze gaan met elkaar naar bed, dat moet wel.' Bledsoe voegde er fluisterend aan toe: 'Je hebt vrouwen die kicken op gevaar en bizarre dingen.'

'Naar bed met elkaar? Doe even normaal, wil je? We zitten niet meer op de lagere school.' Martinez was geen type om haar mening voor zich te houden. 'En wat wilde je nou duidelijk maken?'

'Ja, ja.' Bledsoe liet zijn hand zakken en keek kwaad naar Martinez, maar ze liet zich niet intimideren. 'Hoe dan ook, ik heb geen enkele verdachte die ik aan deze zaak kan koppelen. Helaas.'

Hayes voelde dat het onderzoek op dood spoor raakte. Er waren al te veel dagen verstreken sinds de tweelingzusjes dood gevonden waren. De berichtgeving over de Springer-tweeling stond niet meer op de voorpagina van de kranten, maar de moordenaar liep nog vrij rond. Het kon lang duren voordat er recht werd gedaan.

Bledsoe was nog niet klaar. 'Ik heb gepraat met iedereen die de Springer-tweeling kende, hun gangen zijn nagegaan. We hebben de buren, vrienden en verwanten ondervraagd. We hebben geprobeerd een verband te vinden met de Caldwell-tweeling, maar dat heeft niets opgeleverd.' Hij wreef met zijn hand over zijn gezicht. 'En daarom kom ik weer bij onze vriend Bentz. Dit kan toch allemaal geen toeval zijn?'

'Zelfs al is het niet toevallig, dan is hij nog niet de dader,' zei Martinez. 'Als je hem voor de rechter wilt slepen, dan zul je toch met bewijzen moeten komen, Bledsoe. Dus doe je werk.'

Op dat moment zag Hayes dat Rick Bentz kwam aanlopen. 'Zo te zien krijg je de kans meteen met hem te praten over de zaak.' Hayes glimlachte voor het eerst. 'Zet hem op.'

'Dat zal ik doen.' Bledsoe deed een stap opzij van Hayes' bureau, om plaats te maken voor de rechercheur uit New Orleans.

Bentz keek even vernietigend naar Bledsoe, en hield een grote bruine envelop omhoog. 'Dit kreeg ik vanochtend bezorgd in mijn motel,' zei hij en hij liet de inhoud op het bureau glijden. Een foto van een doodsbange vrouw, starend achter tralies werd voor iedereen zichtbaar.

Hayes voelde al zijn spieren verstrakken.

Bentz keek over zijn schouder naar Bledsoe en zei. 'Dat is mijn vrouw.'

Martinez zei niets. Ze staarde strak naar de bange, gevangen vrouw.

'En dit is een videoband van de So-Cal Inn, waar deze envelop werd achtergelaten. De bewakingscamera heeft een jogger vastgelegd die de envelop bij de deur liet vallen en daarna meteen wegrende. Ik hoop dat jullie de opnamen van de verkeerscamera's in de omgeving kunnen bekijken, om te checken of die vrouw ergens anders te zien is. Misschien op het moment dat ze in haar auto stapt.'

'Haar auto?' zei Bledsoe, met opgetrokken wenkbrauwen.

'Ik denk dat het een vrouw is. Op de band is het niet goed te zien, maar misschien is het beeld te verscherpen en is er een close-up van het gezicht.'

'Alweer een jogger,' merkte Hayes op.

'Inderdaad. Jullie kunnen de beelden vergelijken met die van de webcam in Santa Monica.' Bentz zweeg even hoofdschuddend. 'Wat de jogger betreft die ik op straat bij Lorraine Newells huis zag op de avond dat ze vermoord werd, ik weet het niet. Het was te donker. Maar ik wil mijn politiebadge eronder verwedden dat ze bij deze zaak betrokken is.'

'Is dit de vrouw met wie jij naar Devil's Caldron bent gereden?'

'Nee.' Bentz leek daarvan overtuigd. 'Maar geloof me, ze kennen elkaar.'

'Allemachtig,' zei Bledsoe.

'Kom op, Jonas, we moeten die jogger vinden. En mijn vrouw.' Bentz keek Hayes indringend aan.

De telefoon op Hayes' bureau rinkelde. Hij gebaarde dat Bentz even moest zwijgen en nam de hoorn op.

'Ja, hier dr. O'Leary, de tandarts van het lab,' zei een stem aan de andere kant van de lijn. 'Ik heb de resultaten, en dat is geen verrassing. Het gebit en de gegevens komen overeen. De vrouw die vanochtend is opgegraven, is met zekerheid Jennifer Bentz.'

Hoofdstuk 36

Bentz was verbijsterd. En toch was het ook wat hij wel verwacht had. Uiteraard was het lichaam in het graf van Jennifer. Alles wat hij de laatste twaalf jaar geloofde bleek de waarheid. Jennifer was dood, en de bedriegster speelde alleen een rol in een sluw plan om hem naar Los Angeles terug te lokken.

Waarom?

Om hem te kwellen?

Om Olivia te ontvoeren en te martelen? Om een reeks moorden te plegen?

'Dus dit is uiteindelijk een bizarre spokenjacht?' zei Bledsoe hoofdschuddend.

'Een rookgordijn,' verbeterde Bentz hem.

'En jij hebt je vrouw daarachter verstopt? Mijn hemel, het is wel gevaarlijk om met jou getrouwd te zijn. Niet alleen voor je vrouw, maar ook voor de mensen die ze kende.'

Als Bledsoe zout in open wonden wilde strooien, dan was dat goed gelukt, dacht Bentz. De schittering in Bledsoes ogen maakte ook duidelijk dat hij daarvan genoot. 'Laten we nu de persoon zoeken die deze ellende veroorzaakt heeft,' stelde Bentz voor.

'En dan moeten we er dus van uitgaan dat jij geen verdachte bent.' Bledsoe nam snel een slok van zijn koffie om zijn glimlach te verbergen.

'Ik heb mijn eigen vrouw niet ontvoerd.' Bentz besefte dat hij kalm moest blijven. Bledsoe zocht alleen een reden om een zondebok te vinden. Alweer.

Bentz zag dat Dawn Rankin de kamer binnenstapte. Ze keken elkaar even aan en haar mond verstrakte, voordat ze zichzelf dwong te glimlachen. 'Zo, ben je weer terug?' vroeg ze. 'Jij bent hier niet weg te slaan.'

'Dit is zakelijk,' zei Hayes snel, om Bentz te beschermen. Dawn was zoals altijd onberekenbaar. Bentz dacht soms dat ze de strijdbijl begraven had, maar even later kon ze dan venijnig als een slang zijn. Hij was blij dat hun relatie niet lang geduurd had.

'Laat me weten als ik kan helpen,' zei Dawn sarcastisch, voor ze verdween.

'Je boft maar dat je Jennifer Nichols leerde kennen, na haar,' merkte Bledsoe op.

Bentz reageerde niet op de poging tot kameraadschappelijkheid. Bledsoe zou hem even gemakkelijk aan zijn lot overlaten. Gelukkig rinkelde Bledsoes telefoon en hij liep weg, met in zijn andere hand een beker koffie.

'Dus dit is wat we nu weten,' begon Hayes, toen hij, Martinez en Bentz weer onder elkaar waren. 'De dode in dat graf is Jennifer. Er zijn allerlei vingerafdrukken in de Chevrolet aangetroffen, maar alleen die van jou, Bentz, kunnen we aan een persoon koppelen. We zoeken wel verder in de bestanden. Er was geen ander bewijs in de auto, en ons reddingsteam heeft niet het lichaam van een Jennifer-lookalike geborgen op zee.'

'Omdat ze nog leeft. Ik heb haar weer gezien.'

'Wat?'

'Ja, vanochtend, bij de begraafplaats,' zei Bentz.

'En dat vond jij niet belangrijk genoeg om aan ons te melden?' zei Martinez.

'Ik wist het niet zeker, nou goed?'

Hayes wuifde de woorden weg. 'Dus nu hebben we deze foto en de envelop. Aangezien onze dader tot nu toe heel voorzichtig is, durf ik te wedden dat er geen vingerafdrukken te vinden zijn, maar we zullen dat wel onderzoeken. Ook op DNA-sporen. En dan hebben we dit.' Hayes hield de videocassette omhoog. 'De opname moeten we vergelijken met de camerabeelden bij de Santa Monica Pier.' Hij keek naar Bentz. 'En jij moet aangifte doen bij Vermiste Personen. Dat moet officieel gebeuren, want ik weet wel zeker dat de FBI ook met je wil praten.'

Hayes werkte zoals altijd volgens de regels. Het was allemaal tijdverspilling. Bentz zag in gedachten een zandloper en hoe meer tijd er verstreek, des te kleiner de kans dat hij Olivia zou vinden. Die gedachte maakte hem radeloos. 'En is er meer bekend over Yolanda Salazar en haar broer?'

'We zijn nog op zoek naar hem. Hij is vandaag niet op zijn werk verschenen. En hij was ook niet aanwezig bij de avondcursus.'

'Kennelijk op de vlucht.'

'Daar lijkt het wel op.'

Bentz dacht dat Fernando de sleutelfiguur was. Die jongeman was de enige die de identiteit kende van de vrouw die zich als Jennifer voordeed. Hij werkte vermoedelijk met haar samen en hij was medeplichtig. Hij moest opgespoord worden.

'Hij zal toch wel ergens opduiken,' zei Bentz. 'Laten we gaan.'

Martinez liet zich van het bureau glijden.

Hayes rolde zijn stoel achteruit en zei: 'Misschien hebben we vandaag meer geluk.'

Martinez liep al door de gang, maar ze bleef even staan en keek over haar schouder naar Hayes. 'O, zeker. En misschien valt mijn vriendje Armando voor me op zijn knieën met een diamanten ring om mij ten huwelijk te vragen.' Ze lachte spottend om haar opmerking.

De boot was niet in brand gestoken. Niet voor en niet na het bezoek van de vrouw die haar opgesloten had. Olivia wist niet waardoor haar een vuurdood was bespaard, maar nu de dag een eind verstreken was voelde ze zich kalmer. Een beetje kalmer. Ze wist dat de maniak haar uiteindelijk zou vermoorden, maar niet voordat...

Ja, wat wilde ze?

Olivia wist het niet. Met tegenzin had ze de sandwich opgegeten, al verwachtte ze dat die vergiftigd was. Dat bleek niet het geval. En ze dronk wat. Ze gebruikte ook de emmer, al vond ze dat vreselijk.

En voortdurend piekerde ze over haar lot.

Ze moest hoe dan ook ontsnappen. Ze kon niet hopen dat Bentz of de politie of iemand anders haar zou bevrijden. Nee, besefte ze, starend naar de roeiriem aan de wand, ze moest het op eigen kracht doen.

Ze keek om zich heen in het ruim, zoekend naar iets wat ze kon gebruiken om zich te bevrijden, maar er was niets. Haar blik dwaalde weer naar de roeiriem. Als ze die kon bemachtigen, dan zou ze de vrouw ermee kunnen slaan en de sleutels van de kooi afpakken. Als de vrouw binnen haar bereik kwam.

Olivia wilde niets liever dan de rollen omkeren en de vrouw opsluiten in deze smerige kooi.

Weer keek ze naar de houten roeiriem. Bij het blad waren ringen geverfd in de kleuren rood, wit en blauw. Het ding leek zwaar genoeg om de vrouw bewusteloos te slaan. En dat was Olivia van plan.

Als ze maar een manier kon bedenken om die roeiriem te pakken.

Ze voelde de boot deinen. De boot moest afgemeerd liggen in een jachthaven. De vrouw had gezegd dat niemand haar zou horen als ze om hulp schreeuwde, maar dat was een leugen. Ze hoorde zeemeeuwen krijsen en mensen naar elkaar roepen. Er werden motoren gestart, maar alle geluiden klonken gedempt. Olivia luisterde scherp naar elk geluid, ook van de scharrelende ratten en ze verwachtte elk moment het geluid van voetstappen op de trap te horen.

Ze had eerder om hulp geroepen, nadat de psychopatische vrouw weggegaan was, omdat ze toen verwachtte levend te zullen verbranden. Ze had haar schoenen uitgetrokken en ermee op de tralies gebeukt. Maar niemand had haar gehoord. Niemand was aan boord gestapt van de Merry Anne, als de verbleekte naam op de reddingsvesten nog juist was.

Olivia was schor van het schreeuwen en ze zat in een hoek van de kooi, kijkend naar het verdwijnende zonlicht. Het werd weer donker in het ruim. Dat was beangstigend. Griezelig. Maar ze liet zich niet meeslepen door haar fantasie.

In plaats daarvan probeerde ze een uitweg te vinden. Het moest mogelijk zijn zichzelf en haar ongeboren baby in veiligheid te brengen.

Als psychologe had ze de menselijke geest bestudeerd. Ze had verschillende therapieën geleerd om mensen te benaderen die de greep op de werkelijkheid verliezen. Dat was het: ze moest een plan bedenken.

Ze moest er bijna hardop om lachen, maar de energie ontbrak haar. Psychologen behandelen geen onwillige patiënten, want dat levert weinig resultaten op.

Olivia trok haar knieën op. Hoe moet je omgaan met iemand die het contact met de werkelijkheid heeft verloren? Iemand die gewetenloos en boosaardig is?

'God, help me,' fluisterde ze, terwijl de nacht viel en ze alleen was in de akelige duisternis.

'Wat vreselijk van uw vrouw,' zei Corrine O'Donnell, toen ze klaar was met de aangifte voor Vermiste Personen. Bentz had al enkele uren doorgebracht bij de FBI, en nu was hij hier beland, bij de afdeling Vermiste Personen. Al het papierwerk was noodzakelijk, maar hij kon zich amper beheersen, de tijd verstreek genadeloos.

'Ja, dat is het,' beaamde Bentz. Het besef dat Olivia in de macht van een krankzinnige vrouw was, deed hem rillen van bezorgdheid.

'Maak je geen zorgen. We vinden haar heus wel.' De beambte glimlachte bemoedigend. Bentz dacht er weer aan dat hij haar jaren geleden wel leuk had gevonden en dat ze een tijdje een knipperlichtrelatie hadden gehad.

'Ben je blij met Hayes?' vroeg hij.

'Nou... Ik zou graag zeggen dolblij, maar op onze leeftijd hebben we al heel wat meegemaakt. En we zijn allebei voorzichtig omdat we al eerder gekwetst zijn. Misschien zijn we wel te voorzichtig.' Ze leek opeens te beseffen dat ze te vertrouwelijk werd en zei snel: 'Hier ondertekenen.' Ze wees op het formulier, waar Bentz zijn handtekening krabbelde.

'Ik zal controleren of eraan gewerkt wordt,' zei ze met een glimlach. Bentz knikte.

'Bedankt.'

'Veel geluk.' Ze draaide zich om en deed haar deel van het werk om Olivia te vinden.

Bentz hoopte maar dat hij niet alleen op puur geluk hoefde te vertrouwen.

Maar hij moest alles wat kon helpen gebruiken. Ook als dat een gelukkig toeval was. Of een goddelijke interventie. Desnoods een pact met de duivel. Het maakte niet uit, als Livvie maar weer in veiligheid was.

Montoya's vliegtuig landde op LAX, het vliegveld van Los Angeles, en toen hij zijn koffer weer had liep hij meteen naar de balie van het autoverhuurbedrijf. Terwijl hij de formaliteiten regelde om een Mustang te huren, een veel nieuwer model dan hijzelf in New Orleans had, telefoneerde hij naar Bentz. 'Ik ben nu in Los Angeles,' zei hij tegen zijn collega.

'Wat? Je bent hier?'

'Ja, ik hield het thuis niet uit. En ik dacht dat ik jou hier beter kan helpen. Met het oude handwerk.'

Bentz moest hardop lachen.

'Vertel op,' zei Montoya. Hij luisterde naar Bentz' verslag van de laatste ontwikkelingen in verband met Jennifer Bentz' spookachtige verschijningen, de ontvoering van Olivia en ten slotte de foto die Bentz had ontvangen.

'Dus de FBI bemoeit zich nu met de zaak,' zei Bentz tot besluit.

Montoya snoof nadrukkelijk. Hij ondertekende het huurcontract en pakte de sleutels van de Mustang. Bentz kon wel redelijk overweg met de FBI, maar Montoya zou liever zonder hen werken. Ja, bij de FBI werkten slimme agenten, ze beschikten over de modernste apparatuur en een groot netwerk, maar Montoya deed het liever op zijn eigen manier.

'Waar ben jij nu?' vroeg hij aan Bentz, terwijl hij over het parkeerterrein liep.

'Bij het Whitaker Junior College. Fernando Valdez verscheen vandaag niet op zijn werk en hij was ook niet aanwezig bij zijn cursus. Ik hoop dat hij vanavond komt opdagen.'

'Hij werkt toch bij The Blue Burro?'

'Ja.'

'Ben je daar al geweest?'

'Nog niet. Maar het LAPD is er op bezoek geweest.'

'Ik kan er ook een kijkje nemen. En daarna probeer ik ook een kamer te regelen in dat motel waar jij tegenwoordig woont,' zei Montoya. 'Bel me meteen wanneer je Fernando in zijn kraag grijpt.'

'Als ik hem kan vinden.'

'Hij moet toch ergens zijn. Je moet gewoon goed zoeken. Verplaats je in hem, en doe je werk als agent.' Montoya hing op en gooide zijn reistas op de achterbank van de Mustang. Hij had een navigatiesysteem en een kaart om naar Encino te rijden. Wanneer hij daar arriveerde wilde hij meteen een kijkje nemen bij het restaurant waar Fernando werkte.

Dankzij zijn afkomst sprak Montoya vloeiend Spaans. Met een beetje geluk en geduld kreeg hij daar meer te horen.

Bij het Whitaker Junior College parkeerde Bentz zijn auto naast de gymzaal en hij liep naar de kantine van de school. Nadat hij in de rij op zijn beurt had gewacht achter twee giechelende meisjes pakte hij een dienblad met twee broodjes hotdog en frites. Hij pakte ook een flesje Pepsi en zocht een plek in de hoek, achter een namaak-palmboom in een grote pot. Terwijl hij at bleef hij steeds naar de deur kijken. Groepjes studenten kwamen binnen of liepen naar buiten. Sommigen leken jong genoeg voor de middelbare school, anderen waren veel ouder. Kennelijk wilden de laatsten alsnog een diploma halen of hun carrièrekansen verbeteren. Bentz zag allerlei types: punks, computernerds, gothics en zongebruinde meiden. Hij keek naar elk gezicht maar zag Fernando Valdez nergens in de groepjes studenten die aten of met een iPod naar muziek luisterden in de grote kantine.

Hij was niet verbaasd. Fernando probeerde duidelijk uit de buurt van de politie te blijven.

Hoewel Bentz de hele dag nog niets gegeten had, proefde hij de slappe frites en de melige hotdogs amper. De worstjes hadden waarschijnlijk urenlang onder een warmtelamp gelegen. Hij was elders met zijn gedachten: bij Olivia. En hij hoopte maar dat ze nog leefde. Dat ze veilig was en ongedeerd.

Olivia is sterk. Vergeet dat niet. Ze heeft al eerder met die moordlustige maniak te maken gehad.

Het leek tijdverspilling om hier af te wachten of Fernando Valdez zou komen voor zijn avondcursus. Die kans was heel klein. Maar Bentz had weinig andere sporen die hij kon volgen, en dit leek nog de beste keus.

Maar Valdez liet zich deze avond niet in de kantine zien.

Bentz kwam overeind en voelde een pijnscheut in zijn been. Hij negeerde het en gooide de restanten van zijn maaltijd in de afvalbak. Het dienblad en bestek bracht hij ook terug en met het flesje Pepsi in zijn hand liep hij door de glazen deuren naar buiten, waar het donker werd.

De schemering was nog niet ingevallen, maar de mist werd weer dikker boven de paden tussen de gazons en bloemperken.

Bentz dacht aan zijn vrouw en hij kon zichzelf wel slaan omdat hij zo dom was geweest; met oogkleppen op naar Jennifer zoeken, en vergeten hoe waardevol zijn huwelijk met Olivia was, de enige vrouw van wie hij zielsveel hield.

'Idioot,' mompelde hij, lopend naar Sydney Hall, een gebouw van twee verdiepingen dat even elegant en stijlvol was als een gevangenis. Een trap aan de buitenkant leidde naar de bovenverdieping en voor de deuren op de begane grond was een bordes. Bentz zag dat er binnen geen gangen waren. Fernando, die de cursus scenarioschrijven volgde, moest hierlangs komen als hij naar het leslokaal wilde gaan.

Bentz nam een slok cola en hij zag dat er al muggen bij de lampen zwermden. Hij wachtte bij de trap. De eerste cursisten kwamen aanlopen, op weg naar lokaal 134. Er was een grote kans dat Fernando niet kwam. Ongetwijfeld had Yolanda hem gewaarschuwd voor Bentz. En het feit dat hij ook niet op zijn werk was verschenen, was een teken dat hij zich op de vlakte hield.

Bentz bedacht dat Fernando nu ook in Tijuana of nog verder in Mexico kon zijn. De grens was niet ver naar het zuiden.

Maar Fernando was wel een Amerikaans staatsburger, en opgegroeid in Los Angeles. Daarom verwachtte Bentz dat hij vroeg of laat weer zou opduiken.

En als dat gebeurde, dan zou Bentz hem stevig aanpakken.

Misschien vanavond.

Misschien later.

Hij hoopte dat hij geluk had. Nog een avond in zijn motelkamer wachten tot de telefoon zou rinkelen en naar de foto van Olivia staren was ondraaglijk. En de gedachte dat Olivia nog een nacht ergens gevangen werd gehouden... Hij wilde er niet aan denken.

Bentz leunde tegen de muur bij de trap en keek naar de deur van het klaslokaal. Telkens zwaaide de deur open en weer dicht als een groepje studenten naar binnen ging.

De paarsrode gloed van de zonsondergang veranderde in nachtzwart.

Geen Fernando.

Kom op, klootzak, waar blijf je toch?

Maar de voetstappen en gesprekken verstomden toen alle studenten in het lokaal waren. Bentz keek op zijn horloge. Tien over zeven. De laatste vijf minuten was niemand meer het klaslokaal binnengegaan.

Het leek duidelijk dat Fernando niet zou komen. Alweer niet.

Bentz vloekte en dronk het laatste restje van zijn Pepsi. Hij zag een mot tegen de lamp fladderen en wilde het lege colaflesje juist in de afvalbak gooien, toen hij iemand zag rennen in de mistflarden. Een man, meende Bentz. De kerel draafde langs de gymzaal en verder over een groot grasveld.

Bentz verstarde. Hij tuurde in de duisternis.

Toen de rennende man dichterbij kwam herkende hij Fernando Valdez. Eindelijk kwam hij opdagen.

Bentz voelde zijn polsslag versnellen. Eindelijk beet. Met al zijn spieren gespannen bleef hij strak naar Fernando kijken. Bentz dook weg onder de trap. Hij loerde tussen de traptreden door en moest zich beheersen om zich stil te houden. Hij moest wachten tot Fernando dichtbij was en hem grijpen. Hij kon het risico niet nemen dat de jongeman zou wegvluchten.

Fernando hijgde terwijl hij rende alsof de duivel hem op de hielen zat.

Hij was nu dichtbij.

Nog even.

Bentz hield zijn politiebadge al vast en hij wachtte op het juiste moment.

Fernando kwam bij de trap.

Nu!

Bentz sprong onder de trap vandaan. Hij hield zijn badge omhoog en blokkeerde de weg voor de hijgende jongen. 'Fernando Valdez? Blijf staan. Politie.'

'Shit!' Fernando wilde zich omdraaien, maar Bentz had dat al verwacht en greep zijn onderarm met zoveel kracht dat Fernando het uitschreeuwde. 'Au! Laat me los!'

'Ik zou me niet verzetten als ik jou was,' waarschuwde Bentz. Hij voelde een pijnscheut in zijn been. *Niet nu! Nu mocht zijn knie niet verslappen.* 'Jij hebt geen strafblad, dus je hebt een toekomst. Als je nu een beetje meewerkt.'

'Wat? Laat me los!' Fernando probeerde zich los te rukken, maar Bentz hield hem stevig vast.

'Hoor eens, jij gaat mij precies vertellen wat jij allemaal weet over de vrouw die doet alsof ze mijn ex-vrouw is. Ik wil weten wie hierachter zit. Waar zit ze? En nog belangrijker: waar is mijn vrouw Olivia?'

'Ik weet niks, man,' protesteerde Fernando.

'Hou toch op, Valdez. Het is afgelopen.'

In Fernando's ogen was te zien dat hij het begreep.

'Ik meen het.'

'Jij?' antwoordde Fernando schamper, en zijn lippen krulden van afschuw. 'Ik moet jou vertrouwen? Het varken dat mijn broer heeft vermoord?'

'Ja. Want anders sleur ik je zo snel naar de bajes dat je hoofd tolt.'

'Ik heb niets te zeggen.'

'Best. Dan gaan we nu naar het bureau.' Bentz trok hem mee naar het parkeerterrein, waar hij wel hulp kon krijgen van de parkeerwacht die daar in een hokje zat.

Toen ze wegliepen van Sydney Hall probeerde Fernando zich met zoveel kracht los te rukken dat Bentz bijna zijn evenwicht verloor.

'Hoor eens, denk maar niet dat jij hiermee wegkomt,' snauwde Bentz hem toe.

'Laat me los!'

'Niets daarvan.'

'Wat wil je van mij?' Op Fernando's gezicht verscheen een harde uitdrukking.

'Dat heb ik je al gezegd, de waarheid.'

'Ik weet echt niet wat je bedoelt.'

'Heus wel.' Met zijn vrije hand pakte Bentz zijn mobiel en hij drukte op de sneltoets van Hayes' telefoonnummer. De telefoon ging over. Een keer, twee keer. 'Kom op!' Drie keer. 'Toe nou!'

Eindelijk nam Hayes op.

'Bentz hier. Ik heb Fernando Valdez.' De twee liepen in de richting van de gymzaal. Enkele passerende studenten keken nieuwsgierig naar hen, maar niemand bleef staan om te vragen wat er aan de hand was.

'Wat?' zei Hayes. 'Heb je hem gevonden?'

'Ja, bij het Whitaker College.' Bentz keek even naar Fernando. 'Kennelijk wilde hij graag bij de les zijn.'

Fernando probeerde zich los te rukken, maar Bentz hield hem nog steviger vast.

'Shit, man,' fluisterde de jongeman, maar hij probeerde zich niet meer los te wringen.

'Ik kom eraan,' zei Hayes. 'Ik ben er over tien minuten. Hoogstens een kwartier.'

'Schiet nou maar op,' zei Bentz. 'Ik ben gewapend, maar ik wil deze knaap liever geen pijn doen.'

Bentz voelde dat Fernando verstrakte en hoorde een gemompelde Spaanse verwensing. Kennelijk was Fernando nu toch bang geworden.

'We zien elkaar op het parkeerterrein, bij het hokje van de bewaker.'

'Begrepen.'

Bentz stopte zijn mobiel weer in zijn zak. Terwijl hij dat deed probeerde Fernando zich weer los te rukken, en Bentz voelde de pijnlijke spanning in zijn been. Hij kreunde en trok een grimas. Van inspanning verschenen zweetdruppels op zijn voorhoofd.

'Ik heb geen enkele wet overtreden,' protesteerde Valdez, en hij deed weer een poging zich los te wringen.

'Ik kan jou niet helpen, als jij mij niet helpt,' zei Bentz. 'En als je even helder nadenkt, dan ga je mij alles vertellen over de dame aan wie jij je auto hebt uitgeleend. Ik bedoel de dame die zich voordeed als mijn eerste vrouw.'

'Jij bent helemaal gestoord, man. Ik weet echt niet waar je het over hebt.' Fernando leek toch geschrokken, en aan de blik in zijn ogen was te zien dat hij zich in het nauw gedreven voelde.

'Het is allemaal veel gemakkelijker als je meewerkt voordat je gearresteerd wordt.'

'Gearresteerd? Dat is helemaal belachelijk!'

'Dat zeg jij.' Ze kwamen bij de rand van het parkeerterrein. Bentz zag nergens de bewaker die hier eerder zijn rondes liep. *Waar zijn die lui als je ze nodig hebt?* vroeg Bentz zich af. Hij tuurde naar de omgeving en waarschuwde Fernando. 'Je krijgt drie minuten om je verhaal te vertellen voordat rechercheur Hayes hier is.' Bentz wilde dat hij de waarheid uit de jongeman kon persen. De waarheid... Antwoorden... En de plek waar hij Olivia kon vinden...

'Als ik jou was zou ik liever geregistreerd worden als meewerkende verdachte. Het LAPD wil jou voorlopig achter tralies zetten.'

'Laat me maar arresteren,' zei Fernando. 'Ik heb niets te verbergen.' Hij keek met een hatelijke blik naar Bentz. 'Terwijl jij zweet als een varken, en dat ben je ook.'

Bentz hield Valdez stevig vast en wiste het zweet van zijn voorhoofd. De bedriegster was aan hem ontsnapt, maar deze man liet hij niet gaan. 'Hou op met dat theater, jongen. Jij verdwijnt zeker in de cel als je niet gaat praten. Vertel mij waar jouw vriendin is, en waar mijn vrouw wordt vastgehouden. Je werkt al vanaf het begin mee aan deze ontvoering. Moet jij het vuile werk opknappen?'

'Man, wat jij zegt is allemaal krankzinnig!'

'Als ik krankzinnig ben, waarom verdwijn jij dan in de bak wegens ontvoering?' zei Bentz. Hij dacht weer aan Olivia die ergens gevangenzat. Zijn greep om de arm van Fernando werd steviger. 'Ontvoering en mogelijk ook een paar moorden.'

Hoofdstuk 37

Het was druk in The Blue Burro. De bezoekers verdrongen zich bij de bar, waar kleurige plastic bloemen en papegaaien opgehangen waren. Het personeel in donkere broek, witte shirts en met een bandana om de hals laveerde tussen de gasten en de tafels door. Ze droegen dienbladen vol gerechten of reden met een trolly naar de tafels om guacamole op te dienen. Af en toe werd het serveren even onderbroken om een grote Mexicaanse hoed op het hoofd van een gast te zetten en een Mexicaans verjaardagslied te zingen.

De sfeer in het restaurant was feestelijk en vrolijk.

Montoya vermoedde dat de politie hier al naar Fernando had gezocht, en daarom besloot hij zich onopvallend onder de bezoekers te mengen. Hij zocht een plek aan de bar, dicht bij de klapdeuren naar de keuken. Hij bestelde een glas whisky bij het meisje achter de bar, dat amper eenentwintig jaar oud leek.

Mexicaanse achtergrondmuziek was nauwelijks te horen door het geroezemoes en het gerinkel van glaswerk, maar Montoya luisterde scherp, in de hoop iets op te vangen over Fernando Valdez, over zijn zus en de zilvergrijze Impala, of over de vrouw die daar het laatst mee gereden had. Langzaam dronk hij van zijn whisky. Zijn blik dwaalde naar de spiegel die boven de bar was bevestigd, zodat hij onopvallend kon zien wat er achter hem gebeurde.

Een tijdje hoorde hij het gebabbel rondom hem aan. Maar toen hij zijn glas bijna leeg had, hoorde hij Fernando's naam noemen in de gesprekken achter de klapdeuren voor de keuken. Er werd iets gezegd over hem omdat hij niet was gekomen en een serveerster klaagde dat zij nu gedwongen was te blijven tijdens de drukke dinertijd. Ze zei dat ze extra salaris wel goed kon gebruiken, maar ze was kwaad dat juist Fernando haar een dubbele dienst liet draaien. Ze had haar moeder moeten bellen om op de baby te passen. Of zoiets. Montoya hoorde alleen flarden van het gesprek, en vooral wat de serveerster zei, omdat ze een schelle stem had.

Montoya probeerde niet op te vallen en keek vanuit zijn ooghoeken. De deuren naar de keuken zwaaiden weer open en Montoya zag een serveerster met een rond gezicht en strakke lippen passeren. In haar bijna zwarte haar dat in een strakke knot op haar hoofd was gebonden, zaten contrasterende strepen platinablond. Ze was duidelijk woedend, en de oorzaak daarvan was Fernando.

'Nou, nou,' zei Montoya tegen de barjuffrouw, toen de klapdeuren weer dichtzwaaiden. 'Daar is iemand niet echt blij.'

'Acacia is nooit blij.' Ze glimlachte naar hem en deed ijsklontjes in de glazen.

'Niet met Fernando,' opperde Montoya.

Het meisje achter de bar keek hem vragend aan. 'Kent u hem?'

Montoya schudde zijn hoofd. 'Niet echt. Ik heb bij hem in de klas gezeten toen ik 's avonds een cursus voor mijn werk volgde. Verzekeringsadviseur. Fernando was daar ook, en hij zei dat hij hier werkt.'

'Dat zal niet lang meer duren, als hij niet komt opdagen. Hij is een flierefluiter, een echte versierder, en dat vindt Acacia maar niets. Ze wil dat hij wat huiselijker wordt.'

'Bij haar thuis?'

Het meisje keek verbaasd naar Montoya. 'Ja, natuurlijk. Hij is de vader van haar kind.'

'O ja? Hij heeft mij nooit verteld dat hij vader is.'

'Verbaast me niets. Acacia beweert dat ze jaren geleden een relatie hadden. Ze hadden elkaar leren kennen op een bedrijfsfeestje, en ze werd zwanger.' Ze keek Montoya strak aan. 'Dat kind lijkt sprekend op Fernando, en die ontkent ook niet dat hij de vader is. Maar hij wil zich gewoon niet binden.'

Een andere serveerster kwam haastig naar de bar en ratelde haar bestelling af. 'Kun je dat heel vlug regelen? Ik vergat die tafel en nu worden ze daar boos.'

'Doe ik.' Het barmeisje knikte en begon drankjes te mixen, eerst voor de serveerster die haast had en daarna voor een groepje aan het andere eind van de bar.

Montoya dacht dat hij alle informatie over Fernando wel gekregen had en wilde geen argwaan wekken door te veel te praten over iemand 'die hij amper kende'.

De deurtjes naar de keuken zwaaiden weer open voor de gehaaste serveerster en Montoya kon nog juist zien dat Acacia door de achterdeur naar buiten liep.

Hij rekende zijn whisky snel af, liet een flinke fooi achter en liep het restaurant uit. Een frisse bries streek over het parkeerterrein. Montoya wachtte tot de weg vrij was en liep naar de overkant van de straat, waar een supermarkt was. Hij kocht een pakje Camel en keerde terug naar het restaurant. Hij hoopte dat hij Acacia zou treffen tijdens haar pauze en daarom ging hij naar de achterkant van het restaurant. Daar stond een groepje bedienend personeel en koks onder de luifel bij de dienstingang van The Blue Burro. Montoya haalde de wikkel van het pakje en stak een filtersigaret tussen zijn lippen. Hij klopte op zijn zakken, alsof hij een aansteker zocht en liep naar het groepje onder de luifel. Ze lachten en rookten of maakten plagende opmerkingen naar elkaar.

Acacia stond ook met een sigaret bij de groep. In het vale schijnsel van de beveiligingslampen leek ze nog bozer dan in het restaurant. Ze trok een frons bij het laatste trekje aan haar sigaret.

Het gelach en de grappen verstomden toen Montoya dichterbij kwam.

'Heeft iemand een vuurtje?' vroeg hij in het Spaans.

Een van de koks, een grote kerel met een snorretje en een smoezelig schort, knikte. 'Tuurlijk.' Hij gooide een aansteker naar Montoya die het ding behendig opving.

'Bedankt.'

Acacia trapte haar peuk uit en maakte aanstalten weer naar binnen te gaan.

Montoya stak zijn sigaret op en vroeg: 'Heeft iemand van jullie Fernando gezien?'

Meteen werd het doodstil.

'Nee?' Montoya fronste. 'Ik hoorde dat hij hier werkt, en ik krijg nog geld van hem. Dat wilde ik even incasseren.'

Eerst zei niemand iets, want kennelijk hadden ze gehoord dat de politie op zoek was naar Fernando. De kok met het vuile schort keek alsof hij meteen naar binnen wilde verdwijnen.

'Is er iets met hem?' vroeg Montoya.

Het duurde even, maar toen kon Acacia haar ergernis niet langer voor zich houden. 'Dus u krijgt nog geld van hem? Nou, u bent niet de enige.'

Montoya gooide de aansteker terug naar de kok. 'Krijg jij ook nog geld van hem?' vroeg hij aan Acacia. De grote kok en een kleinere kelner glipten snel de keuken in.

'Dat wil je niet geloven.'

'Misschien wel,' zei Montoya en hij bood haar een sigaret aan.

Ze haalde haar schouders op, maar pakte wel een sigaret en gaf zichzelf een vuurtje. Een zwerfkat sloop door de schaduwen en verdween onder een container in de steeg.

'Hij is me zoveel schuldig. En zijn zoontje ook.' Ze zoog lang aan haar sigaret en blies de rook weer uit.

'Hebben jullie samen een kind?'

'Ja, Roberto. Maar ik noem hem Bobby. Maar dacht je dat Fernando zich met hem bemoeit? Dacht je dat hij op bezoek komt en alimentatie betaalt?' Ze zuchtte. 'Niet sinds hij met die andere vrouw scharrelt.'

Montoya bleef zwijgen. Hij nam een trekje en luisterde.

'Ze heeft hem behekst, weet je. Ze rijdt rond in zijn auto, en ze ontmoet hem op school. Hij zou zijn leven beteren en boekhouder worden, zoals zijn zus. Maar toen leerde hij die actrice kennen en nu wil hij opeens scenario's schrijven!' Haar ogen vernauwden zich en ze trok haar neusvleugels op. 'En mij laat hij barsten. Hij komt niet eens naar zijn werk, omdat hij bij die Jada zit.' Haar lippen krulden misprijzend en ze gooide haar sigaret op de grond. 'Als Roberto er niet was, dan zou ik hem eigenhandig vermoorden. Dat zweer ik je.'

Olivia hoorde gedempte voetstappen boven haar kooi.

Dat was een ander geluid dan het kraken in het ruim en de ritselende ratten.

Er was iemand aan boord gekomen. Ze twijfelde er geen moment aan dat het haar kwelgeest was, en daarom riep ze niet om hulp. Ze wilde niet riskeren dat haar mond dan weer werd afgeplakt met tape.

Had ze maar een of ander wapen...

Het enige wat ze kon doen was de waterkan door de tralies naar de vrouw smijten. Maar daar zou ze hoogstens nat van worden. En woedend.

Opeens ging het licht in het ruim aan en Olivia knipperde met haar ogen. Ze moest wennen aan het felle licht.

Langzaam kwam de vrouw de trap af. Ze sleepte een grote tas mee. 'Zo, en hoe is het hier?' vroeg ze met gespeelde vrolijkheid.

Olivia wilde een schampere opmerking maken, maar ze beheerste zich. Het leek haar beter zich groot te houden, al was dat moeilijk in de smerige kooi. Ze kon de vrouw misschien aan de praat houden, en zo meer te weten komen.

Als ze kalm bleef. En de knagende angst kon weerstaan.

'Ik zie dat je gegeten hebt. Dat is mooi. Je moet op krachten blijven.'

Olivia verstarde. Werd ze naar een andere plek gebracht? De vrouw wist toch niet dat ze zwanger was?

Natuurlijk niet. Dat weet niemand. Zelfs je echtgenoot niet. En misschien zal hij het ook nooit weten. Olivia wilde daar niet aan denken. Ze moest alleen iets verzinnen om weg te komen van deze ellendige boot. Ze moest wel. Voor de baby.

'En? Heb je trek?' vroeg de vrouw en ze haalde een plastic zak uit de tas. Ze gooide een ingepakte sandwich en een fles sodawater in de kooi.

Olivia wilde haar slaan. Maar dat was onmogelijk.

Blijf kalm. Laat haar praten.

'Wie ben je?' vroeg Olivia.

'Dat wil je graag weten, hè?' Ze glimlachte voor zich uit.

'Ja, dat wil ik inderdaad. En wat is dit voor belachelijk plan? Het werkt toch niet.'

Een boze grimas verscheen even op haar gezicht. 'O, toch wel. Ik ben búiten de kooi.'

'Wie ben je?' herhaalde Olivia haar vraag.

'Een vriendin... Ach, laten we zeggen een goede vriendin van je echtgenoot.' Er klonk iets van bitterheid in haar stem.

'En jij hebt Jennifer gekend?'

De blik van de vrouw werd somber.

Olivia had een gevoelige snaar geraakt. Maar waarom? Wat had deze vrouw met Jennifer te maken?

'Ik was niet zo gesteld op die bitch.' Ze glimlachte weer, alsof haar iets te binnen schoot. 'Maar in de loop van de jaren heb ik sommige vriendinnen van haar beter leren kennen. Je weet wel, vriendinnen die het leuk vinden om geheimen te delen.'

Olivia voelde haar maag ineenkrimpen. 'Je hebt informatie van hen los gekregen, om ze daarna te vermoorden?' Ze had al vermoed dat deze kwaadaardige maniak te maken had met de dood van Shana en Lorraine, maar dat ze het openlijk zei, hier in het deinende ruim van een boot, bevestigde haar akelige voorgevoel. De zelfvoldane houding van de vrouw die haar had opgesloten maakte het nog griezeliger.

'Ze hadden geen argwaan.'

Olivia kreeg braakneigingen.

Blijf kalm. Gebruik je verstand.

'En ze waren gewoon hinderlijk.' De vrouw begon een camera op een statief te bevestigen. Ze verankerde de poten van het statief met klemmen aan de vloer. Ze trok haar neus op en keek om zich heen. 'Wat stinkt het hier. Mijn vader nam zijn honden altijd mee van de ene haven naar de volgende. Grote Deense doggen.'

'En daarom heb je mij opgebeld? Jij was het toch?' vroeg Olivia. Ze wilde niet dat de vrouw afdwaalde. Ze wilde ook meer te weten komen.

'Gut, wat ben jij toch slim,' zei de vrouw spottend. 'Jouw IQ reikt zeker tot de stratosfeer. Maar toch ben je niet zo heel slim, als ik eerlijk ben. Hier.' De vrouw bukte zich en sloeg pagina's van het fotoalbum om naar een andere pagina. Er was een foto van Rick en Jennifers huwelijk. De bruid in een witte jurk met veel kant en een lange sleep. De bruidegom, veel jonger dan nu, trots in zijn zwarte rokkostuum. En weer waren er druppels bloed op het plastic. De gezichten waren besmeurd met rode strepen. 'Kijk, dit is een mooie,' zei ze en schoof het album met haar voet naar de kooi, voor ze zich weer op haar camera richtte.

Olivia kreeg kippenvel. 'Wat ga je doen?' vroeg ze.

'Alles klaarzetten, zodat jij kunt boeten.'

'Boeten?'

'Voor de zonden van je man.'

'Ik begrijp het niet.'

De vrouw keek over haar schouder met een schampere glimlach. 'Natuurlijk begrijp jij het niet.'

'Waarom laat je mij niet gaan?'

'O, zeker na twaalf jaar voorbereiden en wachten? Zoekend naar de juiste persoon die de rol van Jennifer kan spelen, zou ik het nu moeten opgeven? Alleen omdat het jou een goed idee lijkt?' De vrouw keek Olivia strak aan met een ijskoude blik. 'Jij begrijpt het nog steeds niet. Ik wil dat Bentz boete doet. Hij moet de pijn voelen die ik gevoeld heb. Hij moet weten wat het betekent om iemand die je dierbaar is te verliezen. Hij zal elke dag beseffen dat hij niet alleen jou liet sterven, maar dat hij ook zijn eigen leven verwoest heeft. Hij zal weten wat het is om alleen te zijn. Helemaal alleen.' De vrouw sprak steeds luider en hartstochtelijker. Haar gezicht liep rood aan en ze balde haar vuisten.

Maar ze wist zich weer te beheersen en haar vingers ontspanden. Op scherpe fluistertoon zei ze: 'Die man van jou heeft mijn leven tot een hel gemaakt, Livvie. En nu is hij aan de beurt. Het wordt tijd dat hij pijn gaat voelen. Dan weet hij wat dat betekent. Hij heeft nooit geweten dat ik Jennifer vermoord heb. Hij had zelfs geen vermoeden. Wat een geweldige rechercheur! Dat hij geprezen werd voor zijn speurwerk is echt belachelijk.' Ze zag de geschokte uitdrukking op Olivia's gezicht en ze lachte spottend. 'Zo is dat. Dat wist je niet, of wel? Jennifer lag nog te rotten in haar graf, tot ze opgegraven werd. Ja, zij ligt inderdaad in die doodskist. De ellendige kleine heks die Bentz om haar vinger wond. Hij was dol op haar, weet je. Hij was bezeten van dat overspelige loeder. Om ziek van te worden. En ze bedroog hem telkens weer... Maar toch hield hij van haar.' Ze beefde van woede en stelde de camera in. 'En zelfs na haar affaire met zijn halfbroer, een priester nota bene, en ook nog de vader van hun kind. Hoe is het in godsnaam mogelijk dat hij toch weer terugkwam. Als dat geen masochisme is!'

Olivia zag dat de vrouw helemaal doordraaide, verteerd door haat en wraakzucht.

'Dat is toch allemaal verleden tijd,' zei Olivia.

'Wil je niet weten hoe ik het gedaan heb? Hoe ik met haar afgerekend heb?'

'Met Jennifer?'

'Ja, natuurlijk. We praten hier toch niet over de koningin, of wel soms?' Ze zweeg even. 'Het was zo gemakkelijk,' zei ze triomfantelijk. 'Ik rommelde met haar medicijnen en haar wodka. En daarna wachten. Ik volgde haar toen ze in de auto stapte en ik veroorzaakte dat ongeluk.' Ze zweeg weer, genietend van de herinnering. 'Het was geen directe confrontatie, dat weet ik. Maar wel geweldig om haar op te jagen en doodsbang te maken. Dat werkte echt.'

'Dus jij hebt haar de dood in gejaagd.' Olivia wilde de bekentenis horen.

'Nou... Ze heeft zelfmoord gepleegd, weet je nog? En wat dat afscheidsbriefje betreft, daar weet ik niets van. Dat had ze al veel eerder geschreven. Jennifer was nogal labiel, maar Bentz kon niet genoeg van haar krijgen. Hij wilde opnieuw met haar beginnen. Sommige mannen leren het ook nooit.' Ze grinnikte kil. 'Maar nu zal hij zijn lesje wel leren. Vanavond.'

Olivia werd misselijk van angst en kon amper praten. Ze dwong zichzelf de vraag te stellen. 'Wat heeft hij jou in hemelsnaam aangedaan?'

'Weet je dat echt niet?' Ze zweeg en dacht even na. 'Hij liet mij in de steek. Niet één keer, maar twee keer. Voor dezelfde meid die telkens zijn hart brak.' Ze keek in de richting van de scheepswand, maar leek alleen in gedachten iets te zien. 'Ik hield van hem. Ik wilde hem terug. Ik vertrouwde hem...' Haar stem stierf weg en tranen glinsterden in haar ogen. 'Hij liet me alleen. En toen Jennifer dood was greep hij naar de fles. Ik mocht hem niet helpen.' Ze snoof en trok haar schouders recht. 'Die lafaard verdween uit LA en verhuisde naar New Orleans. Daar heeft hij jou gevonden,' zei ze hoofdschuddend. 'Hij keek nooit om. En jij, de vrouw die al zijn geheimen zou moeten kennen, weet niet eens wie ik ben, toch?'

Dat was waar. Olivia kon haar niet plaatsen.

De afgewezen minnares zei meewarig: 'Misschien is dat ook beter. Jij hoeft het niet te weten. Maar Bentz wel. En daar moet hij mee verder leven.'

Olivia staarde naar de camera en voelde een golf van misselijkheid opkomen. O god, ze moest overgeven. Was het de zwangerschap? Of de angst? 'Wat ga je doen?' vroeg ze, en ze herkende haar eigen stem niet.

'Dat zie je toch? Ik ga een film maken. Het is geen echte film, alles digitaal, maar wel een opname van jou.'

Olivia dacht aan alle krijgsgevangenen die ze op televisie had gezien: gedwongen om dingen te zeggen die ze niet meenden, een geloof te verdedigen dat ze niet aanhingen. Met een geweer op zich gericht of met de dreiging onthoofd te worden. Ze begon te sidderen en moest zichzelf moed inspreken. *Denk rationeel. Er is nog niets gebeurd.*

'Dit is voor later.' De camera stond goed op het statief en de vrouw keek door de zoeker. Ze verstelde de lens tot ze tevreden was. 'Zo, we kunnen beginnen.' Ze drukte op een knop en de camera werd ingeschakeld. Daarna ging ze voor de kooi staan, buiten bereik van Olivia maar voor het oog van de camera.

'Hallo RJ,' begon ze en haar stem klonk niet zo hees als toen ze telefoneerde met Olivia. 'Ik hoop dat je deze opname vindt, en de boot en je vrouw. En dat moet wel, want deze camera is niet alleen waterdicht, maar zelfs gemaakt om onder water te filmen. Zoals je ziet heb ik Olivia hier achter tralies. Ze is hier aan boord van de Merry Anne al een dag lang mijn gast, en ik hoopte dat ik meer tijd had, maar helaas... Het lijkt me beter meteen de waarheid te zeggen: ze verveelt me.' De vrouw keek naar Olivia. 'Zeg eens dag tegen Ricky. En zwaai naar hem. Laat maar zien dat je het hier prima hebt, tot nu toe.'

Olivia verroerde zich niet. Ze gunde deze krankzinnige die voldoening niet.

'Ach, zo te zien heeft Livvie een boze bui. Misschien zegt ze wel wat als ik weg ben. Daar is tijd genoeg voor als we naar open zee varen. Ik zou haar even gemakkelijk kunnen vermoorden als mijn vriendinnen Shana, Lorraine en Fortuna. Met Tally is dat niet gelukt, maar ach, je kunt niet alles hebben. Die vriendinnen van Jennifer hebben mij wel goed geholpen: ik heb zoveel over jou geleerd, RJ. En over Jennifer en jullie samen. Arme Jennifer. Ze kon haar mond niet houden. Ze vertelde elk detail aan haar vriendinnen, alles wat jullie samen deden in het weekend, en waar jullie voor het eerst met elkaar naar bed gingen. Dat konden ze heel precies vertellen.'

Olivia kon het amper aanhoren. Deze psychopaat had de vrouwen in de val gelokt, hen uitgehoord en daarna vermoord.

'Dus jij hebt ze vermoord?' zei Olivia. De boot kraakte en schommelde licht op de deining van het water.

'Ja, natuurlijk!' De vrouw wierp een geërgerde blik op Olivia om zoveel domheid. 'Voor een psychologe heb jij wel veel moeite om dat in te zien. Ik had geen andere keus dan die vrouwen doden. Ze hadden mijn hele plan kunnen bederven. En bovendien had de politie nu een goede reden om jouw man te verdenken.'

'Jij hebt dus vijf mensen vermoord: drie vriendinnen van Jennifer en die tweelingzusjes.'

'Alsjeblieft! Ik heb niets te maken met die tweeling. De gestoorde Twenty-one-moordenaar heeft dat gedaan. Een herhaling van die dubbele moord jaren geleden op de zusjes Caldwell. Het heeft wel heel lang geduurd voordat die gek weer in actie kwam.' Ze trilde van woede. 'Ik kan amper geloven dat je mij van die wandaad verdenkt. De dader is een seriemoordenaar, en hij kickt op het vermoorden van onschuldige slachtoffers.'

'Heel anders dan jij,' merkte Olivia op en ze probeerde haar stem kalm te houden.

'Dit is allemaal deel van een plan. Het gaat erom dat Bentz het begrijpt.'

'Maar jij hebt toch ook onschuldige mensen vermoord?'

'Shana McIntyre onschuldig? Helemaal niet! Die vriendinnen van Jennifer moesten nu eenmaal uit de weg geruimd worden. Dat is iets anders.'

'Dood is dood.'

'Dit is wraak. En die Twenty-one-dader is totaal gestoord. Hij verdient zelf de doodstraf.'

'Jij bent even zwaar gestoord als hij.'

De vrouw keek haar kwaad aan. 'Jij bent zo dom. Je weet helemaal niet wat je zegt. Je begrijpt het niet, of wel soms?' Ze haalde diep adem en balde telkens haar vuisten, alsof ze Olivia te lijf wilde gaan.

Olivia zou dat goed uitkomen. Liever een gevecht dan hier opgesloten zitten in deze smerige stinkende kooi.

'Het gaat nu niet om die Twenty-one-moordenaar! Het gaat om jou!' Ze zweeg en keek recht in de camera. 'En om jou, RJ.' Ze maakte een weids gebaar. 'En dit is de slotact. Vanavond is het afgelopen. Alle maskerades, al dat doen alsof, al die jaren wachten. Al die tijd alleen...' Haar stem haperde even. 'Nu is het eindelijk voorbij. En weet je hoe?' Ze keek met een scheve glimlach naar de lens. 'Dat zal ik je vertellen.' De glimlach werd breder. 'Ik laat deze boot zinken. Vanavond.'

'Wat?' Olivia hapte naar adem. Een nieuwe angst deed haar adem stokken. O jezus, dit kon niet serieus zijn. Ze wilde het niet geloven, al wist ze dat deze vrouw, deze moordenares, met haar vendetta tegen Bentz tot alles in staat was. 'Nee,' fluisterde ze. 'Alsjeblieft niet. Nee...'

'O, jawel hoor. De Merry Anne vaart voor de laatste keer uit. Met jou aan boord.' Ze wendde zich weer naar de camera en voegde eraan toe: 'Ik laat deze boot heel langzaam zinken, en de camera blijft op jouw vrouw gericht. Dan kun je zien hoe het ruim vol water loopt, langzaam maar zeker. Olivia zal het eerst koud hebben, ze zal rillen en weten dat er geen ontsnapping mogelijk is.

Maar dan raakt ze in paniek en ze zal krijsen en worstelen om zichzelf te bevrijden. En als het water tot haar lippen staat zal ze nog één keer inademen en in haar lot berusten. Jij zult getuige zijn van haar doodsstrijd, Bentz. En je zult beseffen dat haar ellendige lot jouw schuld was.'

'Nee! Alsjeblieft!' Olivia raakte in paniek. Ze moest deze vrouw tegenhouden. 'Dat kun je niet doen... Ik ben zwanger...' Ze zei het zonder erbij na te denken. Deze vrouw zou toch niet doelbewust het leven van een ongeboren kind beëindigen?

'Onmogelijk. Bentz is onvruchtbaar.'

'Ik meen het serieus! Ik ben echt in verwachting. Nog een onschuldig leven wegnemen, dat wil je niet op je geweten hebben.'

Olivia moest al haar kracht verzamelen om niet te bezwijken. 'Jij wilt toch geen seriemoordenaar zijn? Zo'n gestoorde gek als de Twenty-one-beul? Dat heb je zelf gezegd. Jij bent anders.' Olivia zocht vertwijfeld naar argumenten om de vrouw op andere gedachten te brengen.

'Een baby?' vroeg de vrouw op ongelovige toon. 'Bentz? Nee maar...'

'Het is echt waar!' Olivia kreeg een sprankje hoop. 'Je wilt een ongeboren kind toch geen kwaad doen?'

De vrouw vernauwde haar ogen tot spleetjes en keek strak naar Olivia. 'Wat een gore leugen. Jij bent helemaal niet zwanger.'

Olivia kwam naar de tralies. 'Wel waar. Ik ben echt in verwachting.'

De vrouw maakte een afwerend gebaar om de gedachte te verdrijven, maar ze was wel uit haar evenwicht gebracht. In haar stem klonk kille woede door. 'Het maakt niet uit. Zelfs als jij door een mirakel zwanger bent, dan is dat des te beter. Hoor je dat, RJ? De dood van Livvie en die verzonnen baby wordt gefilmd, en dan kun je telkens weer naar haar wanhopige einde kijken. Dit is gewoon perfect. Het was elke minuut van het lange wachten waard.'

'Nee! Luister, ik weet niet wie jij bent en waarom je dit wilt, maar doe het niet!' Olivia wilde het uitschreeuwen, maar ze wist zich te beheersen. Ze begreep dat om genade smeken het ego van de vrouw alleen maar versterkte, en daarom moest ze iets anders proberen. 'Vertel mij eens wat jouw probleem met Bentz is. Misschien kan ik met hem praten, en...'

'Met hem praten? Heb je mij niet gehoord?' De vrouw legde

haar handen op haar oren, alsof haar hoofd anders uit elkaar zou barsten. 'Snap jij het dan niet?'

Olivia zag dat de vrouw bijna door het dolle heen raakte, maar ze liet zich niet intimideren. Ze bleef haar recht aankijken. 'Doe dit niet,' zei ze kalm. 'Alsjeblieft, doe het niet.'

'Genoeg!' Haar ogen schoten vuur. 'Je kunt zeuren en smeken wat je wilt, maar ik trap daar niet in. Begrepen? Het is afgelopen. Jij gaat dood, Livvie, en dat gebeurt deze nacht.'

Woedend maar beheerst controleerde ze de camera nog een keer en daarna liep ze de trap op.

Ze liet het licht in het ruim branden.

De camera registreerde elke beweging van Olivia.

Boven aan dek hoorde ze geluiden en even later begon een scheepsmotor te ronken. De vloer onder de kooi trilde toen de boot in beweging kwam.

'O christus,' fluisterde Olivia. Ze liep langs de wanden van de kooi en rukte aan de tralies, al wist ze dat die onbeweeglijk vastzaten.

Er was geen ontsnapping mogelijk.

Het bloed stolde in haar aderen bij de gedachte aan het vreselijke lot dat haar wachtte. Ze was gedoemd hier te sterven, met haar baby die geen kans kreeg om te leven.

Olivia kreeg een brok in haar keel.

Ze zou verdrinken voor het oog van de camera.

Haar dood werd vastgelegd voor later.

De opnamen waren bestemd om Rick gedurende de rest van zijn leven te kwellen.

Ze wist het.

Die maniak wist het.

En spoedig, tenzij er een wonder gebeurde, zou het voorbij zijn.

Dan zou Bentz het ook weten.

Hoofdstuk 38

Bentz reed terug naar de So-Cal Inn, opgejaagd door cafeïne, adrenaline en slaapgebrek. Zijn ongezonde energie werd overheerst door zijn bezorgdheid over Olivia. Hij was ook doodsbang. De minuten verstreken, zonder dat hij iets meer wist dan gisteravond.

Fernando Valdez had koppig gezwegen.

Bentz stond aan de andere kant van de spiegel in de verhoorkamer, en hij kon zijn haren wel uit zijn hoofd trekken toen de jongeman drie uur lang werd ondervraagd. Hayes en Martinez hadden de vragen afgevuurd, af en toe pittiger gemaakt met toespelingen op wat hem te wachten stond, maar Fernando bleef onderuitgezakt op zijn stoel zitten en zweeg met zijn armen over elkaar gekruist.

'Wie is de vrouw aan wie jij de auto van je zus uitleende? Die zilvergrijze Impala?' vroeg Martinez.

'Gewoon... iemand die ik ken van school.'

'En haar naam?'

'Jada. Haar achternaam weet ik niet.'

Bentz was meteen naar de wachtruimte gerend en vroeg aan Bledsoe – op dat moment de enige aanwezige rechercheur – om te zoeken naar een vrouw met de voornaam Jada en een strafblad. Weer terug in de verhoorkamer speelde Martinez de rol van begripvolle agente.

'Aardig dat je haar wilde helpen, omdat ze geldgebrek had en zo. Het lijkt me dat ze een goede vriendin is. Maar weet je ook dat deze Jada verdacht wordt van enkele moorden?'

Fernando gaf geen krimp en schudde alleen zijn hoofd.

'Heb jij haar geholpen bij het vermoorden van die mensen?' vroeg Martinez. Haar donkere ogen werden zachter. 'Misschien besefte jij het niet, en wist je niet waar ze mee bezig was.' Ze haalde haar schouders op. 'Jij dacht alleen dat je een vriendin hielp.'

'Ik heb niets verkeerds gedaan. Ik heb niemand vermoord.'

Eindelijk een antwoord.

'Kom nou, Fernando,' drong Hayes aan. 'We hebben jouw vingerafdrukken nu.' Fernando had met tegenzin zijn vingerafdrukken laten afnemen. 'En ik weet wel zeker dat die overeenkomen met de afdrukken in de Impala. En misschien ook wel met de sporen die we op de plaats delict gevonden hebben.'

'Nee! Ik zweer je dat ik onschuldig ben.' Fernando wendde zich af van de ondervragers en kruiste zijn armen weer voor zijn borst. 'Ik heb niets misdaan.'

'Niemand zegt dat jij iets misdaan hebt, Fernando.' Martinez sprak op kalmerende toon. 'Jouw zus en de leraren, iedereen verklaart dat je een goede kerel bent. En daarom dacht ik dat je ons misschien kunt helpen. We moeten iemand opsporen. Ze heet Olivia Bentz. Blond haar, donkere ogen. Heb je haar ooit ontmoet, Fernando?'

Bentz keek toe achter de spiegel en teleurgesteld zag hij dat Fernando zijn hoofd schudde.

'Olivia Bentz wordt vermist,' zei Hayes. 'En wij hebben redenen om aan te nemen dat jouw vriendin Jada betrokken is bij die ontvoering. Wat kun jij daarover vertellen?'

'Niets!' zei Valdez fel.

Bentz wilde de spiegelruit met zijn vuist kapotslaan en de jongeman bij zijn keel grijpen om de waarheid uit hem te krijgen. Omdat Fernando nog geen advocaat had gevraagd bleven de rechercheurs hem ondervragen en Bentz bleef steeds toekijken.

Bledsoe trok de naam Jada na, maar hij vond geen enkele vrouw die de afgelopen anderhalf jaar gearresteerd was. Weer een doodlopend spoor. Bledsoe zou de volgende dag een foto en personalia van de school krijgen, als de administratie weer open was.

Uiteindelijk liet Bentz de onwillige Fernando over aan Hayes en de FBI, die hem waarschijnlijk zou vrijlaten en dan liet schaduwen. Bentz kon verder niets doen in het Center.

Terwijl hij in de huurauto wegreed dacht hij aan de foto's die het laboratorium van het LAPD had onderzocht. De jogger die met een webcam gefilmd was in Santa Monica leek veel op de persoon die bij het motel was geweest. Iets aan de jogger kwam Bentz bekend voor, alsof hij haar gezicht voor zich kon zien.

Een vrouw? Ja, daar was iedereen tamelijk zeker van. De politie controleerde opnamen van verkeerscamera's en alle parkeerbonnen die uitgeschreven waren in de omgeving van het motel, in de periode dat de envelop bij het motel was achtergelaten. Hetzelfde gebeurde met camerabeelden van de pier waar Jennifer in zee was gesprongen en opnamen van beveiligingscamera's bij de plek waar Sherry Petrocelli's auto was uitgebrand. Maar Bentz had weinig hoop dat het iets zou opleveren. De dader die zo onopvallend moorden had gepleegd, wist kennelijk goed hoe ze de camera's moest vermijden.

Een ervaren crimineel?

Of een politieagent?

Hij reed werktuiglijk verder, met beide handen aan het stuur. Het licht van de koplampen van andere auto's scheen telkens in zijn gezicht. Bentz' gedachten tolden rond.

Het moet iemand zijn die een persoonlijke wrok koestert.

Iemand die hiervan geniet.

Jada, de vrouw die zoveel op Jennifer leek, kent de antwoorden. Maar Fernando zou haar niet verraden.

En op dat moment zat Olivia nog altijd opgesloten achter tralies, een gevangene, omdat niemand een spoor kon vinden dat naar haar ontvoerster leidde. Bentz voelde dat zijn wereld instortte. Alles waar hij in geloofd had verkruimelde. Olivia, die hem een zonnige toekomst had gegeven en een beter mens van hem had gemaakt, was nu het slachtoffer van zijn daden.

Hij zag de afrit van de snelweg en sorteerde voor. Hij vroeg zich af of er weer een verontrustende foto van Olivia bij het motel was gebracht.

'Als ze maar in leven blijft,' mompelde hij voor zich uit. Het dashboardlicht bescheen zijn gezicht. Hij keek in het spiegeltje en zag zijn gezicht. Hij leek opeens veel ouder. Opgejaagd. Door de geest van een dode vrouw.

Bentz parkeerde de auto, zette de motor uit en keek weer in het spiegeltje.

Nu zag hij in het spiegeltje iemand achter de auto staan.

Jennifer!

Onmogelijk. Ze zou nu niet verschijnen. Hij draaide zich snel om en keek.

Ze was verdwenen.

Bevend stapte hij uit de auto en bleef daar staan. Hij hoorde de tikkende geluiden van de afkoelende motor in de donkere nacht.

Waar had ze gestaan?
Onder een straatlantaarn?
Bij die ficus?

Hij liep over het stoffige parkeerterrein, verlicht door de knipperende neonreclame van de So-Cal Inn.

Was er beweging achter de struiken?
Rende daar iemand?

Misschien is zij het niet.

Bentz begon te rennen en zijn ogen bleven strak gericht op de gestalte voor hem, een vrouw met donker haar.

Het akelige gevoel kwam in hem op dat hij dit al eerder had meegemaakt. Hij herinnerde zich weer hoe hij het steile pad naar de zee afdaalde, en hoe de vrouw voor hem zich omdraaide en hem een kushand toewierp voor ze in het water sprong. En hij herinnerde zich hoe hij bij de vervallen missiepost van San Juan Capistrano een schim achtervolgde. En eerder op de dag had hij een gedaante gezien bij de begraafplaats.

Wat wil je toch, bitch? Ik weet dat jij Jennifer niet bent. Je bent een bedriegster.

Bentz versnelde zijn pas en rende verder, zich nauwelijks bewust van de verkeerslichten en de passerende auto's. Hij stak over en er werd getoeterd, iemand riep een verwensing. Maar Bentz negeerde het en rende door. Hij negeerde ook de stekende pijn in zijn been. Hij haalde haar langzaam in, maar ze was nog een eind voor hem en ze rende zo hard ze kon.

Weer kwamen een herinnering en een gevoel van déjà vu in hem op. Ergens anders, op een ander tijdstip.

Hij draafde achter Jennifer aan, in het park bij Point Fermin. Hij had haar ingehaald en vastgepakt, buiten adem bij een pergola en daar had hij haar heftig gekust. Ze transpireerden allebei. Haar borsten, onder een dunne blouse, tegen hem aan gedrukt. Hij had haar handen tot boven haar hoofd getild en haar tegen een boomstam geduwd. Hij begon haar uit te kleden, en bedreef in de schaduw de liefde met haar.

Weer kwam een andere herinnering in hem boven. Hij rende achter haar over het strand bij Santa Monica, kort na zonsondergang. De hemel in het westen was vuurrood. Het zeewater spoelde om hun enkels en in de verte draaide het Ferris-reuzenrad.

Dwaas. Hou op! Vergeet haar. Grijp deze vrouw en verjaag

Jennifer voorgoed uit je gedachten. Jij houdt van Olivia. Zij is nu je leven.

Hij zag Jennifer van richting veranderen naar een parkeergarage. Knarsetandend en hijgend rende hij steeds sneller, ondanks de kloppende pijn in zijn been.

Een paar seconden later was hij bij de ingang van de parkeergarage. Er was niemand te zien in het bleke tl-licht. Hij bleef staan en luisterde.

Boven het bonzen van zijn hart uit hoorde hij het geluid van voetstappen op een betonnen trap. Hij keek in het trappenhuis en begon ook naar boven te klimmen. Hij zag haar donkere haar en alsof ze gemerkt had dat hij haar zag, keek ze over de leuning naar beneden met een scheve grijns op haar gezicht. Daarna verdween ze weer uit het zicht.

Was ze op de derde verdieping?

De vierde?

Bentz greep de leuning en hees zichzelf omhoog, hijgend en steunend, zijn huid was overal bezweet. *Niet opgeven. Laat haar niet ontsnappen. Dit is je enige kans.*

Op de derde verdieping van de parkeergarage keek hij rond, maar er was niemand te zien. Er stonden alleen enkele auto's in de vakken.

Weer terug in het trappenhuis rende hij naar boven en luisterde ingespannen. Op de vierde etage meende hij een glimp van haar te zien, aan de verste kant van het gebouw, en hij hoorde ook rennende voetstappen. Hij stormde op het geluid af, om een pilaar heen en zag haar, nog dertig meter voor hem. Ze richtte de afstandsbediening en de lichten van een donkerblauwe SUV knipperden even.

Nee!

Hij mocht haar niet laten ontsnappen.

Ze trok het portier van de auto open en draaide zich om naar Bentz; met een uitdagende grijns wierp ze hem een kushand toe.

'Jennifer!' riep hij.

Op dat moment stapte een man uit de schaduwen en hij hield een pistool op haar hoofd gericht.

Bentz struikelde bijna.

'Politie! Staan blijven!' commandeerde Ruben Montoya. Zijn gezicht leek een grimmig masker, en hij hield het wapen strak op de vrouw gericht. 'Jada Hollister, je bent gearresteerd.'

Zolang de boot nog bewoog was er hoop.

Olivia moest een manier bedenken om te ontsnappen, hoe dan ook.

Er was alleen niets in de kooi wat ze kon gebruiken om uit te breken. De camera was buiten haar bereik, en het enige wat ze buiten de kooi kon aanraken was het fotoalbum met de verbleekte afdrukken en de bloederige vegen. Kennelijk had die psychotische vrouw haar eigen bloed of dat van iemand anders op de foto's uit Bentz' verleden gesmeerd.

Het in kunstleer gebonden album lag wel dichtbij. Als Olivia haar arm uitstrekte door de tralies kon ze de bladzijden omslaan. Haar afgrijzen werd nog sterker toen ze de geschiedenis van Bentz bekeek. Rick als kind, met James, zijn halfbroer. Foto's van de middelbare school: Rick met bokshandschoenen naast een boksbal. Een foto van zijn eindexamen en een foto genomen op de politieacademie. Dan een kiekje van een jongere versie van de vrouw die haar had opgesloten in de kooi, een fletse afdruk van haar met Rick in een bar. Ze hadden glazen en sigaretten in hun handen. Ze keken heel verliefd en ze lachten.

Precies zoals ze gezegd had.

Deze psychopaat en Rick waren geliefden geweest.

Ze was woedend omdat Rick haar kennelijk twee keer gedumpt had.

Voor Jennifer.

Dat had ze wel beweerd, maar deze foto's waren het bewijs. Olivia beet op haar lip en bladerde door de pagina's. Allemaal foto's van Rick met Jennifer, maar ook met andere vrouwen. Die foto's waren vermoedelijk na zijn scheiding genomen. De vrouw was ook weer te zien, maar haar glimlach was niet meer zo vrolijk en vol vertrouwen.

Hoe kon iemand zo geobsedeerd raken?

Olivia kreeg een wee gevoel in haar maag.

Ze bladerde verder en zag de familie weer bij elkaar. En dan... foto's van haar. Van de bruiloft.

Olivia kreeg tranen in haar ogen toen ze zag hoe groot de liefde tussen hen toen was, vastgelegd op deze foto's. De twinkeling in haar ogen, de sexy grijns op Ricks gezicht.

Wat was er toch met hen gebeurd?

Haar hart kromp ineen bij de gedachte aan alles wat ze kwijtraakte. En nu was het te laat. De obsessie van de gestoorde vrouw was niet verdwenen na de dood van Jennifer. Eerder nog heviger geworden, en nu was Olivia haar doelwit. Zoals Jennifer zou Olivia ook sterven door een zorgvuldig uitgedokterd plan dat leidde tot een 'ongeluk'.

Olivia sloot haar ogen en voelde een steek in haar buik.

De pijn was zo fel dat ze inademde tussen haar tanden. O god... Ze wankelde voorover in de kooi en greep de tralies stevig vast. Ze balde haar vuisten om de ijzeren staven tot haar knokkels wit werden.

Ze voelde dat de boot sneller ging varen en door de golven sneed, op weg naar een dodelijke bestemming. Het water klotste tegen de romp.

De pijn werd minder hevig. Olivia hief haar hoofd op en haalde diep adem. Ze moest sterk blijven. Zij en haar baby. Ze moest iets bedenken, een manier vinden om haar leven te redden.

Weer trok een scherpe pijnscheut door haar lijf.

Alsof een mes in haar ingewanden werd omgedraaid.

Ze hapte naar adem.

De baby?

Een miskraam?

Nee! Nee!

Ze probeerde na te denken, zichzelf te beheersen. Ze reageerde te heftig.

Er was niets mis met de baby.

Maar de pijn verminderde niet. Ze keek naar het opengeslagen fotoalbum en voelde weer een vreselijke kramp in haar buik.

Met de baby is alles in orde!

Olivia begon te puffen. Ze blies haar adem in korte pufjes uit, maar de pijnscheuten bleven aanhouden en ze kon amper denken.

In gedachten herhaalde ze telkens weer: *De baby is oké... de baby is in orde...*

Ze klemde haar kaken op elkaar tegen de pijn en om zich te verzetten tegen de vreselijke gedachte dat ze het beginnende leven in haar buik kon verliezen.

En toen voelde ze bloed.

Warm en sijpelend.

Ze bloedde.

'Wat doe jij hier in godsnaam?' vroeg Bentz toen hij de smerige betonnen vloer van de parkeergarage overstak.

'Jou te hulp schieten,' antwoordde Montoya, met zijn dienstwapen strak op de verdachte gericht.

Bentz liep naar de vrouw toe en hij kon amper geloven dat ze zoveel op Jennifer leek. 'Jada...' Ze leek wel sprekend op Jennifer, maar hij kende haar niet. 'Wie ben jij?'

Ze gaf geen antwoord, en daarom zei Montoya: 'Ze heet Jada Hollister, en ze is lerares op het Whitaker Junior College. Ze is amateuractrice. En een vriendin van Fernando Valdez.'

'Dat dacht ik al.' Bentz keek woedend naar de dubbelgangster. Hij moest zich beheersen om haar niet aan te vliegen. 'Waar is Olivia?'

'Wat? Wie?'

'Mijn vrouw. Mijn échte vrouw. Zeg op, waar is ze?'

Ze bleef kalm en onbewogen, de houding die ze altijd aannam. 'Ik heb geen idee.'

Bentz barstte woedend uit. 'Ik laat me niet langer in de maling nemen. Waar is ze?'

'Ik zou het maar aan hem vertellen,' raadde Montoya aan.

Ze plantte haar handen in haar zij. 'Ik weet het niet.'

'Denk goed na,' zei Bentz dreigend.

'Ach, hou toch op,' zei ze bits. 'Dit lijkt wel een dialoog in een slechte cowboyfilm.'

Een auto kwam aanrijden van de hogere verdieping en de bestuurster, een Afro-Amerikaanse vrouw met een fleurige sjaal om om haar hoofd, zag het pistool in Montoya's hand. Ze gaf meteen gas en raasde met haar Mercedes voorbij. Bentz zag dat ze haar mobieltje had gepakt en vermoedelijk al 112 belde.

'De politie is hierheen onderweg,' zei Bentz met ijzig kalme stem. 'En die is vast minder hardhandig als je nu vertelt waar we mijn vrouw kunnen vinden.'

'Maar dat weet ik echt niet,' hield Jada vol. Ze keek de Mercedes fronsend na.

'Jouw naam is Jada Hollister?'

'Ja, inderdaad.'

'En je bent een vriendin van Fernando Valdez?'

'Zo kun je dat noemen.'

'Hij betaalde jou om te doen alsof jij Jennifer was?'

Ze aarzelde en Bentz zei: 'Ik meen het serieus, wat de politie betreft. Jij wordt verdacht van betrokkenheid bij enkele moorden en ook van de ontvoering van mijn vrouw. Als je nu niet de waarheid vertelt, dan zal ik er persoonlijk voor zorgen dat jij de rest van je leven in een cel doorbrengt.'

'Onzin! Ik heb niets gedaan!'

'Heus? Ik zie het anders: jij en Fernando werken samen en jullie verdwijnen allebei in de gevangenis.'

Jada keek van Bentz naar Montoya en toen naar het vuurwapen dat nog steeds op haar gericht was. 'Ach, shit,' zei ze, bijtend op haar onderlip, duidelijk twijfelend wat ze moest doen.

'Het wordt veel eenvoudiger als je ons over jouw vriend vertelt,' drong Montoya aan.

'Vriend? Fernando?'

'Hij is het meesterbrein achter deze zaak.'

Ze lachte schamper. 'Hij is veel te dom. Hij zou zich nog niet kunnen bevrijden uit een papieren zak. Nee, hij zit hier niet achter.'

'Wie dan wel?'

Haar ogen vernauwden zich even. Berekenend. Ze slaakte een diepe zucht. 'Het was iemand die hij kende, nou goed? Een vrouw.'

'Wie is die vrouw?' vroeg Bentz snel.

Jada keek naar Montoya en het wapen dat hij op haar gericht hield. 'Doe dat ding nu maar weg.'

Montoya deed het pistool in de holster en pakte de sleutels die Jada nog in haar hand hield af.

'Iemand heeft jou ingehuurd om mij gek te maken,' zei Bentz.

'Dat kan best.' Ze haalde haar schouders op.

'Dus jij weet wie dat is?' Bentz wilde de waarheid wel uit haar schudden. 'Hoor eens, jij hebt een groot probleem. Er zijn mensen vermoord.' Hij haalde met een woeste beweging de foto van Olivia, doodsbang in de kooi, tevoorschijn en hield die onder Jada's neus. 'Dat is mijn vrouw. En ze wordt vermist. Jouw vriendin, de persoon die jou heeft ingehuurd, heeft haar ontvoerd.' Bentz' stem trilde van woede en de foto in zijn hand beefde.

'Ze is geen vriendin van mij.' Jada's gezicht werd bleker toen ze de foto bekeek. En ze trok een grimas toen ze de angst in Olivia's ogen en de rauwe huid om haar mond zag.

'We hebben nog meer foto's,' zei Bentz. Zijn stem klonk langzaam en dreigend. 'Foto's van de slachtoffers. Misschien wil je zien hoe Shana McIntyre in haar zwembad lag, of Lorraine Newell met schotwonden, of anders Fortuna Esperanzo...'

'Hou op!' Tranen sprongen in Jada's ogen. 'Ik weet niets over die moorden, ja? Ik bedoel... ik kreeg wel te maken met die rare vrouw. Ze wilde dat ik een rol speelde, als actrice. Dat is alles. Ze zei dat ik mijn haar donker moest verven en krullen, dat ik met groene contactlenzen en opvulling in mijn wangen sprekend zou lijken op die Jennifer.' Om haar woorden kracht bij te zetten deed ze de contactlenzen uit. Haar ogen waren nu fletsblauw. Daarna haalde ze de opvulling uit haar wangen en haar gezicht veranderde nog meer. 'Ze gaf me ook een flesje parfum en ze wilde dat ik het gebruikte... Dat deed ik ook. Jullie moeten me geloven. Ik wilde helemaal niet dat iemand kwaad werd gedaan.'

'Dat zal wel.'

'Echt waar! Ze zei dat het alleen een grote grap was. Ze wilde een oude vriend laten schrikken. En ze betaalde me veel geld.'

'Hoeveel?'

'Vijfentwintigduizend dollar. En vijfduizend extra als ik ook in zee zou springen bij Devil's Caldron. Ze stelde dat voor toen ze hoorde dat ik vroeger aan schoonspringen heb gedaan.'

'Dertigduizend dollar!' brieste Bentz vol afgrijzen. 'Dat is dus bijna achtduizend per slachtoffer?'

'Ik heb je al gezegd dat ik niets weet van mensen die vermoord werden.' Opeens keek ze ernstig, toen ze eindelijk besefte hoe ongelukkig haar situatie was. 'Ik wilde ermee ophouden, maar dat mocht niet van haar. Ik geloofde echt dat het allemaal een grap was. En ik dacht dat het ook goed voor mijn carrière als actrice zou zijn. Ze gaf mij de teksten die ik moest uitspreken en ze gaf instructies via de telefoon. En ik mocht een paar keer op haar kosten naar New Orleans reizen. Ze vond het vooral belangrijk dat ik niet opgepakt werd. Maar dat is nu mislukt.' Ze keek beteuterd naar de olievlekken op de betonnen vloer. Bentz dacht dat ze het erger vond dat ze nu minder geld kreeg dan dat het mensenlevens had gekost.

'Wie is die vrouw?' wilde hij weten. 'Wie heeft jou ingehuurd?'

'Ik weet het niet. Ik heb haar nooit gezien. We hadden alleen telefonisch contact.'

'En hoe werd je betaald?'

'Contant...' gaf Jada schoorvoetend toe. 'Ze beweerde dat ze jarenlang gespaard had. Ze liet het geld voor me achter in een kastje in het fitnesscentrum, in Santa Monica. Dicht bij Third Street Promenade.'

'Dus je hebt het geld al gekregen?'

'Een deel. Maar vijfduizend, omdat ik de huur moest betalen.' Ze zweeg en leek eindelijk te beseffen hoe ernstig de situatie was.

'Ik wil het adres van dat fitnesscentrum waar het geld werd achtergelaten. Heb je daar een abonnement?'

'Ja. Ik moest in goede conditie zijn. En ook goed kunnen zwemmen.'

Bentz wilde de egoïstische vrouw voor hem naar de keel vliegen, maar hij wist zich te beheersen en besefte dat hij Olivia moest redden.

'En die teksten moeten we ook hebben,' zei Montoya.

'Ja, ja.'

'Wat heeft Fernando met deze zaak te maken?' vroeg Montoya.

'Niets,' antwoordde Jada schouderophalend. 'Ik moest contact met hem leggen, hem beter leren kennen en dingen voor mij laten doen.'

'Zoals zijn auto lenen?'

Jada rolde zuchtend met haar ogen.

'Dat was een rookgordijn,' zei Bentz, 'zodat ik in de verkeerde richting zocht.'

Jada knikte. 'Dat denk ik wel. Ze wilde ook niet dat ik met de politie te maken kreeg. En ik moest uit de buurt blijven van iemand die Hayes heet.'

'Hayes?' herhaalde Bentz, en de adem stokte in zijn keel.

'Ja, ik dacht dat hij met haar samenwerkte.'

Jonas Hayes? Een omgekochte politieman?

'Geloof jij dat?' vroeg Montoya, alsof hij Bentz' gedachten kon lezen.

Bentz schudde zijn hoofd. 'Nee. Dat is onmogelijk.'

'Ik zeg alleen wat ik weet,' zei Jada, alsof het haar verder niets kon schelen. Haar koppige houding was weer terug. 'Ze zei zoiets, ik weet niet wanneer, toen ik vroeg wat er eigenlijk aan de hand was. Ze zei dat ik me niet druk moest maken, dat Jonas het wel zou regelen, of haar erover vertellen.'

'Slaapkamergesprekken?' veronderstelde Bentz met akelige zekerheid.

'Weet ik niet,' zei Jada. 'Misschien wel.'

Bentz wist wel beter. Hij had al eerder het vermoeden dat iemand van de politie hierbij betrokken was. En als die ook toegang had tot de dossiers van de recherche, iemand die in Parker Center werkte, dan kon de dader via Hayes te weten komen hoe het onderzoek vorderde. En de dader kon hen dan altijd een stap voor blijven.

Iemand als Corrine O'Donnell.

Bentz had haar twee keer gedumpt. Voor Jennifer. Bentz' maag kromp ineen. Hij wilde dit niet geloven. Opeens herinnerde hij zich weer de overdreven bezorgde glimlach en bemoedigende woorden toen hij bij Vermiste Personen aangifte deed van Olivia's verdwijning. Hoe kon hem dat ontgaan zijn? Corrine had een relatie met Jonas, en hij was de contactpersoon voor Bentz bij het LAPD.

Dat verklaarde hoe Jada altijd van tevoren wist wat Bentz' volgende stap zou zijn. Bentz' keel werd droog toen hij zich in gedachten de afgelopen week voor de geest haalde: de beelden van dode vrouwen, de achtervolgingen met de auto en de verschijningen van 'Jennifer'.

Was dit echt mogelijk?

Was Corrine de kwade genius in deze zaak?

En Hayes... Grote god, wat was zijn rol hierbij?

Jonas Hayes had precies geweten wat Bentz deed, en hij had erop aangedrongen dat alles volgens de regels moest gebeuren. Het geloei van sirenes klonk in de nacht, weergalmend in de parkeergarage. Bentz was meteen weer terug in het heden. De politie was in aantocht. 'Je moet niet proberen mij in de maling te nemen,' waarschuwde hij Jada.

'Ik wil alleen mijn geld.' Ze keek afwachtend naar hem.

Montoya keek haar vernietigend aan. 'Nou, daar zou ik maar niet op rekenen. Ik zou wel Brad Pitt willen zijn, maar sommige dingen gebeuren toch niet.'

Haar lip krulde. 'Ja, jammer van die Brad Pitt-wens,' zei ze. Bentz zag haar snel nadenken. 'En trouwens, ik wil mijn advocaat spreken. Ik zeg niets meer voordat we een deal hebben.'

***

Martinez bleef staan voor Hayes' bureau en gaf hem vergrotingen van de foto van Olivia. 'Dit zijn afdrukken van wat het lab heeft gedaan.'

Technisch onderzoekers in het lab hadden de foto uitvergroot en scherper gemaakt, in een poging elk detail zichtbaar te maken, ook wat eerst niet te zien was.

'Ze hebben dit ook via e-mail naar je verstuurd.'

'Ja, die had ik al.' Hayes was duidelijk doodmoe. Hij vergeleek de afdrukken met de beelden op het computerscherm.

'Dit is duidelijk het interieur van een boot,' zei Martinez. Ze wees naar een hoek van de foto. 'Dat zijn reddingsvesten. En kijk eens naar de gebogen lijnen van de wanden.' Ze wees naar een detail op een andere afdruk. 'In het lab denken ze dat dit het uiteinde van een roeispaan is.'

'Een boot. Dus Olivia wordt ergens op het water gevangengehouden?' Jonas raakte de strik van zijn stropdas aan en dacht na. 'Waarschijnlijk in een jachthaven, of bij een privésteiger. Of in een droogdok?' Hij bekeek de vergrotingen aandachtig, zoekend naar meer details.

'Misschien op open zee.'

'Verdomme.' Er was iets wat hem hinderde aan de vergroting.

'We kunnen een zoekactie op touw zetten, met de kustwacht,' opperde Martinez. Ze wees op een andere afdruk. 'In het lab hebben ze een foto digitaal bewerkt en dan wordt iets zichtbaar wat met het blote oog niet te zien is. Ze denken dat het de naam van die boot is. Die letters staan op een reddingsvest. De laatste letters zijn *n, n, e.*'

Hayes sloot even zijn ogen en keek toen weer. Martinez had gelijk. Het leek inderdaad een reddingsvest, met daarop de letters *n, n, e,* vaag zichtbaar.

Waren dat de laatste letters van de scheepsnaam?

Hij knipperde weer met zijn ogen, en bestudeerde de foto weer aandachtig.

Nee toch.

Dat kon niet.

De boot kwam hem opeens heel bekend voor.

Hij had die reddingsvesten eerder gezien, en die roeiriemen. Hij kreeg het ijskoud... Nee, dat was onmogelijk. En toch lag het bewijs voor hem op zijn bureau. Die letters op dat reddingsvest waren de laatste letters van Merry Anne, de boot waarmee hij en Corinne een paar keer gevaren hadden...

Paniek kwam in hem op toen hij dacht aan alle afgezegde afspraakjes, de telefoontjes vanaf de vreemdste plaatsen, de verhitte seks zonder echte affectie, de vragen over zijn werk en haar intense belangstelling voor recherchewerk.

'Het is inderdaad een boot,' zei hij en dat besef sneed door zijn ziel. Hoe kon hij zo dom zijn geweest? Zo verblind? 'Dat is de Merry Anne. Die boot is vernoemd naar de moeder van Corrine O'Donnell.'

'Corrine?' herhaalde Martinez, en ze keek hem vragend aan. 'Maar zij...'

'Ze is mijn vriendin, ik weet het.' Hayes kreeg een bittere smaak in zijn mond.

'Ik wilde zeggen dat ze een politieagente is.'

'En dat maakt het nog erger. Zij is de moordenaar, Martinez. En zij houdt Olivia Bentz gevangen in het ruim van die ellendige boot.' Hij keek haar even indringend aan en pakte toen de telefoon. 'Ik zal de jachthaven bellen, om te vragen of de boot daar ligt.'

'En als dat niet zo is?'

Hayes wilde er niet aan denken hoe ver Corrine, die goed kon varen, al op open zee zou zijn.

'Dan waarschuwen we de kustwacht.'

Hoofdstuk 39

'Ik denk dat je twee mogelijkheden hebt,' zei Montoya. Hij volgde de zwaailichten van de politieauto waarmee Jada Hollister naar Parker Center werd gebracht. 'Eén: je zegt meteen tegen Hayes dat zijn vriendin een gevaarlijke moordenares is. Of twee: je houdt hem erbuiten en zegt tegen iemand anders bij de sectie wat er aan de hand is, voor het geval Hayes er inderdaad bij betrokken is.'

Bentz tikte met zijn vinger op de rand onder het raam van Montoya's gehuurde Mustang. 'Mijn gevoel zegt me dat Hayes geen medeplichtige is. Hoe zou dat kunnen? Hij heeft zoveel uren met mij doorgebracht om deze zaak op te lossen. Iemand kan niet op twee plaatsen tegelijk zijn.'

'Ga dan maar op je gevoel af.' Montoya knikte instemmend en nam een bocht wat te scherp, met piepende banden. Hij minderde even vaart maar gaf meteen weer gas toen ze de snelweg opreden. 'Tot nu toe werkte dat goed. Maar we moeten wel snel zijn om die Corrine te pakken. Als zij degene is die Olivia gevangenhoudt, dan moeten we haar meteen vinden.'

Bentz knikte. In gedachten bleef hij het gezicht van zijn vrouw zien, angstig kijkend achter de tralies. En dat was allemaal zijn schuld.

Hou vol, wenste hij haar toe. *Blijf sterk, want we komen eraan.*

'Wat ik echt ongelooflijk vind is dat een collega dit allemaal beraamd heeft,' zei Montoya, voor zich uit starend naar de donkere weg. 'Iemand binnen de afdeling. Dat zal hard aankomen.'

Een collega. Dat was voor Bentz ook onverdraaglijk. Een vrouw om wie hij ooit gegeven had, met wie hij de liefde had bedreven. Corrine. Zij was verantwoordelijk voor de doden en de ellende. Ze had Olivia ontvoerd en zou haar ongetwijfeld vermoorden. Als dat niet al gebeurd was.

Bentz wilde niets meer volgens het boekje doen.

Ze zouden de politieauto tot Parker Center volgen en dan meteen alarm slaan, zodat elke agent die beschikbaar was mee kon helpen Corrine O'Donnell op te sporen.

'We krijgen haar wel,' zei Montoya. Zijn gezicht was grimmig in de gloed van het dashboard. 'We vinden Olivia en we spijkeren O'Donnells huid aan de muur.'

Niet terugdeinzen.

Geen excuses.

Geen medelijden als ze haar politiebadge toonde.

En als Hayes erbij betrokken was, dan zou hij ook hangen.

Bentz trommelde nerveus met zijn vingers en bleef strak voor zich uit kijken. Ze raasden over de snelweg.

Zijn mobieltje ging over, en hij keek snel naar het scherm: Jonas Hayes belde hem.

'Het is Hayes,' zei hij tegen Montoya, zich schrap zettend voor een waterval aan leugens. Als Hayes werkelijk medeplichtig was...

Naast hem klemde Montoya het stuur nog steviger vast.

Hij schraapte zijn keel. 'Met Bentz.'

'Hoor eens, man, ik weet waar Olivia is,' zei Hayes, en zijn stem klonk vreemd beheerst, alsof hij moeite had zijn woede te bedwingen.

'Waar dan?' vroeg Bentz, en hij wisselde een blik met Montoya.

'Olivia zit gevangen op een boot. Dat heeft het lab vastgesteld met die foto's. O, en er is meer... Ik heb de naam van die boot herkend aan de reddingsvesten.'

'Je meent het?'

'Het is de Merry Anne... Die boot was eigendom van Corrines vader. Zij heeft de boot geërfd.'

'Je bedoelt O'Donnell?' vroeg Bentz op zijn hoede, al wist hij het antwoord. Hij wilde het hele verhaal van Hayes horen, zodat er geen misverstand was. 'Dus Corrine O'Donnell houdt Olivia ergens in een boot gevangen?'

'Shit, Bentz, ik kan het zelf amper geloven. Maar ze heeft me wel vaker voor de gek gehouden. Hoe dan ook, ik ben nu onderweg naar de jachthaven. Maar ze schijnt ons een stap voor te zijn, want volgens de havenmeester ligt de Merry Anne niet op haar vaste plek afgemeerd.'

'Waar is die haven?' vroeg Bentz en Hayes gaf aanwijzingen die Bentz hardop herhaalde en hij toetste het adres in de TomTom. 'Weet je zeker dat het Corrine is?'

'Ja, Corrine is het brein. En verdomme... Ik denk dat ik haar ongewild informatie heb doorgegeven. Je weet hoe dat gaat: collega's onder elkaar. Ik heb geen moment gedacht dat...' Hayes verloor zijn beheersing. 'Ze heeft mensen vermoord! Mensen die ze als haar vriendinnen beschouwde.'

Bentz voelde zijn kaakspieren verstrakken. 'Daar lijkt het wel op, ja.'

'Shit.' Het bleef even stil. Hayes herstelde zich. 'Ik heb de kustwacht gewaarschuwd. Ze kijken uit naar haar, maar Corrine weet hoe ze met die boot moet varen. Ze kan al een eind op weg zijn naar Mexico.'

'En Olivia kan al dood zijn.'

Hayes zweeg even. 'Ja,' beaamde hij, en spijt klonk door in zijn stem. 'Jezus, Bentz, ik weet niet wat ik moet...'

'We zien elkaar in de jachthaven,' zei Bentz kortaf.

'Ik ben al onderweg. En ik heb versterking aangevraagd. Er ligt een boot voor ons klaar in de haven.'

Montoya gaf meer gas en volgde de aanwijzingen van de TomTom in westelijke richting naar de kust, al kende Bentz de route.

Naar Olivia.

Olivia voelde verandering.

De scheepsmotor draaide langzamer.

De adem stokte in haar keel. Dit was het.

De motor werd uitgezet en het grote vaartuig kwam langzaam tot stilstand. Het was even doodstil in het ruim, zachtjes en onheilspellend deinde de boot op de golven. Toen hoorde ze weer de krakende geluiden van de boot op de uitgestrekte oceaan.

Hoe ver waren ze uit de kust?

Olivia beet op haar lip en luisterde. Niemand wist waar ze was. Niemand zou haar ooit vinden, opgesloten in het ruim. Olivia voelde zich eenzamer dan ooit eerder in haar leven.

De pijnlijke krampen waren minder hevig, maar af en toe voelde ze weer een steek. Ze werkte zich omhoog in de kooi. Ze wist dat ze moest vechten.

Op de een of andere manier...

Niet opgeven! Hou vol!

Vechtend tegen de angst probeerde Olivia helder te blijven. Ze wilde er niet aan denken dat ze nog steeds bloedde. Het was vast een miskraam, al had ze zo vurig naar een baby verlangd.

Ze ging rechtop zitten toen ze het ratelende geluid van een ketting hoorde. Haar ontvoerster gooide het anker uit.

Even kon Olivia zich niet verroeren.

Dit was de plek, ergens voor de kust van Californië, waar ze vermoord zou worden. Een trage en martelende verdrinkingsdood.

Denk na, Olivia. Je bent nog niet dood!

Olivia beredeneerde dat de boot niet erg ver uit de kust kon zijn, als de moordenares wilde dat haar lichaam en de camera intact gevonden werden.

De vrouw had alles heel precies gepland, en deze plek zorgvuldig uitgekozen. Ze had zich al jaren verheugd op dit moment, en gefantaseerd hoe Olivia zou sterven.

Olivia vermande zich. Ze zou niet zonder verzet ten onder gaan. Wat zei oma Gin altijd, toen Olivia nog een klein meisje was?

Zolang er leven is, is er hoop.

En Olivia was niet dood.

Nog niet.

Er moest een manier zijn om die gestoorde maniak te slim af te zijn. Misschien door te veinzen dat haar geestkracht gebroken was, dat de moordenaar 'gewonnen' had, en daardoor overmoedig zou worden en fouten maken.

Echt? Dacht jij dat die duivelse vrouw, die al twaalf jaar naar dit moment toe werkt, nu fouten zal maken? Echt niet. Je moet het zelf doen. Niemand zal je daarbij helpen.

Olivia besefte dat ze de maniak psychologisch moest verslaan.

En snel ook. De tijd raakte op. De boot zou spoedig zinken, dat was het plan. Olivia kon zich geen vreselijker doodsstrijd voorstellen, als het kille zeewater naar binnen stroomde en ze moest watertrappen in de kooi, wetend dat ze daar opgesloten zat zonder een kans te ontsnappen.

Haar hart ging als een bezetene tekeer en het koude zweet brak haar uit, terwijl ze weer vertwijfeld zocht naar een ontsnappingsmogelijkheid.

Kalm blijven. Niet in paniek raken. Ze wil juist dat je in paniek raakt. Daar rekent ze op. Haal diep adem en tel tot tien. Probeer dan nuchter na te denken.

Aan dek was de vrouw bezig met de uitvoering van haar plan. Olivia moest snel iets doen.

Olivia haalde bevend adem en probeerde haar angst te beheersen.

Die vrouw wilde dat Olivia voor de camera miserabel was, zodat Bentz later kon zien hoe ellendig zijn vrouw was bezweken. Het doel leek Bentz de rest van zijn leven te kwellen: eerst door Jennifer uit de dood te laten verrijzen, en daarna door Olivia op een wrede manier te vermoorden.

Dat was haar doel.

Controle.

Angst.

Om te verhinderen dat het plan succes had moest Olivia in actie komen. Dan kon Bentz niet de genadeslag krijgen.

Het antwoord was eenvoudig: ze moest de filmopname verstoren.

Maar hoe?

Als ze een van de roeiriemen kon bemachtigen, dan kon ze de camera omvergooien en haar cipier aanvallen. Maar dat was onmogelijk. Olivia had al geprobeerd haar arm zo ver mogelijk tussen de tralies door te strekken, maar zonder resultaat. Het statief was ook buiten haar bereik.

Ze kon alleen gebruikmaken van de dingen die in of vlak bij de kooi lagen: een emmer, een waterkan en het fotoalbum.

Ze probeerde water uit de kan naar de camera te gooien, maar het water spatte vooral over haar handen en polsen. Het rode lampje op de camera bleef branden. Ze probeerde de plastic kan tussen de tralies door te duwen, maar zelfs als ze de zijkanten samendrukte bleek dat onmogelijk.

Vastberaden het niet op te geven keek Olivia nog een keer om zich heen tot haar blik op het fotoalbum gericht bleef. Het album had een kunstleren omslag en het was gevuld met foto's en teksten. Te dik om door de tralies in de kooi te trekken.

Maar ze kon wel pagina's uit het album scheuren en die op de een of andere manier gebruiken. Olivia stak haar arm weer door de tralies en met bonzend hart en tollende gedachten probeerde ze het album te pakken. Haar vingers streken langs het omslag. Ze drukte haar schouder nog steviger tegen de tralies. Met een vingertop bereikte ze het album en ze probeerde het zware boek dichterbij te trekken. Haar vinger was glad van het zweet en gleed weg. Ze voelde weer een pijnscheut in haar ingewanden en trok een grimas.

'Verdomme...' vloekte ze hardop. Vastbesloten het niet op te geven strekte ze haar hand weer zo ver mogelijk uit. Het lukte haar het album een centimeter dichter bij de kooi te trekken. Op dat moment hoorde ze voetstappen op het dek boven haar. Er werden dingen verplaatst. Alles werd gereedgemaakt om de boot te laten zinken. Zodat Olivia en haar baby zouden verdrinken.

Nee! Olivia liet zich niet afleiden van haar wanhopige pogingen. Ze negeerde de krampen in haar buik die haar herinnerden aan het kwetsbare leven dat in haar groeide.

'Sterk zijn,' zei ze, zonder te weten of ze tegen zichzelf sprak of tegen haar ongeboren kind. Eindelijk was het album dicht bij de kooi. Met beide handen trok ze de pagina's uit de band.

Haar haastig bedachte plan moest lukken!

Het móést.

Voor haar.

Voor Bentz.

Voor de baby.

***

Montoya trapte op de rem en de Mustang kwam met piepende banden schuddend tot stilstand bij de jachthaven. Nog voordat de auto helemaal gestopt was sprong Bentz eruit en hij begon te rennen. De pijnscheuten in zijn been herinnerden hem eraan dat hij het al eerder geforceerd had.

Het kon hem niet schelen. Hij rende naar de kade en sprong aan boord van de boot van de kustwacht. Montoya volgde hem op de voet. De schipper liet meteen de trossen losgooien en even later voer de boot langzaam de haven uit, naar open zee.

Opschieten! Sneller!

Bentz was bezorgd. Zijn ogen tuurden naar de verlaten oceaan. Hoe konden ze Olivia ooit vinden? Hij drukte zijn angst weg en hield zichzelf voor dat er genoeg tijd was. Maar hij voelde zijn hart snel bonken en hij zweette.

Zodra ze uit de haven waren gaf de schipper meer gas en de boot schoot naar voren.

Achter hem waren de heldere lichtjes op het land te zien, vrolijk weerspiegeld op het water, en langzaam verdwijnend toen ze steeds verder op zee waren.

De boot sneed door de golven en Bentz voelde het zilte buiswater en de wind op zijn gezicht. Hij tuurde onophoudelijk speurend in de duisternis, in stilte biddend dat Olivia nog leefde. Dat ze veilig was. En dat ze nog genoeg tijd hadden.

Montoya en Hayes probeerden met elkaar te praten, boven het geraas van de motoren en het water uit.

Ze bepaalden de zoekstrategie.

Maar Bentz kon alleen aan Olivia denken, en aan wat ze nu moest doorstaan. Hij voelde zich machteloos. Met al zijn training en ervaring als politieman kon hij haar nu niet redden.

Zijn handen lagen op de reling. *Hou vol,* dacht hij. *O, Livvie, hou vol.*

Bij elk geluid boven haar, een voetstap, het schrapen van een stoel die verschoven werd, of het geratel van een ketting, schrok Olivia. 'Concentreer je,' vermaande ze zichzelf. 'Blijf je concentreren.'

Maar er was iets veranderd, iets met de motoren. Ze hoorde een ander geluid. En toen zag ze het. Water stroomde over de bodem, en de bladzijden van het album werden nat. Olivia werd misselijk bij de gedachte dat ze zou verdrinken.

Waar kwam dat water vandaan? Kon ze het lek stoppen? O god, waar was ergens een gat in de romp? Ze speurde naar de vloer, maar nergens was een gat in de scheepswand of een gesprongen naad. Ze kon niets doen om het onvermijdelijke tegen te houden. Het duivelse plan van het geschifte wijf werd al werkelijkheid. Olivia had geen andere keus dan te hopen dat ze met haar plan de dodelijke bedoeling van de vrouw kon verstoren.

Ze rukte de laatste pagina's uit het album en trok alles in de kooi. Ze scheurde het plastic van de kartonnen albumbladen. De bebloede foto's van Bentz vielen op de natte vloer. Olivia vouwde een stuk karton op en ze strekte haar arm zo ver mogelijk tussen de tralies door. Ze mepte naar de camera, en ze kon het apparaat raken.

Bam!

De camera bleef onbeweeglijk staan.

Nog een keer sloeg ze met het karton.

Er gebeurde niets. Het rode lichtje op de camera bleef branden en de lens bleef op haar gericht. Elke beweging werd vastgelegd. Olivia vloekte en sloeg weer naar het apparaat.

Weer raak.

De camera bleef staan.

Er stroomde steeds meer water over de vloer. Haar voeten werden nat en koud. Ze slikte moeizaam. Hoe lang zou het duren voordat de boot onder water verdween?

Een uur?

Twee?

Of duurde het minder lang?

Olivia haalde diep adem en probeerde kalm te blijven.

Nog een keer sloeg ze naar de camera. Ze raakte het apparaat weer, maar er gebeurde niets.

Ze keek naar het statief.

Kom op, Olivia, je kunt wel meer. En schiet op, want er is geen tijd.

De poten van het statief waren met klemmen aan de vloer vastgemaakt, maar misschien waren er zwakke plekken bij de draaipunten.

Er was maar één manier om dat te ontdekken.

Telkens weer sloeg ze met de opgevouwen kartonnen pagina's naar de voorste poot van het statief, terwijl het water voortdurend steeg. Ze pakte het omslag van het album, dat van steviger materiaal was gemaakt.

Ze sloeg wanhopig naar de camera, en stopte om te luisteren of ze kon horen wat de vrouw aan dek deed. Maar ze hoorde alleen het kraken van de boot, die langzaam maar zeker schever hing en steeds dieper zonk. Het water klotste al om haar schenen.

De boot zonk naar de diepte.

Vecht, Olivia! Blijf vechten!

In doodsangst sloeg Olivia met al haar kracht tegen een poot van het statief. Haar vingers klemden het geïmproviseerde wapen stevig vast.

Boven haar hoofd werd het stil.

Geen voetstappen. Geen schrapend metalig geluid. Alleen het ruisen van binnenstromend water. Olivia klappertandde, haar vingers werden gevoelloos en haar angst groeide.

Geef me kracht, bad ze in stilte. *Alsjeblieft.*

Toen klonken er voetstappen. Snel en driftig.

Olivia verstarde. Ze hield het albumomslag omhoog voor een laatste poging. Het water stond al tot aan haar knieën. Haar hartslag bonkte in haar hoofd en al haar zintuigen waren gespitst. Ze luisterde scherp. Weer voetstappen. Ze keek naar de trap toen de deur boven werd geopend.

'Wat gebeurt hier?' schreeuwde de vrouw. 'Wat is dat voor gebonk?'

De voetstappen daalden de traptreden af.

Nee!

Olivia was nog niet klaar.

Ze haalde weer uit naar het statief en raakte het hard terwijl de vrouw naar beneden kwam.

De camera wankelde.

Olivia mepte nog een keer naar de poten.

Het statief viel om en de camera viel in het water.

'Hé! Wat heeft dit te betekenen?' riep de vrouw woedend. 'Jij ellendige hoer! Hou op!' De vrouw waadde door het zoute water om de zinkende camera te grijpen.

Olivia liet zich op haar knieën vallen. Ze stak haar handen door de tralies en graaide naar de camera. Het apparaat dreef weg. Olivia probeerde met haar handen het water naar zich toe te scheppen, zodat de camera dichterbij zou komen.

'Hé!' schreeuwde de vrouw weer. 'Niet doen! Wat denk je wel?' Ze kwam met een grote stap naar de kooi.

Olivia kon de handgreep pakken en ze trok de camera tussen de tralies door. Het apparaat stootte tegen de ijzeren staven, en ze liet het ding bijna los.

De vrouw kwam met een sprong dichterbij.

Olivia hapte zout water, ze draaide de camera zodat het apparaat tussen de tralies door kon. Hoestend en proestend in het koude water richtte ze de lens op de vrouw die haar ontvoerd had en nu tot haar knieën in het water stond.

'Geef terug!'

Olivia zag dat het rode lampje op de camera nog altijd brandde en bleef filmen.

'Geef die camera nu meteen terug!' herhaalde de vrouw woedend.

'Kom maar halen.' Zelfs al had de vrouw een pistool getrokken of weer met de Taser gedreigd, dan nog zou Olivia haar buit niet hebben afgegeven.

De vrouw raakte door het dolle heen. 'Ik zei toch...' Toen zag ze opeens de albumbladen in de kooi op het water drijven. Haar ogen werden groot van afgrijzen. 'Je hebt mijn album verscheurd!' Ze begon de losse bladen te verzamelen. 'Dit is niet... Zo moet het niet...' Ze pakte elk blad op en schudde het water eraf. 'Jezus christus, wat mankeert jou? Ze zag dat verder weg in de kooi nog meer bladen dreven; losse foto's en de met bloed besmeurde plastic hoezen.

'Nee!' riep ze uit, zoekend naar haar sleutelbos. Wanhopig wilde ze de resten van het doorweekte en vernielde album redden. 'Je hebt het helemaal verpest! De vrouw leek opeens te beseffen dat ze gefilmd werd en dat alles wat ze deed werd opgenomen.

'Geef die camera nu terug!'

Huiverend hield Olivia de lens op haar kwelgeest gericht. 'Je wilt de camera? Kom maar halen.'

'Daar is ze!' riep de schipper boven het geraas van de motoren uit. De kustwachtboot stoof over het donkere water en liet een wit kielzog achter.

'O, shit, die boot zinkt.'

Bentz tuurde in de aangewezen richting en hij zag de Merry Anne in het felle schijnsel van een zoeklicht.

Zijn adem stokte toen hij zag dat de schipper gelijk had: de boot helde sterk over en zonk naar de diepte.

'Nee,' fluisterde hij voor zich uit. 'O god, nee...' Ondanks de protesten van de anderen had hij een wetsuit aangetrokken en wilde hij aan boord klauteren. Maar de schipper bleef op te grote afstand. 'Vaar langszij!' riep Bentz.

'Nee. Dit kunnen we beter aan de autoriteiten overlaten.' Reddingswerkers probeerden al aan boord van de kleinere boot te klimmen. 'We moeten afwachten.'

'Schiet op! Vaar langszij!' drong Bentz aan.

De patrouilleboot van de kustwacht manoeuvreerde langszij de zinkende Merry Anne. 'Bentz, dit moet je echt aan de professionals overlaten,' waarschuwde Hayes. Ze waren nog enkele meters van de Merry Anne verwijderd. 'Je zit alleen maar in de weg.'

'Ik ben een professional,' bracht Bentz hem in herinnering. 'En het is verdomme mijn vrouw!' Hij klom over de reling. Bentz zag vanuit zijn ooghoeken dat Hayes toeschoot om hem tegen te houden, maar Montoya greep zijn arm. 'Laat hem gaan.'

Bentz keek naar de boot, die nu veel groter leek. Vier meter... drie meter. Een seconde later sprong Bentz.

Het plan van de moordenares viel in duigen.

De kostbare foto's dreven op het stijgende water, en ze probeerde vertwijfeld de afdrukken te verzamelen. 'Nee, nee!' jammerde ze, haar gevangene vergetend. 'Al mijn werk... Al die jaren... O, jezus, dit kan toch niet waar zijn. Mijn foto's!' Ze leek bijna in tranen uit te barsten. Het water stond al tot haar middel. Olivia huiverde van kou en voelde weer pijnscheuten, maar ze bleef filmen. Plastic mappen dreven voorbij, foto's krulden om in het zoute water. Olivia werd door het kantelen van de boot tegen de tralies gedrukt. Over enkele minuten zou het voorbij zijn. Ze moest die sleutels bemachtigen.

Olivia dacht dat ze een geluid hoorde: een doffe dreun. Brak de boot in stukken?

De vrouw hoorde het ook en ze leek opeens weer te beseffen dat ze gefilmd werd.

'Geef mij die camera terug!'

'Ik zei toch: kom maar halen!' Olivia zette zich schrap, gesteund door de ijzeren staven achter haar rug. Ze bleef de camera op het gezicht van de vrouw richten. Het water was nu tot haar middel gestegen en belemmerde haar bewegingen.

'Verdomme!' vloekte de vrouw en ze klemde de foto's in haar ene hand, terwijl ze met de andere hand morrelde met de sleutels.

'Wie ben jij?' vroeg Olivia. 'Je kunt wel eens je naam noemen voor de kijkers, zodat ze weten aan wie ze dit te danken hebben. Laat me eens raden: is het Dawn?' gokte Olivia, want ze herinnerde zich dat Bentz ooit had gezegd dat hij iets had met een agente die zo heette.

'Hou op!'

'Of ben jij soms Bonita? Nou?'

'Die bitch? Echt niet!' snoof de vrouw verachtelijk. 'Bentz zal mij heus wel genoemd hebben.'

'Ik dacht het niet.'

Weer een doffe dreun. O god, de boot viel uit elkaar...

'Vast wel. Corrine. Ja toch?'

Olivia schudde haar hoofd. Was deze vrouw Corrine O'Donnell? Die naam had ze wel vaker gehoord, maar ze gunde haar kwelgeest die voldoening niet. De boot kraakte en kreunde vervaarlijk.

'Corrine. Ik werkte met hem samen. Ik ging met hem uit. Jezus, we sliepen samen en... Hij hield van mij. We hadden twee keer een relatie, en we woonden eigenlijk samen. Maar beide keren liet hij mij in de steek voor Jennifer...' Haar stem stierf weg. 'Mannen laten je altijd in de steek, weet je. Allemaal, maar Bentz... Ik was dom genoeg om hem een tweede keer te vertrouwen, en toch liet hij me alleen... Helemaal alleen...'

Ze huiverde, alsof ze opeens besefte dat ze zich al te veel liet gaan. Ze richtte zich weer op Olivia. 'Ik had je nog een keer met die Taser moeten bewerken.' Een foto van haar met Bentz dreef voorbij.

Ze mompelde iets en viste de foto uit het water. Bijna liet ze de sleutels vallen toen ze probeerde het slot van de kooi te openen. 'Ik wilde jouw doodsstrijd zien. Ik wilde dat RJ kon zien hoe jij naar adem hapte, een laatste wanhopige ademhaling. Maar nu...' De sleutels vielen uit haar hand en tussen de tralies door in de kooi.

In paniek strekte ze haar hand uit om de sleutels weer te grijpen. Olivia zag haar kans en duwde de vrouw weg. Als het lukte het slot te openen, dan kon ze misschien bij de trap komen...

De boot kraakte hevig en de lampen knipperden. Olivia besefte dat het nu of nooit was.

Ze haalde diep adem en keek naar de bodem. Ze dook met haar hoofd onder water. Haar haren en kleding waaierden om haar heen. Op de vloer van de kooi zag ze de sleutels, Olivia probeerde de bos te grijpen.

Maar tot haar afgrijzen zag ze de hand van de vrouw tussen de tralies en met haar wijsvinger haakte ze in de ring van de sleutelbos.

Olivia voelde haar longen protesteren en pijnlijke steken in haar maagstreek. Dit mocht niet gebeuren.

Ze kwam tegelijk met de vrouw weer boven water en stak haar beide armen tussen de tralies door. Ze greep het haar van de vrouw en trok haar weer onder water.

Haar tegenstandster worstelde en probeerde zich los te rukken, heftig met haar hoofd schuddend. Maar Olivia hield haar vast. Als ze nu zou verdrinken, dan samen met haar. Vechtend en draaiend, onder en boven water voelde Olivia dat haar longen dreigden te barsten. O god, help me...

Weer meende ze iets te horen.

Maar nu waren het geen krakende geluiden van de zinkende boot. Ze hoorde iets anders... Geschreeuw? Voetstappen? Was iemand aan boord gekomen? Alsjeblieft, laat het waar zijn...

De lampen knipperden weer.

Olivia haalde diep adem, en er kwam zeewater mee. Hoestend

drukte ze het hoofd van de vrouw tegen de tralies en met de camera sloeg ze uit alle macht op haar schedel. Een ziekmakend gekraak.

Bloed kleurde het water.

Weer werd aan dek geschreeuwd.

'Help!' gilde Olivia. 'Help me, hier beneden!'

Corrine greep de nek van Olivia en trok haar naar beneden. Samen verdwenen ze onder het wateroppervlak. Olivia spartelde uit alle macht.

De greep van Corrine werd steviger. Hun blikken kruisten elkaar. Corrine glimlachte onder water, haar donkere haren waaierden uit en er waren bloedrode strepen in het water bij haar hoofd. Haar ogen waren groot en verwilderd. Ik heb je, zei ze geluidloos. Jij en je baby zullen nu sterven!

Olivia voelde haar longen branden.

De wereld tolde om haar heen. Ze probeerde de dodelijke greep om haar hals los te rukken.

Ze voelde haar krachten verdwijnen. Ze moest lucht happen...

Zwakjes sloeg Olivia nog een keer met de camera tegen Corrines voorhoofd.

Toen doofden de lampen.

Hoorde ze voetstappen? Gejaagde stemmen? Waren het engelen die haar riepen?

In het donker voelde ze de camera uit haar hand glijden. Ze voelde Corrines handen om haar keel... Ze dreef weg in de koude duisternis...

Ze dacht aan de baby, en aan Rick Bentz. Ik hou van je, dacht ze. Ze zag een rond wit licht, als aan het einde van een tunnel.

We sterven, wist ze, langzaam omhoogdrijvend. Mijn baby en ik... We sterven...

De lichten gingen uit, juist toen Bentz en twee redders van de kustwacht het ruim binnengingen. Bentz zag nog even de twee vrouwen worstelen aan weerszijden van de tralies. Bloed verspreidde zich in het zoute water.

'Nee!' Bentz' stem weergalmde in het donkere ruim. Hij stormde de trap af en het water spatte op bij de onderste treden die al onder water stonden.

'Hé, wacht eens!' riep een van duikers, die een zaklantaarn aanknipte. Het ruim werd spookachtig verlicht.

Bentz sprong in het water, in de richting van de kooi. Hij besefte vaag dat anderen hem volgden: reddingswerkers met zoeklichten, koevoeten en ander materiaal.

Hij zag een grote snee op Corrines voorhoofd, nog bloedend, toen ze naar hem opkeek. 'Bentz,' zei ze met een hatelijke grijns. 'Jij klootzak. Dit is allemaal jouw schuld... Ze zal sterven, met haar baby. Door jou.'

'Niks daarvan,' gromde Bentz en hij trok haar opzij om haar naar een van de duikers te duwen. 'Arresteer haar!'

'Nee! Dat kan niet!' bracht Corrine uit. Haar speeksel was rood van het bloed.

Bentz negeerde haar en strekte zijn armen uit naar Olivia, wegdrijvend van hem, zo blauw, zo koud... 'Livvie!' schreeuwde hij, haar gezicht boven water houdend. 'Olivia!'

De boot kreunde aanhoudend, als een walvis in doodsnood. 'We moeten hier weg!' Een van de redders deed een felle onderwaterlamp aan, zodat het hele ruim zichtbaar werd. Olivia dreef in de kooi, haar haren waaierden uit over het water.

'Hebbes!' riep een duiker, zodra hij de sleutels had gevonden en het slot opende. De andere duiker, die Corrine in bedwang hield, sleepte haar langs de trap omhoog. Hij moest steun zoeken bij de wand, omdat de boot sidderde en steeds meer kapseisde. 'Laat haar los, we nemen het over.'

'Nee!'

De duiker protesteerde, maar Bentz negeerde de man. Olivia was zijn vrouw. Ze ademde amper, maar ze leefde nog. Hij droeg haar de trap op en ze begon te hoesten.

'Olivia?'

Ze kuchte weer, diep en rochelend, en hij hield haar stevig vast, toen ze het zoute water uitspuugde. Het kraken van de romp werd steeds luider.

'We moeten van boord!' De duikers duwden hen naar voren over het hellende dek.

De boot van de kustwacht lag langszij en deinde heen en weer. Wachtend tot de afstand zo klein mogelijk was riep Bentz: 'Nu!!' en geholpen door de duikers droeg hij Olivia aan boord, net voordat de Merry Anne met ijselijk gekraak en glasgerinkel in stukken uiteenviel en naar de diepte zonk.

Een ziekenbroeder verzorgde Olivia, en een tweede broeder wikkelde Corrine in dekens. Ze ademde nauwelijks en de blik in haar ogen was star. 'Ze heeft wel een polsslag,' zei de ziekenbroeder, maar dat interesseerde Bentz niet. Hij richtte al zijn aandacht op Olivia... en de baby. Dat had Corrine toch gezegd? Ze wilde zowel zijn vrouw als hun ongeboren kind doden...

'Rick?' fluisterde Olivia, terwijl haar doorweekte kleren werden uitgetrokken, voordat ze in dekens werd gewikkeld. Ze knipperde met haar ogen tegen het felle licht. Haar hand zocht de zijne. Olivia lag op een brits, amper twee meter verwijderd van Corrine, die handboeien om haar polsen had.

'Ik ben hier, schat,' zei Bentz. Hij had een brok in zijn keel en voelde tranen achter zijn ogen branden.

'Ik... ik ben de baby kwijt.' Ze keek naar hem en slikte moeilijk.

'Dat geeft niet.' Hij greep haar hand stevig vast. 'Jij leeft nog, dat is veel belangrijker.'

'Maar de baby...'

'We zullen nog kinderen krijgen, Olivia,' zei hij, zich over haar buigend om haar lippen te kussen. 'Dat beloof ik je.'

Epiloog

Langzaam opende Olivia haar ogen in het gedempte licht, dat voor haar vreselijk schel leek. Ze lag in een ziekenhuiskamer. Er was iemand bij haar in de kamer, een vage gestalte bij het raam.

Het komt allemaal goed met je, zei de gestalte en toch hoorde ze geen geluid. *Het komt goed met jou en met de baby.*

'Wie bent u?' stamelde ze.

'Olivia?'

Ze knipperde met haar ogen. De stem van Bentz bracht haar terug in de werkelijkheid.

'Zag je dat?' vroeg ze, zich naar het raam draaiend, waar de hemel roze en oranje kleurde in de dageraad.

'Wat moest ik zien?' vroeg hij, naar het raam kijkend.

'Daar was iemand... iets...' Maar toen hij haar aankeek alsof ze hem in de maling wilde nemen, schudde ze haar hoofd. 'Ik denk dat ik droomde.'

'Hoe voel je je?'

'Ik moet hier weg.' Ze was al twee dagen ter observatie in het ziekenhuis, na de beproeving die ze doorstaan had. De baby was nog levensvatbaar, en Olivia had alleen uitputtingsverschijnselen.

'Ik zal informeren of je naar huis mag.'

'Je moet alles doen om de artsen te overtuigen. Alsjeblieft!'

'Doe ik.' Hij boog zich over haar heen en kuste haar lippen, een belofte van meer als ze eenmaal thuis waren in New Orleans.

Olivia wilde zo snel mogelijk naar huis, om de herinnering aan de traumatische ontvoering achter zich te laten en voorbereidingen te treffen voor de komst van de baby. 'Los Angeles, de stad van de engelen,' mopperde ze sarcastisch. Ze keek weer naar het venster, zich afvragend of ze daar echt een geestverschijning had gezien.

Volgens Bentz was de aanval van Corrine gefilmd met de camera, die nog net voordat de Merry Anne zonk, was gevonden. Hij twijfelde er niet aan dat ze de rest van haar leven in de gevangenis zou slijten.

De afgelopen twee dagen waren er meer bijzonderheden over de psychisch gestoorde vrouw in de kranten verschenen. Olivia keek naar de *LA Times* op het nachtkastje. Er stond weer een artikel met nieuwe informatie over de zaak in de krant.

Kennelijk had Corrine gedaan alsof ze gewond was om een kantoorbaan in Parker Center te krijgen: zo kon ze informatie verzamelen over nieuwe zaken en over Rick Bentz, die bij het LAPD had gewerkt. Nu was er bewijs dat O'Donnell betrokken was bij de moord op Shana McIntyre, Lorraine Newell, Fortuna Esperanzo en Sherry Petrocelli.

'O'Donnell heeft een spoor van dood en ellende achtergelaten,' meldde het krantenartikel 'en ze heeft ook een vrouw uit New Orleans ontvoerd, die getrouwd is met Rick Bentz, de vroegere minnaar van O'Donnell.'

Arme Hayes, dacht Olivia. Hij had herhaaldelijk tegen Bentz gezegd dat hij zichzelf ongelooflijk dom vond omdat hij niet had gemerkt wat O'Donnell in haar schild voerde. En hij bezwoer dat hij nooit meer iets met die moordenares te maken wilde hebben.

'Dat duurt niet lang,' had Bentz voorspeld.

Montoya was al teruggereisd naar New Orleans, om bij zijn vrouw te zijn, en bij het Los Angeles Police Department keerde de rust terug. Fernando Valdez en Yolanda Salazar bleken geen bewuste medeplichtigen in het grootse wraakplan van Corrine, maar het LAPD wilde hun rol in de zaak nog nader onderzoeken. En hetzelfde gold voor Jane Hollister.

Wat de Twenty-one-moordenaar betreft: Bledsoe had met hulp van twee vrouwelijke rechercheurs als lokaas en intens speuren op internetchatrooms iemand gevonden die aan het profiel van de dader voldeed – Donovan Caldwell, de oudere broer van de eerder vermoorde tweelingzusjes. Het vermoeden bestond dat de terugkeer van Bentz naar Los Angeles hem tot zijn daad had gebracht, en dat hij genoot van de aandacht die hij kreeg.

Corrine verklaarde heel stellig dat ze niets te maken hadden met de moord op de tweeling, en binnen het LAPD werden de twee zaken niet met elkaar in verband gebracht.

Maar dat Corrine dood en verderf had gezaaid was wel een zware slag voor het politiekorps.

Corrine leefde nog, ze lag in het ziekenhuis en werd voortdurend bewaakt. Het werd langzaam duidelijk dat ze tot haar wandaden was gekomen omdat Bentz haar twee keer gedumpt had, en omdat haar moeder Merry Anne was omgekomen bij een verkeersongeluk. Dat gebeurde toen ze op weg was naar haar dochter om haar te troosten. Hayes vertelde dat Corrine een weeskind was en een treurige jeugd in allerlei pleeggezinnen had doorgebracht voordat ze door de O'Donnells werd geadopteerd. Ze vond het vreselijk om alleenstaand te zijn, ze was bang om eenzaam oud te worden, al wist ze goed de indruk te wekken dat ze een zelfstandig type was. Corrine had ooit aan Hayes verteld dat ze na de dood van haar pleegmoeder en nadat haar pleegvader was hertrouwd, zich eenzaam en verlaten voelde.

En dat haar relatie met Bentz verbroken werd had dat gevoel nog sterker gemaakt.

Ze wilde zich niet alleen op Jennifer Bentz wreken, maar ook op Olivia, die later met Rick was getrouwd.

Hoewel het been van Bentz nog niet helemaal hersteld was, had hij de wandelstok steeds minder nodig gehad tijdens zijn speurtocht in Los Angeles. Melinda Jaskiel had hem opgebeld en gezegd dat hij zijn werk kon hervatten, als de bedrijfsarts daarmee akkoord ging. 'En aangezien jij toch altijd op zoek bent naar problemen, heb ik liever dat je dat hier doet. Dan kan ik je beter in de gaten houden,' had Jaskiel eraan toegevoegd.

'Ik heb goed nieuws,' zei Bentz toen hij nauwelijks hinkend weer terugkeerde in de kamer waar Olivia lag. 'Zodra de arts nog even bij je gekeken heeft mogen we vertrekken. Ik denk eerlijk gezegd dat hij graag nog even naar jouw prachtige lijf wil kijken.'

'Ja, dat denk jij,' lachte Olivia.

'Ik heb Kristi gebeld om het grote nieuws te vertellen,' zei Bentz. 'Ze vindt het geweldig om nog een broertje of zusje te krijgen.' Bentz dacht even na en zei toen lachend: 'Dus Kristi is binnenkort getrouwd en ze zal dan ook wel vlug een kind willen. Dan kan onze baby in de zandbak spelen met zijn neefje of nichtje.'

Bentz keek even bezorgd voor zich uit en tikte tegen zijn kin.

'Ja, ja, ik begrijp het al.' Olivia moest een glimlach onderdrukken. 'Jij vindt jezelf eigenlijk te oud om weer vader te worden, maar dat gaat toch gebeuren. Of je het nu leuk vindt of niet. Dus bereid je maar voor op de komst van ons kind.'

'Dat doe ik ook,' stelde hij haar gerust. Hij knipoogde en boog zich voorover om haar te kussen. 'Je weet niet half hoezeer ik me daarop verheug.'

Olivia straalde en sloeg haar armen om zijn hals. 'Hier heb ik mijn hele leven op gewacht!'